화영일록

화영일록(풍석총서6)

이 책은 문화체육관광부의 "풍석학술진흥연구사업"의 보조금으로
원문번역 및 간행이 이루어졌습니다.

지은이 풍석 서유구
옮긴이 박시현, 한민섭
펴낸이 신정수
펴낸곳 자연경실
진행 박시현, 박소해
디자인 아트퍼블리케이션 디자인 고흐
인쇄 상지사피앤비
전화 (02) 6959-9921
E- mail pungseok@naver.com
펴낸날 2021년 12월 17일
ISBN 979-11-89801-50-2 (94080)

◎ 자연경실은 서유구 선생이 노년에 사용하던 서재 이름으로 풍석문화재단의 출판브랜드입니다.

풍석총서 6

화영일록

차례

일러두기

- 이 책은 조선 후기 대표 실학자인 풍석 서유구의 《화영일록》을 표점·교감·번역·주석한 것이다.
- 일본 오사카부립 나카노시마도서관 소장 필사본을 저본(底本)으로 하였다.
- 번역문과 원문을 각각 1책씩 모두 2책으로 하였다.
- 역자의 주석은 내용이 길면 각주로, 내용이 간단하면 ()로 묶어 간주로 처리하였다.
- 본문의 이해에 도움이 되는 그림과 표, 사진 자료를 수집하여 함께 배치하였다. 본디 저본에는 그림 등이 없다.
- 원문에 이두는 기울여 작게 표기하였다.
- 번역문에 사용된 문장 부호는 대략 다음과 같다. ()는 음이 같은 한자를, 〔 〕는 음이 다르지만 뜻이 같은 한자를, 《 》는 서명을, 〈 〉는 편명을 각각 표시한다.
- 저본의 오자와 탈자 등은 바로잡고, 교감 사항은 원문 하단에 각주 처리하였다.
- 원문의 표점 부호는 마침표(。), 쉼표(,), 모점(、), 물음표(?), 느낌표(!), 쌍점(:), 쌍반점(;), 인용부호(“ ”), 가운뎃점(·), 괄호(()), 서명부호(《 》)를 사용하였다.
- 저본의 소자쌍행(小字雙行) 원주(原註)는【 】로 묶어 처리하였다.

《화영일록(華營日錄)》 해제

1.《화영일록(華營日錄)》에 대하여

《화영일록》은 서유구(徐有榘, 1764~1845)가 수원 유수(水原留守)로 재직하던 1836년(헌종 2) 1월부터 1837년 12월까지 지방 통치 및 재정 운영에 관여하여 수행한 공무를 일기형식으로 서술한 기록이다. 서유구는 수원 유수로 부임하기 전 1833년(순조 33) 4월 10일부터 1834년(순조 34) 12월 30일까지 전라도관찰사 겸 병마·수군절도사 도순찰사 전주부윤(全羅道觀察使兼兵馬水軍節度使都巡察使全州府尹)으로 21개월간 재임하면서 《완영일록(完營日錄)》이라는 8책의 업무일지를 남긴 바 있다. 《화영일록》은 《완영일록》과 비슷한 성격을 지닌 업무일지로서 《화영일록》을 이해하기 위해 먼저 《완영일록》에 대해 살펴볼 필요가 있다.

서유구는 전라도관찰사로서 공무를 처리하는데 있어 위로는 국왕과 중앙 각사, 아래로는 각 지방 수령들과 주고받은 문서를 거의 하루도 빠뜨리지 않고 기록하였는데, 이러한 사실을 엿볼 수 있는 문헌이 바로 전라도관찰사 21개월 재임기간 동안 기록한 《완영일록》이다. 일반적인 일기류가 개인의 신변잡기에 관한 기록이라면 《완영일록》은 관찰사로서의 공식 업무와 공문서에 대한 기록이라고 할 수 있다. 전라도는 대대로 국가에 가장 많은 전세와 대동세를 납부하였던 지역이었다. 그러나 연이은 자연재해와 가뭄으로 인해 당시 전라도의 상황은 피폐하였고 백성들은 도탄에 빠져 예년과 같은 기능을 하기 어려웠던 상황이었다. 이와 같은 어려운 시기에 서유구는 70세라는 나이에도 불구하고 전라도관찰사로 부임하여 농형을 살피고 도탄에 빠진 백성들을 진휼하며 군역과 조선(漕船)의 병폐를 살펴야 하는 막중한 임부를 부여받았다. 이와 같은 내용은 당시 서유구가 전라도관찰사로 제수될 때 받은 교유서(敎諭書)에서도 찾아볼 수 있다.[1]

서유구는 1835년(헌종 1) 봄, 전라도관찰사(全羅道觀察使)에서 체직(遞職)되고 중앙으로 복귀하여 의정부 좌참찬(議政府左參贊)[2]·규장각 제학(奎章閣提學)[3]에 연이어 제수되었다. 6월에는 이조판서(吏曹判書)로 낙점되었고[4] 3번 상소하여 사직하였으나[5] 같은 해 9월 다시 병조판

1 그런데 한창 번성한 후에 어떠한가. 점차 피폐하다는 한탄을 이루었다. 아전들이 무롱(舞弄)을 범하니 고을의 저축이 비어 해마다 소란하고, 시속이 사치를 숭상하니 백성의 힘은 고갈되어 날로 더욱 교활해졌다. 종이를 바치고 부채를 바치는 경우에 이르러서는 폐단을 손가락으로 세기 어렵고, 더구나 또 군역(軍役)과 조선(漕船)의 경우는 병폐가 이미 많았다. 진실로 이천 석(二千石 지방 장관)의 평소 명망이 아니면 어찌 50주(州)를 제대로 다스릴 수 있겠는가. 이에 경(卿)을 전라도 관찰사 겸 병마·수군절도사 도순찰사(都巡察使) 전주 부윤(全州府尹)으로 제수하니, 경은 힘써 좋은 계책을 품고 공경히 총명(寵命)을 받으라. 夫何全盛之餘? 漸致凋瘵之歎。吏奸舞弄, 邑儲枵而歲比繹騷;俗尚侈靡, 民力竭而日益狡詐。至若賦紙貢扇, 弊難指陳; 矧又簽籍漕船, 瘼已毛起。苟非二千石雅望, 曷膺五十州來旬? 玆授卿以全羅道觀察使、兼兵馬水軍節度使、都巡察使、全州府尹, 卿其勉懷令圖, 祇服寵命。(서유구 지음, 김순석 외 엮음, 《역주 완영일록》, 흐름 p.32 참조)

2 以李翊會爲工曹判書, 徐有榘爲議政府左參贊, 李紀淵爲右參贊。(《憲宗實錄》 2권, 憲宗 1년 3월 30일 己丑)

3 以金道喜爲京畿觀察使, 趙寅永、徐有榘爲奎章閣提學, 朴永元爲直提學。(《憲宗實錄》 2권, 憲宗 1년 5월 21일 己卯)

4 以徐有榘爲吏曹判書。(《憲宗實錄》 2권, 憲宗 1년 閏 6월 11일 己巳)

5 吏曹判書徐有榘, 三疏辭職, 許之, 以金學淳代之。(《憲宗實錄》 2권, 憲宗 1년 閏6월 19일 丁丑)

서(兵曹判書)[6]에 제수되었다. 그 이듬해인 1836년(헌종 2) 정월, 서유구는 국왕에게 체직(遞職)을 청하였으나 받아들여지지 않았고 1월 11일에는 수원 유수(水原留守)에 수의(首擬) 몽점(蒙點)되었다.[7] 서유구는 1월 15일 사직을 구하는 상소를 국왕에게 올렸으나 윤허를 받지 못하였고,[8] 1월 26일 승정원(承政院)에 나가 병부(兵符)와 교유서(敎諭書)를 받아 경기 영(營)으로 출발하였다.[9]

같은 날, 서유구는 전임 유수 김도희(金道喜)와 교귀식을 마치고 이튿날 화령전(華寧殿)에 숙배한 다음 도임 장계(到任狀啓)를 작성하여 올리고 본격적으로 유수로서의 업무를 수행한다. 이 이후로 서유구는 유수부의 업무를 보고하는 장계(狀啓)와 이에 관련하여 내려온 전교(傳敎) 등의 문서, 왕실의 중요한 날에 작성하여 바쳤던 각종 전문(箋文), 주변의 여러 군현과 부(府)및 주고받은 관문(關文)과 문이(文移), 유수부 산하에 내린 감결(甘結)과 전령(傳令), 봄과 가을에 작성한 인사 고과인 포폄(褒貶) 등을 날짜별로 등재하여《화영일록》을 편찬하였는데, 여기에는 서유구가 수원 유수로 임명되어 1837년(헌종 3년) 12월 3일 지경연사(知經筵事)로 낙점을 받고, 다시 11일에 전생서(典牲署) 제조(提調)로 임명이 되기까지 2년에서 19일이 모자라는 약 23개월간, 수원 유수로 재직하는 12월 12일까지의 공무 내용이 기록되어 있다.

---

6 以徐有榘爲兵曹判書.《憲宗實錄》2권, 憲宗 1년 9월 14일 庚子)

7 水原留守議薦, 徐能輔許遞代。備望 ○徐有榘、李翊會、柳相祚。

8 《華營日錄》卷1, 憲宗 1年 1月 15日.

9 《華營日錄》卷1, 憲宗 1年 1月 26日.

2. 《화영일록》 등재 문건 수 및 문서 내용

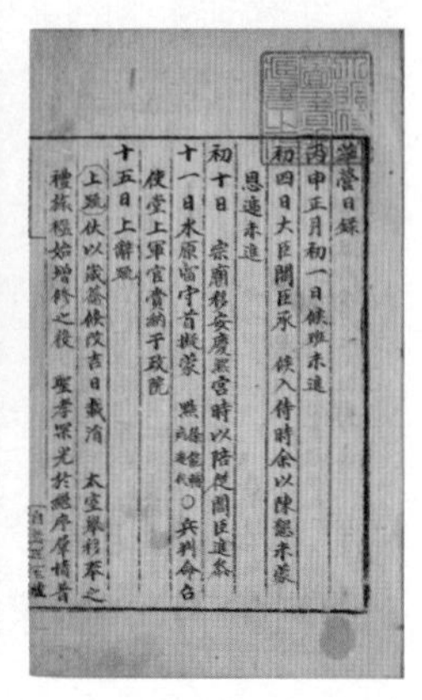

(http://kostma.korea.ac.kr/dir/list?uci=RIKS+CRMA+KSM-WM.0000.0000-20150331.NS_0095)
출처 고려대학교 해외한국학자료센터

《화영일록》은 현재 일본 오사카부립 나카노시마도서관에 소장되어 있다. 총 2권 1책으로 구성되어 있으며 서유구의 가장(家藏)임을 표시하는 '자연경실장(自然經室藏)'이 판심(版心) 하단에 붙어있다. 서유구 가문의 가장(家藏) 서적은 '풍석암서옥(楓石庵書屋)'이나 '자연경실장'이라는 판심이 있는 원고에 쓰는 경우가 많다. '풍석암(楓石庵)'은 서유구가 젊은 시절 조부 서명응(徐命膺, 1716~1787)과 함께 지냈던 용주(蓉洲)의 서재를 가리키는데, 주변 경관이 가을 단풍과 돌의 경치가 아름다워 풍석암이라 지은 듯하다. 자연경실은 서유구가 수원 유수를 지낼 때 이사하였던 번계(樊溪)에서의 서재를 말한다. 서유구는 이 번계에서 그의 대표 저술인 《임원경제지(林園經濟志)》를 집대성하였고 유일한 시문집인 《번계시고(樊溪詩稿)》, 전라도관찰사 공무 일지인 《완영일록》과 수원 유수 공무 일지인 《화영일록》을 '자연경실장' 판심이 붙어있는 원고지에 다시 정서한 것으로 보인다.

《화영일록》에는 《완영일록》과 마찬가지로 개인적인 일상은 최대한 배제하였으나 서유구가 만년(晩年)에 거주하면서 머물렀던 번계에서와 자연경실에 관한 기록, 번계로 이사하면서 사우(祠宇)를 옮기는 일이나 조카의 혼례에 관한 일 등 개인적인 일상에 관한 내용도 적게나마 기록되어 있는데, 이는 서유구가 수원에서 서울을 자주 드나들면서 개인 거처에 머무를 기회가 많았기 때문이었던 것으로 보인다.

일기의 작성 방식은 날짜를 기록한 다음 공무 일정을 먼저 간략하게 적고 그날 주고받은 공문서의 내용을 줄을 바꿔 한 칸 아래 중괄호 안에 문서명을 기록한 다음 투식구를 제외하고 내용만을 편집하여 옮겨 놓았다. 또한, 같은 날에 발생한 일이라도 내용이 다르면 같은 날(同日)로 구분하여 별도로 작성하였다.

이처럼 《화영일록》은 수원 유수의 공식 업무와 공문서를 기록한 것으로 이 일기에 등재된 문서는 수원 유수로서의 공문서라 할 수 있으니, 이 기록을 검토함으로써 당시 통치 과정과 지방의 행정 및 사건을 자세하게 알 수 있다.

이 일기에는 가장 많이 등장하는 문서 형식은 장계(狀啓)이며 문서 종류는 총 22종에 달한다.

표1 《화영일록》 문서 종류 등재문건 수

문서 종류	등재문건 수	문서 종류	등재문건 수
상소(上疏)	1	검안제사(檢案題辭)	3
장계(狀啓)	195	절목(節目)	1
전문(箋文)	19	단오첩(端午帖)	1
축문(祝文)	2	거조(擧條)	1
보첩(報牒)	12	교서(敎書)	1
포폄등제(褒貶等第)	3	사문(赦文)	4
초기(草記)	1	이문(移文)	10
계본(啓本)	20	전령(傳令)	8

관문(關文)	16	감결(甘結)	8
전교(傳敎)	1	방목(榜目)	3
비답(批答)	1	주제(籌題)	1

3.《화영일록》에 나타난 서유구의 활동

수원 유수(水原留守)는 정2품의 비변사(備邊司) 당상관(堂上官)에 해당하였다. 따라서 수원 유수인 서유구는 유수부(留守府)의 업무 뿐만 아니라 조정의 중대사에도 직접 참여해야 했다. 또한, 관원 중에서 학식과 문장이 탁월한 자들을 뽑아 홍문관(弘文館)이나 규장각(奎章閣)의 제학(提學)을 겸임하는 경우도 었는데, 서유구는 당시 규장각 제학을 겸임하고 있었다. 따라서 서유구는 크게 정2품 당상관의 지위에서 조정의 중대사에 참여하는 업무, 규장각 제학으로서 권강(勸講)과 진강(進講), 실록(實錄) 등의 편찬 사업에 참여하는 업무, 수원 유수로서 수원 지역을 관할하는 지방관의 업무까지 총 3가지의 지위를 수행하였다.

1) 규장각 제학 및 당상관으로서의 업무

서유구는 수원 유수로 재직하면서 규장각 제학을 겸하고 있었다. 당시 서유구는 규장각 제학으로서 편찬 사업에 참여하였는데, 서유구가 수원 유수로 부임한 1836년은 순조(純祖, 1790~1834)의 어제(御製)와 익종(翼宗, 1809~1830)의 어제를 동시에 편찬하여《열성어제(列聖御製)》에 포함시키는 작업이 한창 진행 중이었다.[10] 헌종(憲宗,

10 서유구가 참여한《열성어제》는《순종대왕어제》12권과《익종대왕어제》6권 별《편》1책을 합

1827~1849)은 왕으로 즉위한 후 순조의 아들이자 헌종의 아버지였던 효명세자(孝明世子)를 익종이라는 묘호(廟號)로 추존(追尊)하여 순조의 어제를 편찬할 때 익종의 어제도 함께 편찬하게 하였다. 서유구는 수원 유수로 재직하는 동안에도 규장각 제학으로서 내각(內閣)에 나가 어제를 교준하였으며, 수원 유수에 몽점(蒙點)되고 나서 사직 상소를 올린 이후에도 총 6회에 걸쳐 내각에 나가 어제를 교준하였다.

표2 내각(內閣)에 나가 어제를 교준한 기록

회차	날짜	회차	날짜
1	1836. 1. 16	12	1836. 3. 20
2	1836. 1. 17	13	1836. 3. 21
3	1836. 1. 18	14	1836. 3. 22
4	1836. 1. 19	15	1836. 3. 23
5	1836. 1. 22	16	1836. 3. 26
6	1836. 1. 25	17	1836. 4. 1
7	1836. 2. 23	18	1836. 4. 3
8	1836. 3. 2	19	1836. 4. 5
9	1836. 3. 3	20	1836. 4. 6
10	1836. 3. 18	21	1836. 4. 7
11	1836. 3. 19	22	1836. 4. 24

《화영일록》의 기록에 따르면 서유구는 총 22회를 내각에 나가 《열성어제》를 교준하였다. 순조와 익종의 《열성어제》는 1836년 5월 19일에 완성되었는데, 이날 서유구는 규장각 각신(閣臣)으로서

하여 총 18권 12책으로 구성되어 있고, 권말에 교장자 명단에서 서유구의 직함은 '資憲大夫 水原府留守兼摠理使 知實錄事 奎章閣帝學'으로 기록되어 있다. 순조와 익종어제 합부본은 총 70건이 인쇄되었고 서유구도 1건을 하사받았다.(김문식, 《풍석 서유구 연구 上》, 〈풍석의 수원유수 시 활동 양상〉, 76면, 2014).

어제를 교정하고 감인(監印)한 공로로 국왕에게 가자(加資)를 받았으며,[11] 5월 21일에는 수원에 도착한 왕의 유지(有旨)와 교유서(教諭書), 내하호피(內下虎皮) 1령(令)을 하사받았다.[12]

서유구는 《열성어제》 편찬 사업과 함께 《순조실록(純祖實錄)》 편찬에도 참여했다.[13] 《순조실록》은 1800년 7월부터 1834년 11월까지 순조 재위 년간의 기록으로 권두 서명(卷頭書名)은 《순종연덕현도경인순희문안무정헌경성효대왕실록(純宗淵德顯道景仁純禧文安武靖憲敬成孝大王實錄)》으로 되어있으며, 1835년(헌종 1) 5월에 편찬을 시작하여 1838년(헌종 4) 4월에 완성되었다.

서유구는 규장각 제학으로서 편찬 사업을 수행하기 위해 수원과 서울을 자주 왕래하였다. 상경(上京)할 때는 당일 화영(華營)을 출발하여 과천(果川)이나 시흥(始興)에서 점심을 먹고 서울에서는 필곡(筆谷)이나 번계(樊溪)에 묵었다. 서유구는 수원 유수로 재직하면서 342일 동안 서울에 머물렀으며, 총 94회를 실록청에 나가 실록 편찬에 참여했다. 서울에 있을 때는 당상관으로서 왕실 행사에도 참석하였다.

---

11 傳于李鐸遠曰, 御製繕寫時校準閣臣原任提學南公轍·沈象奎·洪奭周·朴宗薰, 各內下豹皮一令賜給, 提學趙寅永, 原任提學鄭元容, 提學徐有榘, 檢校直提學徐憙淳, 直提學朴永元, 原任直閣徐俊輔·李光文·李嘉愚, 原任待教李憲瑋, 各內下虎皮一令, 原任直閣李景在·吳取善, 直閣李公翼, 原任待教金正喜, 檢校待教趙斗淳·金學性, 待教金洙根, 各內下鹿皮一令, 兼檢書官柳本藝·元有永, 檢書官朴宗永·安季良·金鳳紋·金箕淳, 各上弦弓一張賜給, 寫字官以下, 令內閣考其工課, 竝與員役·工匠等, 依辛酉年例施賞。(《承政院日記》 2330책(탈초본 116책) 憲宗 2년 5월 19일 辛丑)

12 《華營日錄》 卷1 5月 21日.

13 편찬에 관계한 실록청 당상관은 다음과 같다. 총재관(摠裁官)에 이상황(李相璜)·심상규(沈象圭)·홍석주(洪奭周)·박종훈(朴宗薰)·이지연(李止淵), 도청당상(都廳堂上)에 신재식(申在植)·조인영(趙寅永), 각방당상(各房堂上)에 조만영(趙萬永)·홍희준(洪羲俊)·김이재(金履載)·서준보(徐俊輔)·김로(金鏴)·김학순(金學淳)·김난순(金蘭淳)·이익회(李翊會)·홍경모(洪敬謨)·박회수(朴晦壽)·서희순(徐憙淳)·김매순(金邁淳)·이가우(李嘉愚)·서경보(徐耕輔)·김유근(金逌根)·정원용(鄭元容)·권돈인(權敦仁)·서유구(徐有榘)·정기선(鄭基善)·이헌기(李憲琦)·박영원(朴永元)·김홍근(金弘根), 교수당상(校讎堂上)에 이헌위(李憲瑋) 등이다.

표3 서유구의 서울 출입 일정 및 수행 업무

화영 출발	화영 도착	체류일	서울에서 수행한 주된 업무
1836. 2. 21	1836. 3. 6	13일	• 어제 교준 • 편찬 사업
1836. 3. 17	1836. 4. 29	41일	• 어제 교준 • 편찬 사업 • 종묘(宗廟) 영녕전(永寧殿) 환안(還安)에 서반(西班)으로 배종하고 후반(候班)으로 진참(進參) • 효성전(孝成殿) 주다례(晝茶禮) 종승(從陞) • 효화전(孝和殿) 하향대제(夏享大祭) 종승(從陞) • 효성전 하향대제 종승 • 빈대(賓對) 진참 • 풍은부원군(豐恩府院君) 수석(壽席)에 참석
1836. 5. 28	1836. 8. 1	62일	• 편찬 사업 • 숙선옹주(淑善翁主) 상에 성복(成服) 후 문안 반열 진참 • 망제(望祭) 진참 • 효성전 작헌례(酌獻禮)·주다례·삭제 종승 • 효성전 추향제(秋享祭) 진참 • 효화전 가을 전알 종승 • 주합루(宙合樓) 봉심에 진참 • 권강(勸講)
1836. 8. 18	1836. 9. 11	22일	• 권강 • 편찬 사업 • 삭제 반열 종승 • 주다례 종승
1836. 11. 9	1836. 11. 13	4일	• 효성전 조상식·석상식 종승 • 주다례 종승 • 대상(大祥) 반열 종승
1837. 1. 2	1837. 1. 15	13일	• 효성전과 효화전 부태묘(祔太廟) 지영반(祗迎班) 진참 • 춘향대제(春享大祭) 입참 • 대왕대비와 왕대비 존호 진하례(陳賀禮)
1837. 3. 8	1837. 5. 2	53일	• 편찬 사업 • 납징(納徵)·고기(告期)·왕비 책봉·가례에 배종 후 문안반 진참, 진하례 입참, 중궁전 문안반 진참 • 빈대 진참 • 봉모당 전배에 진참 • 주합루·연경당 봉심에 진참 • 양묘(兩廟, 순조와 익종)의 이봉(移奉)에 배종 후 문안반 진참 • 경모궁과 경우궁으로 이봉할 때 배종 후 문안반 진참 • 진강
1837. 6. 6	1837. 8. 11	64일	• 진강 • 편찬 사업
1837. 8. 21	1837. 9. 18	16일	• 편찬 사업 • 인정전(仁政殿) 영칙(迎勅)에 종승 후 문안반 진참
1837. 10. 6	1837. 11. 14	39일	• 진강 • 인릉(仁陵) 기신제향 문안반 진참
1837. 11. 26	1837. 12. 11	15일	• 진강 • 왕대비 탄신 문안반 진참
총계		342일	

표4 실록청에 나가 실록 편찬에 참여한 일정

회차	날짜	회차	날짜	회차	날짜
1	1836. 1. 21	33	1837. 4. 8	65	1837. 7. 29
2	1836. 1. 22	34	1837. 4. 11	66	1837. 7. 30
3	1836. 3. 2	35	1837. 4. 12	67	1837. 8. 1
4	1836. 3. 3	36	1837. 4. 20	68	1837. 8. 2
5	1836. 3. 4	37	1837. 4. 21	69	1837. 8. 3
6	1836. 3. 18	38	1837. 4. 22	70	1837. 8. 4
7	1836. 3. 20	39	1837. 4. 23	71	1837. 8. 5
8	1836. 3. 21	40	1837. 6. 8	72	1837. 8. 6
9	1836. 4. 25	41	1837. 6. 9	73	1837. 8. 23
10	1836. 5. 15	42	1837. 6. 12	74	1837. 8. 24
11	1836. 6. 7	43	1837. 6. 13	75	1837. 8. 26
12	1836. 6. 9	44	1837. 6. 14	76	1837. 8. 27
13	1836. 6. 12	45	1837. 6. 15	77	1837. 9. 3
14	1836. 6. 13	46	1837. 6. 16	78	1837. 9. 4
15	1836. 6. 28	47	1837. 6. 20	79	1837. 9. 5
16	1836. 7. 1	48	1837. 6. 21	80	1837. 9. 6
17	1836. 7. 2	49	1837. 6. 22	81	1837. 9. 7
18	1836. 7. 3	50	1837. 6. 24	82	1837. 9. 8
19	1836. 7. 11	51	1837. 6. 25	83	1837. 9. 10
20	1836. 7. 21	52	1837. 6. 26	84	1837. 10. 8
21	1836. 7. 22	53	1837. 6. 27	85	1837. 10. 20
22	1836. 7. 25	54	1837. 6. 28	86	1837. 10. 24
23	1836. 7. 26	55	1837. 6. 29	87	1837. 10. 28
24	1836. 8. 23	56	1837. 7. 12	88	1837. 11. 1
25	1836. 8. 27	57	1837. 7. 13	89	1837. 11. 4
26	1836. 8. 28	58	1837. 7. 14	90	1837. 11. 7
27	1836. 9. 3	59	1837. 7. 15	91	1837. 11. 11
28	1836. 9. 4	60	1837. 7. 19	92	1837. 11. 28
29	1836. 9. 5	61	1837. 7. 20	93	1837. 12. 1
30	1836. 9. 6	62	1837. 7. 21	94	1837. 12. 2
31	1836. 9. 7	63	1837. 7. 25	계	총 94회
32	1836. 9. 8	64	1837. 7. 26		

1837년 7월 21일에는 규장각 제학으로서 서유구는 열성지장(列聖誌狀) 속인(續印)에 감인 각신(監印閣臣)으로 수점(受點)을 받았다. 서유구는 총 6차례(1837.7.21, 7.25, 8.4, 8.7, 8.10, 8.23) 내각(內閣)에 나가 열성지장에 감인하였고 8월 27일 인간(印刊)을 마치고 인정전(仁政殿)에 책을 바쳤다. 서유구는 감인 각신으로서 8월 28일 내사(內賜) 열성지장 1건을 받았고, 8월 30일에는 열성지장 감동(監董) 각신(閣臣)으로 그 공로를 인정받아 내하 표피(內下豹皮) 1령(令)을 받았다.

서유구는 편찬 사업뿐만 아니라 정2품 당상관으로서 조정의 중대사 및 각종 왕실의 행사에 참석하였다. 효성전(孝成殿) 삭제(朔祭)·망제(望祭)·전알(展謁)·조상식(朝上食)·주다례(晝茶禮)와 효화전(孝和殿) 가을 전알에 참석하였다. 순조와 익종의 부묘(祔廟)에도 참석하였다. 이때 서유구는 대전(大殿, 헌종), 대왕대비전(大王大妃殿, 순원왕후(純元王后)), 왕대비전(王大妃殿, 신정왕후(神貞王后))에 부묘전문(祔廟箋文)과 존숭전문(尊崇箋文)을 지어바쳤으며, 규장각 제학으로서 부묘전문과 존숭전문을 지어 내각에 보냈다.

서유구는 3월 20일에 거행된 헌종의 가례에 각반(閣班)으로, 22일에는 중궁전 조현례 후 문안반으로 참석하였다. 또 3월 12일 납징(納徵), 13일 고기(告期), 18일 왕비 책봉(冊封)에 진참하고 대전(大殿)·대왕대비전(大王大妃殿)·왕대비전(王大妃殿)·중궁전(中宮殿)에 가례 진하 전문과 규장각 제학으로서 내각에 1건의 전문을 지어 바쳤다.

서유구는 규장각 제학으로서 편찬 사업을 수행하기 위해 서울에 머무를 일이 많았고, 조정의 신망을 받는 고위 관원으로서 왕실 행사에 참여하는 일 역시 서유구가 수행해야 했던 주요 업무

중 하나였다.

서유구는 헌종의 권강(勸講)과 진강(進講)에 참석했다. 서유구는 헌종의 세자 시절부터 스승이었다. 당시 헌종은《소학(小學)》과《대학(大學)》,《논어(論語)》를 강독하는 중이었는데[14],《승정원일기(承政院日記)》에 의하면 서유구가 수원 유수(水原留守)로 재직하는 동안 3차례의《소학》과 2차례의《대학》, 15차례의《논어》경연에 참석한 것으로 보인다. 경연을 진행하는 절차는 지난 시간에 배운 것을 왕이 먼저 한 차례 외우고 난 후 왕이 책을 펼치면 서유구가 새로 배우는 부분의 음을 읽고 뜻을 해석해 주었으며, 이어 읽은 문장에 대해 그 뜻을 설명하는 방식으로 진행되었다.

《화영일록》에 기록된 서유구의 권강 및 진강 일지와《승정원일기》에 기록된 당시 강의 내용은 아래와 같다.

표5 서유구의 경연 참여 일지 및 내용

회차	날짜 및 편명	내용
1	1936. 1. 26.	《승정원일기(承政院日記)》에 서유구(徐有榘)의 헌종(憲宗) 권강(勸講)에 관한 기록은 헌종 1년(1835) 3월 21일 기사에 처음 보인다.《승정원일기》에는 1936년 1월 26일 당일 권강은 기록되어 있지 않고,《조선왕조실록(朝鮮王朝實錄)》〈헌종실록(憲宗實錄)〉당일 기사에 "희정당(熙政堂)에서 권강하였다. 수원 유수(水原留守)를 소견(召見)하였는데, 사폐(辭陛)하였다.(勸講于熙政堂, 召見水原留守徐有榘, 辭陛也。)"라고 기록되어 있다.

14 《열성조계강책자차제(列聖朝繼講冊子次第)》에 의하면 헌종은 즉위 후 경연(經筵)에서《소학》은 을미년(乙未年, 1835) 1월 6일에 시작하여 병신년(丙申年, 1836) 9월 4일 강론(講論)을 마친 것으로 되어 있고,《대학(大學)》은 병신년 9월 5일에 시작하여 같은 해 11월 18일에 마친 것으로 되어 있다.《논어(論語)》는 병신년 11월 20일 조강(朝講)을 시작으로 무술년(戊戌年, 1838) 윤(閏)4월 29일에 강론을 마쳤다가 다시 갑진년(甲辰年, 1844, 헌종 10) 10월 4일에 강론을 시작하여 을사년(乙巳年, 1845, 헌종 10) 11월 19일까지 중강(重講)하였다.(《열성조계강책자차제(列聖朝繼講冊子次第)》해제, 서울대학교 규장각 한국학연구원).

2	1836. 7. 22. 《小學》第五卷	丙申七月二十二日辰時, 上御熙政堂。勸講入侍時, 提學徐有榘, 參贊官洪鍾遠, 檢討官李㻙, 假注書權致和, 記事官鄭亰朝·李墩, 各持《小學》第五卷, 以次進伏訖。上曰, 史官分左右。上誦前受音一遍訖。有榘讀自或問第五倫, 止無私乎, 仍奏釋義訖。上讀新受音十遍訖。命陳文義。有榘曰, 第五倫, 卽東漢初名臣, 而以公正有名者也。時人皆意其無私, 故有此問, 而倫答如是, 此其所以平日省察之工, 大有異於衆人者也。選擧不能忘, 及退而安寢, 皆已所獨知, 而人所未見之事耳。倫之悉攄無隱, 政可見其公正無私, 朱夫子旣編入小學, 而語類亦稱其省察之工, 此政喫緊爲人處, 伏願留神焉。(《承政院日記》〈憲宗〉2年 7月 22日 癸卯).
3	1836. 7. 27. 《小學》第五卷	丙申七月二十七日辰時, 上御熙政堂。勸講入侍時, 提學徐有榘, …… 有榘曰, 茅容, 卽閭巷匹庶耳。郭泰見其姿質之有異, 勸令學書, 遂能成德, 學問之可以成就人材, 有如是矣。況人主一心, 萬化之源, 苟不致力於經史, 則德性何由而成就, 一日二日萬幾, 亦何以泛應曲當乎? 此所以君德成就之必由於講學也, 然講之爲言, 卽討論經旨之謂也。近來講筵, 罕有文義之反復討論者, 只以一番誦讀爲事, 如是而聖學何由長進乎? 今日新受音, 自心中, 亦有可合討論者, 伏願發問下詢焉。(《承政院日記》〈憲宗〉2年 7月 27日 戊申).
4	1836. 8. 23. 《小學》第五卷	丙申八月二十三日辰時, 上御熙政堂。 勸講入侍時, 提學徐有榘, …… 有榘讀自顧人之常情, 止如一日乎, 仍讀奏釋義訖。 上讀新受音十遍訖, 仍命陳文義。 有榘曰, 由儉入奢易, 由奢入儉難二句, 卽千古格言也。 張知白此言, 不過爲一家內子弟僮僕之觀感而發耳。 況處崇高之位, 臨億兆之民, 苟不身率以菲衣惡食之化, 民庶何卽觀感, 而侈風之濫觴, 容有極哉? 崇儉之治, 最爲今日急先務, 伏願深留聖意焉。(《承政院日記》〈憲宗〉2年 8月 23日 甲戌).
5	1836. 9. 6. 《大學》	丙申九月初六日辰時, 上御熙政堂。勸講入侍時, 提學徐有榘, …… 有榘讀自一有聰明睿智, 止所由設也, 仍奏釋義訖。上讀新受音十遍訖, 上曰, 文義陳之。有榘曰, 此編文義, 昨日已盡奏矣, 別無更陳矣。(《承政院日記》〈憲宗〉2年 9月 6日 丙戌).
6	1836. 9. 8. 《大學》	丙申九月初八日卯時, 上御熙政堂。勸講入侍時, 提學徐有榘, …… 有榘讀自十有五年, 止所以分也, 仍讀奏釋義訖。上讀新受音十遍訖, 命陳文義。有榘曰, 臣則別無可奏之文義, 問于儒臣焉。(《承政院日記》〈憲宗〉2年 9月 8日 戊子).
7	1837. 4. 22. 《論語》第二、三卷	丁酉四月二十二日辰時, 上御熙政堂。進講入侍時, 提學徐有榘, …… 有榘讀自子曰雍也, 止雍之言然, 仍奏釋義。上讀新受音十遍, 命陳文義。有榘曰, 居敬二字, 最好體認, 敬者, 主一無適之謂也。卽以講學一事言之, 講此章則心不越乎他章, 講此節則念不外乎此節, 此所謂主一無適也。如是則不但聖學日就月將, 其於政令注措, 隨事沛然, 深留聖意焉。(《承政院日記》〈憲宗〉3年 4月 22日 己巳).
8	1837. 4. 26. 《論語》第三卷	丁酉四月二十六日辰時, 上御熙政堂。進講入侍時, 提學徐有榘, …… 有榘讀自季氏使閔子騫, 止賢哉回也, 仍奏釋義。上讀新受音十遍〈訖〉, 命陳文義。有榘曰, 臣於昨年九月, 退自講筵, 仍卽下去華城任所, 跨冬涉春, 久未出入講筵矣。日前始登前席, 恭聆前新受音玉音, 則首尾不少間斷, 轉折之際, 字字響亮, 諸臣所奏文義, 亦悉諦聽, 聖學之日就月將, 可以仰認, 退而相告, 攢頌蹈舞矣。今日則時時間斷, 此專由聖上臨文專精, 不如日昨講筵而然矣。昨筵所陳居敬二字, 最當深留聖意。敬者, 主一無適之謂, 如講此賢哉回也章, 則硏究思索, 不越乎此章, 雖他經傳之文, 不可踰越思念, 此所謂主一無適也。如是則臨筵講讀, 自無間斷之時, 而漸次有滋味, 以至於欲罷不能之樂, 則聖學日躋於高明之域。伏願深加體念焉。上曰, 玉堂陳之。(《承政院日記》〈憲宗〉3年 4月 26日 癸酉).
9	1837. 4. 28. 《論語》第三卷	丁酉四月二十八日辰時, 上御熙政堂。進講入侍時, 提學徐有榘, …… 有榘讀自子曰孟之反, 止文質彬彬然後君子, 仍奏釋義。上讀新受音十遍訖, 命陳文義。有榘曰, 此以出不由戶, 喩人不可不由道, 甚言捨此無他路也。由道之方, 講學爲先, 所以講學之講字, 卽討論問難之謂也。音讀雖熟, 如無旨義之討論反復, 則未可謂講學。近來臨筵, 淵默太過, 新舊受音, 誦讀之外, 未嘗有文義之發問下詢者, 如是而聖學何以日就月將乎? 此後毋論文義深淺大小, 或有疑晦處, 這這下詢, 是臣區區之望也。上曰, 玉堂陳之。(《承政院日記》〈憲宗〉3年 4月 28日 乙亥).

10	1837. 6. 10. 《論語》第四卷	丁酉六月初十日辰時, 上御熙政堂。進講入侍時, 右議政朴宗薰, 提學徐有榘, …… 有榘讀自子欲居九夷, 至何有於我哉, 仍奏釋義, 上讀新受音十遍訖, 命陳文義。有榘曰, 別無所奏之義矣。上曰, 玉堂陳之。(《承政院日記》〈憲宗〉3年 6月 10日 丙辰).
11	1837. 10. 8. 《論語》第四卷	丁酉十月初八日辰時, 上御熙政堂。進講入侍時, 提學徐有榘, …… 有榘讀自升車, 止三嗅而作, 仍讀奏釋義。上讀新受音十遍, 命陳文義。有榘曰, 鄕黨一篇, 專記聖人飮食衣服起居之節, 故先儒以此篇, 爲聖人養生之書。蓋以飮食言之, 不時不食, 失飪不食, 不得其醬不食, 非爲其滋味之適口也, 特以有害於脾胃而不欲苟食也。以衣服言之, 必有寢衣之必字, 不可泛看, 必者, 造次顚沛, 必於是之謂也。雖有忙急之事, 未嘗和衣而寢, 雖於盛暑之中, 亦不脫衾而寢之謂也。外此食不語寢不言等語, 無往非聖人節宣調葆之道, 先儒之謂以養生法者此也。方今悠悠萬事, 豈有出於保護聖躬四字乎? 以此一篇, 常留香案之前, 常常顧提留念, 千萬伏望。上曰, 玉堂陳之。((《承政院日記》〈憲宗〉3年 10月 8日 壬子).
12	1837. 10. 20 《論語》第五卷	丁酉十月二十日辰時, 上御熙政堂。進講入侍時, 提學徐有榘, …… 有榘讀自柴也愚, 止色莊者乎, 仍奏釋義訖。上讀新受音十遍訖, 命陳文義。有榘曰, 此章論諸弟子氣質之偏淸, 聖人因其質而導之, 隨而化之, 如時雨之化, 宋臣呂祖謙性甚偏, 每食不合口味, 卽碎其器, 事多類此, 及讀語而改其偏, 朱子稱之曰, 變化氣質, 莫如論語, 今我殿下日講是書, 伏望聖學之日就月將, 自此始也。上曰, 玉堂陳之。雲承曰, 曾子性質魯鈍, 而於魯鈍中得力, 卒傳聖道者, 無他, 精誠篤摯工夫透徹之效也, 殿下聖姿聰明, 其於工夫上, 苟得誠篤透徹, 則作聖之道, 當易於曾子矣。必於此等處, 體驗加勉, 區區之望也。(《承政院日記》〈憲宗〉3年 10月 20日 甲子).
13	1837. 10. 24 《論語》第五卷	丁酉十月二十四日辰時, 上御熙政堂。進講入侍時, 提學徐有榘, …… 有榘讀自子路·冉有·公西華, 止以俟君子, 仍奏釋義訖。上讀新受音十遍訖, 命陳文義。有榘曰, 此下章浴乎沂風乎舞雩, 程子曰, 可以見堯·舜氣像, 所當講究者, 而此章則別無裒衍仰奏矣。(《承政院日記》〈憲宗〉3年 10月 24日 戊辰).
14	1837. 10. 28 《論語》第五卷	丁酉十月二十八日辰時, 上御熙政堂。進講入侍時, 提學徐有榘, …… 有榘讀自司馬牛問仁, 止何患乎無兄弟也, 仍奏釋義訖。上讀新受音十遍訖, 命陳文義。有榘曰, 顔淵·仲弓·司馬牛三弟子問仁同, 而夫子各隨諸弟造詣淺深而答之, 然聖人之言, 徹上徹下, 卽此答司馬牛一段而言之, 其言也訒, 卽心常存而事不苟之致, 則仁之全體大用, 不外乎是矣。雖以講學言之, 方講此段時, 心存乎此段, 不知有他段, 然後思索專一, 心無外馳之患, 而聖學日進高明, 此等處, 深留聖意焉。(《承政院日記》〈憲宗〉3年 10月 28日 壬申).
15	1837. 11. 1 《論語》第五卷	丁酉十一月初一日辰時, 上御熙政堂。進講入侍時, 提學徐有榘, …… 有榘讀自子張問崇德辨惑, 止雖有粟吾得而食諸, 仍奏釋義訖。上讀新受音十遍訖, 命陳文義。有榘曰, 臣聞之四五年前書筵開講時宮官之言矣。殿下論伯夷·叔齊讓國事曰, 伯夷讓國, 從父之命, 誠是當然底道理, 而至於叔齊, 讓國非矣。此是前聖所未發之義理, 伊時承聆之宮官, 退傳令旨, 孰不欽誦攢仰乎? 于今多年, 望學之益臻高明, 可以仰揣, 而近來講筵, 過於淵默, 絶無文義間發難反復之事, 豈或以講筵體貌, 與書筵不同? 而不但進講與法講有異, 雖朝晝夕法講, 文義討論, 愈多愈好, 繼自今逐章發難, 以盡講劘之義焉。(《承政院日記》〈憲宗〉3年 11月 1日 乙亥).
16	1837. 11. 4. 《論語》第五卷	丁酉十一月初四日辰時, 上御熙政堂。進講入侍時, 提學徐有榘, …… 有榘讀自子張問士, 止在家必聞, 仍奏釋義。上讀新受音十遍訖, 命陳文義, 有榘曰, 日前講筵, 以疑義下詢之意仰陳, 而未蒙開納矣。大抵講之爲義, 卽討論反覆之謂耳。若或誦讀而止, 則此所謂口耳之學, 而不可謂之講矣。雖文義之末, 拈出下問, 則以臣等膚淺之識, 固不足以仰契聖衷, 而反覆討論之際, 自然相觸發而有萬分一開發聖聰之道矣。昔在肅廟朝, 講心經時, 儒臣故文簡公臣金昌協奏云, 近來臨筵, 淵默太過, 絶無發難下問之事, 臣等不勝悶鬱云云。且引朱子讀書無疑, 卽學者大病之語曰, 苟無文義講討, 則雖日開講筵, 毫無進益於聖學云云。肅廟卽賜開納, 繙閱前日自止, 發問疑難處, 反復數三番而不止。伊時儒臣, 退而漫錄, 上下酬酢, 至今載在農巖集中, 大聖人翕受之量, 孰不欽誦攢歎乎? 今日講筵, 上下酬酢, 左右史自當書之記注矣, 臣等亦當退而私自箚錄矣。毋論今日自止, 與前日已講處, 拈出疑晦處下詢, 則其於繼述之盛, 進修之道, 豈不有光簡策乎? (《承政院日記》〈憲宗〉3年 11月 4日 戊寅).

17	1837. 11. 7. 《論語》第五卷	丁酉十一月初七日辰時, 上御熙政堂。進講入侍時, 提學徐有榘, …… 有榘讀自子路問政, 止人其舍諸, 仍奏釋義訖。上讀新受音十遍訖, 命陳文義。有榘曰, 訓語所陳之外, 別無更達矣。(《承政院日記》〈憲宗〉 3年 11月 7日 辛巳).
18	1837. 11. 11 《論語》第五卷	丁酉十一月十一日辰時, 上御熙政堂。進講入侍時, 提學徐有榘, …… 有榘讀自子適衛, 止誠哉是言也, 仍奏釋義訖。上讀新受音十遍訖, 命陳文義。有榘曰, 俄因釋義, 已陳達矣。(《承政院日記》〈憲宗〉 3年 11月 11日 乙酉).
19	1837. 11. 29 《論語》第六卷	※《화영일록》에는 당일 진강 기록이 누락되어 있다. 丁酉十一月二十九日辰時, 上御熙政堂。進講入侍時, 左議政朴宗薰, 提學徐有榘, …… 有榘讀自憲問恥, 止不足以爲士矣一遍, 仍讀奏釋義訖。上讀新受音十遍, 命陳文義。有榘曰, 懷居之居字, 古註以居處釋之, 而集註不取其說, 以意所便安處爲解。誠以居處二字, 所指不廣, 而謂之意所便安, 則凡居處·飮食·衣服等節, 一有懷戀裁擇之意, 則便是懷居也。人心不可兩用, 苟或偏係一處, 而不免常常懷戀, 則這便是放心。先儒以懷居謂之廢業者, 亦仰面貪看鳥, 回頭錯應人之意也, 古之所謂士不一命之官耳。地卑官微之類, 猶以懷居爲戒, 況崇高之位, 一日二日萬幾, 一或係念於居處·飮食·衣服之便安, 則聖學何以日就月將, 政令何以有表端影直之美乎? 此等處深留聖意焉。《承政院日記》〈憲宗〉 3年 11月 29日 癸卯).
20	1837. 12. 1	《승정원일기》에는 당일 진강에 서유구의 이름이 빠져있다.
21	1837. 12. 5. 《論語》第六卷	丁酉十二月初五日辰時, 上御熙政堂。進講入侍時, 左議政朴宗薰, 提學徐有榘, …… 有榘讀自子路曰桓公, 止被髮左衽矣一遍, 仍奏釋義。上讀新受音十遍訖, 命陳文義。有榘曰, 自止內, 別無可奏之處矣。(《承政院日記》〈憲宗〉 3年 12月 5日 戊申).
22	1837. 12. 10 《論語》第六卷	丁酉十二月初十日辰時, 上御熙政堂。進講入侍時, 右議政李止淵, 提學徐有榘, ……有榘讀自陳成子, 止不敢不告也, 仍奏釋義訖。上讀新受音十遍訖, 命陳文義。有榘曰, 此章文義, 別無難解處, 臣無敷衍仰達之辭矣。(《承政院日記》〈憲宗〉 3年 12月 10日 癸丑).

《화영일록》에 보면 대왕대비전에서 헌종이 《대학》 진강을 마친 것을 기뻐하며 권강 각신 하사품으로 분홍설한단(粉紅雪漢緞) 1필과 남수화방주(藍水花方紬) 3필을 하사하였다. 서유구는 지난 임술년(壬戌年, 1802, 순조2) 선대 조정에서 《상서(尙書)》 진강을 마친 뒤에 권강 각신으로 주단(紬緞, 명주와 비단)의 하사품을 받았는데 다시 70이 넘은 늦은 나이에 재차 은혜를 입은 일에 대해 감격을 표하기도 하였다.[15]

15 二十四日。以勸講閣臣承內下章服, 內外供恩賜。進講《大學》畢講, 在去月晦間, 至是慈敎識喜, 有此匪頒之錫也。是日閣吏賚來【粉紅雪漢緞一疋, 藍水花方紬三疋】祗受。昔在壬戌先朝, 《尙書》畢講後, 臣以勸講閣臣, 承紬緞之賜矣, 不意老而不死, 再被此恩於今日, 榮耀之極, 感淚交迸。(《華營

2) 수원 유수로서의 업무

수원은 조선 시대 삼남 지방에서 한양으로 올라오는 길목에 있는 요충지였다. 또한, 정조의 생부인 사도세자(思悼世子)의 능침(陵寢)인 현륭원(顯隆園)이 위치한 곳으로 그 중요성이 강조되어 정조는 능침의 정비와 수호를 위해 수원부(水原府)를 유수부(留守府)로 승격시키고 행궁(行宮)을 만들어 읍호(邑號)를 '화성(華城)'이라고 정하였다. 정조는 수원부 유수에게는 장용 외사(壯勇外使)와 행궁 정리사(行宮整理使)를 겸임하게 하였고, 유수의 권위를 높이기 위해 직위를 정경(正卿) 이상에서 차임하고 판관(判官) 한 사람을 두어 보좌하게 하였다.[16] 정조는 수원부로 승격시키고 나서 첫 유수를 판중추부사(判中樞府事) 체제공(蔡濟恭)을 임명하여 그 권위를 높였다.[17] 정조는 이듬해 1794년(정조 18) 1월 15일 수원의 화성(華城)을 돌아본 뒤에 유수 조심태(趙心泰)에게 화성(華城) 축조를 하명하였으며, 1797년(정조 21) 1월 29일에는 정조가 직접 화성을 돌아보며 방화수류정(訪花隨柳亭)에 나아가 활쏘기 3순(巡)을 하여 3발을 맞추고, 어제시(御製詩) 칠언소시(七言小詩)를 지었다. 이어 서장대(西將臺)에서 횃불 붙이는 것

日錄》卷1 11月 24日).

16 改號水原府爲華城, 御筆揭額于壯南軒。陞府使爲留守, 兼壯勇外使行宮整理使, 置判官一員佐之。改壯勇營兵房爲壯勇使, 置都提擧, 以扈衛大將合廳屬之。(《正祖實錄》正祖 17年(1793), 1月 12日 丙午). 是歲正月十三日, 將詣顯隆園展謁前, 一日宿次水原府, 治陞府爲行宮置留守, 號曰華城。二十一日, 書扁揭于壯南軒, 命閣臣及工曹參判曺允亨, 監刻。以是日下送于水原府, 以是月二十九日揭板, 印本粧屛, 藏于園所齋殿行宮外帑庫。內閣, 又粧一帖藏于宙合樓。(《日省錄》正祖 17年(1793), 2月 26日 己丑).

17 정조는 "화성(華城)은 바로 선침(仙寢)을 받들어 모신 지방이며 부(府)로 승격된 초기이기에 원로를 얻어 그의 성망(聲望)을 빌어 그곳을 격상시키려는 생각에서 부득불 번거롭게 경을 한번 내보냈다. 그런데 경이 직임을 맡은 이후로 큰 강령을 정돈하고 곁으로 자잘한 일들까지도 밤낮으로 힘을 다하니, 도리어 경을 위해 염려스러운 마음이 간절하였다."라고 하며 같은 해 5월 25일에 영의정 체제공에게 화성부에서의 임무 수행을 치하하고 곧 올라올 것을 하유하였다.(《정조실록(正祖實錄)》 정조 17년(1793), 5월 25일 병진(丙辰)).

신풍루(新豐樓)(수원화성 테마관)

을 관람하고 성이 잘 지어졌음을 크게 기뻐하여 조심태에게 밭과 노비를 사급하고 성내에 거주하는 백성들에게 당년조 향곡(餉穀)과 환곡(還穀)에 대한 모곡을 면제해 주라고 명하였다.[18]

수원 유수부에는 정조의 영정을 모신 화령전(華寧殿)과 정조의 생부의 능침인 현륭원(顯隆園)이 있다. 정조는 태조(太祖) 이성계(李成桂)의 영정을 모신 전주의 경기전(京畿田)과 함께 풍패지향(豐沛之鄉)으로서 화성이 자리매김하고자 하는 의지를 담아 화성행궁의 정문을 신풍루(新豐樓)로 지을 정도로 수원부에 대한 애정이 각별했다.

(1) 화령전 및 현륭원 관리

수원 유수의 업무 중에서 가장 중요한 일은 화령전과 현륭원의 관리였다. 따라서 수원 유수는 이 일을 관리하고 책임지는 화령전 제조(提調)의 직무를 겸직했다. 화령전에서 거행된 봉심(奉審)과 제향

18 《日省錄》正祖 21年(1797) 1月 29日.

《화령전응행절목(華寧殿應行節目)》
(서울대학교 규장각 한국학연구원)

(祭享)은 1804년 제정된 《화령전응행절목(華寧殿應行節目)》에 규정되어 있다. 이 절목에 따르면 수원 유수부에서는 5일 간격으로 봉심하고, 매달 1일과 15일에 분향(焚香)하였으며 일 년에 4번 계절이 바뀔 때마다 대봉심(大奉審)을 거행하였다. 또 매년 정조의 탄신일에 지내는 탄신제향(誕辰祭享)과 12월 납일(臘日)에는 납일제향(臘日祭享)을 지냈다.

화령전 운영에 대한 주요 절목을 살펴보면 아래와 같다.[19]

- 어진(御眞)은 대본(大本)은 펼쳐서 봉안하고, 소본(小本)은 궤짝 안에 말아서 봉안한다.[20]
- 대봉심(大奉審)은 규장각 규례에 따라 4맹삭(四孟朔)의 15일에 시행한

19 정정남 해제, 김혁 번역, 《합리적인 의례 공간 수원 화령전》〈국역(國譯) 화령전응행절목(華寧殿應行節目)〉, p252~261. 2020

20 御眞, 大本則展奉, 小本則捲奉于櫃子爲白齊。

다. 반드시 유수(留守)·겸위장(兼衛將)·겸령(兼令)의 인원이 갖추어진 뒤에 의례를 거행한다. 유수에게 일이 생기면 날을 뒤로 물려서 의례를 거행하고, 겸위장과 겸령 중에 일이 생기면 영화도 찰방으로 인원을 채워 나아가 의례에 참가한다.[21]

- 봉심은 봉안각 때의 규례에 따라 5일마다 휘장을 걷고 의례를 거행하고, 유수에게 일이 생기면 겸위장·겸령 중에서 1원이 수직관(守直官)과 함께 받들어 살핀다.【대체로 봉심의 규례는 어진을 말아서 받들 때는 향을 피우지 않으며, 펴서 받들 때는 향을 피우는데 본진에 이미 어진을 펼쳐져 있으니 5일마다 봉심 할 때 역시 향도 피워서 본전 안에 향냄새가 입혀지는 바탕이 되도록 한다】.[22]
- 봉심 일이 만일 청명하지 않으면 운한각(雲漢閣)의 정문은 열지 말고 다만 내합(內閤)만 열어서 받들어 살핀다.[23]
- 제향은 매년 탄신일과 납향일 2차례 차려서 거행한다. 만일 수개(修改)할 때라면 이안(移安)과 환안(還安)을 고하는 제향 또한 차려서 거행한다.[24]
- 제향할 때에 원소(園所)의 규례에 의거하여, 유수가 헌관(獻官)이 되고 중군(中軍)은 전사(殿司)가 되며 판관(判官)은 전사관(典祀官) 겸 대축(大祝)이 된다. 재랑(齋郎)·축사(祝史)·찬자(贊者)·알자(謁者)는 인근 읍의 수령과 영화도 찰방으로 융통하여 임명한다.[25]

서유구는 수원 유수로 부임하고 나서 영문(營門)에 도착하여 제

---

21 大奉審, 依奎章閣例, 以四孟朔十五日定行, 而必待留守、兼衛將、兼令備員後, 行禮。留守有故, 則退行於後日次, 兼衛將、兼令中有故, 則以迎華道察訪備員進參爲白齊。

22 奉審, 依奉安閣時例 每五日捲帳行禮, 而留守有故, 則兼衛將兼令中一員, 與守直官同爲奉審,【而凡奉審之例, 捲奉時, 無焚香, 展奉時, 有焚香, 而本殿既是展奉, 則每五日, 奉審亦爲焚香, 以爲殿內薰襲之地爲白齊】。

23 奉審日, 如不晴明, 則殿上正門勿開, 而只啓內閤奉審爲白齊。

24 祭享, 每年以誕辰臘享二次設行, 如値修改時, 則告由移還安祭, 亦爲設行爲白齊。

25 祭享時, 依園所例, 留守爲獻官, 中軍爲殿司, 判官爲典祀官、兼大祝, 而齋郎、祝史、贊者、謁者, 以隣近邑守令及迎華道察訪, 通融塡差爲白齊。

일 처음 화령전(華寧殿)에 숙배(肅拜)하였다.[26] 《화영일록》에 따르면 서유구의 화령전 봉심은 크게 대봉심(大奉審)·봉심(奉審)·일차 봉심(日次奉審)으로 구분된다. 화령전에서의 봉심은 어진을 살피고 향을 피우고 건물과 주변에 다른 문제가 없는지 살펴보는 행위를 뜻한다.[27] 봉심은 매월 1일과 15일에 거행하는데, 수원 유수가 직접 봉심을 하거나 판관(判官)·겸위장(兼衛將)·겸령(兼令)이 봉심 한 다음 유수에게 보고하는 방식으로 진행되기도 했다. 일차 봉심은 매 5일, 10일, 20일, 25일에 하는 것으로 유수가 수원에 있을 때만 시행했다. 대봉심은 계절이 바뀔 때마다 1년에 총 4회를 거행하는데, 춘맹삭(春孟朔) 대봉심(大奉審)은 정월 15일, 하맹삭(夏孟朔) 대봉심은 4월 15일, 추맹삭(秋孟朔) 대봉심은 7월 15일, 동맹삭(冬孟朔) 대봉심은 10월 15일에 거행하였다. 서유구가 일이 있어 상경했을 때는 《화령전응행절목》에 의거하여 날을 물려서 거행하기도 했다.[28]

표6 서유구의 화령전 봉심 기록

날짜	내용	비고
1936. 1. 27	봉심	도임(到任)하여 숙배(肅拜) 후 봉심
1936. 2. 1	춘맹삭(春孟朔) 대봉심(大奉審)	1월 15일 자 시행
1936. 2. 5	일차 봉심	
1936. 2. 10	일차 봉심	
1936. 2. 15	봉심	
1936. 3. 1	봉심	겸위장 김상우(金相宇) 보고
1936. 3. 10	화령전(華寧殿) 작헌례(酌獻禮)	제조로서 입참, 헌관 홍석주(洪奭周)
1936. 3. 15	봉심	

26 《華營日錄》 卷1 1月 27日.

27 정해득, 〈화령전의 건립과 제향〉, 《조선시대사학보》 59, 2011.

28 1836년(헌종 1) 1월 15일 자 춘맹삭 대봉심은 2월 1일로, 4월 15일 자 하맹삭 대봉심은 5월 1일로, 7월 15일 자 추맹삭 대봉심은 8월 15일로 미루어 거행하였다. 1837년(헌종 2) 1월 15일 자 춘맹삭 대봉심을 2월 1일로, 4월 15일 자 하맹삭 대봉심을 5월 15일로, 7월 15일 자 추맹삭 대봉심을 8월 15일로 10월 15일자 동맥삭 대봉심을 11월 15일로 미루어 거행했다.

1936. 4. 1	봉심	겸위장 김상우 보고
1936. 4. 15	봉심	겸령(兼令) 이민영(李敏榮) 보고
1936. 5. 1	하맹삭(夏孟朔) 대봉심	4월 15일 자 연기 시행
1936. 5. 5	일차 봉심	기록 누락[29]
1936. 5. 10	일차 봉심	
1936. 5. 15	봉심	
1936. 5. 25	일차 봉심	합문(閤門) 밖 봉심
1936. 6. 1	봉심	겸령 이민영 보고
1936. 6. 15	봉심	겸령 이민영 보고
1936. 7. 1	봉심	겸령 겸임 판관(兼令兼任判官) 오치건(吳致健) 보고
1936. 7. 15	봉심	겸위장 박시회(朴蓍會) 보고
1936. 8. 1	봉심	겸령 이민영 보고
1936. 8. 5	일차 봉심	
1936. 8. 10	일차 봉심	
1936. 8. 15	추맹삭(秋孟朔) 대봉심	7월 15일 자 연기 시행
1936. 9. 1	봉심	겸령 이민영 보고
1936. 9. 15	봉심	
1936. 9. 20	일차 봉심	
1936. 9. 22	탄신제향(誕辰祭享)	헌관, 봉심 각신 김정희(金正喜)
1936. 9. 25	일차 봉심	
1936. 10. 1	봉심	
1936. 10. 5	일차 봉심	
1936. 10. 10	일차 봉심	
1936. 10. 15	동맹삭(冬孟朔) 대봉심	
1936. 10. 20	일차 봉심	설사병으로 불참
1936. 10. 25	일차 봉심	
1936. 11. 1	봉심	
1936. 11. 5	일차 봉심	
1936. 11. 15	봉심	
1936. 11. 20	일차 봉심	
1936. 11. 25	일차 봉심	
1936. 12. 1	봉심	
1936. 12. 5	일차 봉심	
1936. 12. 10	납일제향(臘日祭享)	헌관
1936. 12. 15	봉심	
1936. 12. 20	일차 봉심	
1936. 12. 25	일차 봉심	

29 당일 서유구는 서울에 출입한 기록이 없고 현륭원(顯隆園) 단오제향(端午祭享)에 헌관(獻官)으로 진참한 기록으로 볼 때 서유구는 당일 화영에 머물렀던 것으로 보인다. 《화영일록》에 당일 일차 봉심의 기록은 누락된 것으로 보인다.

회차	날짜	내용	비고
1	1937. 1. 1	봉심	
2	1937. 1. 15	봉심	겸령 김한순(金漢淳) 보고
3	1937. 1. 25	일차 봉심	
4	1937. 2. 1	춘맹삭 대봉심	1월 15일 자 시행
5	1937. 2. 5	일차 봉심	
6	1937. 2. 10	일차 봉심	
7	1937. 2. 15	봉심	
8	1937. 2. 20	일차 봉심	
9	1937. 2. 25	일차 봉심	
10	1937. 3. 1	봉심	
11	1937. 3. 5	일차 봉심	
12	1937. 3. 15	봉심	겸령 김한순 보고
13	1937. 4. 1	봉심	겸위장 박시회(朴蓍會) 보고
14	1937. 4. 15	봉심	겸위장 박시회 보고
15	1937. 5. 1	봉심	겸령 김한순 보고
16	1937. 5. 5	일차 봉심	
17	1937. 5. 10	일차 봉심	
18	1937. 5. 15	하맹삭 대봉심	4월 15일 자 시행
19	1937. 5. 20	일차 봉심	
20	1937. 5. 25	일차 봉심	
21	1937. 6. 1	봉심	
22	1937. 6. 5	일차 봉심	
23	1937. 6. 15	봉심	겸령 김한순 보고
24	1937. 7. 1	봉심	겸령 김한순 보고
25	1937. 7. 15	봉심	겸령 김한순 보고
26	1937. 8. 1	봉심	겸령 김한순 보고
27	1937. 8. 15	추맹삭 대봉심	7월 15일 자 시행
28	1937. 8. 20	일차 봉심	
29	1937. 9. 1	봉심	겸위장 박시회 보고
30	1937. 9. 15	봉심	겸령 김한순 보고
31	1937. 9. 20	일차 봉심	
32	1937. 9. 22	탄신제향(誕辰祭享)	헌관, 감제 각신 김학성(金學性)
33	1937. 9. 25	일차 봉심	
34	1937. 10. 1	봉심	
35	1937. 10. 5	일차 봉심	
36	1937. 10. 15	봉심	겸령 김한순 보고
37	1937. 11. 1	봉심	겸위장 박시회 보고
38	1937. 11. 15	동맹삭 대봉심	10월 15일 자 시행
39	1937. 11. 20	일차 봉심	
40	1937. 11. 25	일차 봉심	
41	1937. 12. 1	봉심	겸령 김한순 보고

화령전의 제향(祭享)은 탄신제향과 납일제향이 있다. 탄신제향은 정조의 탄신일에 지내는 제례인데, 조선의 역대 국왕 가운데 영전에서 탄신제가 거행된 국왕은 정조가 유일하다. 화령전에서 탄신제를 지내게 된 것은 수원에 있는 건릉에서 기신제(忌晨祭)를 지내고, 탄신일에는 서울의 진전(眞殿)에서 다례(茶禮)를 지내기 때문에 같은 명칭을 피하여 탄신제라 명칭한 것이다.[30] 화령전 탄신제향은 매년 음력 9월 22일 3경(更)에 시작하는 점이 차이가 있다.

탄신제향에는 규장각 각신이 차정되어 화령전과 건릉, 현륭원을 봉심 하였다. 제향일에는 제품(祭品)과 제기(祭器) 등의 상태와 제(諸) 집사(執事)들의 준비 등을 점검하여 감찰하고 제향 후에는 한양으로 돌아가 복명(復命)하였다.

서유구가 수원 유수로 재직한 2년 동안 1836년 9월 20일 탄신제향에는 각신 김정희(金正喜)가 차정(差定)[31]되어 내려왔고, 1837년 9월 20에는 각신 김학성(金學性)이 내려와 봉심하였다.[32] 서유구는 화령전 탄신제향을 지낸 후 제향을 지낸 일을 장계를 올려 보고했다. 납일제향은 1년의 농사 형편에 대하여 신에게 고하는 제사로 동지(冬至) 뒤 셋째 미일(未日)에 지내는데 납월(臘月)에 지내기 때문에 납향(臘享)이라고 하였다.

화령전에서의 작헌례(酌獻禮)는 왕이 현륭원과 건릉에 행차하였을 때 치러졌다. 19세기 이후 국왕의 수원 행차는 16회에 이르는

30 정해득, 같은 책, 93~103면 참조.
31 《華營日錄》卷1 9月 20日.
32 《華營日錄》卷2 9月 20日.

데 이때 대부분의 국왕은 화령전에서 작헌례를 올렸다.[33] 《화영일록》에 보면 1936년 3월 10일이 정조의 등극 회갑일로 대왕대비전에서는 특별히 좌의정 홍석주(洪奭周)를 헌관으로 차정하여 현륭원 작헌례를 섭행하게 하였다. 서유구는 작헌례의 제조(提調)로서 겸위장(兼衛將) 김상우(金相宇)와 영화도 찰방(迎華道察訪) 오치건(吳致健)과 함께 전정(殿庭) 서반(西班)으로 입참하였고, 다음 날 복명(復命)을 위해 홍석주가 돌아갈 때 배행(陪行)하였다. 3월 15일 서유구는 화령전 작헌례를 마친 상으로 내하 호피(內下虎皮) 1령(令)을 받았다.

현륭원(顯隆園)은 정조(正祖)의 생부 사도세자(思悼世子, 장조(莊祖))와 그의 아내 경의왕후(敬懿王后) 혜경궁(惠慶宮) 홍씨(洪氏)의 묘이다. 1762년(영조 38)에 사도세자를 경기도 양주군 배봉(拜峯)에 장사지낸 후 묘를 수은묘(垂恩墓)라 하였다가, 정조 즉위년(1776)에 영우원(永祐園)으로 고쳤고, 1789년(정조 13)에 묘를 수원으로 천봉(遷奉)하였다. 서유구는 수원 유수로 부임하고 나서 이튿날 건릉과 현륭원에 봉심하고 나서 정자각(丁字閣)과 비각(碑閣)을 살펴보았다. 수원 유수로서 업무를 시작할 때 화령전 봉심과 더불어 현륭원 봉심도 거행하였다.

현륭원 봉심은 매달 1일과 15일에 거행하였으며, 현륭원 영(令)이나 현륭원 참봉(參奉)이 현륭원을 살펴보고 난 후 수원 유수에게 보고하였으며 수원 유수는 다시 장계로 국왕에게 보고하였다. 또, 건릉(健陵)과 현륭원을 동시에 살펴보는 대봉심은 춘대봉심(春大奉審)

33 정해득, 같은 책, 같은 면.

과 추대봉심(秋大奉審)으로 거행되었으며 춘대봉심은 한식제향(寒食祭享)에, 추대봉심은 추석제향(秋夕祭享)에 시행되었다. 서유구는 각 대봉심을 거행하고 나서 건릉과 정자각과 비각, 현륭원의 정자각과 비각, 현륭원의 수목(樹木)·화소(火巢)의 상황, 만년제(萬年堤)의 상황, 앵봉(鶯峯) 부석소(浮石所) 및 봉표(封標) 내를 적간(摘奸)한 상황 등을 적어 장계로 보고하였다.

현륭원 제향은 정조제향(正朝祭享), 한식제향, 단오제향(端午祭享), 기신제향(忌晨祭享, 사도세자 기일, 5월 21일), 추석제향, 기신제향(혜경궁 기일, 12월 15일) 총 6회에 걸쳐 진행되었다. 특히 기신제향은 제사를 감독하고 원소를 봉심하는 규장각 각신이 별도로 파견되었으며 수원유수는 헌관으로 진참하였다. 그 외에도 건릉과 현륭원에 필요한 연례 보식이나 정자각 월대의 보수 작업이 필요한 경우 장계를 올려 직접 시행하였다.

표7 현륭원과 건릉 봉심 및 관리 일지

회차	날짜	내용	비고
1	1936. 1. 29	봉심	도임(到任)하여 봉심
2	1936. 2. 1	봉심	참봉(參奉) 김익정(金益鼎) 보고
3	1936. 2. 15	봉심	영(令) 이상조(李象祖) 보고
4	1936. 2. 19	관리(연례 보식)	17~18일, 능·원소(陵園所)의 경계 안에 소나무와 잡목(雜木)을 보식(補植)
5	1936. 2. 20	한식제향(寒食祭享)	헌관으로 참여 후 봉심
		춘대봉심(春大奉審)	능·원소 능상·원상·정자각·비각 모든 곳에 봉심 및 개수
6	1936. 3. 1	봉심	영(令) 이상조(李象祖) 보고
7	1936. 3. 10	봉심	화령전 작헌례 후 홍석주와 봉심
8	1936. 3. 15	봉심	참봉 김익정 보고
9	1936. 4. 1	봉심	참봉 김익정 보고
10	1936. 4. 15	봉심	영 이상조 보고
11	1936. 5. 1	봉심	영 이상조 보고

12	1936. 5. 5	단오제향(端午祭享)	정자각(丁字閣) 월대(月臺) 우변(右邊)에 전석(甎石) 보수(1936.5.13.~5.19)로 고유 제향(告由祭享)에 헌관으로 참여
13	1936. 5. 15	봉심	참봉 조병위(趙秉緯) 보고
14	1936. 5. 21	기신제향(忌辰祭享)	헌관으로 참여, 봉심 각신 이헌위(李憲瑋)
15	1936. 6. 1	봉심	영 이상조 보고
16	1936. 6. 15	봉심	영 이상조 보고
17	1936. 7. 1	봉심	참봉 조병위 보고
18	1936. 7. 15	봉심	참봉 조병위 보고
19	1936. 8. 1	봉심	영 이상조 보고
20	1936. 8. 15	추석제향(秋夕祭享)	헌관으로 참여 후 봉심
		추대봉심(秋大奉審)	능·원소 능상·원상·정자각·비각 모든 곳에 봉심 및 개수
21	1936. 9. 1	봉심	영 이상조 보고
22	1936. 9. 15	봉심	영 이상조 보고
23	1936. 9. 26~27	관리(연례 보식)	건릉과 현륭원 국내(局內)에 연례 보식
24	1936. 10. 1	봉심	영 이상조 보고
25	1936. 10. 15	봉심	참봉 조병위 보고
26	1936. 11. 1	봉심	영 이상조 보고
27	1936. 11. 15	동지제향(冬至祭享)	헌관으로 진참 후 봉심, 건릉 헌관(健陵獻官) 윤명규(尹命奎)
		봉심	영 이민기(李民耆) 보고
28	1936. 12. 1		영 이민기 보고
29	1936. 12. 15	기신제향	헌관으로 진참 후 봉심
		봉심	영 이민기 보고
30	1937. 1. 1	정조제향(正朝祭享)	헌관으로 참여 후 봉심
		봉심	영 이민기 보고
31	1937. 1. 15	봉심	참봉 조병위 보고
32	1937. 2. 1	봉심	영 이민기 보고
33	1937. 2. 1 5	봉심	영 이민기 보고
34	1937. 2. 25~26	관리(연례 보식)	건릉 참봉(健陵參奉) 조도림(趙道林), 참봉 조병위 보고
35	1937. 3. 1	봉심	참봉 조병위 보고
36	1937. 3. 2	한식제향	헌관으로 진참 후 봉심
		춘대봉심	능·원소 능상·원상·정자각·비각 모든 곳에 봉심 및 개수
37	1937. 3. 15	봉심	영 이민기 보고
38	1937. 4. 1	봉심	참봉 조병위 보고
39	1937. 4. 15	봉심	영 이민기 보고
40	1937. 5. 1	봉심	참봉 조병위 보고
41	1937. 5. 5	단오제향	헌관으로 참여 후 봉심, 건릉 헌관 홍희근(洪羲瑾)
42	1937. 5. 15	봉심	영 이민기 보고

43	1936. 5. 21	기신제향	헌관으로 참여 후 봉심, 봉심 각신 김흥근(金興根)
44	1937. 6. 1	봉심	영 이민기 보고
45	1937. 6. 15	봉심	영 이민기 보고
46	1937. 7. 1	봉심	참봉 조병위 보고
47	1937. 7. 15	봉심	참봉 조병위 보고
48	1937. 8. 1	봉심	영 이민기 보고
49	1937. 8. 15	추석제향	헌관으로 참여 후 봉심, 건릉 헌관 이노집(李魯集)
		추대봉심	능·원소 능상·원상·정자각·비각 모든 곳에 봉심 및 개수
50	1937. 9. 1	봉심	참봉 이극성(李克聲) 보고
51	1937. 9. 15	봉심	참봉 이극성 보고
52	1937. 10. 1	봉심	영 이민기 보고
53	1937. 10. 6~7	관리(연례 보식)	건릉 영(健陵令) 김성구(金性求)와 영 이민기 보고
54	1937. 10. 15	봉심	영 이민기 보고
55	1937. 11. 1	봉심	참봉 이극성 보고
56	1937. 11. 15	봉심	영 이민기 보고
57	1937. 11. 25	동지제향	헌관으로 참여 후 봉심
58	1937. 12. 1	봉심	참봉 이극성 보고

(2) 재정 관리

서유구가 수원 유수로 부임했을 때, 전 년도 있었던 해일로 11개 면이 춘궁(春窮)이 황급한 상황이었다. 서유구는 1934년 2월 21일 전령(傳令)하여 2월 27일부터 가장 황급한 가호부터 뽑아내어 쌀 2승(升)과 콩 2승씩을 분급하라고 명하였으며 비변사에는 수원 유수부의 유호(流戶)와 절호(絕戶)의 환곡 700여 석을 탕감해 달라고 요청하였다. 지징무처(指徵無處)한 환곡을 무고한 소민(小民)에게 돌려 폐해를 입게 하면 안 된다는 것이었다. 이에 대해 "화성은 능침(陵寢)과 원소(園所)를 모신 곳이고 또 석년의 진념(軫念)하심이 자별하였으니 특별히 탕감하여 해당되지 않은 백성 에게 억울하게 징수하는 폐단이 없게 하는 것이 옳다."라는 대왕대비의 전교를 받아내어 전액 탕감을 허락받았다.

서유구가 서원 유수로 재임할 당시 광주부와의 사이에 발생한 재정 문제가 발생하였는데. '화성 교리 요조미(華城校吏料條米)'에 관한 기사[34]를 통해 당시 재정 운영 실태를 살펴볼 수 있다. 광주(廣州) 유수부에서 수원 유수부의 교리에게 지급하는 요조(料條)에 대해 이의를 제기하자 광주부와 수원부 사이에서는 수차례 회이(回移)하며 줄다리기가 이어졌다. 수원 유수인 서유구는 "절목(節目)을 만든 뒤에 만약 다시 가을에 환곡을 받아들일 때를 기다리면 그 사이 몇 개 월간은 무료로 공역하게 하면 안 되니 특별히 명하여 9월 봉적(捧糴) 전을 기한으로 하여 곧바로 광주 창의 유고곡(留庫穀) 중에서 마련하여 출급(出給)하여라."라는 수원부 초기의 연신(筵臣) 거조비지(擧條批旨)를 언급하며 "절목을 만든 양 건(兩件)은 양 영(兩營)에 나누어 보관하라."는 당시 비지의 내용을 근거로 들며 화성 교리 요조 지급을 요청하였다. 양 영의 오랜 시간 줄다리기가 이어지자 결국 비변사(備邊司)가 개입하여 이 문제를 조정하였다.

(3) 포폄褒貶을 통한 인사人事 관리

포폄이란 관리들의 근무성적을 좋게 평가하거나 부정적으로 평가한다는 뜻이며 또는 우열(優劣)의 의미로 맨 끝의 의미인 '전(殿)'과 제일 앞선 뜻의 '최(最)'의 의미에서 '전최(殿最)'라고도 하였다. 경관(京官)은 제조나 당상관이, 외관(外官)은 관찰사가 평가하고 이조(吏曹)에 통보하여 인사에 반영되었다. 대체로 포폄은 상(上), 중(中),

---

34 《화영일록》 권1 2월 3일, 3월 7일, 3월 24일, 4월 22일, 4월 28일, 5월 11일 기사에 보인다.

하(下)의 세 등급으로 구별하여 등제(等第)[35]라 하였으며, 방법은 세 등급으로 구분한 뒤 한문으로 짤막한 평을 붙이게 되어 있다.[36]

수원부 소속 관리는 본래 경기도관찰사가 포폄을 하였으나 1783년 유수부가 설치된 이후에는 수원 유수가 포폄을 담당했다. 수원부는 지리적 무척 중요하여 정조 때에는 장용 외영의 사령관인 장용외사(壯勇外使)를 수원 유수가 겸직하게 하였고, 1801년에는 화령전 제조를 겸하였다. 그러다 1802년 정순왕후 김 씨에 의해 장용영이 폐지되고 총리영(總理營)으로 개편된 이후에는 총리사를 겸직하였다. 또 소속 현인 진위현(振威縣), 용인현(龍仁縣), 과천현(果川縣), 시흥현(始興縣), 안산현(安山縣)의 최고 수령이었으며, 평신 첨사(平薪僉使)를 파총(把摠)으로 삼아 지휘하였다.

서유구는 재직 기간 동안 1636년 6월 12일, 1637년 6월 12일 2차례의 춘하등(春夏等) 포폄과 1636년 12월 12일 1차례의 추동등(秋冬等) 포폄을 등제하여 총 3번의 포폄을 하였다. 수원 유수로서 서유구가 포폄을 한 관리 대상은 판관(判官), 검률(檢律), 중군(中軍), 종사관(從事官), 화령전 겸령, 화령전 겸위장, 화령전 겸수문장 이었으며, 화령전 겸령은 판관이 겸직하고 화령전 겸위장은 중군이 겸직하였으나 포폄은 구분하여 고과를 매겼다. 이 외에도 별우사파총 (別右司把摠), 협수겸파총(協守兼把摠), 척후장(斥堠將), 독산겸파총(禿城兼把摠), 둔아병파총(屯牙兵把摠)이 있는데 별오사파총은 진위 현령(振威縣令), 과천 현감(果川縣監), 용인 현령(龍仁縣令), 안산 군수(安山郡守)가

---

35 관원(官員)의 근무성적을 조사하여 등급을 매기던 일로, 해마다 두 차례 임금에게 보고하였으며, 이를 근거로 승진이나 유임, 좌천, 파직 따위를 결정하였다.

36 이종수, 〈朝鮮 前期 京官·外官 褒貶制度 執行失態 比較 分析〉, 《중앙행정논집》 제15권 제2호

겸직하였고, 협수겸파총은 시흥 현령(始興縣令), 척후장은 영화도 찰방(迎華道察訪), 둔아병파총은 평신진 첨사(平薪鎭僉使)가 겸직하였다. 단, 당시 별후사파총이었던 과천 현감 정만교(鄭晩教)는 생질(甥姪)의 관계로 상피(相避)하게 하여 3차례의 포폄에서 모두 제외하였다.

관찰사 및 유수의 포폄은 절대적 권한이 있었지만 병조(兵曹) 등에서 복계(覆啓) 관문이 내려와 "중고(中考)여야 하는데 상고(上考)로 했다."라는 이유로 추고경책(推考警責)을 받기도 하고 포폄등제가 조정되기도 하였다. 서유구는 1836년 6월 춘하등 포폄에서 중군(中軍) 김상우(金相宇)를 '상고(上考)'로 주었지만, 병조에서 초기(草記)하여 김상우의 고과를 너무 후하게 평가했다는 지적을 받아 '중고(中考)'로 시행하기도 하였다.[37]

서유구는 수원 유수로 재직하면서 총 16개 관직의 포폄을 맡아 진행하였다. 전라도 관찰사 재임 시기와 비교하면 규모가 작고 16개의 관직이 대부분 겸직에 해당했으나 서유구는 3번의 포폄을 빠짐없이 성실하게 수행하였다. 《완영일록》에는 전라도관찰사 서유구가 21개월 재임시에 제주도를 제외한[38] 관할내 52명의 수령, 중앙에서 파견된 5명(도사·판관·중군·심약·검률), 찰방 6명, 별장 3명, 영 2명, 별검 1명, 참봉 1명 등 총 70명을 1833~1834년(순조 33~34) 6월과 12월에 각 2번씩 총 4번을 빠짐없이 포폄등제 한 기록이

---

37 《承政院日記》 116책 헌종 2년(1836) 6월 23일 乙亥 기사. 又以兵曹言啓曰, 拆見諸道褒貶啓本, 則水原留守徐有榘啓本中, 中軍金相宇, 以言須踏實, 猛必濟寬爲目, …… 則俱宜置諸中考, 而置諸上考, 而置諸中考, 殊無嚴明殿最之意, 各該守臣及道帥臣, 竝推考警責, 水原中軍金相宇, …… 竝中考施行, 何如? 傳曰, 允。

38 제주도의 삼읍(三邑) 곧, 제주(濟州)·대정(大靜)·정의(旌義) 등 세 고을은 제주 목사(牧使)가 등제(等第)하여 관찰사에게 보고하도록 하였다.(《經國大典·吏典》)

수록되어 있다.[39]

(4) 인재선발 및 민생 관리

조선 시대 수령의 주요 직임은 수령칠사(守令七事)였다. 《경국대전(經國大典)》에 따르면 수령칠사는 농사(農事)와 양잠(養蠶)을 번성하게 하고(農桑盛), 호구 수를 늘리며(戶口增), 교육을 위해 학교를 많이 세우고(學校興), 군사에 관한 행정을 잘 다스리고(軍政修), 부역을 균등하게 하고(賦役均), 소송을 간략하고 신속하게 처리하며(詞訟簡), 간사하고 교활한 풍속을 없애는 것(奸猾息)으로 이를 수령 고과의 기준으로 삼아 조선의 지방 통치의 근본으로 삼았다.

《화영일록》에 나타나는 수령으로서의 업무는 크게 인재선발과 민생 관리였다. 서유구는 수원부의 문사(文士)와 무사(武士)를 선발하기 위해 공도회(公都會)와 도시(都試)를 개최하였다. 공도회는 유수 또는 관찰사가 관내 유생을 대상으로 치르는 과거 시험인데 생원진사시(生員進士試)의 초시(初試)로 해당 지역에서 매년 시행되었다. 서유구는 을미년(乙未年, 1835) 공도회를 치르지 않았기 때문에 2년에 해당하는 공도회를 1836년 12월 2일부터 4일까지 3장(場)을 열어 부(賦)와 시(詩)를 대상으로 한 제술과(製述科)에서 16인을 선발하였

39 계사년(癸巳年, 1833) 6월 15일 춘하등 포폄에는 상고(上考) 49명, 중고(中考) 8명, 하고(下考) 6명, 미부임(未赴任) 5명, 일천(日淺) 2명이었다. 계사년 12월 15일 추동등 포폄에는 상고 65명, 중고 3명, 미부임 1명, 일천 1명이었다. 갑오년(甲午年, 1834) 6월 15일은 춘하등 포폄에는 상고 60명, 중고 3명, 일천 3명, 미부임 1명, 미차(未差) 1명, 취나(就拿) 1명, 장파(狀罷) 1명이었다. 갑오년 12월 20일 추동등 포폄에는 상고 60명, 중고 5명, 하고 2명, 미부임 2명, 일천 1명이었다. 《역주 완영일록》, 김순석 외, 풍석문화재단 전라북도 지부, 흐름출판사, 2018. 서유구는 부임 첫해 계사년에 포폄 대상 70명 중 상고 49명, 중고 8명, 하고 6명을 줄 정도로 첫해에 매우 엄정하게 등재하였는데, 포폄에서 하고를 받게 되면 체직의 대상이 되어 2년이 경과해야 다시 임용되었다.

다.[40] 선발한 인원은 나이, 성적, 생원·진사 중 희망하는 시험, 부친(父親)의 이름, 사는 곳 등을 작성하였고 거수자(居首者)의 시권(試卷)은 등서(謄書)하여 규장각에 올려보냈다.

수원부의 무사 선발은 별효사(別驍士)·열교(列校) 도시(都試)와 별군관(別軍官) 도시가 있었다. 도시는 동장대(東將臺)에서 치렀고, 중군·종사관·영화도 찰방이 참관하였다. 별효사와 열교를 선발하는 도시는 매년 춘등과 추등에 열렸고, 시험은 수원 유수가 주관하였으며, 과목은 철전(鐵箭)·유엽전(柳葉箭)·편전(片箭)·기추(騎芻)·편추(鞭芻)·조총(鳥銃)이었다. 서유구는 공도회와 마찬가지로 1836년 10월에 1주 동안 2년에 해당하는 도시를 한꺼번에 설행하였고 1837년 9월에는 2일간 1년에 해당하는 도시를 개최하였다.

또 다른 무사 선발 시험인 별군관 도시는 수원부에 배치된 별군관을 상대로 매년 춘하등·추동등에 수석 합격자를 중앙에 추천하는 제도로서 수원 유수가 주관하였다. 서유구는 1836년 11월 25일에 추동등 도시를 시행하여 좌열 별군관(左列別軍官) 최현정(崔顯鼎)을, 1837년 5월 16일에 춘하등 도시를 시행하여 좌열 별군관 최홍원(崔弘元)을 선발하였다.

서유구의 민생 관리는 농사의 번성을 위해 가장 중요한 농형(農形) 및 우택(雨澤) 보고와 진휼(賑恤) 정책이 주를 이룬다. 한 해 농사를 잘 관리하여 국가 재정과 민생의 안정을 이루는 것은 지방관

---

40 강서(講書)에 응시한 유생이 없어 강서에 배당된 인원 2인을 제술(製述)에 추가하였다. 《華營日錄》 卷1 12月 5日.

의 업무 중 가장 중요한 부분이었다. 이에 지방관은 농사가 시작되는 춘분(春分)에서 추분(秋分) 사이에 열흘 간격으로 농형을 보고하였다. 대체로 수원부의 판관이 해당 지역의 농형을 살펴 유수에게 보고하면 유수는 이 내용을 정리하여 장계로 중앙에 보고하는 형식을 취하였는데, 《화영일록》에 보면 서유구는 직접 나가 농형을 살피기도 하였다.[41] 농형의 내용은 대체로 농사를 시작할 때부터 중간의 작황 경과, 수확에 이르기까지 자세하게 정리하여 보고하였고, 보고한 작황은 주로 봄보리와 가을보리, 올벼와 늦벼, 콩과 팥이었다. 추수를 마친 후에는 한 해의 작황에 대해 보고하는 연분 장계(年分狀啟)를 발송하였다. 서유구는 재임 시기 매년 9월 27일 연분 장계를 작성하였는데 강우량에 따른 농형과 벼의 작황, 연해(沿海)의 작황 및 상황, 우택 및 기후에 따른 작황 상황 등을 자세하게 정리하였다.

표8 서유구의 농형 보고 및 내용

1836	보고 및 내용	1837	보고 및 내용
2. 25	판관(判官) 이민영(李敏榮)	3. 4	판관 겸임 중군 박시회(朴蓍會)
	봄보리 갈이 완료		**봄보리** 갈이 완료
3. 5	판관 이민영	3. 15	판관 김한순(金漢淳)
	가을보리 점차 푸른 빛 **봄보리** 싹을 틔워 가래질		**가을보리** 아래쪽 습기 있는 밭에 일찍 경작한 것은 간혹 푸릇푸릇함 **봄보리** 밭 갈고 씨 뿌리는 것이 조금 늦어져 아직 싹을 틔우지 못하여 가래질을 이제야 시작
3. 15	판관 이민영	3. 26	판관 겸임 중군 박시회
	가을보리 무성함 **봄보리** 가래질을 마침 **올벼** 부종(付種) **늦벼** 주앙(注秧)과 건파(乾播) 시작		**가을보리** 싹을 틔운 것은 무성해지려 함 **봄보리** 일찍 경작한 것은 점차 푸른빛이 돔 **올벼** 부종과 주앙, 건파를 시작하여 가래질 완료

41 《華營日錄》卷1 5月 9日.

4. 6	판관 이민영	4. 6	판관 겸임 중군 박시회
	가을보리 배태(胚胎)하여 싹이 팸 **봄보리** 싹이 자라남 **올벼** 모내기 **늦벼** 주앙과 건파를 마침		**가을보리** 간혹 싹이 자라남 **봄보리** 점차 무성해 짐 **올벼** 부종 완료 **늦벼** 주앙·건파함
4. 16	판관 이민영	4. 16	판관 김한순
	가을보리 싹이 팸 **봄보리** 배태하였으나 심각한 가뭄으로 백삽병〔白颯〕 **올벼** 부종하여 푸른 빛 **늦벼** 이앙 시작		**가을보리** 간혹 배태함 **봄보리** 점차 싹을 틔움 **올벼** 부종과 주앙한 것은 간간이 싹이 나옴 **늦벼** 건파 완료
4. 26	판관 이민영		판관 김한순
	가을보리 누런빛 **봄보리** 심각한 가뭄으로 백삽병 **올벼** 부종하여 초벌 김매기 시작 **늦벼** 건파하여 푸른 빛, 이앙은 수근(水根)이 있는 곳은 이앙, 수근이 부족한 곳은 땅이 메말라 갈이를 할 방법이 없음		**가을보리** 모두 싹이 팸 **봄보리** 간혹 이삭이 팸 **올벼** 부종과 주앙한 것은 모두 싹을 틔움 **늦벼** 건파하여 간간이 싹을 틔움
5. 6	판관 이민영	5. 8	판관 김한순
	가을보리 간간이 베어냄 **봄보리** 누런빛 **올벼** 부종하여 초벌 김매기 **늦벼** 건파하여 초벌 김매기 시작, 이앙은 수근이 있는 동답(洞畓)은 한창		**가을보리** 곡식이 알을 맺음 **봄보리** 이삭이 모두 팸 **올벼** 부종하여 초벌 김매기 시작 **늦벼** 건파하여 푸른 빛을 띰
5. 15	판관 겸임 중군(中軍) 김상우(金相宇)	5. 18	판관 김한순
	가을보리 다 베어냄 **봄보리** 간간이 베어냄 **올벼** 부종하여 초벌 김매기 완료 **늦벼** 건파하여 초벌 김매기 한창 **콩과 팥** 그루갈이 시작		**가을보리** 누렇게 변함 **봄보리** 곡식이 알을 맺었으나 뇌한(惱旱)과 뇌풍(惱風)으로 백사병에 걸림 **올벼** 부종함 **늦벼** 건파하여 초벌 김매기가 한창이나 오랜 가뭄으로 흙이 말라 그만둠
5. 26	판관 이민영	5. 30	판관 김한순
	봄보리 다 베어냄 **올벼** 부종하여 두 벌 김매기 시작 **늦벼** 건파하여 초벌 김매기 완료, 이앙 완료 **콩과 팥** 그루갈이 한창		**가을보리** 알이 맺혀 누렇게 익은 것은 이미 수확 **봄보리** 간간이 베어냄 **올벼** 부종하여 두 벌 김매기 시작 **늦벼** 건파하여 초벌 김매기 한창 **콩과 팥** 밭을 갈고 씨를 뿌림 ※ 기우제 이후 많은 비가 내림
6. 6	판관 이민영	6. 10	판관 김한순
	올벼 부종하여 두 벌 김매기 한창 **늦벼** 건파하여 두 벌 김매기 시작, 이앙은 초벌 김매기 시작 **콩과 팥** 그루갈이 완료		**봄보리** 수확 완료 **올벼** 부종하여 두 벌 김매기 한창 **늦벼** 건파하여 초벌 김매기 시작, 이앙은 높고 마른 곳에 이앙하지 못한 것을 시작하려 함 **콩과 팥** 밭을 갈고 씨를 뿌림
6. 16	판관 이민영	6. 16	판관 김한순
	올벼 부종하여 두 벌 김매기 완료 **늦벼** 건파하여 두 벌 김매기 한창, 이앙은 초벌 김매기 한창 **콩과 팥** 싹이 틈		**올벼** 부종하여 두 벌 김매기 완료 **늦벼** 건파하여 두 벌 김매기 한창, 이앙은 일찍 이앙한 것은 초벌 김매기 시작, 늦게 이앙한 것은 이앙 완료 **콩과 팥** 밭 갈고 씨 뿌리기 완료

6. 26	영화도 찰방(迎華道察訪) 오치건(吳致健)	7. 1	판관 김한순
	올벼 세 벌 김매기 시작 **늦벼** 건파하여 두 벌 김매기 완료, 이앙은 초벌 김매기 완료 **콩과 팥** 호미질 시작		**올벼** 부종하여 세 벌 김매기 한창 **늦벼** 건파하여 두 벌 김매기 완료, 이앙은 초벌 김매기 완료 **콩과 팥** 싹이 돋아나는 중
7. 7	영화도 찰방 오치건	7. 11	판관 김한순
	올벼 이삭이 팸 **늦벼** 건파하여 세 벌 김매기 시작, 이앙은 두 벌 김매기 시작 **콩과 팥** 호미질 시작		**올벼** 부종하여 한창 배태함 **늦벼** 건파하여 세 벌 김매기를 이미 마침, 이앙은 두 벌 김매기를 이미 마침 **콩과 팥** 호미질이 한창
7. 17	판관 이민영	7. 22	판관 김한순
	올벼 간간이 황색 **늦벼** 건파하여 세 벌 김매기 완료, 이앙은 두 벌 김매기 완료 **콩과 팥** 호미질 완료		**올벼** 부종하여 한창 이삭이 팸 **늦벼** 건파하여 간혹 배태, 이앙은 세 벌 김매기 완료 **콩과 팥** 호미질 완료
7. 27	판관 이민영	8. 2	판관 김한순
	올벼 간간이 베어냄 **늦벼** 건파하여 간간이 이삭이 팸, 이앙은 배태 **콩과 팥** 꽃망울을 터트림 ※ 동풍(凍風)이 달포가 넘게 이어져 원야(原野)의 높고 건조한 전답은 여러 곡식이 간간이 시들어 말라버림 연해(沿海) 각 면은 오랜 가뭄과 폭염으로 짠 기운이 위로 침투하여 뿌리는 바싹 타버리고 줄기는 메말라 먹을 열매를 기약하기가 어려움		**올벼** 부종하여 누런빛을 띰 **늦벼** 건파하여 이삭이 팸, 이앙은 배태함 **콩과 팥** 꽃이 핌
8. 7	판관 이민영	8. 13	판관 김한순
	올벼 다 베어냄 **늦벼** 이앙은 수근이 있는 곳은 간혹 이삭이 팼으나 바람과 가뭄에 시달리다 백삽병에 걸려 시들거나 말라버림 **콩과 팥** 꼬투리를 맺었으나 알맹이가 드물고 작음		**올벼** 한창 베어 수확하는 중 **늦벼** 건파하여 이앙은 일찍 한 것은 이미 모두 싹이 패고 늦게 한 것은 간간이 싹이 팸 **콩과 팥** 열매를 맺음
8. 17	판관 이민영	8. 24	판관 김한순
	늦벼 이앙은 모두 이삭이 팸 **콩과 팥** 모두 열매를 맺었으나 가을 가뭄으로 전답의 곡식이 손상을 입은 것을 소성할 가망이 없음		**올벼** 수확 완료 **늦벼** 건파하여 이앙은 일찍 한 것은 모두 누런빛을 띠고 늦게 이앙한 것은 이미 이삭이 팸 **콩과 팥** 열매를 맺음
9. 27	수원 유수 서유구	9. 5	판관 김한순
	연분 장계(年分狀啓) 발송		**늦벼** 건파하여 일찍 이앙은 일찍 한 것은 간혹 베어 수확을 완료하였고 늦게 한 것은 누런빛을 띰 **콩과 팥** 누런빛을 띰
		9. 27	수원 유수 서유구
			연분 장계 발송

서유구는 농형 보고 외에 우택(雨澤)을 보고하였다. 지방관은 당해 농사를 결정 짓는 중요한 요인인 비가 내린 상황에 대해 해당

지역의 농형과 함께 우택의 상황을 왕에게 보고하도록 의무화되어 있었다. 서유구는 우택 장계에 비가 시작된 시간과 끝난 시간, 비의 규모, 강수량, 측우기 수심을 기록하여 보고 하였다.

1837년에는 가뭄이 지속되자 대왕대비는 5월 12일에 기우제(祈雨祭)에 관하여 거론하였다.[42] 서유구는 5월 15일부터 기우제를 지내기 시작해 3일에 한번씩 장소를 옮겨 총 5차례의 기우제를 지냈으며, 그때마다 축문(祝文)을 지어서 바쳤다. 서유구는 5월 15일 사단(社壇)에 기우제를 지내는 것을 시작으로 5월 18일에는 광교산(光敎山)에서 재도(再度) 기우제를, 21일에는 용연(龍淵)에서 3도(三度) 기우제를, 5월 24일에는 팔달산(八達山)에서 4도(四度) 기우제를, 5월 27일에는 축만제(祝萬提)에서 5도(五度) 기우제를 지냈다. 5월 27일 기우제를 지내고 나서 오후 비가 내리기 시작했고 5월 30일에는 큰비가 내려 이후 기우제는 중단하였다.

표9 서유구의 우택 보고 일지

1936	보고 및 내용	1937	
2. 5	판관 이민영	3. 20	판관 김한순(金漢淳)
	2월 4일 묘시(卯時)~오시(午時)		3월 18일 술시~20일 진시
	먼지를 적실 정도 〔浥塵〕		2려
	측우기 수심 3푼		측우기 수심 3촌 3푼
2. 12	판관 이민영	3. 28	판관 겸임 중군 박시회(朴蓍會)
	2월 11일 술시(戌時)~12일 진시(辰時)		3월 27일 진시~오시
	먼지를 적실 정도		1서
	측우기 수심 3푼		측우기 수심 7푼

42 《承政院日記》 117책 헌종 3년(1837) 5월 12일 戊子 기사. 大王大妃殿曰, 今日次對之進定, 以亢旱之故也。間或有二三次驟雨, 而此不可鋤犂論, 牟麥又將失稔, 荐歉之餘, 其何以救民乎? 春牟則初云稍登矣, 旱氣一直如此, 今無足觀, 民事極爲遑急, 雖屢豐之餘, 猶難救濟, 而日日望霓, 尙靳一霈, 夏至且不遠, 祈雨祭不卜日設行, 可乎? 宗薰曰, 夏至後始爲祈雨, 卽是常典, 故該曹似未及仰請, 而觀節序早晩, 旱氣淺深, 雖在夏至前, 特擧圭璧, 已多其例, 今距夏至, 未滿一旬, 若及今得優洽之澤, 則秋農之豐登可望, 若差過幾日, 則秧役亦將愆期, 此正是時日渴望之會, 以此時祈雨, 果甚好矣。大王大妃殿命書傳敎曰, 祈雨祭不卜日設行事, 分付禮曹。

3. 1	판관 이민영	4. 16	판관 김한순
	2월 29일 미시(未時)~30일 묘시		4월 15일 사시~유시
	3려(犁)		1서
	측우기 수심 5촌 3푼		측우기 수심 5푼
4. 9	판관 겸 중군 김상우	5. 3	판관 김한순
	4월 8일 오시~신시(申時)		5월 2일 술시(戌時)~축시(丑時)
	먼지를 적실 정도		먼지를 적실 정도
	측우기 수심 3푼		측우기 수심 4푼
4. 15	판관 이민영	5. 26	판관 김한순
	4월 14일 신시~묘시		5월 26일 사시(巳時)~오시
	1서(鋤)		1려
	측우기 수심 5푼		측우기 수심 1촌 5푼
4. 29	판관 이민영	5. 30	판관 김한순
	4월 28일 오시~29일 신시		5월 29일 오시~묘시
	1려		개천이 흘러넘치고, 멈추지 않고 세차게 내려 개일 기미가 없음
	측우기 수심 1촌 1푼		측우기 수심 5촌 8푼
5. 3	판관 이민영	6. 3	판관 김한순
	5월 2일 신시~3일 묘시		5월 29일 묘시 이후~6월 2일 유시
	1서		서와 려를 논하지 않고 개천에 물이 넘실거림
	측우기 수심 7푼		측우기 수심 8촌 8푼
5. 13	판관 겸임 중군 김상우(金相宇)	6. 10	판관 김한순
	10일 신시~12일 유시(酉時)		6월 8일 신시~9일 인시
	2서		1서
	측우기 수심 1촌 2푼		측우기 수심 4푼
5. 15	판관 겸임 중군 김상우	6. 14	판관 김한순
	5월 15일 인시(寅時)~오시		6월 9일 인시 이후~13일 묘시
	3려		1려
	측우기 수심 4촌 5푼		측우기 수심 1촌 5푼
5. 18	판관 이민영	7. 11	판관 김한순
	5월 15일 오시 이후~17일 유시		7월 9일 오시~10일 묘시
	1려		2려
	1촌 8푼		측우기 수심 2촌 4푼
5. 27	판관 이민영	7. 16	판관 김한순
	5월 26일 해시(亥時)~27일 묘시		7월 14일 술시~15일 묘시
	2서		2서
	측우기 수심 1촌 2푼		측우기 수심 9푼
6. 1	판관 이민영	7. 19	판관 김한순
	5월 29일 유시~6월 1일 인시		7월 15일 묘시 이후~18일 묘시
	2려		3려
	측우기 수심 3촌 1푼		3촌 7푼
6. 6	판관 이민영	7. 28	판관 김한순
	6월 4일 미시~5일 오시		7월 25일 해시~27일 묘시
	2서		서와 려를 논하지 않고 개천에 물이 넘실거림
	측우기 수심 1촌 2푼		측우기 수심 7촌 7푼

6. 12	판관 이민영	7. 29	판관 김한순
	6월 10일 유시~11일 오시		7월 27일 묘시 이후~7월 28일 인시
	2려		주룩주룩 쏟아짐
	측우기 수심 3촌 3푼		측우기 수심 1촌 2푼
6. 16	판관 이민영		
	6월 13일 술시~15일 묘시		
	1서		
	측우기 수심 6푼		
6. 19	판관 이민영		
	6월 15일 묘시 이후~18일		
	1려		
	측우기 수심 2촌 2푼		
6. 26	판관 이민영		
	6월 22일 묘시~25일 묘시		
	2서		
	1촌 1푼		
7. 12	영화도 찰방 오치건		
	7월 10일 유시~11일 인시		
	먼지를 적실 정도		
	4푼		
7. 29	판관 이민영		
	7월 28일 신시~유시		
	먼지를 적실 정도		
	5푼		

그 밖에도 월식(月蝕)이 있으면 보고하였다. 서유구는 수원 유수로 재임할 때 두 차례의 월식이 있었는데, 1836년 9월 15일 월식에는 판관과 함께 구식(救蝕)을 행한 뒤에 식체(食體)를 그려 개록하였으며[43], 1837년 3월 17일에는 판관이 식체와 도형을 보고하였다.

서유구는 수원 유수에 부임하고 나서 먼저 권농 전령(勸農傳令), 우(牛)·주(酒)·송(松) 삼금 전령(三禁傳令), 간사하고 교활한 풍속을 없

43 丙申九月十五日乙未夜望, 月食分一分十二秒, 初虧亥初一刻五分, 初虧東北。食甚亥正初刻一分, 食甚正北復圓, 亥正二刻十二分, 復圓西北。《華營日錄》卷1 9月 15日.

애기 위한 잡기 금지 전령(雜技禁止傳令)을 연이어 발송하고 조세의 납부를 거부하는 반호(班戶)를 엄히 바로 잡았다.

서유구가 수원부에 부임하기 전 1835년에는 수원부에 큰 해일 피해가 있었다. 서유구는 부임한 지 약 한 달 만인 1836년 2월 21일 해일(海溢)로 인해 11개 면의 굶주린 백성을 가려내 구급하는 일을 전령하여 가장 황급한 가호를 간략하게나마 뽑아내서 2월 27일부터 한 사람당 쌀 2승(升), 콩 2승씩을 분급하게 하였다. 이 일은 4월 27일까지 총 7차례에 걸쳐 진행되었으며 1창(倉), 6창, 7창, 9창에서 송동(松洞)·토진(土津)·오타(五朶)·숙성(宿城)·포내(浦內)·가사(佳士)·현암(玄巖)·장안(長安)·압정(鴨汀)·초장(草長)·우정(雨井)에 분급하였고, 1차에 747명, 2차에 736명, 3차에 771명, 4차에 770명, 5차에 770명, 6차에 769명, 7차에 769명을 진휼하였다.

또, 1837년 9월 5일 기사에 보면 "17일 영풍(獰風, 모진 바람)이 크게 불어 본 부(本府)의 바 닷가에 잇닿은 각 면에는 해일(海溢)의 근심이 많은 탓에 장리(將吏)를 나누어 보내어 그들로 하여금 적간(摘奸)하게 하니, 송동(松洞)·오정(梧井)·광덕(廣德)·가사(佳士)·현암(玄巖)·포내(浦內)·장안(長安)·우정(雨正)·압정(鴨汀)·초장(草長)·청룡(靑龍)·숙성(宿城)·종덕(宗德)·수북(水北)·오타(五朶) 등 15개 면은 모두 바다에 인접한 면(面)으로 피해를 입은 논이 90여 결(結)이 되었습니다"라고 하여 해일의 상황을 보고하면서 곳곳을 쫓아다니며 자세히 조사하고 상황에 따라 급재(給災)하거나 언답(堰畓)이 무너진 곳은 수축하여 묵정밭이 되지 않도록 피해 상황을 대처하였다.

유수는 해당 지역의 백성들의 민원을 처리하는 사법 관례와 각 군현 수령들의 보장(報狀) 등을 처리하는 업무를 수행해야 했다. 《화영일록》에 보면 수원 유수로서 서유구는 유수부 내에서 발생한 3건의 살옥 사건의 검장(檢狀)에 제사(題辭)를 작성하였다. 이는 전라도관찰사로 재임할 때 처리했던 살옥 사건 수와 비교하면 큰 차이가 있는데, 《완영일록》에 보면 총 1,070건의 문서 중 단일 문건으로는 살옥 사건의 보장(報狀)에 대한 제사가 494건으로 가장 많았다. 이는 53개 주를 관할했던 관찰사로서 전라도 전역의 살옥 사건 전체를 담당하였고 《화영일록》에 보이는 3건은 수원부 내에서 발생했던 사건만을 다루었기 때문이었던 것으로 보인다.

그 외에도 서유구는 세밑 무렵에 수원부 내의 90세 이상 노인과 효행인(孝行人)에게 술과 고기를 가지고 존문을 하게 하거나 연초에 80세 이상이 되는 응자 노인(應資老人)을 작성하고 수원부 내 용주사(龍珠寺)에 오래 거주한 승려들을 체가(帖加)[44]하기도 하였다.

(6) 각종 시설 수리 및 협련군挾輦軍 발송

정조 후기에 이루어진 화성 성역은 정조에 의해 주도된 신도시 건설로 1794년(정조 18) 봄에 시작하여 1796년 가을에 전체 공사를 마무리 했다. 화성 성역이 완성되자 정조는 도시의 기반 시설로 수로를 정비하였고 농업 기반을 확충하기 위해 다양한 제언을 축조하였다. 이와 관련된 시책으로 만석거(萬石渠), 만년제(萬年堤), 축만제(祝萬堤) 등 수리시설의 축조와 화성 둔전(屯田)의 설치 등이

44 《華營日錄》卷1 12月 26日.

있다.[45] 이와 같은 다양한 시설과 수로의 확충은 생산력을 높이고 재정 조달에 긍정적인 작용을 하였으나 수해 등으로 피해를 입는 경우가 발생하여 보수와 관리가 매우 중요하였다.

서유구는 수원 유수로 재임하면서 각종 수리시설을 보수하는 작업을 진행하였는데, 군병을 이 역사(役事)에 이점(移點)하여 수행하게 하였으며 1837년 10월 24일에는 북둔 이하 각종 수리시설을 대대적으로 보수하고 그 내용을 정리하여 장계로 아뢰었다.

그 외에도 동장대(東將臺)와 서장대(西將臺), 화양루(華陽樓) 서포루(西鋪樓)의 무너진 곳도 일일이 보수하여 모든 공사를 약 7달에 걸쳐 마무리하였다. 이 공사는 수원부의 수성고(修城庫)와 저치고(儲置庫)에서 분배하여 취용(取用)하였고 보축한 내용을 후록(後錄)하였다.

1811년(순조 11)에는 향실(香室)과 예문관(藝文館)에 큰 화재가 있었다.[46] 이 화재로 인해 《실록(實錄)》이 불타는 사고가 발생하였는데, 헌종(憲宗) 2년 8월 10일 권강(勸講) 때에 좌의정(左議政) 홍석주(洪奭周)가 실록(實錄) 개인(改印)을 아뢰며 《정묘실록(正廟實錄, 정조실록)》이 연대가 가장 가깝고 반질(反秩) 정도가 현존하니 먼저 보완할 것을 청하였다.[47]

실록을 보인하기 위해서는 사고를 열고 필요한 권차를 서울로

---

45 염정섭, 〈정조 후반 수리시설 축조와 둔전경영〉, 173~174, 한국학보(韓國學報) 82, 1996.

46 香室藝文館災, 命宮城扈衛。《純祖實錄》 14卷, 純祖 11年 閏3月 6日 甲申

47 《備邊司謄錄》 憲宗 2年 8月 10日. 初十日藥房入診勸講同爲入侍時, 左議政洪所啓, 年前藝文館回祿之後, 列聖朝實錄, 所當改印奉安, 而體重役鉅, 尙至今未遑矣, 正廟實錄, 年代尤近, 而見存之卷, 尙爲半帙, 尤不可不先卽補完, 而今方以凡例考出之故, 有開庫奉審之擧, 其中當爲補印之卷, 令進去春秋館堂上及史官陪來, 奉安于本館, 待新修實錄印出時, 仍爲借印, 以就完帙, 恐不可已, 故敢此仰達矣, 上曰, 依爲之。

가져와야 하는데 수원 유수인 서유구는 정족산성(鼎足山城) 사각(史閣)에 보관된 실록을 이동할 때 협련군(挾輦軍) 20명을 조발하는 임무를 수행하였다. 서유구는 8월 22일 왕명 표신(王命標信)을 받고 같은 날 바로 병조(兵曹)의 관문에 따라 시흥 현령(始興縣令)에게 전령(傳令)하였다. 실제 실록을 옮겨오는 일은 9월 3일에 시행되었는데 시흥현(始興縣) 속오군(束伍軍)에서 20명을 조발(調發)하여 시흥현의 경계부터 숭례문(崇禮門) 밖까지 호위하는 일을 수행했으며 서유구는 이 일을 장계로 소상하게 아뢰었다.[48]

4. 《화영일록》의 가치

조선 시대 공무 일기가 흔치 않은 상황에서 경기 지역의 상황에 대해 파악할 수 있는 《화영일록》은 자료적으로 매우 가치가 높다. 서유구는 수원 유수로 부임하기 전 21개월 동안 전라도 관찰사로 재임하며 《완영일록》이라는 공무일기를 남긴 바 있다. 《완영일록》은 서유구가 전라도 관찰사로 재임했던 동안 거의 하루도 빼놓지 않고 제주도를 포함 관할 56개 주 수령 등에게 왕명을 전달하고, 전라도의 상황을 왕에게 보고하는 장계를 날짜별로 필사하여 남겼다. 수원 유수로 재임하던 시기에는 재임 시기의 거의 절반을 서울에 출입하며 경연에 참여하거나 국왕을 직접 알현하

48 江華府 鼎足山城史閣實錄奉來時, 依兵曹啓下關, 挾輦軍二十名, 以臣營所屬始興縣束伍軍調發, 待候于該縣境上是白如可, 今月初三日, 扈衛至崇禮門外信地, 除標信解送是白乎等以, 緣由馳啓爲白臥乎事。《華營日錄》卷1 9月 3日.

여 수원부의 상황을 아뢸 수 있었기 때문에 《화영일록》에는 많은 내용이 생략되어 있으나 전라도관찰사로 재임하던 시기에는 서울에 출입하기가 어려웠기 때문에 장계로 빠짐없이 국왕에게 아뢰었던 것으로 짐작된다. 서유구의 이와 같은 두 건의 지방관으로서의 공무일기는 지방과 중앙과의 보고 문서 행이 절차와 중앙의 기록에서는 찾아보기 힘든 당시 지방의 행정 실태에 대해 자세히 살펴볼 수 있다.

서유구에 관한 연구는 조선 최고의 백과사전으로 집대성된 《임원경제지》의 연구에 집중되어 있다. 18~19세기 조선왕조의 실학적 정치이념이 학문적 체계로 정리되어 있음을 재발견했기 때문이다. 《화영일록》 및 《완영일록》과 같은 서유구의 지방관으로서의 공무 기록은 그의 학문적 체계가 단지 관념상의 제안이 아니라 정치 현실에 실현될 수 있는 것임을 증명한다.[49] 서유구는 수원 유수로 부임하여 공식적인 첫 업무를 각 면에 권농전령(勸農傳令)을 발송하는 것으로 시작하였다. 농사에 힘써 국가 재정을 넉넉하게 하는 것은 수령칠사(守令七事) 중 하나에 해당하지만, 《화영일록》을 통해의 농학자이자 실학적 사고를 그의 정치에 반영하고자 했던 서유구의 학문적·정치적 이념을 이해하는 데 도움이 될 것으로 전망된다.

---

49 손병규, 고려대학교 한국학자료센터, 《화영일록》 상세 정보 참고

이에 경에게 수원부(水原府) 유수(留守) 겸(兼)
총리사(摠理使)에 제수하니 경은 총장(寵章)을
공경히 받들어 힘써 공적을 펼치라. 재부(財賦)를
잘 보수하고 백성(黎庶)들을 어루만져 따뜻한 봄과
같은 은혜를 베풀고 졸승(卒乘)을 잘 점검하고
성지(城池)를 수리하여 뜻하지 않은 사태에
대비함(陰雨之備)에 힘쓰라.

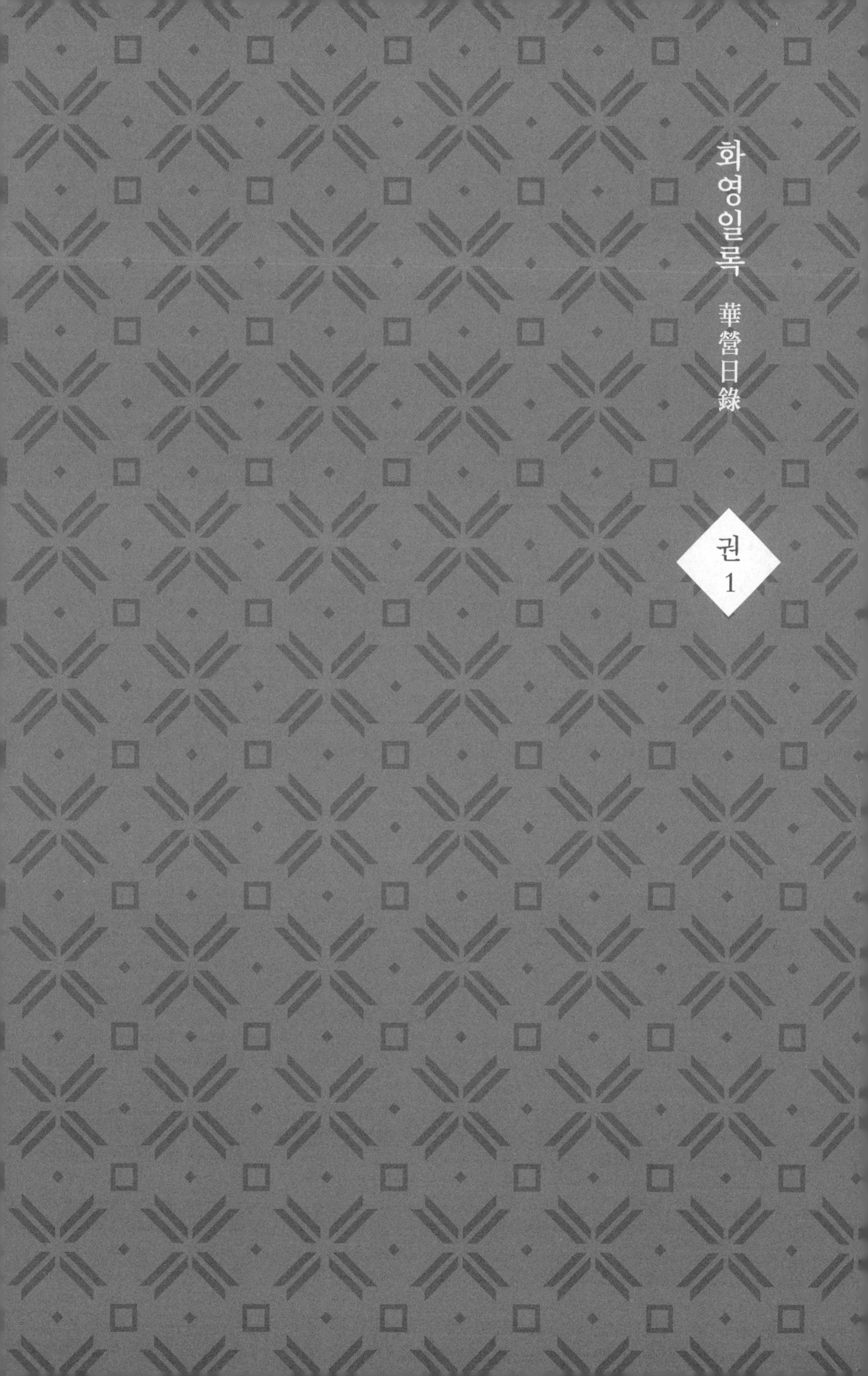

화영일록
華營日錄
권 1

화성전도(국립중앙박물관)

병신년丙申年 1836년, 헌종憲宗 2년 1월

병신년(丙申年) 정월 1일.

후반(候班)[1]에 진현(進見, 나아가 뵙다)하지 못하였다.

1월 4일.

대신(大臣)과 각신(閣臣)[2]이 문후(問候)를 여쭙기 위해 입시(入侍)[3]하였을 때 나는 간절하게 아뢰었던 체직(遞職)의 은전(恩典)을 입지 못하고 진현(進見) 하지 못하였다.

1월 10일.

종묘(宗廟)를 경희궁(慶熙宮)으로 옮겨 봉안(奉安)할 때 배종 각신(陪從閣臣)으로 진참(進參)하였다.

---

1 후반(候班) : 임금이 편치 않을 때 문후(問候)하는 반열을 말한다.

2 각신(閣臣) : 규장각의 관원을 말한다. 종1품~정2품의 제학(提學) 2명, 종2품~정3품의 직제학(直提學) 2명, 정3품~종6품의 직각(直閣) 1명, 정7품~9품의 대교(待敎) 1명 외에 이들을 보좌하는 검서관 4명이 있었다.

3 입시(入侍) : 대궐에 들어가 임금을 접견하는 일을 말한다.

1월 11일.

수원 유수(水原留守)[4]에 수의(首擬)[5] 몽점(蒙點)[6]되었다.【서능보(徐能輔)[7]의 병으로 인해 체대(遞代)[8] 하였다】 병조 판서(兵曹判書)의 명소(命召)[9]를 당상 군관(堂上軍官)[10]으로 하여금 승정원(承政院)에 반납(齎納)하게 하였다.

1월 15일.

사직(辭職)의 소(疏)를 올렸다.

〔상소(上疏)〕

삼가 아뢰옵건대, 해가 어느덧 바뀌어 좋은 날을 가리어

---

4 유수(留守):조선 시대 개성·강화(江華)·광주(廣州)·수원(水原)·춘천(春川) 등 요긴 한 곳을 맡아 다스리던 정 2품과 정 2품 경관직(京官職)을 말한다.

5 수의(首擬):수망(首望)으로 주의(注擬)함을 말한다. 관원을 임명하거나 시호(謚號)·능호(陵號)·전호(殿號) 등을 정할 때 합당하다고 생각되는 것을 임금에게 주의하는데, 가장 합당하게 여겨 첫머리에 적은 것을 수망, 그다음을 차망(次望), 그 다음을 말망(末望)이라 한다. 임금이 이 세 망 중에서 뜻에 맞는 데에 낙점(落點)하여 결정한다.

6 몽점(蒙點):삼망(三望) 가운데서 임금의 낙점(落點)을 입어 선임(選任)된 것을 말한다.

7 서능보(徐能輔):1769~1836. 본관은 대구(大丘), 자는 치량(穉良)이다. 1802년(순조2) 문과에 장원하였으며, 평안도 암행어사(平安道暗行御史)·홍문관수찬(弘文館修撰)·강화 유수(江華留守)·황해도 관찰사(黃海道觀察使) 이조판서(吏曹判書) 등을 거쳐 벼슬이 좌참찬에 이르렀다. 1835년(헌종 1) 9월에 수원부 유수(水原府留守)에 도임하여 약 4개월을 재임하고 1836년(헌종 2) 1월에 이임하였다.

8 체대(遞代):관직이 교체(交遞)되는 것을 말한다.

9 명소(名召):명소패(名召牌)의 준말. 명소패는 임금의 명령을 받고 비밀스럽게 대궐에 들어가는 의정 대신(議政大臣)·포도 대장(捕盜大將)·삼군부(三軍府)의 대장·병조 판서(兵曹判書) 등의 관원이 차는 표로 일면에는 '명소 영의정(命召領議政)'이라 쓰고 그 옆에 연·월·일을 쓰고, 다른 일면에는 임금이 친서(親署)하는데, 이것을 반분(半分)하여 우편(右片)을 부르고자 하는 신하에게 보내고 좌편(左片)은 궁중에 둔다.

10 당상 군관(堂上軍官):조선 시대에 정3품 당상관 이상의 무신(武臣)을 이른다.

받아 태실(太室)[11]은 이봉(移奉)의 예를 거행하고 여영(旅楹)[12] 증수(增修)의 역사(役事)를 비로소 시작하니, 성효(聖孝, 성상의 효성)는 계서(繼序, 계승(繼承)하는 차례)에 더욱 빛나고 온 백성들의 마음은 찬축(攢祝)에 더욱 간절합니다. 거듭 엎드려 생각건대, 신(臣)은 고황(膏肓)[13]에 병이 들어 환광(瘝曠)[14]의 죄가 쌓여만 가니 외람되게 변변치 않은 간청을 아뢰어 중대한 책임을 면하고자 하였는데, 비지(批旨)[15]를 받들게 되었으나 몽윤(蒙允)을 얻지 못하였습니다. 이에 황공하고 민망한 것이 깊은 못과 골짜기에 떨어진 것만 같이 천만뜻밖의 일로, 갑자기 수원부(水原府)를 다스리라는 명(命)을 삼가 받들게 되니, 신은 진실로 몹시 당황스럽고 조심스러워 어찌할 바를 모르겠습니다.

아! 신은 삼대(三代)의 조정(朝廷)[16]을 차례로 섬기면서 이제

11 태실(太室) : 태묘(太廟)의 중앙에 있는 방을 이르는데, 태묘를 가리킨다. 《서경(書經)》 〈낙고(洛誥)〉에 "왕이 태실에 들어가 강신제(降神祭)를 지냈다고 하였다."라고 하였는데, 공전(孔傳)에 "태실은 청묘(淸廟)이다."라고 하였고, 공영달(孔穎達)의 소(疏)에는 "태실은 큰 방이기 때문에 청묘(淸廟)로 삼는다. 태묘에 5실(室)이 있는데, 중앙의 방을 태실이라고 한다."라고 하였다.

12 여영(旅楹) : 사당에 있는 많은 기둥으로, 《시경(詩經)》 〈은무(殷武)〉에 "소나무로 만든 서까래가 길기도 하며 여러 기둥이 크기도 하니, 침묘(寢廟)가 이루어짐에 매우 편안하도다[松桷有梴, 旅楹有閑, 寢成孔安.]"라고 한 데서 온 말이다.

13 고황(膏肓) : 속 깊은 곳에 있는 장기(臟器)로, 병마가 그곳으로 들어가면 치료할 수 없다고 한다. 전하여 고질병이 든 것을 뜻하는 말로 쓰인다. 《춘추좌씨전(春秋左氏傳)》 성공(成公) 10년 조에 이르기를 "진후(晉侯)가 병이 나서 진(秦)나라에서 의원을 구하였는데, 진백(秦伯)이 의원을 보내었다. 그런데 의원이 도착하기 전에 진후가 꿈을 꾸었는데, 꿈속에서 병이 두 어린아이[二豎]로 화해 말하기를, '저 어진 의원이 우리를 해칠까 두렵다.'라고 하니, 그중 하나가 말하기를, '황(肓)의 위, 고(膏)의 아래에 숨으면 우리를 어쩌겠는가.'라고 하였다. 의원이 이르러서는 말하기를, '병을 고칠 수가 없습니다. 황의 위, 고의 아래에 숨어 있어서 공격하려 해도 할 수가 없고 도달하려 해도 할 수가 없어서 약이 거기까지 도달하지 못하니 고칠 수가 없습니다.'라 하였다."라고 하였다.

14 환광(瘝曠) : 벼슬아치가 병을 핑계로 공무를 잘 살피지 않는 것을 말한다.

15 비지(批旨) : 신하가 올린 상소(上訴)에 대하여 임금이 내리는 비답(批答)의 말씀을 말한다.

16 삼대(三代)의 조정(朝廷) : 서유구는 정조(正祖)·순조(純祖)·헌종(憲宗) 3명의 임금을 보필하였다.

는 늙어 머리가 하얗게 세도록 죽지 않고, 오랜 세월 창상(滄桑, 상전벽해(桑田碧海))과 같은 여러 풍파를 겪어오면서 온갖 생각이 차디찬 재와 같은데 이와 같은 책무를 맡게 되었습니다. 교릉(橋陵)[17]의 송백(松柏)[18]을 바라보고 의지하며[瞻依][19] 원묘(原廟)[20]의 의관을 가까이 모시고, 바라건대 반염(攀髯)[21]의 남은 애통함을 위무하고 욕의(縟蟻)[22]의 작은 정성을 조금이라도 펼 수 있다면 이는 실로 신의 지극한 원이자 큰 영광입니다. 마땅히 명을 받으면 즉시 달려가 불사가구(不俟駕屨)[23]해야 하건만

---

17 교릉(橋陵):교릉(橋陵)은 원래 황제(黃帝)의 능으로, 왕릉을 가리킨다. 《당기(唐紀)》에 "현종이 교릉(橋陵)에 갔다가 금속강(金粟岡)에 용이 서리고 봉이 나는 형세가 있는 것을 보고 시종의 신하에게 말하기를 '내가 죽으면 여기에다 묻어야 할 것이다.'라고 하였는데, 현종이 승하하자 유명에 따라 그곳에 장례를 치렀다."라고 하였다. 또, 당 예종(唐睿宗)의 능을 읊은 두보(杜甫)의 《두소릉시집(杜少陵詩集)》〈교릉시(橋陵詩)〉에 "영원토록 오구와 함께 보전될 곳, 물이며 언덕이며 아스라이 멋지도다.〔永與奧區固, 川原紛眇冥.〕"라는 구절이 있다.

18 송백(松柏):《시경(詩經)》〈소아(小雅)·천보(天保)〉에 나오는 말로, "소나무와 잣나무의 무성함과 같아 그대를 계승하지 않음이 없도다.〔如松栢之茂, 無不爾或承〕"라는 데서 온 말이다. 송백처럼 묵은 잎이 떨어지려 하면 새잎이 자라 무성한 것을 뜻한다. 아랫사람이 아름다움을 군주에게 돌려 그 윗사람에게 보답하는 표현으로 홍성함이 성대함을 뜻한다.

19 바라보고 의지하며〔瞻依〕:'첨의(瞻依)'는 항상 바라보고 의지한다는 뜻으로, 부모나 존장(尊長)에 대한 경의(敬意)를 나타내는 말이다. 《시경》〈소반(小弁)〉의 "눈에 뜨이나니 아버님이요, 마음에 그리나니 어머님일세.〔靡瞻匪父, 靡依匪母.〕"라는 말에서 나온 것이다.

20 원묘(園廟):종묘(宗廟) 외에 더 세운 나라의 사당을 말한다. 왕·왕후를 칭하더라도 즉위한 일이 없는, 곧 추존(追尊)된 이, 또는 조천(祧遷)된 이의 신위(神位)를 모시기 위하여 세운다. 여기서는 정조의 아버지인 사도세자를 말한다.

21 반염(攀髯):1800년에 정조(正祖)가 승하(昇遐)한 것을 말한다. 반염은 특히 임금의 죽음을 슬퍼하는 뜻으로, 옛날 중국의 황제(黃帝)가 용(龍)을 타고 승천(昇天)할 적에 측근 신하 70여 명은 함께 타고 올라갔고, 나머지 신하들은 미처 타지 못하고 수염에 매달렸다가 수염이 빠져서 떨어졌다는 고사에서 온 말이다. 《사기(史記)》 권28 〈봉선서(封禪書)〉.

22 욕의(縟蟻):잠자리를 깔아 땅강아지와 개미를 쫓는다는 '욕누의(蓐螻蟻)'의 준말로, 승하한 임금을 따라 죽으려는 신하의 충성을 말한다. 전국 시대에 안릉군(安陵君)이 초 공왕(楚共王)에게 "대왕께서 승하하신 뒤에는 이 몸이 황천에 따라가서 잠자리를 만들고 땅강아지와 개미를 쫓고자 합니다."라고 하였다. 《전국책(戰國策)》〈초책(楚策) 1〉.

23 불사가구(不俟駕屨):군주가 부르면 신하가 급히 달려간다는 의미로, 《예기(禮記)》〈옥조(玉藻)〉에 "무릇 군주가 부를 때에는 3절로써 하니 2절을 가지고 부를 때에는 달려가고, 1절을 가지고 부를 때에는 바쁜 걸음으로 가며, 관청에 있을 때 군주가 부르면 신발을 신기를 기다리지 않고, 밖에 있을 때 군주가 부르면 수레에 멍에 하기를 기다리지 않는다.〔凡君召以三

돌아보며 어찌 감히 관례에 따라 겉치레로 사양하는 말을 꾸며 돌아가겠습니까.

아! 이 부(府)를 설시(設始)할 초기에 신은 일찍이 잠필(簪筆)[24]로 경연(經筵)에 올라 삼가 경영의 모훈(謨訓)을 따르고 고미(櫜弭)[25]를 들고 배가(陪駕)하여 성지(城池)[26]의 아름다움을 흔쾌히 보았습니다. 매번 그 일을 생각하면 말(言)을 따라 눈물이 흐르니, 산 언덕 물 개울 모두 하나하나 손가락으로 가리켜 풀 하나 나무 하나 온통 우로(雨露)[27]의 은택을 입어 진실로 억만 년 끝없는 터로 호서(湖西, 충청도)와 해서(海西, 황해도)를 관할(管轄)하고 경도(京都, 도읍)의 문병(門屛)[28]이 되어 그 책임의 막중함은 삼도(三都)[29] 어디와도 비할 수 없습니다. 그러나 근래에 들어 거듭 흉년이 들고 창부(倉府)의 치적(峙積)[30]은 싹 쓸어낸 듯

節, 二節以走, 一節以趨, 在官, 不俟屨, 在外, 不俟車.)"라는 구절을 원용한 것이다.

24 잠필(簪筆): 잠필(簪筆)은 관원이 관(冠)이나 홀(笏)에 붓을 꽂아서 서사(書寫)에 대비하는 것을 이르는 말로, 제왕(帝王)의 근신(近臣)이 된 것을 의미한다. 여기서는 경연에 참석한 경연관을 가리키는 것으로 풀이하였다.

25 고미(櫜弭): 편미(鞭弭)와 고건(櫜鞬)을 말한다. 편미는 채찍과 꾸미지 않은 활이고, 고건은 화살을 담는 화살집과 활을 담는 활집이다. 춘추 시대에 진 문공(晉文公)이 초자(楚子)에게 "만약 명을 받지 않는다면 왼쪽에는 채찍과 활을 잡고, 오른쪽에는 화살집과 활집을 가지고 당신과 한판 겨루어 보겠습니다.(若不獲命, 其左執鞭弭, 右屬櫜鞬, 以與君周旋.)"라고 하였다. 《춘추좌씨전(春秋左氏傳)》 희공(僖公) 23년.

26 성지(城池): 적의 접근을 막기 위해 성의 둘레에 깊게 파 놓은 연못을 아울러 말하는 것으로 곧 튼튼한 성을 말하는 것이다. 여기서는 정조 때 건립된 수원 화성(華城)을 이른다.

27 우로(雨露): 초목(草木)이 하늘의 내리는 비와 이슬로 자라나므로 임금의 은혜를 우로(雨露)라 한다.

28 문병(門屛): 밖에서 집안을 들여다보지 못하도록 대문(大門)이나 중문 안쪽에 가로막아 놓은 담이나 널빤지를 말한다.

29 삼도(三都): 조선 시대 한성부(漢城府)를 제외한 경관직(京官職) 유수(留守)가 주재한 곳. 즉 수원부(水原府)·광주부(廣州府)·개성부(開城府)·강화부(江華府)를 총칭하여 사도(四都)라고 하는데, 여기서는 수원부를 제외한 3개 부(部)를 말한다.

30 치적(峙積): 높이 쌓인 것을 말하는데, 여기서는 창고에 쌓아 둔 곡식의 재고를 말한다.

하니 마을의 고달픔은 더욱 심해져 온갖 폐단이 고슴도치의 털(蝟起)처럼 일어나[31] 이를 바로 잡을 계책이 없습니다. 이처럼 패국잔평(敗局殘枰)[32]과 같이 위태로워 도저히 손을 쓸 수 없는 이 같은 시기에 이러한 임무를 맡는 것은 위세와 명망이 사태를 진정시키기에 충분하여 재기(材器)[33]가 족히 다스리기 마땅한 자가 담당 하여도 오히려 각고(却顧)하고 주저할까 근심인데, 지금 이렇게 병들고 쇠약하여 사무에 밝지 못한 우매한 신(臣)과 같은 자에게 거행하게 하신다면 필경 크게 일을 그르쳐 다스림은 반드시 다행스럽지 못할 것입니다. 신의 전도(顚倒)되고 낭패(狼狽)스러운 몸은 진실로 백성을 구휼하기에 부족하여 이미 무너진 시국을 보수할 수 없어 도리어 신간(愼簡, 신중히 간택함)에 폐를 끼칠 뿐이니 어찌하겠습니까! 신은 이제 짊어진 과분한 책임이 두렵고 총록(寵祿, 총애로 받게 되는 복록)은 선을 넘을까 두렵습니다. 백방으로 헤아려보아도 삼가 가슴에 품기 어려움을 굽어살피시어 이렇게 감히 문구를 갖추어 지엄하신 전하께 우러러 말씀드립니다. 바라옵건대 성상의 자애로 굽어보시고 양찰(諒察)하시어 삼가 신에게 새롭게 제수하신 유수(留守)의 직임을 체직(遞職)하시고 공기(公器)[34]

31 고슴도치의 털처럼 일어나[蝟起]: 고슴도치 털은 한 개만 건드리면 모든 털이 한꺼번에 곤두서서 경계 태세로 들어간다. 원문의 '위기(蝟起)'는 한꺼번에 어지러이 일어서는 모양을 형용하기도 하고, 사람이 어려움에 처했을 때 도움을 청하지 않았는데도 곁에서 한 마음으로 도와준다는 뜻으로 쓰기도 한다.

32 패국잔평(敗局殘枰): 패배가 임박한 대국(大局)에서 텅 비어 끝난 바둑의 형세와 같은 위태로운 상황을 말한다.

33 재기(材器): 사람의 됨됨이와 쓸모 있는 바탕을 이른다.

34 공기(公器): 관직(官職)을 개인의 사유(私有)가 아니라는 뜻으로 이르는 말이다.

를 중히 하시어 미천한 분수가 편안해지도록 해 주소서.

【비답(批答)[35]】 상소(上疏)를 보고 경(卿)의 간절한 마음은 잘 알았다. 경은 사직(辭職)하지 말고 직임(職任)을 살피라.

1월 16일.

사은(謝恩)[36]하고 나서 바로 내각(內閣, 규장각(奎章閣)의 별칭)에 나아가 어제(御製)[37]를 교준(校準, 교정)하였다.

1월 17일.

내각에 나아가 어제를 교준하였다.

1월 18일.

내각에 나아가 어제를 교준하였다.

1월 19일.

내각에 나아가 어제를 교준하였다.

---

35 비답(批答) : 신하가 올린 계청(啓請)·소차(疏箚) 등에 대하여 임금이 가부 또는 의견을 붙여서 답하는 것을 말한다.

36 사은(謝恩) : 과거에 합격했거나 관직에 제수된 자가 임금에게 은명(恩命)을 감사히 여겨서 사례하는 것을 말한다.

37 어제(御製) : 서유구가 수원 유수(水原留守)에 부임한 시기는 1834년 순조(純祖)가 사망한 직후에 해당하므로, 규장각(奎章閣)에서는 순조의 어제와 익종(翼宗)의 어제를 동시에 편찬하여 《열성어제(列聖御製)》에 포함시키는 작업을 진행했다. 순조의 아들이자 헌종의 부친이었던 효명세자(孝明世子)는 헌종이 국왕으로 즉위한 직후 국왕으로 추존되어 '익종(翼宗)'이란 묘호(廟號)를 받았고, 순조의 어제를 편찬할 때 익종의 어제도 함께 편찬하였다.

1월 20일.

빈대(賓對)[38]가 있는 날이지만 현병(懸病)[39]하였다.

1월 21일

실록청(實錄廳)[40]에 나아갔다.

1월 22일.

내각에 나아가 어제를 바치고 합부본(合附本)[41]을 나누어 신시(申時, 오후 3시~오후 5시) 후에 실록청에 나아갔다.

1월 25일.

내각에 나아가 어제를 교준하였다.

---

38 빈대(賓對):빈청 차대(賓廳次對)의 준말이다. 빈청은 대신과 비변사 당상 등이 정기적으로 모여 국사를 논의하였던 궐 안의 건물이자 이들로 구성된 회의 기구를 뜻한다. 차대는 매월 5일, 10일, 15일, 20일, 25일, 30일에 대신(大臣), 의정부 당상, 양사(兩司), 옥당(玉堂)의 1원이 참석하고 승지와 사관이 배석하여 국정을 논하던 일인데 매달 3차례는 원임 대신(原任大臣)도 함께 입시하였다.

39 현병(懸病):병으로 인하여 직무를 수행할 수 없을 때 그 사유를 기입하는 것을 말한다.

40 실록청(實錄廳):조선시대 실록 편찬을 위해 설치한 임시 관청을 말한다. 실록청의 조직은 대체로 영의정이 겸임하는 영사(領事), 좌·우의정이 겸하는 감사(監事), 판서급이 겸하는 지사(知事), 참판급이 겸하는 동지사(同知事), 6승지와 홍문관부제학 및 대사간이 겸하는 수찬관(修撰官, 이상 당상관), 그리고 의정부·육조·승정원·홍문관·예문관·세자시강원(世子侍講院)·사헌부·사간원·승문원(承文院)·종부시(宗簿寺)의 당하관이 겸임하는 편수관(編修官)·기주관(記注官)·기사관 등이 있었다. 반면, 인원은 임금의 재위 기간의 장단에 따라 작업량이 다르므로 일정하지 않았다.

41 합부본(合附本):〈순종대왕어제(純宗大王御製)〉와 〈익종대왕어제(翼宗大王御製)〉는 남공철(南公轍) 등이 헌종의 명을 받아 1836년(헌종2) 5월 19일에 간행하여 진상하였다. 순조와 익종 어제 합부본(合附本)은 목록 2책, 원편(原編) 18권 9책, 별편(別編) 2권 1책, 합 12책으로 이루어져 있다. 먼저 목록 제5책에는 순조, 제6책에는 익종의 시문 목록이 실려 있다. 순조의 시문은 권78부터 권89까지 12권 6책, 익종의 시문은 권90부터 권95까지 6권 3책에 실려 있다. 그리고 별편의 경우 권5에 순조, 권6에 익종의 시문이 수록되어 있다. 권말(卷末)에 기록된 교정자 명단에서 서유구의 직함은 '자헌대부 수원 유수 겸 총리사 지 실록사 규장각 제학(資憲大夫水原府留守兼總理使知實錄事奎章閣提學)'으로 기록되었다.

1월 26일.

하직(下直) 숙배(肅拜)를 드린 후, 권강(勸講)[42]으로 입시(入侍)할 때 함께 입시하였다. 전하여 말씀하시길, "수원 유수(水原留守)는 남아 기다리라."라고 하셨다. 또 전하여 말씀하시길, "수원 유수는 입시하라."라고 하셨다.

같은 날(1월 26일).

입시(入侍)하였다가 파(罷)한 후에 승정원(承政院)에 나가 병부(兵符)[43]를 받고 교유서(敎諭書)[44]를 받들어 나왔다.

〔교서(敎書)〕

왕이 말하노라. 이 땅은 한(漢)나라 서경(西京)을 공제(控制, 제어함)하는 곳과 같은 정히 문무(文武)를 겸전(兼全)해야 하며 직무는 주(周)나라 동교(東郊)의 보리(保釐)[45]를 본받는 것은 마땅히 내외로 달리 볼 것이 없다. 이에 경(卿)을 번거롭게 한 번 내보내는 십항(十行)[46]의 글을 내린다. 오직 경은 대대로 충정

---

42 권강(勸講): 임금이나 세자를 모시고 경전의 강의하는 일이나 그 일을 맡은 사람을 지칭한다. 《승정원일기(承政院日記)》에 서유구(徐有榘)의 헌종(憲宗) 권강(勸講)에 관한 기록은 헌종 1년(1835) 3월 21일 기사에 처음 보인다. 《승정원일기》에는 1936년 1월 26일 당일 권강은 기록되어 있지 않고, 《조선왕조실록(朝鮮王朝實錄)》〈헌종실록(憲宗實錄)〉 당일 기사에 "희정당(熙政堂)에서 권강하였다. 수원 유수(水原留守)를 소견(召見)하였는데, 사폐(辭陛)하였다.(勸講于熙政堂, 召見水原留守徐有榘, 辭陛也。)"라고 기록되어 있다.

43 병부(兵符): 조선 시대에 군대를 동원할 수 있는 표지로, 임금이 관찰사나 절도사 등 지방관에게 주었다. 둥글납작한 나무패의 한쪽 면에 '發兵'이라 쓰고 다른 한쪽에 관찰사나 절도사 등의 이름을 기록한 다음 가운데를 쪼개어 오른쪽은 당사자에게 주고 왼쪽은 임금이 간직하였다.

44 교유서(敎諭書): 교서(敎書)와 유서(諭書)를 말한다. 교서는 왕이 내리는 명령서이고 유서는 관찰사·절도사·방어사 등이 부임할 때 임금이 내리는 명령서를 말한다.

45 보리(保釐): 안보하여 다스린다는 뜻이다. 《서경(書經)》〈필명(畢命)〉에, "필공(畢公)을 명하여 동교(東郊)를 보리(保釐)하게 하였다." 하였다.

46 십항(十行): 임금의 조서(詔書)나 친필 서한(書翰)을 말한다. 일찰십항(一札十行)이라고도 하는데, 한나라 광무제(光武帝)가 번국(藩國)에 조서를 내릴 때 사방 한 자 되는 종이에 열 줄

(忠貞)이 돈독하고 가문에서는 전하는 시례(詩禮)[47]가 있어 위포(韋布)[48]로서는 재보(宰輔, 재상)의 명망에 오르기까지 하였다. 자질은 호련(瑚璉)[49]하고 규장(圭璋)[50]하며 연참(鉛槧)[51]은 사종(詞宗)[52]의 영예를 떨쳤고 문장은 생용(笙鏞)과 보불(黼黻)[53]과 같다. 심도(沁都)[54]에서는 북두성(北斗星)의 절기를 어루만지고 주사(籌司, 비변사의 별칭)의 큰 뜻을 도왔으며 영관(瀛館, 홍문관(弘文館))의 수장이 되어 문임(文任)[55]의 직책을 맡아 문원(文垣)[56]의 추중(推重)

의 글을 쓴 데서 유래한 것이라 한다.

47 시례(詩禮) : 가정교육 또는 가학(家學)을 뜻한다. 공자의 아들 이(鯉)가 뜰에서 공자 앞을 빠른 걸음으로 지나다가 공자로부터 시(詩)와 예(禮)를 배웠느냐는 질문을 받고 또 그것을 왜 배워야 하는지에 대해 듣고서 물러 나와 시와 예를 배웠던 일에서 유래한 말이다. 《논어(論語)》 〈계씨(季氏)〉.

48 위포(韋布) : 위대포의(韋帶布衣)의 준말로, 가죽으로 만든 띠와 베로 만든 옷을 말한다. 벼슬하기 전에 입는 옷인데, 흔히 벼슬하지 않은 선비를 가리키는 말로 쓰인다.

49 호련(瑚璉) : 호(瑚)와 련(璉)은 모두 고대에 제사를 지낼 때 곡식을 담는 그릇인데, 그 귀중함으로 인해 큰 임무를 감당할 만한 재능을 소유한 사람에게 비유하였다. 《논어(論語)》 〈공야장(公冶長)〉에 "자공(子貢)이 묻기를, '저는 어떻습니까?'라고 하니, 공자가 말하기를, '너는 그릇이다.'라고 하였다. 자공이 또 묻기를, '무슨 그릇입니까?'라고 하니, 공자가 말하기를 '호련(瑚璉)이다.'"라고 하였다.

50 규장(圭璋) : 예식 때 사용하는 옥(玉)으로, 고결한 인품을 갖춘 인물이라는 말이다. 《예기(禮記)》 〈빙의(聘義)〉에 이르기를 "규장 한 가지만으로 예를 이루고 다른 폐백을 쓰지 않는 것은 그 덕을 인함이다.[圭璋特達, 德也]"라고 하였다.

51 연참(鉛槧) : 연(鉛)은 연분필(鉛粉筆)을 말한 것이요, 참(槧)은 나무로 깎은 판대기이니, 글씨 쓰는 붓과 종이 또는 문필의 업이란 뜻이다.

52 사종(詞宗) : 사백(詞伯). 시문(詩文)에 능(能)한 사람이나 시문(詩文)의 대가(大家)를 높이어 일컫는 말이다.

53 생용(笙鏞)과 보불(黼黻) : 생용은 악기의 종류인 생황(笙簧)과 대종(大鐘)을 가리키며, 보불은 옛날 임금들의 대례복(大禮服)에 놓은 수를 말한다. 보(黼)는 도끼 모양의 흑백색, 불은 아(亞) 자 모양의 흑청색(黑靑色) 수를 놓은 것으로, 흔히 임금을 보좌하는 인재를 가리킨다. 통상 왕정을 행하는 도구나 조정의 귀한 인재를 비유하는 말로 쓰인다.

54 심도(沁都) : 강도(江都), 곧 강화도(江華島)를 이른다. 서유구는 1827년(순조 27) 강화 유수(江華留守)로 부임하였다.

55 문임(文任) : 조선 시대 홍문관(弘文館)과 예문관(藝文館)의 제학(提學)을 이르는 말로 임금의 교서(敎書) 또는 외교문서를 맡아 보는 종2품의 관직이다.

56 문원(文垣) : 문원(文苑). 홍문관(弘文館)과 예문관(藝文館)을 말한다.

을 흡족히 받았다. 주연(冑筵)[57]의 자리에서는 좋은 길로 인도함을 게을리 하지 않았고 계심옥심(啓心沃心)[58]하며 전형(銓衡)[59]을 맡으면 감별(鑑別)에 어긋남이 없었으며 공평하고 나라만을 생각하였다. 천구(天球)와 홍벽(弘璧)[60]과도 같은 3종(三宗, 정조(正祖)·순조(純祖)·헌종(憲宗))의 신장(宸章)[61]을 교정(校正)하였고 석실(石室)[62]과 운향(芸香)[63]에 두 조정의 국사(國史)를 편찬하였다. 이미 경의 재주가 널리 퍼져 이에 명성이 드러나니 내 마음은 경에 두텁게 의지하였다.

이 경기가 4도를 보살핌을 보았으니 수성(隋城)[64] 1부(府)는 더욱 중하다. 수성은 하늘이 설치한 금탕(金湯)[65]으로 호남(湖南)과 영남(嶺南) 3로(路)의 요충지이며 의관(衣冠)을 월유(月遊)[66]하

57 주연(冑筵): 세자에게 경사(經史)를 강의하고 교육하는 자리인 서연(書筵)을 이른다. 임금의 경연(經筵)과 구별하기 위해 서연이라 칭하였는데, 이연(离筵) 또는 주연이라 칭하기도 하였다.

58 계심옥심(啓心沃心): 마음을 열고 임금의 정치를 보필할 인재를 뜻한다. 은나라 고종이 부열에게 "그대의 마음을 열어 나의 마음에 물을 대어 주오.[啓乃心沃予心]"라고 한 데서 온 말이다. 《서경(書經)》 〈열명(說命)〉

59 전형(銓衡): 사람의 재능을 시험하여 뽑거나 그런 일을 맡은 관원을 말하는데 보통 이조 판서(吏曹判書)를 가리킨다. 서유구는 육조(六曹)의 판서를 모두 역임하였다.

60 천구(天球)와 홍벽(弘璧): 천구와 홍벽은 모두 옥으로 만든 진귀한 구슬로 종묘(宗廟)의 보기(寶器)를 뜻한다. 여기서는 귀중한 서적을 뜻하는 말로 썼다. 《서경》 〈고명(顧命)〉에 "옥을 오중으로 하며 보물을 진열하니, 적도와 대훈과 홍벽과 완염은 서서에 있고 대옥과 이옥과 천구와 하도는 동서에 있다.[越玉五重, 陳寶, 赤刀大訓弘璧琬琰在西序, 大玉夷玉天球河圖在東序.]"라고 하였다.

61 신장(宸章): 임금이 쓴 어장(御章) 또는 편지를 말한다.

62 석실(石室): 석실(石室)은 금궤 석실(金匱石室)의 준말로, 국가의 귀중한 도서를 보관하는 곳이다.

63 운향(芸香): 운각(芸閣). 서적 간행을 담당하는 교서관(校書館)의 별칭으로, 운향각(芸香閣)에서 유래하였다. 운향은 본디 서적의 좀벌레를 없애는 효과가 있어 서고(書庫)에는 반드시 운초(芸草)를 비치했기 때문이다.

64 수성(隋城): 수원(水原)을 가리킨다. 수원의 고호(古號)가 수성(隋城)이다.

65 금탕(金湯): 금성탕지(金城湯池)의 준말로 쇠로 쌓은 성과 끓는 물이 흘러 성을 보호하는 견고한 성지(城池)를 말한다. 《한서(漢書)》 〈괴통전(蒯通傳)〉에, "반드시 성을 고수하려고 한다면 모두 금성과 탕지로 만들어야 공격할 수 없을 것이다."라고 하였다.

66 의관(衣冠)을 월유(月遊): 의관(衣冠)의 월유(月遊)는 한 달에 한 번씩 능침(陵寢)에 보관된

고 만년(萬年)을 이어나갈 침원(寢園, 임금의 능침)을 받들고 있다. 드디어 성조(聖祖)께서 경시(經始)[67]의 뜻을 펴 낙택(洛宅, 낙양)을 정하고 멀리 바라보니 영고(寧考)[68]와 계술(繼述)[69]의 계책이며, 난조(灤朝)[70]에 응하여 천봉(遷奉)하고 부제(祔祭)[71]를 겸하니 풀 한 포기 나무 한 그루도 유택(遺澤)이 골고루 내려지지 않음이 없었다. 모산(某山)과 모구(某邱)에는 더욱이 육룡의 선필(仙蹕)[72]이 가까이 머무니 이러한 까닭에 유수의 직책 또한 반드시 그 인물을 신중하게 정해야 한다.

양성(兩聖)의 제치(制置)가 이미 근면하시어 당구(堂構)[73]의 책

의복을 꺼내어 제향을 지내는 것을 가리키는데, 본래 한 고조(漢高祖)의 능침에 보관된 한 고조의 의관을 매달 꺼내 바람을 쐰 데서 유래하였다. 《한서(漢書)》 권99 〈숙손통전(叔孫通傳)〉

67 경시(經始): 《시경》 〈대아(大雅)·영대(靈臺)〉에 "영대를 짓기 시작하여 공사를 벌이니 서민들이 와서 일하는지라 하루도 못 되어 완공하였도다.[經始靈臺, 經之營之, 庶民攻之, 不日成之.]" 한 데서 온 말로, 여기서는 정조(正祖)가 왕궁과 종묘를 복원하는 공사를 시작하였음을 뜻한다.

68 영고(寧考): 천하를 안정시킨 조고(祖考)를 뜻하는 말로, 문왕(文王)·무왕(武王)을 가리킨다. 여기에서는 영조(英祖)·정조(正祖)를 비롯한 선왕(先王)을 가리키는 뜻으로 썼다.

69 계술(繼述): 계지술사(繼志述事)의 줄임말로, 선왕의 뜻과 사업을 이어받아 행함을 말한다.

70 난조(灤朝): 이장(移葬)의 대상이 된 왕릉이나 그 관을 가리키는 말로, 주나라 문왕(文王)이 아버지 왕계(王季)를 난수(灤水) 가에 장사 지냈는데, 난수에 의해 무덤이 깎여나가 관이 드러나자, 문왕이 "선군(先君)께서 여러 신하와 백성들을 한번 보고 싶어 하시므로 하늘이 난수로 하여금 관을 드러나게 한 것이다."라고 하고, 관을 꺼내어 3일 동안 조정에 가져다 놓았다가 다시 이장한 고사에서 유래하였다. 정조는 사도세자의 묘를 화성으로 천봉하였는데 이를 말한다.

71 부제(祔祭): 부묘제(祔廟祭)의 준말로, 졸곡(卒哭) 이튿날 죽은 사람의 신주를 그의 할아버지 신주 곁에 함께 모시고 지내는 제사를 말한다. 제사를 마친 뒤에 신주를 다시 꺼내어 정침(正寢)에 모시고 있다가 정해진 상기(喪期)가 지나면 사당으로 모셔 들여와 할아버지 신주 곁에 안치한다.

72 육룡의 선필(仙蹕): 여섯 마리의 말이 끄는 제왕의 수레라는 말로 임금의 어가를 말한다. 육룡은 《주역(周易)》 〈건괘(乾卦)〉의 "여섯 마리의 용을 타고 하늘을 어거한다.[乘六龍以御天]"라는 말에서 유래하였는데, 《주례(周禮)》 〈하관사마(夏官司馬)·유인(庾人)〉에 "말이 8척 이상이면 용이라고 한다.[馬八尺以上爲龍]"라는 말이 나온다.

73 당구(堂構): 긍당긍구(肯堂肯構)의 준말로, 가업(家業)을 이어받아 발전시키는 것을 비유하는 말이다. 《서경(書經)》 〈대고(大誥)〉에 "아버지가 집을 지으려 하여 이미 설계까지 끝냈다 하더라도, 그 자손이 집터도 닦으려 하지 않는다면 어떻게 집이 완성되기를 기대할 수 있겠

무가 급하니 구경(九卿)[74]의 재능 있는 인재를 열거해 보면 누가 총리(摠理)의 공(功)을 맡을 수 있겠는가? 이에 경에게 수원부(水原府) 유수(留守) 겸(兼) 총리사(摠理使)에 제수하니 경은 총장(寵章)[75]을 공경히 받들어 힘써 공적을 펼치라. 재부(財賦)[76]를 잘 보수하고 백성(黎庶)들을 어루만져 따뜻한 봄과 같은 은혜를 베풀고, 졸승(卒乘)[77]을 잘 점검하고 성지(城池)[78]를 수리하여 뜻하지 않은 사태에 대비함(陰雨之備)[79]에 힘쓰라.

지난날 호가(扈駕)[80]한 곳에 이르러 무슨 생각을 하게 되었던가? 세시(歲時)에 전릉(展陵)[81]의 법도를 받들어 경의 직분에 힘쓰라. 아! 일로(馹路, 역말(驛馬)의 길)가 경연(京輦)[82]에 근접하니 매달 초1일에는 기거(起居)[83]를 저버리지 말고 홍유(鴻猷)[84] 시에는 공거(公車)[85]에 올려보내면 조석(朝夕)으로

는가.(若考作室, 旣底法, 厥子乃不肯堂, 矧肯構.)"라는 말에서 비롯된 것이다.

74 구경(九卿) : 의정부(議政府)의 좌참찬·우참찬, 육조(六曹)의 각 판서, 한성부(漢城府)의 판윤(判尹)을 총칭한 것을 말한다.

75 총장(寵章) : 총애(寵愛)의 뜻을 나타내는 글이나 책봉(冊封) 등을 말한다.

76 재부(財賦) : 국가 재정의 원천이 되는 온갖 세금을 통틀어 이르는 말이다.

77 졸승(卒乘) : 졸승(卒乘)은 사병(士兵)과 전차(戰車)인데, 군대를 뜻하는 말로 쓰인다.

78 성지(城池) : 적의 접근을 막기 위해 성의 둘레에 깊게 파 놓은 연못을 아울러 말하는 것이니, 곧 튼튼한 성을 말하는 것이다.

79 뜻하지 않은 사태에 대비함(陰雨之備) : 《시경(詩經)》 〈빈풍(豳風)·치효(鴟鴞)〉의 "하늘이 흐리고 비가 내리기 전에, 저 뽕나무 뿌리를 거두어 모아다가, 출입구를 단단히 얽어서 매어놓는다면, 지금 이 아래에 있는 사람들이, 누가 감히 나를 업신여길 수 있겠는가.(迨天之未陰雨, 徹彼桑土, 綢繆牖戶, 今此下民, 或敢侮予.)"라는 말에서 나온 것으로, 환란을 당하지 않도록 미리 조처하여 예방하는 것을 말한다.

80 호가(扈駕) : 임금의 행차에 모시고 따르는 것이다.

81 전릉(展陵) : 임금이 선왕(先王)의 능침(陵寢)에 전배(展拜)하는 일을 말한다.

82 경연(京輦) : 경련은 서울, 곧 사람과 사물이 많이 모여 있는 도회지를 말한다.

83 기거(起居) : 5일마다 모든 신하가 대신을 따라 입궐(入闕)하여 임금을 알현(謁見)하는 것이다.

84 홍유(鴻猷) : 국가적 대업(大業)이나 큰 계책을 말한다.

85 공거(公車) : 한대(漢代)의 상주(上奏)하는 문서(文書)를 관장하던 관청으로 주로 공문서(公文

납회(納誨)[86]하는 것과 무엇이 다르겠는가. 이에 교시(敎示)하니 마땅히 잘 알도록 하라.

같은 날(1월 26일).

기영(畿營, 경기 영)에 나가 교귀(交龜)[87]를 마친 뒤 장계(狀啓)[88]를 밀봉하여 아뢴 다음, 곧바로 길을 떠나 저녁에 시흥현(始興縣)에 도착하여 머물러 묵었다.

〔장계(狀啓)〕

본 부(本府)의 전임 유수(留守) 신(臣) 서능보(徐能輔)가 받은 발병부(發兵符)[89] 우(右) 1척(隻)·수원부 유수(水原府留守) 인신(印信)[90] 1과(顆)·총리사(摠理使)[91] 인신 1과·본 부 판관(本府判

書), 혹은 공문서를 관장하는 곳을 가리킨다. 여기서는 승정원을 이른다.

86 납회(納誨):선언(善言)·간언(諫言)을 아뢰는 것을 말한다. 《서경(書經)》〈열명 상(說命上)〉에, "(고종이 부열에게) 명하여 말하였다. '아침저녁으로 가르침을 들려주어서 나의 덕을 도우라.'〔命之曰:朝夕納誨以輔台德.〕"고 한 구절에서 나왔다.

87 교귀(交龜):관리(官吏)가 귀형(龜形)으로 된 관인(官印)을 후임자(後任者)에게 넘겨주는 것을 이른 말로, 즉 직무를 인계하는 것을 의미한다.

88 장계(狀啓):조선 시대에 관찰사(觀察使)·병사(兵使)·수사(水使) 등 왕명을 받고 외방에 나가 있는 신하가 자기 관하의 중요한 일을 임금에게 보고하거나 청하는 문서이다.

89 발병부(發兵符):군대를 발병(發兵)할 때 사용하는 신부(信符)이다. 한쪽 면(面)에는 발병이라 쓰고 다른 면에는 도명(道名)과 관찰사(觀察使) 또는 절도사(節度使)라 썼는데 제진(諸鎭)일 경우에는 진호(鎭號)를 썼다. 한 가운데를 쪼개어 우부(右符)는 그 책임자에게 주고 좌부(左符)는 중앙의 상서사(尙瑞司)에 두었다가, 임금이 발병할 때 이 좌부를 내려 보내어 우부와 맞추어 본 뒤 군사를 움직였다.

90 인신(印信):도장·관인의 통칭으로, 1품부터 9품까지 문무 아문의 정사각형 인장인 방인(方印)으로서 사방에 공적으로 인증하였음을 전하는 수단이다.

91 총리사(摠理使):조선 후기 총리영(摠理營)의 주장(主將)으로 정이품(正二品)이며 정원은 1원이다. 수원 유수(水原留守)가 겸임하였다. 1802년(순조 2)에 장용위(壯勇衛)를 개편하여 수도 외곽의 수비를 담당하기 위하여 수원부(水原府)에 설치하였다. 총리영의 관원으로는 총리사(摠理使), 중군(中軍, 정삼품), 종사관(從事官, 종삼품) 각 1원, 별효장(別驍將, 정삼품) 2원, 파총(把摠, 종사품) 12원, 척후장(斥候將, 정육품) 1원, 초관(哨官, 종구품) 25원, 교련관(敎鍊官) 8원, 지구관(知彀官) 10원, 별군관(別軍官) 100명, 수첩군관(守堞軍官) 12명, 별효사(別驍士) 200명 등이 있었다.

官)[92] 발병부 좌(左) 1척과 본 부 소속 용인(龍仁)·진위(振威)·안산(安山)·시흥(始興)·과천(果川) 등 5개 읍 발병부 좌(左) 5척을 신이 당일 기영(畿營)에 도착하여 겸(兼) 유수 신(臣) 김도희(金道喜)[93]와 더불어 면간 전수(面看傳受)[94]하였습니다. 이러한 연유(緣由)를 치계(馳啓)[95]합니다.

1월 27일.

동이 틀 무렵 출발해 오각(午刻, 오전 11시~오후 1시)에 영문(營門)에 도착하여 화령전(華寧殿)[96]에 숙배(肅拜)[97]한 다음, 장남헌(壯南軒)[98]에 들

---

92 판관(判官): 조선 시대 감영(監營), 유수영(留守營) 및 큰 고을에 둔 종5품의 벼슬. 또 돈녕부(敦寧府), 한성부(漢城府), 상서원(尙瑞院), 봉상시(奉常寺) 등 기타 여러 관아의 종5품의 벼슬을 말한다.

93 김도희(金道喜): 1783~1860. 본관은 경주(慶州). 자는 사경(士經), 호는 주하(柱下)이다. 1813년(순조 13) 증광 문과에 병과로 급제해 검열·설서·정언 등 청요직(淸要職)을 거쳐 호조·형조·예조의 참의를 거쳤다. 그 뒤 이조참판·경기도관찰사·한성부좌윤을 역임하고, 1838년(헌종 4) 판서, 1842년 우의정, 1843년 좌의정에 올랐다가 판돈녕부사로 은퇴하였다.

94 면간 전수(面看傳受): 신구(新舊)의 관원이 서로 면대(面對)하여 인수인계 하는 것을 말한다.

95 치계(馳啓): 왕명을 받고 외방(外方)에 나가 있는 신하가 특별히 빠른 방법으로 임금에게 서장(書狀)을 보내어 아뢰는 것을 말한다.

96 화령전(華寧殿): 정조(正祖)의 어진(御眞)을 봉안한 곳이다. 정조의 어진은 처음에는 현륭원(顯隆園)의 재실에 봉안하였는데, 1801년(순조 1) 1월 화성(華城) 행궁(行宮)의 왼쪽에 전각을 세워 옮겨 봉안하고 칭호를 화령전으로 정하였다《국조보감(國朝寶鑑)》 순조 1년. 1804년(순조 4)에는 '화령전응행절목(華寧殿應行節目)'을 개정하여 수원 유수에게 사맹삭(四孟朔)과 탄신제(誕辰祭), 납향제(臘享祭)를 정기 제향으로, 고유제, 이안제, 환안제를 부정기제향으로 올리도록 하였다.

97 숙배(肅拜): 숙배의 본의는 숙경배례(肅敬拜禮)로 곧 공경히 절한다는 뜻이다. 실록(實錄)에 보이는 숙배는 임금의 은혜를 받은 자가 임금을 뵙고 절하는 것인데, 벼슬을 받은 자, 내린 물건을 받은 자, 행사에 참여하여 임금 앞에 뵈는 자 등이 행하는 여러 가지 경우가 있다. 여기서는 벼슬에 제수된 자가 그 은혜에 감사하는 뜻으로 임금 앞에 나아가 배례하는 것인데, 동반(東班) 9품 이상, 서반(西班) 4품 이상에 제수된 자는 이튿날 숙배하는 것이 법례(法例)이다.

98 장남헌(壯南軒): 화성 행궁의 정전(正殿) 건물이자 화성 유수부의 동헌(東軒) 건물의 편액 이름으로, 정조가 현륭원에 친제(親祭) 하러 가서 화성 행궁에 머문 다음 어필(御筆)을 내려 동헌의 현판으로 걸게 하였다.《日省錄》 正祖 14年 2月 9日 《承政院日記》 正祖 14年 2月 9日.

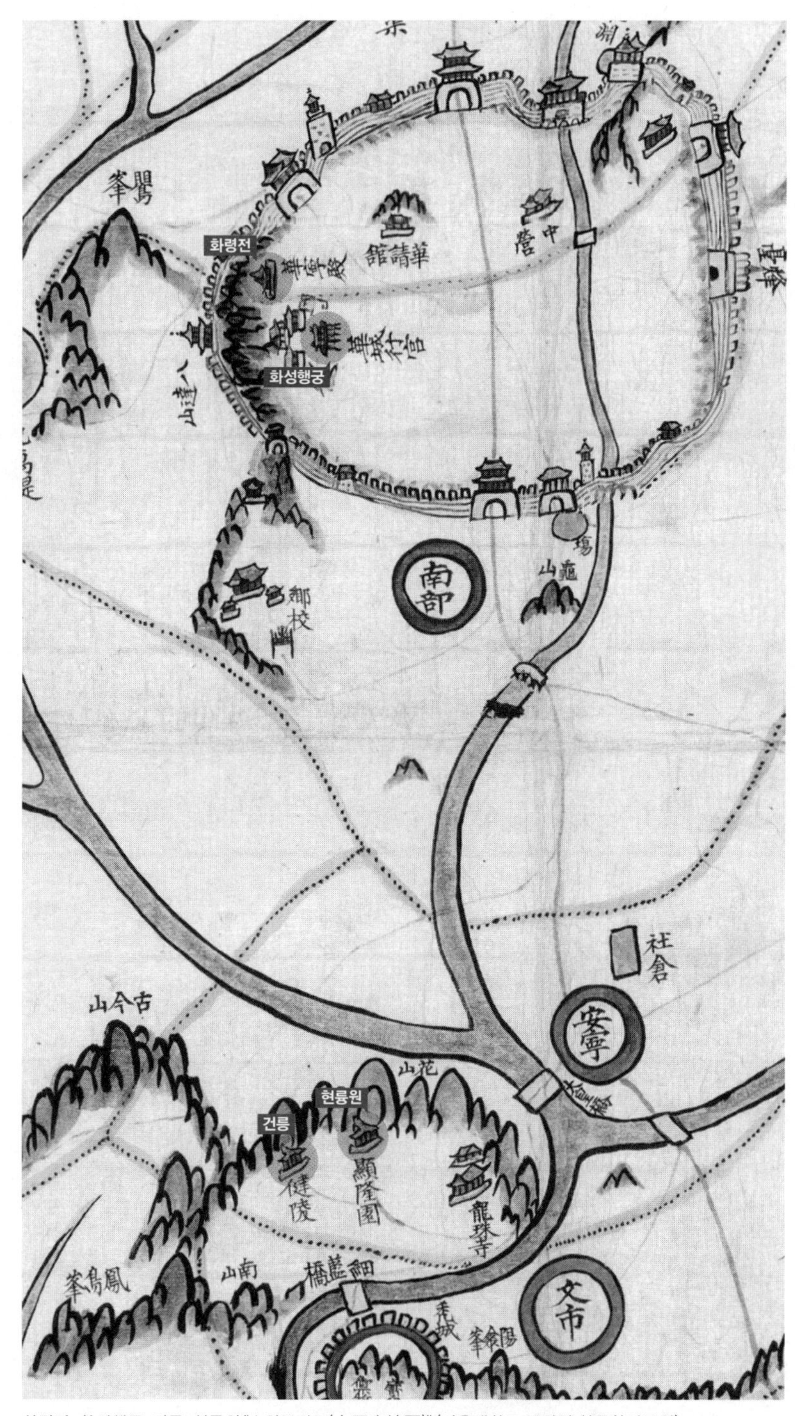

화령전, 화성행궁, 건릉, 현륭원《수원부지도(水原府地圖)》(서울대학교 규장각 한국학연구원)

어가 도임 장계(到任狀啟)[99]를 밀봉하여 발송하였다.

〔장계〕

신(臣)이 이달 26일에 사조(辭朝)[100]하고, 27일에 영(營)에 도착하였습니다. 이러한 연유를 치계(馳啟)합니다.

1월 29일.

건릉(健陵)[101]과 현륭원(顯隆園)[102]에 나아가 봉심(奉審)[103]한 후에 신각(申刻, 오후 3시~오후 5시)에 감영으로 돌아와 장계를 밀봉하여 아뢰었다.

〔장계〕

신이 이달 27일 영에 도착한 연유를 이미 치계하였거니와, 당일 화령전(華寧殿)에 숙배하고 나서 바로 봉심하였는데 전내(殿內) 모든 곳이 무탈하였습니다. 29일, 건릉과 현륭원에 달려나가 능상(陵上, 건릉)·원상(園上, 현륭원)·정자각(丁字閣)[104]·비각(碑閣) 모든 곳에 봉심하였는데 모두 무탈하였습니다. 이러한 연유를 치계합니다.

---

99 도임 장계(到任狀啟): 지방의 관리가 근무지에 도착하였음을 임금에게 알리는 장계를 말한다.

100 사조(辭朝): 새로 부임하는 관원이 부임하기 전에 임금에게 하직 인사를 드리는 일을 말한다.

101 건릉(健陵): 조선 제22대 왕 정조(正祖 1752~1800, 재위 1776~1800)와 부인 효의왕후(孝懿王后) 김씨(1753~1821)를 합장한 무덤이다. 정조의 아버지로 사후에 왕으로 추존된 장조(莊祖, 사도세자)와 헌경왕후(獻敬王后) 홍씨의 합장묘인 융릉(隆陵)과 함께 1970년 5월 26일 사적 제206호로 지정되었다.

102 현륭원(顯隆園): 정조(正祖)의 생부인 사도세자(思悼世子)와 그의 아내 경의왕후(敬懿王后) 혜경궁(惠慶宮) 홍씨(洪氏)의 능원이다. 1762년(영조 38)에 사도세자를 경기도 양주군 배봉(拜峯)에 장사 지낸 후 수은묘(垂恩墓)라 하였다가, 1776년(정조 즉위년)에 영우원(永祐園)으로 고쳤고, 1789년에 화산(花山)으로 옮긴 후 현륭원으로 고쳤다. 1899년(광무 3)에 융릉(隆陵)으로 격상되었다. 현재 경기도 화성시 안녕동에 있다.

103 봉심(奉審): 왕명을 받들어 능소(陵所)나 묘우(廟宇)를 살피는 일을 말한다.

104 정자각(丁字閣): 정(丁) 자 모양으로 지은 집으로, 능원(陵園)에서 묘 앞의 아래쪽 홍살문 안에 있으며 그 안에서 제사를 지낸다.

병신년丙申年 1836년, 헌종憲宗 2년 2월

2월 1일.

화령전(華寧殿) 대봉심(大奉審)[105] 후에 장계를 밀봉하여 아뢰었다.

〔장계(狀啓)〕

화령전 춘맹삭(春孟朔)[106] 대봉심을 원래 정한 것이 지난달 15일로 마땅히 거행해야 하오나, 전(前) 유수(留守) 신(臣) 서능보(徐能輔)의 신병(身病)으로 부득이 거행하지 못하여 이달 초1일 신과 더불어 겸령(兼令) 신(臣) 이민영(李敏榮)과 겸위장(兼衛將) 신(臣) 김상우(金相宇)와 함께 분향(焚香)하고 나서 바로 함께 봉심(奉審)하였는데 전내(殿內) 모든 곳이 모두 무탈하였습니다. 방금 접수한 현륭원(顯隆園) 참봉(參奉) 김익정(金益鼎)의 첩정(牒呈)[107] 내용에, "원상(園上)과 전내를 봉심하였는데 무탈하였습니다." 라고 하였습니다. 이러한 연유를 치계합니다.

---

105 대봉심(大奉審) : 1781년(정조 5)에 어진(御眞)을 그려서 규장각의 주합루(宙合樓)에 봉안(奉安)한 뒤, 규장각의 시임(時任)·원임(原任) 각신(閣臣)들이 왕명을 받들어 사맹삭(四孟朔)의 15일마다 정기적으로 점검하고 전배(展拜)하던 일을 말한다. 이 날 비나 눈이 내릴 경우에는 초기(草記)를 올려 그 달 안으로 물려서 거행하였다. 대봉심을 할 때에는 의식 절차에 따라 전배하고, 어진에다 표제(標題)를 쓰기도 하였다. 대봉심 이외에도 5일마다 봉심하여 어진이 모셔져있는 탁자나 주합루 안을 청소하였다.

106 춘맹삭(春孟朔) : 맹삭(孟朔)은 봄, 여름, 가을, 겨울의 각 첫 달인 음력의 정월, 사월, 칠월, 시월을 통틀어 이르는 말로 이를 사맹삭(四孟朔)이라고 한다. 여기서 춘맹삭은 음력 정월을 가리킨다.

107 첩정(牒呈) : 첩보(牒報)와 같은 말로, 어떤 사안에 대해 서면으로 상관에게 보고하는 것 또는 그런 보고를 말한다.

같은 날(2월 1일).

각 면에 전령(傳令)[108]하여 농사에 힘쓰는 일을 권면(勸勉)하여 신칙(申飭, 단단히 타일러 경계함)하고 우금(牛禁)·주금(酒禁)·송금(松禁)[109] 삼금(三禁)을 또 신칙하였다.

〔권농전령(勸農傳令)〕

잘 알아서 거행할 일.

근본을 두텁게 하고 농사를 중하게 여기는 것은 나라의 큰 정사(政事)이다. 세수(歲首, 새해 첫날)의 윤음 10항(綸音十行)[110]이 간절하고 진실하여 비록 우부(愚夫, 어리석은 남자)와 우부(愚婦, 어리석은 여자)라도 백성들을 어루만져 보살펴 주는〔字恤元元〕 성덕(聖德)과 지극한 뜻을 찬송하였다. 본 부(本府)는 거듭 흉년이 들어 삼정(三政)[111]이 모두 병들었고, 백성에게는 전련(顚連)[112]의 근심이 있고 땅에는 광폐(曠廢, 오랫동안 폐함)의 한탄이 있다. 도도(滔滔)[113]한 백 가지 폐단이 모두 여기에서 말미암으니, 금일

108 전령(傳令): 조선 시대 관부에서 관하(管下)의 관리·면임(面任)·민(民) 등에게 내리는 명령서를 말한다.

109 우금(牛禁)·주금(酒禁)·송금(松禁): 법으로, 소의 도살을 금하는 일과 함부로 술을 빚거나 파는 것을 금하는 일과 소나무를 베는 것을 금하는 것을 말한다.

110 윤음 10항(綸音十行): 윤음(綸音)은 임금이 신하나 백성에게 내리는 말이나 문서를 말하며 십항(十行)이란 《후한서(後漢書)》 권76 〈순리열전 서(循吏列傳序)〉에 "그(광무제(光武帝))가 친필로 방국(方國)에 내린 것은 모두 한 장에 열 줄〔一札十行〕씩 작은 글자로 글을 썼다."라고 한 데서 나온 말로, 황제의 수찰(手札)이나 조서(詔書)를 가리킨다.

111 삼정(三政): 조선 시대 국가 재정의 3대 요소인 전정(田政)·군정(軍政)·환곡(還穀)을 말한다. 전정은 전세(田稅)를 주로 하는 토지에서의 조세 제도(租稅制度), 군정은 병역을 치르는 대신 군포(軍布)를 바치는 보포제(保布制), 환곡은 가난한 농민에게 미곡을 대여해 주었다가 가을에 이식을 붙여 회수하는 것을 말한다.

112 전련(顚連): 전련(顚連)은 가난하고 의지할 곳 없는 것을 의미한다. 송(宋)나라 장재(張載)의 《서명(西銘)》에 "온 천하의 쇠잔하고 병든 자, 고아와 독거노인과 홀아비와 과부가 모두 곤궁하여 하소연할 곳 없는 나의 형제들이다.〔凡天下疲癃殘疾, 惸獨鰥寡, 皆吾兄弟之顚連而無告者也.〕"라고 하였다.

113 도도(滔滔): 사조(思潮)·유행(流行)·세력(勢力) 등이 걷잡을 수 없이 성(盛)하는 넓고 큰 모

폐단을 해소한 방법은 오직 식량을 넉넉하게 하는 데 있고, 식량을 넉넉하게 하는 방법은 오로지 농사를 권면(勸勉)하는 데 있다. 지금 춘분(春分)[114]이 이미 이르렀고 동작(東作)[115]이 또한 시작되었으니 제언(堤堰)과 보(洑)[116]에 물을 저장하는 절기와 농기구를 자용(資用)할 기물(器物)을 미리 유념(留念)해 두었다가 혹시라도 시기를 놓치지 말라.

작년의 작황은 실임(失稔, 농사가 흉년이 됨)을 면치 못하여 동적(冬糴, 겨울 환곡)을 마감하지 못하니 봄철의 곤궁함을 가히 알 수 있다. 하물며 지금은 농기구를 손질하는 시기로 먹고 살기에 힘든 걱정이 반드시 많을 것이다. 설령 비 내리고 햇볕이 드는 것이 사시사철 조화로워 좋은 징조가 날 마다 이르더라도 다만 사람의 공력(功力)이 미치지 않아 지력(地力)이 다하지 못하게 된다면 이번 가을 색사(穡事, 농사)도 미루어 알 수 있으니 이와 같은 일을 생각하면 어찌 민망하지 않겠는가? 종량(種糧, 종곡(種穀)과 양곡(糧穀))을 보조(補助)할 방법을 영(營)과 부(府)에서는 마땅히 충분히 잘 논의하여 조처하라.

양을 말한다.

114 춘분(春分) : 24절기(節氣)의 네 번째. 경칩(驚蟄)과 청명(淸明)의 사이로 양력(陽曆) 3월 21일 무렵이다. 주야(晝夜)의 길이가 같다.

115 동작(東作) : 농사일을 말한다. 《서경(書經)》 〈요전(堯典)〉에 "동작을 평질한다.[平秩東作]"라고 하였고, 그 주(註)에 "평(平)은 고르게 함이요, 질(秩)은 차서요, 작(作)은 일어나는 것이다. 동작(東作)은 봄철에 그해의 농사일을 시작하는 것으로 마땅히 해야하는 일이다."라고 하였다.

116 제언(堤堰)과 보(洑) : 바닷물이나 강물을 가두어 놓기 위하여 그 일부를 가로질러 막은 수시 시설로 둑 또는 방죽이라고도 한다. 조선 초기에 제언사(堤堰司)를 설치하여 각도(各道)의 제언과 수리(水利)에 관한 사무를 관장하게 하였는데, 한때 폐지되었다가 1662년(현종 3)에 다시 설치하여 비변사에 소속시켰으며, 1865년(고종 2)에 의정부에 소속시켰다.

근래 우금(牛禁)이 해이해져 우축(牛畜)이 축이 나 전호(佃戶)[117]에 소를 기르는 자가 열에 한 둘이 되지 않는다. 이러한 공허한 농사(曠農)로 인하여 곳곳마다 다 그러하니 춘경(春耕)의 때와 이앙(移秧)의 절기에는 반드시 이웃 마을에서 서로 도와 혹시라도 시기를 놓쳐 농사를 망치는 한탄이 없게하며 혹시라도 여역(癘疫)[118]으로 인해 경작을 할 수 없는 자가 있으면 이웃 마을의 친족이 함께 힘을 합하여 한 뙈기의 땅이라도 진황(陳荒)[119]의 폐단이 없도록 하라. 각 면리(面里)의 대소민(大小民) 두목(頭目)의 직임은 부지런히 힘써 동칙(董飭)하여 개간(開墾)하는 실효가 있기를 기약하고 영문(營門)에서도 마땅히 들(坪)을 살피러 다니는 자가 있으면 근만(勤慢)을 잘 살펴 상벌(賞罰)의 도를 구별하게 할 것이니, 절대로 예칙(例飭)으로 그냥 보아 넘기지 말고 각별히 두려워 하는 마음으로 거행하라.

〔우(牛)·주(酒)·송(松) 삼금 전령(三禁傳令)〕

두려워 하는 마음으로 금단(禁斷)할 일.

우금(牛禁)·주금(酒禁)·송금(松禁) 이 3가지 금하는 일은 법전(法典)에 그 유래가 엄중하여 묘당(廟堂)[120]에서 신칙(申飭)하기를 누누이 하였을 뿐만이 아닌데, 근래 민습(民習)이 번민하여 방

117 전호(佃戶): 남의 농토를 빌어 농사짓는 사람이다. 전객(佃客), 소작인(小作人), 경작인(耕作人)이라고도 한다.

118 여역(癘疫): 돌림으로 앓는 열병을 통틀어 이르는 말이다.

119 진황(陳荒): 버려두고 경작하지 않는 땅을 말한다.

120 묘당(廟堂): 조선 시대 비변사의 별칭으로 주사(籌司)라고도 하였다. 이 말은 대신(大臣)들이 국가의 중요한 일을 의논할 때, 종묘(宗廟)에 나아가 고한 뒤에 회의, 결정한 데서 생겨난 것으로 당초에는 의정부를 뜻하기도 했었다.

자한 마음으로 법을 두려워 하지 않고 금단(禁斷)을 범하여 조정의 명령을 무용지물〔弁髦〕[121]로 여기니 진실로 조금이라도 기강이 있다면 어찌 이와 같은 것을 용납할 수 있겠는가?

다만 우금으로 말할 것 같으면, 지력(地力)을 힘써 다하는 방법은 경간(耕墾, 논이나 밭을 개간하여 갊)을 벗어남이 없고 경간의 도구는 소를 기르는 것보다 중요한 것이 없는데 소를 기르는 것이 이용후생(利用厚生)의 도에 관계됨이 과연 어떠한가? 간세배(奸細輩)들은 금령(禁令)을 무릅쓰고 어렵지 않게 여기며 공공연히 사사롭게 도축을 행하니 소를 기르는 것은 점점 줄어들어 경간의 시기를 잃고 만다. 만근(挽近) 이래 해마다 흉년이 들어 묵정밭이 눈앞에 넘치니 이는 여기에서 연유하지 않았다고 볼 수 없는 것으로 어찌 시시한 일이라 할 수 있겠는가? 관청의 부엌에 푸줏간을 설치한 것도 이미 법을 벗어난 일인데, 시장에서 판매를 하는 것임에랴! 일전에 묘당(廟堂)의 신칙이 준엄하여 이미 감결(甘結)[122]의 내용을 베껴써서 지위(知委)[123]하였거니와 본 부(本府) 경내(境內)의 시장에 푸줏간을 설치하는 폐단이 다른 곳과 비교하여 더욱 심한데, 관청의 푸줏간에 납세했다고 핑계를 대며 낭자하게 행매(行賣)하며 조금

121 무용지물〔弁髦〕: 변(弁)은 치포관으로서 관례(冠禮)를 행하기 전에 잠시 쓰는 갓이고, 모(髦)는 총각의 더벅머리이다. 모두 관례가 끝나면 소용없게 되므로 무용지물의 비유로 쓰인다.

122 감결(甘結): 상급 관서에서 하급 관서로 내리는 문서 양식으로 내용은 지시·명령이 주가 된다. 감결 중 대부분은 관찰사가 관하 읍에 내리는 것이다. 지방 행정상 같은 내용의 감결을 몇 개의 읍에 내리는 경우도 있고, 때로는 한 읍에 내리는 수도 있다. 또한, 암행어사도 임무 수행과 관련해 수령에게 내릴 수 있다. 그 때에는 관인(官印) 대신 마패(馬牌)를 감결의 몇 군데에 찍는다.

123 지위(知委): 통지나 고시 따위의 형식으로 명령을 내려 알려 주는 것을 말한다.

도 거리낌 없이 돌아보지 않는다고 하니 무엄할 뿐 아니라 해괴한 소리가 극에 달하였다. 이것을 엄히 금단하지 않는다면 어찌 영(營)이 있고 읍(邑)이 있다고 하겠는가? 소위 "관청 푸줏간에 세금을 거두는 일(官庖收稅)"은 지금부터 일절 엄금(嚴禁)하니 이와 같이 별도로 신칙한 이후에 만일 이전과 같이 우금을 범하여 염탐(廉探)하는 자에게 현발(現發)되면 당사자는 율형(律刑)에 의거에 정배(定配)[124]하고 너그럽게 용서치 않을 것이며, 해면(該面)의 면리(面里)와 이임(里任)의 무리들도 마땅히 중죄로 처벌하고 그냥 보아 넘기지 않을 것이니 예사로 보지 말고 두려워 하는 마음으로 거행하라.

주금(酒禁)에 있어서는 비록 풍년으로 즐거운 해라 하더라도 전적으로 풀어질 수 없다. 술(麯糵)이 해(害)가 됨은 곡식을 허비하는데 그칠 뿐만 아니다. 길거리의 싸움이나 인명(人命)의 살월(殺越, 사람을 죽임)도 진실로 그 원인을 규명하면 대부분 술기운에서 연유한 것이 많으니, 없애지 않을 수 없다는 것은 매우 그러하다. 시장과 주막 등에서 놀고 먹는 무뢰배들이 술에 취해 소란을 일으키는 폐단을 각별히 금단하고 주금을 어기는 자는 각 고을의 이임(里任)이 낱낱이 지명(指名)하여 달려와 고하고 관청에서는 엄히 다스려라.

송정(松政)[125]으로 말하자면 근래에 법금(法禁)이 탕연(蕩然)하

---

124 정배(定配): 죄인을 일정한 지역에만 거처하고 마음대로 이동하지 못하게 하는 형벌. 정배되는 지역의 원근에 따라 근도부처(近道付處)·중도부처(中道付處)·원도부처(遠道付處)라 하였는데, 《전율통보(典律通補)》에 따르면 경기는 근도, 충청도·강원도·황해도는 중도, 함경도·평안도·전라도·경상도는 원도로 나누었다.

125 송정(松政): 산림에 관한 모든 정책을 통틀어 일컫는 말이다. 국가에서 필요로 하는 재목을

여 크게는 봉산(封山)[126]의 국내(局內, 왕릉의 경계 안), 작게는 개인이 기르는 곳곳마다 어려움 없이 범작(犯斫)[127]하니 곳곳이 동탁(童濯)[128]하였다. 샘의 원천이 고갈되고 제언과 밭두둑이 무너지는 근심은 모두 여기에서 연유한 것이니 어찌 농사를 방해하고 백성들을 병들게 하는 크나큰 폐단의 근원이라고 하지 않겠는가? 하물며 본 부에서 가까운 능·원(陵園)은 그 소중함이 자별(自別)하니 송금 이 한 가지 조목은 더욱 각별히 마음에 두지 않을 수 없다. 공산(公山)과 사산(私山)을 막론하고 범작하는 폐단이 있으면 당사자와 한 통속이 되어 작간(作奸, 간악한 짓을 함)한 산지기의 무리들은 결단코 법률에 의거하여 엄히 처단할 것이니 모두 잘 알아서 거행하라.

이 삼정(三政)의 신칙은 구(舊) 제도를 거듭 밝히는 것 뿐 아니라 영(營)에 부임한 초기에 이와 같은 선갑(先甲)의 영(令)[129]을 둘러 개관(改觀)의 효과가 있게 하려 함이니 장차 이 전령을 방방곡곡에 게시하여 한 명의 백성이라도 알지 못하여 무모하게 죄를 저질러 저죄(抵罪)[130]의 폐단이 없게 하라.

확보하기 위하여 소나무 생장의 적지를 선정 보호하였으며, 도성 주위 사산(四山)의 보호를 위하여 소나무의 작벌을 엄금하였다.

126 봉산(封山) : 목재를 보호하기 위하여 나라에서 벌채(伐採)를 금지한 산을 말한다.

127 범작(犯斫) : 벌채를 금하는 나무를 함부로 베어내는 것을 말한다.

128 동탁(童濯) : 산이 헐벗고 민둥산이 된 것을 말한다.

129 선갑(先甲)의 영(令) : 창제(創制)한 영을 미리 발포한다는 말이다. 갑(甲)이란 법령(法令)을 새로 만들면 백성들이 익숙하지 않기 때문에, 새로운 법령을 선포하기 앞서 3일 동안 은근하게 말하고 법령을 선포한 뒤에도 3일 동안 다시 정녕(丁寧)하게 말한다는 뜻이다. 《주역》 〈고괘(蠱卦)〉에 "갑에 앞서 3일에 한다.[先甲三日]"라는 말이 보이는데, 그 소(疏)에서 "갑(甲)은 창제한 영을 가리키니, 백성들이 아직 익히지 못한 것이기 때문에 이 영을 선포하기 3일 전에 미리 자세하게 설명해 준다."라고 풀이하였다.

130 저죄(抵罪) : 죄의 경중(輕重)에 따라 형벌을 적용하는 일을 말한다.

2월 3일.

알성(謁聖)[131]하였다.

같은 날(2월 3일).

주관(籌關)[132]으로 인하여 교리(校吏)에게 지급할 요조미(料條米)[133]를 전에 획송(劃送)[134]한 일에 의하여 비국(備局)[135]에 논보(論報)[136]하였다.

〔보장(報狀)[137]〕

상고하실 일.

방금 접수한 비변사 관문(關文)[138] 내용에, "절해(節該)[139]. 지난번 광주 유수(廣州留守)가 보고한 내용에 '본 부의 고저(庫儲, 창고의 재고)가 탕진되고 창고의 장부(帳簿)가 텅 비어 갖가지 응하(應下)[140]가 실로 배비(排比)[141]하기 어렵습니다. 화성 교리(華城校

131 알성(謁聖): 성균관(成均館) 문묘(文廟)의 공자(孔子) 신위(神位)에 참배하는 일을 말한다.

132 주관(籌關): 주사(籌司). 즉, 비변사의 관문(關文)을 말한다.

133 요조미(料條米): 요미(料米). 하급 관료 및 군인들에게 급료로 주는 쌀을 말한다. 요(料)는 잡직(雜職), 각 군문(軍門)·아문(衙門)의 장교(將校)·원역(員役)들과 그 밖의 벼슬아치에게 급료(給料)로 사맹삭(四孟朔)에 주는 쌀·콩·보리·무명·베·돈[錢]을 통틀어 일컫는 말이다.

134 획송(劃送): 돈이나 곡식 따위의 일부를 떼어 내어 보내는 것을 말한다.

135 비국(備局): 비변사(備邊司)의 약칭·중종(中宗) 때 창설하여, 처음에는 변방에 일이 일어날 때마다 임시로 베풀다가, 명종(明宗) 10년에 을묘왜변(乙卯倭變)을 계기로 하여 상치아문(常置衙門)이 되었다. 임진왜란(壬辰倭亂) 때부터는 정치의 중추기관으로 변모하여, 의정부(議政府)를 대신해서 명실공히 최고 아문(衙門)이 되었다. 관원(官員)·도제조(都提調)·제조·부제조(副提調)·낭청(郎廳) 등이 있었으나 영의정(領議政) 이하 문무(文武) 관원이 겸임하였다.

136 논보(論報): 하급 관청에서 상급 관청에 의견을 붙여 보고하는 일이다.

137 보장(報狀): 조선 시대에 어떤 사실을 상부 관아에 알리던 공문 또는 보고서이다.

138 관문(關文): 조선 시대에 동등한 관부 상호 간 또는 상급 관부에서 하급 관부로 보내던 공문서이다.

139 절해(節該): 이두로 '졋해'로 읽고, 공문서의 해당 구절을 간추려 기재한 내용을 뜻한다. 《이문집람(吏文輯覽)》에 "성지(聖旨)와 공문서에는 반드시 수절(首節)에다 절해(節該) 두 자(字)를 덧붙이는데, 이는 바로 그 구절(句節)을 간략히 한 것이다"라고 하였다.

140 응하(應下): 관청에서 지급해야 할 지출을 말한다.

141 배비(排比): 비례(比例)를 따라 나누어 몫을 지어 차례로 늘어놓는 것을 말한다.

吏)에게 지급할 요조미 170석(石)은 예에 의거하여 수송(輸送, 실어나름)할 길이 만무하고 잠깐 영(營)의 사정이 소성(蘇醒)하기를 기다렸다가 수송하는 것 외에 변통할 방법이 없어 이러한 뜻으로 해부(該府)에 관문(關文)을 보냅니다.'라고 하였다. 해영(該營)의 사세가 이미 이와 같아 억지로 수송(輸送)하게 하기에는 어려움이 있으니 본 부에서 다른 방면으로 조처하라."라고 하였습니다.

이번 요조의 구획은 예전에 본 영에서 경영하기 시작한 초기에 정식(定式)으로 연품(筵稟, 국왕 앞에서 품의 하는 것)한 일로 지금까지 40여 년동안 한결같이 준행하여 감히 위반하고 어기지 않았는데 지금에 이르러 해부가 이와 같은 어려움을 가지고 있으니 일의 형세가 만부득이 함을 알 수 있을 뿐입니다. 진실로 폐영(弊營)에서 한 가닥 손을 쓸 방법이 있다면 서로 돕고 힘을 합치는 도리에 있으니 어찌 방편으로 길거(拮据)[142]의 방책을 생각하지 않을 수 있겠습니까? 고저(庫儲)가 탕진되고 창고의 장부(帳簿)가 텅 빈 상황은 폐영이 해부(該府)보다 비교적 심하여 각종 지출에 도말(塗抹)[143]이 부득이한데, 이번에 근(近) 200포(包)의 응입(應入) 곡식은 장수와 병졸들의 지방(支放)[144]으로 밀가루 없이 수제비를 빚는 꼴[145]로 돌아가게

142 길거(拮据) : 을(乙)이 갑(甲)으로부터 받은 돈이나 어음을 병(丙)에게 넘겨주는 것으로 임시변통을 말한다.

143 도말(塗抹) : 여기에서 도말은 이리저리 임시변통(臨時變通)으로 발라 맞추거나 꾸며대는 것을 말한다.

144 지방(支放) : 관아의 일꾼이나 병영(兵營)의 군사에게 늠료(廩料)를 지급하는 일, 또는 그 늠료를 말한다.

145 밀가루…꼴 : 원문의 '불탁(不飥)'은 밀국수나 수제비를 말한다. 따라서 무면불탁(無麵不飥)은

되니 예전에 설시한 본의(本意)를 헤아려 보면 너무도 황송하고 민망하나 눈 앞의 교리(校吏)들이 하루 아침에 흩어지는 것을 어찌 생각하지 않을 수 있겠습니까? 또한 동(同) 요미(料米)의 이획(移劃)은 처음부터 해부에서 수송한 것이 아니라 해부의 환미(還米, 환곡의 쌀) 재고를 본 영 성내(城內)에 쌓아두었던 것으로 본래 폐영의 책응(策應)[146]을 위해 설치한 것입니다. 때문에 매년 170석은 그중에서 추용하여 애초에 운송하며 왕래하는 폐단이 없었습니다. 해부의 사세가 비록 군색(窘塞)하더라도 부(府)와의 거리가 100리 밖이 되니 창고 곡식을 획송하는 것과 성향(城餉)[147] 중에서 창고에서 내어 수송하는 것과는 약간 차이가 있을 뿐입니다.

폐영이 이런 수중의 물자를 전례와 같이 추용할 수 없으면 이렇게 저축이 텅 비었을 때 어떤 방편으로 조처할 길이 있겠습니까? 좌우로 생각해 보아도 계책이 떠오르지 않아 이렇게 사실에 근거하여 첩보(牒報)하니, 비변사에서 위와 같은 사정을 참량(參量)하여 해부에 관문을 띄워 전례에 의거에 획송함이 마땅할 줄 아오나, 해부의 사세도 끝내 생각하지 않을 수 없기에 인근의 고을에 아무 곡식〔某樣穀〕으로 구획(區劃) 급대(給代)하여 폐국(弊局)[148]에서 한 가닥 보존하게 하소서.

'밀가루가 들어 있지 않은 수제비'라고 하여 근본적인 요소가 준비되지 않고는 어떤 성과를 기대할 수 없다는 말이다.

146 책응(策應): 급한 사정에 응하여 계책을 마련해서 신속하게 구원하는 것이다.

147 성향(城餉): 성(城)을 지키는 군사의 군량미 및 기타 군사들이 쓰는 비용에 충당하기 위해 비축한 쌀을 말한다.

148 폐국(弊局): 폐단이 많아 일이 결딴난 판국을 말한다.

2월 4일.

각 면에 전령하여 잡기(雜技)[149]에 대해 신칙하고 금지하였다.

〔전령(傳令)〕

잘 알아서 금단(禁斷)할 일.

듣자하니 각 면리(面里)에 잡기(雜技)의 폐단이 끝이 없어 부랑(浮浪)하며 의지할 데 없는 무리들이 본분(本分)의 업(業)을 지키지 않고 도당(徒黨)을 체결(締結)하고 와굴(窩窟)[150]을 설치하여 양가(良家)의 소년을 여러 가지 방법으로 유인해 돈과 재물을 암암리에 빼앗으니 재산을 탕진하고 신세를 그르친 무리들이 비일비재 하며 심지어 지나가는 나그네(行旅)와 상인도 종용(慫慂)하여 재물과 재화를 편취(騙取)한다고 한다. 절도가 점점 퍼지고 싸움질이 소란스러움은 반드시 여기에서 연유하지 않았다고 할 수 없다. 잡기와 후주(酗酒)[151]를 법으로 금함이 어떠한가? 난민배(亂民輩)[152]들이 조금도 두려움과 거리낌 없이 방자하게 소란을 일으키니 우준(愚蠢)한 백성들이 따라다니며 물이 들고 화외(化外)[153]의 지역에 있는 자들이 서로 모여드니, 그 범한 바를 궁구해 보면 무슨 법으로 처리해야 합당한가? 이에 선갑(先甲)의 영(令)을 내려 이러한 별칙(別飭)을 거행

149 잡기(雜技) : 투전이나 골패 따위의 잡된 여러 가지 노름을 말한다.

150 와굴(窩窟) : 나쁜 짓을 하는 도둑이나 악한 따위의 무리가 활동의 본거지로 삼고 있는 곳을 말한다.

151 후주(酗酒) : 술이 취(醉)하여 정신(精神) 없이 마구 난잡(亂雜)하게 하는 말이나 행동을 가리킨다.

152 난민배(亂民輩) : 사회(社會)의 안녕 질서(秩序)를 어지럽히거나 국법(國法)을 어지럽게 하는 백성(百姓)들의 무리를 가리킨다.

153 화외(化外) : 교화(敎化)가 미치지 못하는 곳이나 왕화(王化)가 미치지 못하는 외국(外國)를 말한다.

하니 집집마다 효유(曉喩)하여 징즙(懲戢, 징계하여 제지함)의 실효(實效)가 있게하라. 만약 구습(舊習)을 고치지 못하고 방자(放恣)한 마음으로 무모하게 범하는 자가 있거든 낱낱이 지명(指名)하여 빨리 고하여 법률에 의거해 형배(刑配)[154]할 것이다. 면리(面里)에 풍헌(風憲)[155] 기찰(譏察) 등의 직임을 설치하였는데 어찌하여 들은 체도 하지 않고 금찰(禁察)은 생각하지 않는가? 영문에서도 뒤이어 응당 달리 염탐(廉探)할 방도가 있다고 하니 이와 같이 신칙한 이후에 만약 다시 한 명의 백성이라도 법을 어기는 폐단이 있으면 당사자는 법률에 의거하여 엄히 다스림은 물론이거니와 면의 이임(里任)도 엄히 추궁 당함을 면치 못할 것이니 예사로 여기지 말고 두려워 하는 마음으로 거행하라.

같은 날(2월 4일).

판관(判官)[156]에게 감결(甘結)[157]하여 장주면(章洲面) 환향(還餉)[158] 삼세(三稅)[159]의 납부를 거부하는 반호(班戶, 양반집)를 엄히 독칙(督飭, 감독하고

---

154 형배(刑配) : 죄인(罪人)을 때려 귀양보내던 형벌(刑罰)을 말한다.

155 풍헌(風憲) : 조선 시대 지방 수령의 자문과 보좌를 위해 향반(鄕班)들이 조직한 기구가 향청(鄕廳)인데, 풍헌은 그 안에서 각 면(面)의 수세(收稅), 차역(差役), 금령(禁令), 권농(勸農), 교화(敎化) 등의 행정 실무를 주관하던 직임이다.

156 판관(判官) : 조선 시대 중앙과 지방 관서에 소속된 종5품 관원이다. 중앙에서는 돈녕부(敦寧府)·한성부(漢城府) 및 상서원(尙瑞院)·봉상시(奉常寺)·군자감(軍資監) 등에 속하여 공사 처리를 보좌하는 임무를 맡았다. 지방에서는 부(府)·목(牧)에 속한 판관은 수령과 서무를 분장하고, 양계(兩界) 거진제읍(巨鎭諸邑)의 판관은 주로 민사(民事)를 전담하였다.

157 감결(甘結) : 상사(上司)가 속사(屬司)에 보내어 지시하는 공문이다.

158 환향(還餉) : 환곡(還穀)과 향곡(餉穀)을 합칭한 말이다. 환곡은 정부의 비축곡식을 춘궁기에 대여했다가 추수 후에 이자를 붙여 회수하는 것이고, 군량미를 대여했다가 회수하는 것을 향곡이라 한다.

159 삼세(三稅) : 조선 후기 국가의 중요 재정 수입원이었던 3종의 부세(賦稅)로 전세(田稅)·대동

타이름)하였다.

〔감결(甘結)〕

위 감결은 영문(營門)에 부임한 지 얼마 안 되어 고을의 폐단과 백성의 질고(疾苦)를 두루 살피지 못하였는데, 장주면(章洲面) 한 면(面)은 조폐(凋弊, 쇄잔하고 피폐함)가 가장 심하여 공납(公納) 일체를 전연(全然) 거부하고 있다. 진실로 폐단의 원인은 반호(班戶)가 완강히 거부하는 데서 연유한 것으로 소민(小民)도 무턱대고 효빈(效嚬)[160]한다고 하니 어찌 이와 같은 사리(事理)를 허락할 수 있는가? 국가에 세금을 빨리 완결 짓는 것은 선비의 떳떳한 법도〔常經〕이며 관령(官令)을 돌아보고 두려워 함은 민습(民習)의 당연함 이거늘 해면(該面)에서 토지를 갈아 먹고 살면서 공세(公稅)에 응하지 않고 관령으로 추적하여도 완강히 거절하며 오지 않는다. 결국에는 무고한 면임배(面任輩)로 하여금 관납(官納)을 폐지하여 도리어 적포(積逋, 누적된 포흠(逋欠))를 만들게 하고 죽기를 구하다가 이루지 못하였다면 전전하다 사방의 해면으로 가버리니 장차 면임의 지경이 아님에 이르렀다고 한다. 이와 같은 민습은 금시초문으로, 양반 또한 백성인데 이 땅에 거주하고 이 부(府)에 호적을 두고 있으면

미(大同米)·삼수미(三手米)를 가리킨다. 1결(結)에 전세미는 6두, 대동미는 12두, 삼수미는 1두 2승이었다.

160 효빈(效嚬) : 무턱대고 남의 흉내를 낸다는 뜻으로, 즉 남의 것을 잘못 배운다는 말이다. 《장자(莊子)》〈천운(天運)〉에, "서시(西施)가 가슴이 아파서 얼굴을 찡그리자, 그 마을에 사는 추한 사람이 보고 아름답게 여겨 역시 가슴을 움켜쥐고 얼굴을 찡그리니, 그 마을에 사는 부자는 문을 닫고 밖으로 나오지 않았고, 가난한 자는 처자를 거느리고 달아나 버렸다."라고 한 데서 유래한 말이다.

서 굳세게 법을 두려워 하지 않고 관칙(關飭)[161]을 멸시(蔑視)함이 이와 같이 극도에 이르렀으니 그 안타까움은 어리석은 소민(小民)보다 더욱 심하다. 이에 별도로 징창(懲創)[162]을 가하지 않는다면 어떻게 소민을 징려(懲勵)할 것이며, 타면(他面)에서 효우(效尤)[163]하는 폐단이 없음을 또한 어찌 알겠는가? 동(同) 납부를 거부하는 반호는 납부의 많고 적은 바를 논하지 말고 모두 초출(抄出)하여 먼저 법을 펴는 뜻으로 그 노자(奴子, 사내종)를 잡아다가 기한을 정급(定給)하고 각별히 감독하라. 만약 다시 이전과 같이 건납(愆納)[164]하면 그 주인을 잡아 가두고 보고하여 영문에서 따로 엄정하게 처단할 바탕으로 삼으라. 해면의 풍헌(風憲)은 반드시 풍력(風力)[165]이 근실(勤實)하여 감당할 수 있는 자로 각별히 가려서 택차(擇差)[166]하라.

같은 날(2월 4일).

화소(火巢)[167] 내에 민가가 실수로 불이 난 일로 장계를 밀봉하여 아뢰었다.

〔장계〕

방금 접수한 현륭원(顯隆園) 참봉(參奉) 김익정(金益鼎)의 첩정

161 관칙(關飭) : 상급(上級) 관아(官衙)에서 하급(下級) 관아(官衙)에 보내던 공문(公文). 오늘 날의 훈령(訓令)과 같다.

162 징창(懲創) : 허물이나 잘못을 뉘우치도록 벌을 주거나 꾸짖어서 경계함을 말한다.

163 효우(效尤) : 남의 좋지 못한 것을 본받음을 말한다.

164 건납(愆納) : 조세(租稅)를 기한(期限) 안에 바치지 못함을 이른다.

165 풍력(風力) : 풍채와 기력 또는 남을 감복시키는 힘이나 위력이 있는 것을 말한다.

166 택차(擇差) : 쓸 만한 인재를 골라서 임명함을 말한다.

167 화소(火巢) : 산불을 막기 위하여 능(陵)·원(園)·묘(墓)의 해자(垓子 능·원·묘 등의 경계) 밖의 초목(草木)을 불살라 버린 곳을 말한다.

에, "순산 감관(巡山監官) 나혁인(羅赫仁)이 와서 보고한 내용에 '화소 내의 안녕면(安寧面) 작현동(鵲峴洞)에 거주하는 안산 산지기(案山直) 서쾌득(徐快得)의 가사(家舍)에 지난달 29일 실수로 불이나 초가집 열 간(間)이 모두 다 타버렸습니다.'"라고 하였습니다. 화소 내에 실수로 불이 나는 것은 만만(萬萬) 놀라운 일이니 상시로 검칙(檢飭)[168]을 잘 하지 못한 해당 면임을 붙잡아 엄히 다스렸습니다. 화재를 입은 가사는 바로 화소 밖으로 옮겨 즉시 전접(奠接)[169]하여 휼전조(恤典租)[170] 1석(石)을 전례에 의거하여 지급할 것을 본 부 판관(本府判官) 이민영(李敏榮)에게 분부(分付)하였습니다. 이러한 연유를 치계합니다.

2월 5일.

화령전(華寧殿)에 봉심(奉審)하였다.

같은 날(2월 5일).

우택 장계(雨澤狀啟)[171]를 밀봉하여 아뢰었다.

〔장계〕

방금 접수한 본 부 판관(本府判官) 이민영(李敏榮)의 첩정에, "이달 초4일 묘시(卯時, 오전 5시~오전 7시) 즈음 비가 내리기 시작

---

168 검칙(檢飭) : 규정대로 시행되지 않은 행정 조치를 조사하여 규정에 따르도록 단속함을 말한다.

169 전접(奠接) : 자리 잡고 살 만한 곳을 정(定)함을 이른다.

170 휼전조(恤典租) : 재난에 대하여 구휼(救恤)을 베푸는 은전(恩典)을 말한다.

171 우택 장계(雨澤狀啟) : 당해 농사를 결정 짓는 중요한 요인인 비가 내린 상황과 지방관이 다스리고 있는 해당 지역의 농사가 진행되고 있는지의 상황과 비가 내린 상황에 대해서는 지방관이 왕에게 보고하도록 의무화되어 있었는데, 그 중에서 우택 장계는 임금에게 비가 내린 상황을 보고하는 장계를 말한다.

하여 때로는 주룩주룩 내리다가 때로는 흩뿌리기도 하여 당일 오시(午時 오전 11시~오후 1시)까지 내린 것이 거의 먼지를 적실 정도 였습니다."라고 하였으며, 측우기(測雨器)의 수심(水深)이 3푼이 되었습니다. 이러한 연유를 치계합니다.

2월 10일.

화령전(華寧殿)에 봉심(奉審)하였다.

2월 12일.

우택 장계(雨澤狀啟)를 밀봉하여 아뢰었다.

〔장계〕

방금 접수한 본 부 판관(本府判官) 이민영(李敏榮)의 첩정에, "이달 11일 술시(戌時, 오후 7시~오후 9시) 즈음 비가 내리기 시작하여 때로는 주룩주룩 내리다가 때로는 흩뿌리기도 하여 12일 진시(辰時, 오전 7시~오전 9시)까지 내린 것이 거의 먼지를 적실 정도 였습니다."라고 하였으며, 신(臣)의 영(營)에 측우기(測雨器)의 수심(水深)이 3푼이 되었습니다. 이러한 연유를 치계합니다.

2월 13일.

본 영(本營)과 5개 속읍(屬邑)을 관문(官門)에서 취점(聚點)[172]하는 일로 장계를 밀봉하여 아뢰었다.

172 취점(聚點) : 군사들을 불러모아 사열(査閱)하며 조련하는 일을 말한다.

〔장계〕

방금 접수한 비변사(備邊司)의 관문 내용에, "이번에 주상께서 계하하신 비변사의 계사(啓辭)[173]에, '각 도(各道)의 춘조(春操, 춘계 군사 연습)에 대해 품지(稟旨)[174]하는 장계가 지금 일제히 도착하였습니다. 막중한 융정(戎政, 군정(軍政))을 그만둔 지 이미 몇 십 년이 되었으니, 뜻하지 않은 사태에 대비함〔陰雨之備〕에 있어서 참으로 소홀함이 막심함을 면치 못하겠습니다. 그러나 작년의 색사(穡事, 농사)가 이미 흉작으로 눈앞의 민정(民情)은 곳곳이 황급한데, 이럴 때에 징발하여 조련에 나가게 하는 것은 실로 품어 보호하는 뜻에 어긋납니다. 힐융(詰戎, 군사를 다스림)이 비록 가볍지 않은 것에 관계되더라도 백성을 돌보는 것이 더욱 우선해야 할 바이니, 금년 봄의 각 도와 사도(四都)의 수륙(水陸)에서 하는 여러 조련(操鍊)과 순력(巡歷)[175]·순점(巡點)[176]은 아울러 우선 정지하고 관문(官門)과 진문(鎭門, 군의 진영)의 취점(聚點)은 이전과 같이 하게 하되 군오(軍伍)를 채우고 기구(器具)를 수리하는 일은 각별히 더 두려워 하는 마음으로 시행하여 혹시라도 소홀하지 않게 하며, 제언(堤堰)이 있

173 계사(啓辭) : 공사(公事)나 논죄(論罪)에 관하여 임금에게 아뢴 말이나 글을 말한다.

174 품지(稟旨) : 특정한 사안을 보고하여 임금의 결재를 받는 것을 말한다. 품(稟)은 임금에게 보고하여 아뢴다는 의미이고, 지(旨)는 임금의 뜻이나 결재라는 뜻이다.

175 순력(巡歷) : 순행(巡行). 조선 시대 감사가 도내 각 고을을 순찰하던 제도. 변경 지역인 평안도와 함경도를 제외한 6도의 감사는 목민관으로서 다스리는 직할 고을이 설정되지 않고, 임기 동안 지속적으로 도내 여러 읍을 돌아다니며 시찰하였다. 감사의 순력은 향읍의 풍속과 민생의 고락을 살피고, 왕화(王化)를 선포하며 하정(下情)을 상달하고, 수령의 현부(賢否)를 살피며 치정(治政)의 득실을 살피는 데 목적이 있었다.

176 순점(巡點) : 순회점고(巡廻點考)의 준말로, 돌아다니며 명부(名簿)에 낱낱이 점(點)을 찍어 가면서 사람 수를 조사(調査)하는 것을 말한다.

는 곳으로 이점(移點, 옮겨서 취점함)하여 역사(役事)를 마치게 하는 것 역시 연전(年前)에 신칙한 대로 하여 실제 효과가 있게 하며, 기전(畿甸)과 관북(關北)에서 구휼을 실시하는 읍진(邑鎭)은 비록 공진(公賑)[177]과는 다름이 있지만 굶주린 자를 가리고 백성을 사역시키는 일은 형세가 두 가지를 병행하기 어려우니 그곳은 취점과 아울러 우선 정지하게 하고, 각종 도시(都試)[178]는 예에 의거하여 설행하라는 뜻을 아울러 분부하심이 어떻겠습니까?'라고 하니, 답하시기를 '윤허한다'라고 전교하셨다. 전교의 뜻을 잘 받들어 시행하라."라고 하였습니다.

신의 영(營)에 마병(馬兵)은 예에 의거하여 취점하니 모두 궐액(闕額, 결원된 군사)이 없었으며 보군(步軍)은 각 처에 제언(堤堰)을 소준(疏濬, 파내어 소통하게 함)하는 역사(役事)로 이점(移點)하였습니다. 본 영에 소속된 5개 읍의 군병도 관사(觀辭)에 의거하여 거행하라는 뜻을 전령(傳令)하여 지위(知委)하였습니다. 방금 접수한 안산 군수(安山郡守) 김원순(金原淳)·진위 현령(振威縣令) 오근상(吳謹常)·시흥 현령(始興縣令) 이명원(李鳴遠)이 보고한 바를 보니, "3개 읍(邑)은 모두 위급함을 구하는 읍으로 취점을 정지하였습니다."라고 하였고, 과천 현감(果川縣監) 정만교(鄭晩教)가 보고한 바를 보니, "본 현의 군병은 예에 의거하여 취점하였

---

177 공진(公賑): 흉년에 지방관이 나라의 곡식으로 곤궁한 백성들을 도와주던 일로 사진(私賑)에 상대하여 이르는 말이다.

178 도시(都試): '한데 모아서 시험본다'는 뜻으로 무반(武班)의 무예 단련을 위한 시취(試取) 제도. 매년 봄가을 시행을 원칙으로 유엽전(柳葉箭)·편전(片箭)·기추(騎芻)·조총(鳥銃)·철전(鐵箭) 등을 시험하고, 합격한 자에게는 직부 전시(直赴殿試)·가자(加資) 등 여러 가지 상전이 주어졌다.

는데 별다른 궐오(闕伍)가 없었습니다."라고 하였으며, 용인 현령(龍仁縣令) 이괵(李漍)이 보고한 바를 보니, "본 현의 군병은 제언을 소착(疏鑿)[179]하는 역사로 이점하였습니다."라고 하였습니다. 이러한 연유를 아울러 치계합니다.

2월 15일.

화령전(華寧殿)에 분향(焚香)하고 봉심(奉審)한 후에 장계를 밀봉하여 아뢰었다.

〔장계〕

신이 오늘 화령전에 분향하고 나서 바로 봉심하였는데 전내(殿內) 모든 곳이 무탈하였습니다. 방금 접수한 현륭원(顯隆園) 영(令) 이상조(李象祖)의 첩정에, "오늘 원상(園上)과 전내를 봉심하였는데 무탈하였습니다."라고 하였습니다. 이러한 연유를 치계합니다.

2월 19일.

능·원소(陵園所)의 경계 안에 소나무와 잡목(雜木)을 보식(補植)[180]하고 장계를 밀봉하여 아뢰었다.

〔장계〕

방금 접수한 건릉(健陵) 영(令) 최두현(崔斗顯)과 현륭원(顯隆園) 영(令) 이상조(李象祖)의 첩정에, "경계 안의 수목이 드문드문한

179 소착(疏鑿) : 개천이나 우물 같은 것을 쳐서 물이 흘러 내리게 함하는 일을 말한다.
180 보식(補植) : 묘목이 시들거나 상한 자리에 보충해서 심는 일을 말한다.

곳에 연례(年例) 보식의 역사를 이달 17일에 시작하여 18일에 마쳤습니다."라고 하였습니다. 보식의 경계와 식목(植木)한 나무의 그루 수를 후록(後錄)[181]하여 치계합니다.

2월 20일.

현륭원(顯隆園) 한식제향(寒食祭享)에 헌관(獻官)[182]으로 진참(進參)하였다.

〔계본(啓本)[183]〕

삼가 제향(祭享)한 일을 아룁니다.

이달 20일 현륭원 한식제향을 행할 때 신이 헌관으로 진참하고 설행(設行)한 후 원상(園上)을 봉심하였는데, 잡초(雜草)와 잡목(雜木)이 없었으며 사산(四山) 내에도 나무를 함부로 범작(犯斫)한 폐단이 없습니다. 제관(祭官)의 직책과 성명을 뒤에 개록(開錄)[184]하였으며, 이러한 연유를 치계합니다.

같은 날(2월 20일).

능·원소에 춘대봉심(春大奉審) 후, 신시(申時, 오후 3시~오후 5시)에 감영으로 돌아왔다.

---

181 후록(後錄): 앞의 기록에 덧붙여 적어 넣는 기록이다.

182 헌관(獻官): 나라에서 제사지낼 때 임시로 임명하여 술잔을 올리는 관원을 말한다.

183 계본(啓本): 조선 시대에 임금에게 큰일을 아뢸 때 제출하던 문서 양식으로, 1412년(태종 12)에 장신(狀申)을 고친 것이다. 계본은 직계(直啓)할 수 있는 서울의 2품 이상 아문〔3품 이하의 승정원, 장례원, 사간원, 종부시 포함〕또는 긴요한 사안이 있는 각사 그리고 서울과 지방의 제장(諸將 어영대장(御營大將), 수어사(守禦使), 병사(兵使), 수사(水使), 통제사(統制使), 영장(營將) 등)이 왕에게 보고하거나 의견을 묻는 내용으로 보고하는 문서의 형식이다.

184 개록(開錄): 상급 기관에 문서를 보낼 때, 문서의 후반에 이름이나 의견을 적어 보내는 일을 말한다.

〔계본〕

삼가 제향(祭享)한 일을 아룁니다.

신은 이달 20일 건릉(健陵) 능상(陵上)·정자각(丁字閣)·비각(碑閣) 이하 모든 곳과 현륭원(顯隆園) 원상(園上)·정자각·비각 이하 모든 곳을 봉심한 후에 건릉의 제기(祭器)와 잡물(雜物) 가운데 파손되고 상한 것을 뒤에 개록(開錄)하였으니, 해조(該曹)로 하여금 신속하게 처리하게 하소서.

현륭원 전사청(典祀廳)[185] 잡물(雜物) 가운데 탈이 있는 것은 예에 의거하여 신의 영 관천고(筦千庫)[186]에서 편의대로 개수(改修)하였고 수목(樹木)은 화소(火巢)와 거리가 멀어 일일이 적간(摘奸)[187]하지 못하였으나 낱낱이 순행(巡行)하며 사정(事情)을 살펴 범작(犯斫)하는 폐단이 없도록 각별히 능원관(陵園官)에게 신칙하였습니다. 또 만년제(萬年堤)[188] 동막이〔垌, 물막이〕 안을 모두 살

---

185 전사청(典祀廳) : 제사를 지낼 때 제사 음식을 장만하고 제물·제기 등 제사에 필요한 여러 가지 도구들을 보관하는 곳을 가리킨다. 사직(社稷)·종묘(宗廟)·향교(鄕校) 등에는 전사청 건물을 따로 두었다

186 관천고(筦千庫) : 현륭원(顯隆園)의 정자각(丁字閣)과 비각(碑閣), 담장 등의 석축(石築) 시설물의 유지 관리 및 식목(植木)이나 보토(補土)에 들어가는 재원을 충당하고 관리하기 위해 설치한 창고이다. 정조가 원행(園幸)과 관련하여 정부의 경상 비용(經常費用)을 사용하지 않고 공계(貢契)의 피해를 줄여 주기 위해 별도의 재정 관리소로서 화성에 설치한 내용고(內用庫)의 하나이다.

187 적간(摘奸) : 법 규정을 어기고 잘못을 범한 일이 없는지 조사하는 일을 말한다.

188 만년제(萬年堤) : 정조는 경기도 양주군 배봉산에 있는 사도세자의 영우원(永祐園)을 수원시 화산(華山) 아래로 옮기고 화산 북록에 있던 기존의 수원읍을 현재의 수원성으로 옮겨 신도시를 조성하였다. 이에 따라 정조는 현륭원(顯隆園)과 수원시 신읍의 경영을 위한 경제적 기반의 확보와 백성들의 생활 안정을 목적으로 둔전(屯田)의 설치와 관개용수를 위한 제방을 쌓는 일, 상권에 대한 보호, 식림사업(植林事業) 등 여러가지 정책적인 배려를 베풀었다. 1797년(정조 21)에 축조된 만년제는 화산 현륭원의 바로 아래에 위치하고 있다. 수원시에 있는 서둔(西屯)·서호(西湖) 등의 시설과 함께 만년제는 정조 당시의 권농정책을 보여주는 중요한 사적이다.

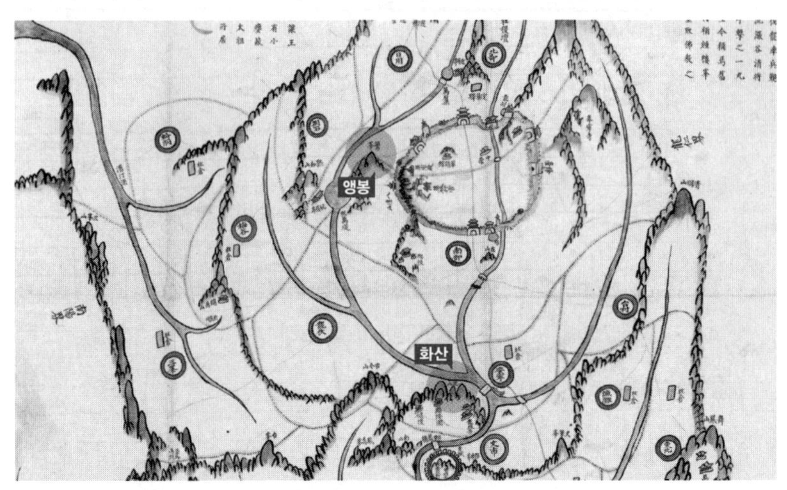

앵봉(鶯峰)과 화산(花山)《수원부지도(水原府地圖)》(서울대학교 규장각 한국학연구원)

펴보았는데 모두 무탈하였으며, 앵봉(鶯峰)의 부석소(浮石所)[189]에 편비(偏裨)[190]를 보내어 적간하였는데 봉표(封標)[191] 내도 무탈하

189 앵봉(鶯峯)의 부석소(浮石所) : 정조는 "군자(君子)가 어버이를 장사 지내는 데에는 반드시 정성스럽고 성실하게 하여 후회가 있어서는 안 된다. 혹 처음에 정성과 성실을 다하지 못한 사람은 종신토록 한이 될 것이니, 후회하면서도 고치지 못한다면 어떤 불효가 이보다 심하겠는가. 그러나 길지(吉地)가 완전하게 생긴 곳은 반드시 기회와 인연의 합쳐짐이 있어야 하고, 국운이 하늘의 복을 크게 받아 번창하는 일 또한 하늘이 돕는 영응(靈應)을 기다려야 한다.(君子之葬親, 必誠必信, 勿之有悔, 或不能致誠信於其初者, 固爲終身之恨, 而悔猶不之改, 則不孝又孰甚焉, 然吉地之功全胚胎, 必有機緣之湊合, 邦籙之慶錫熾昌, 亦待保佑之靈應.)《홍재전서(弘齋全書)》 권57 〈잡저(雜著)〉"라고 하며 재위 13년, 아버지 장헌세자(莊獻世子)의 원침(園寢)을 양주(楊州) 배봉산(拜峰山)에서 수원의 화산으로 옮겼다. 원침을 옮기며 필요한 석상의 설치를 위해 화성에서 좌측으로 지근거리인 앵봉(鶯峰)에서 그 돌을 채취하였다. 또 앵봉을 "앵봉(鶯峰)은 봉표와의 거리가 몇 개의 능선을 넘는 정도로 가깝고, 신령이 마련하여 정기가 서렸으며 뿌리가 깊어 정화(精華)를 간직하였다. (而鶯峰距封標, 越數岡而近, 靈毓而凝其精, 根深而蘊其華.)《홍재전서(弘齋全書)》 권57 〈잡저(雜著)〉"라고 하였으며, 앵봉에 부석소를 설치하여 "도감(都監)에서 예에 따라 설치하는 크고 작은 부석소(浮石所, 돌이 뜨는 곳)를 모두 앵봉(鶯峯)으로 정하였다.(都監例設大小浮石所, 皆以鶯峯定之.) 21일에 앵봉(鶯峯)에서 석맥을 얻어 앵봉을 대부석소(大浮石所)로 하고 기산(岐山)을 –앵봉의 근처이다– 소부석소(小浮石所)로 정하였다. (得石脈於鶯峯, 以鶯峯, 定爲大浮石所, 岐山【鶯峯近處】, 定爲小浮石所.《홍재전서(弘齋全書)》 권58 잡저(雜著)5"라고 하여 원소의 석물에 쓰이는 다양한 돌을 채취를 하였다.

190 편비(偏裨) : 대장(大將)을 보좌하며 소속 부대를 지휘하던 무관직. 편장(偏將)·부장(副將)·비장(裨將)이라고도 한다.

191 봉표(封標) : 능침(陵寢)의 자리를 미리 정하여 흙을 모아 봉분(封墳)하고 세워 놓는 표를 말한다.

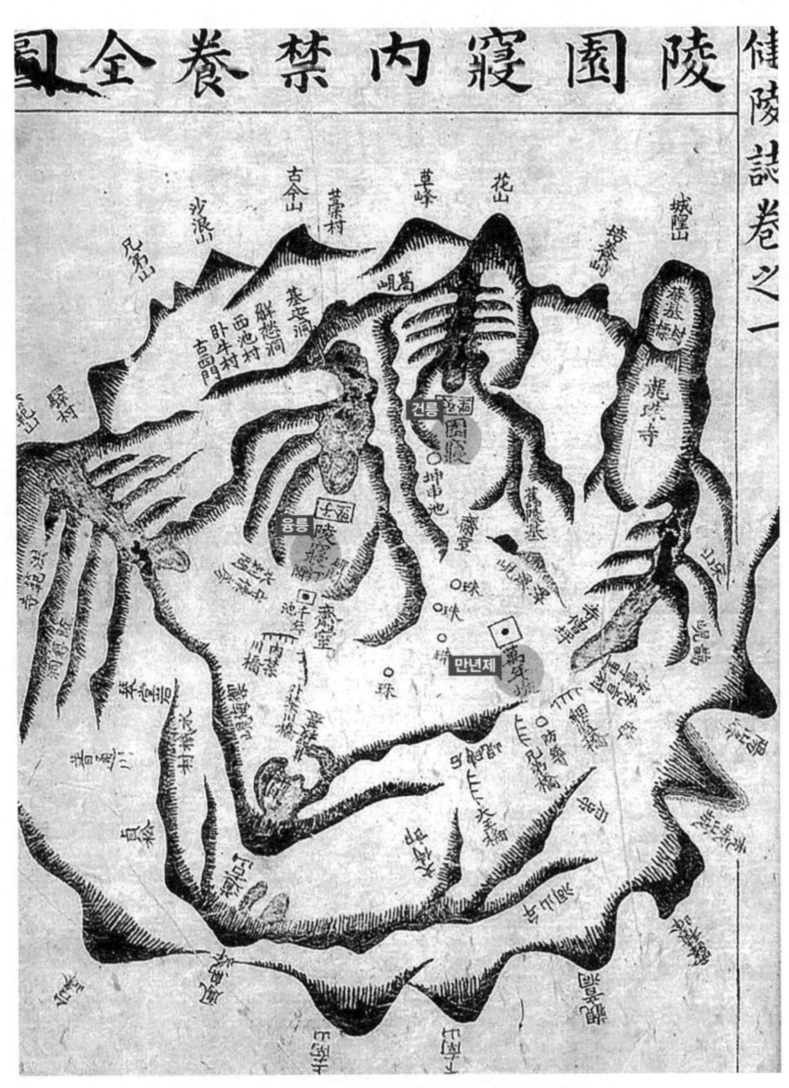

융릉, 건릉, 만년제《건릉지(健陵誌)》〈능원침내금양전도(陵園寢內禁養全圖)〉

였습니다. 이러한 연유를 치계합니다.

2월 21일.

해일(海溢)로 인하여 11개 면의 굶주린 백성을 가려내어 구급(救急)하는 일로 전령(傳令)하였다.

〔전령(傳令)〕

영(營)에 부임한 지 오래 되지 않아 각 면의 민정(民情)을 비록 깊게 영략(領略)할 수 없더라도 작년에 해일(海溢)이 있어 여러 면은 춘궁(春窮)이 황급하여 다른 면과 비교하면 심하다. 순곡(鶉鵠)[192]이 함함(顑頷)[193]한 모습이 마치 눈 앞에 있는 것 같은데, 하물며 성경(省耕)[194]의 때를 당하여 마땅히 보조(補助)할 방책이 있어야 하니 해일(海溢)을 만난 각 면에서 가장 황급한 가호(家戶)를 간략하게 뽑아내어 이번 27일에 사람마다 쌀 2승(升)과 콩 2승씩을 분급(分給) 할 계획이다. 해당 면임(面任)은 성책(成册)[195]에 의거해 일일이 지위(知委)하여 당일 새벽에 인솔하여 후록한 창고에 대령(待令)[196]하여 받아가게 하라. 만약 대신 받아가는 가호

192 순곡(鶉鵠): 메추라기와 고니. 즉 어린아이와 노인을 비유한다.

193 함함(顑頷): 배를 곯아서 얼굴이 누렇게 뜨고 야윈 모양을 말한다. 전국 시대 초(楚)나라 충신 굴원(屈原)의 〈이소(離騷)〉에 "진실로 내 마음이 성실하고 정결하다면야, 항상 함함한들 무슨 상관이겠는가.〔苟余情其信姱以練要兮, 長顑頷亦何傷.〕"라는 말이 나오는데, 송(宋)나라 홍흥조(洪興祖)의 보주(補注)에 "함함은 배불리 먹지 못해서 얼굴이 누렇게 된 것을 말한다.〔顑頷, 食不飽, 面黃貌.〕"라고 하였다.

194 성경(省耕): 천자(天子)가 천하를 순수(巡守)하면서 농사(農事)에 마음을 두고 풍흉에 대하여 살피고 묻는 일을 말한다. 《맹자(孟子)》 〈양혜왕(梁惠王) 하〉에 "봄에는 경작을 살펴서 부족함을 도와 주고 가을에는 수확(收穫)을 살펴서 넉넉지 못한 것을 도와준다.〔春省耕而補不足, 秋省斂而助不給.〕" 하였다.

195 성책(成冊): 문서를 책자로 만든 것이나 그런 문서를 말한다.

196 대령(待令): 대령(待令)은 '대령하다'·'대기시키다'·'준비하다'의 뜻으로, 《승정원일기(承政院日記)》 인조(仁祖) 17년 1월 4일의 "심양에 들여보낼 짐말 세 필을 준비하라.〔瀋陽入送卜馬三匹

가 있으면 당장 빼버리고 반드시 해당 가호를 인솔하여 대령하게 하라.

같은 날(2월 21일).

길을 떠나 상경(上京)하여 과천(果川)에서 점심을 먹고 저녁에 필곡(筆谷)에 도착하였다.

〔장계〕

신이 묘당(廟堂)에 품의(稟議) 할 일이 있어 당일 출발하여 상경하였습니다. 이러한 연유를 치계합니다.

2월 23일.

어제(御製)를 교준(校準)하는 일로 내각(內閣)에 나아갔다.

2월 25일.

봄보리의 갈이를 마친 일로 장계를 밀봉하여 아뢰었다.

〔장계〕

방금 접수한 본 부 판관(本府判官) 이민영(李敏營)의 첩정에, "경내(境內) 봄보리는 이미 갈이를 마쳤습니다."라고 하였습니다. 이러한 연유를 치계합니다.

2월 27일.

해일(海溢)로 각 면에 기민(飢民)을 구급(救急)하기 위해 초도(初度)

待令]" 등이 이러한 용법으로 쓰인 예이다.

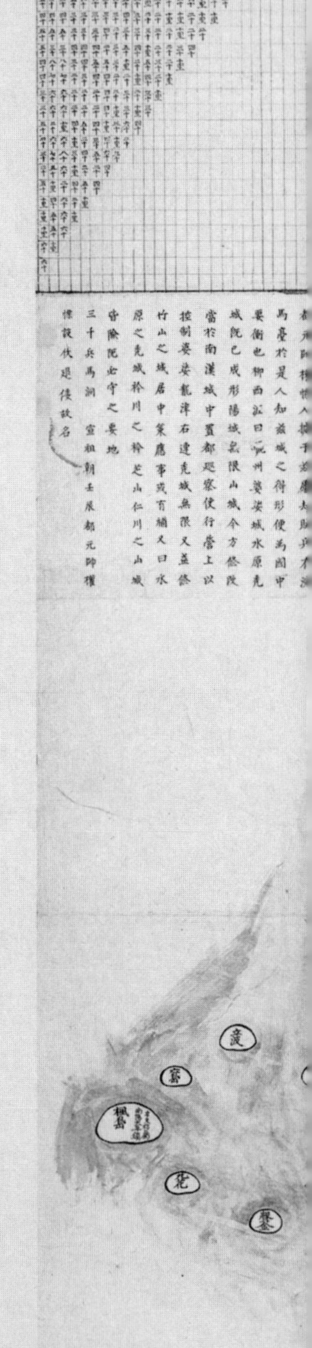

《수원부지도(水原府地圖)》(서울대학교 규장각 한국학연구원)

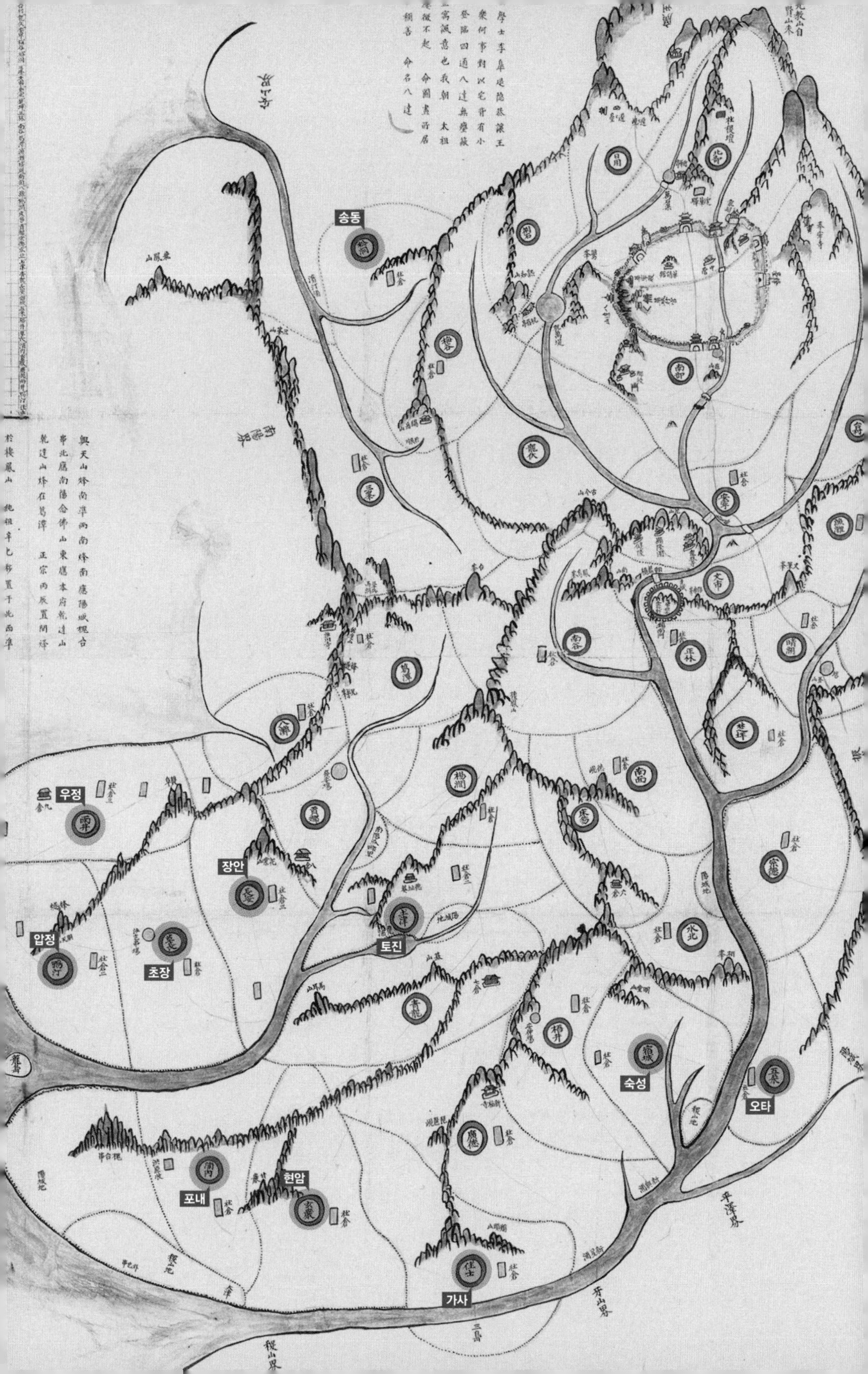
송동
우정
장안
압정
초장
토진
숙성
오타
포내
현암
가사

순시에 나누어 주었다.

1창(倉)은 예비(禮裨)[197]가 감분(監分)[198]하였다.

【송동(松洞) : 44구(口), 쌀 8두(斗) 8승(升) · 콩〔太〕 8두(斗) 8승(升)】

6창과 7창은 좌수(座首)[199]가 감분하였다.

【토진(土津) : 63구(口), 쌀 12두 6승 · 콩 12두 6승

○ 오타(五朶) : 31구(口), 쌀 6두 2승 · 콩 6두 2승

○ 숙성(宿城) : 64구(口), 쌀 12두 8승 · 콩 12두 8승

○ 포내(浦內) : 58구(口), 쌀 11두 6승 · 콩 11두 6승

○ 가사(佳士) : 30구(口), 쌀 6두 · 콩 6두

○ 현암(玄巖) : 40구(口), 쌀 8두 · 콩 8두

9창(倉)은 영화 찰방(迎華察訪)이 감분하였다.

【장안(長安) : 74구(口), 쌀14두 8승 · 콩 14두 8승

○ 압정(鴨汀) : 109구(口), 쌀 1석(石) 6두 8승 · 콩 1석 6두 8승

○ 초장(草長) : 49구(口), 쌀 9두 8승 · 콩 9두 8승

○ 우정(雨井) : 185구(口), 쌀 2석 7두 · 콩 2석 7두

○ 각 면 합계 : 747구(口), 각 쌀 2승과 콩 2승으로 쌀 합계는 9석 14두 4승이고 콩 합계는 9석 14두 4승이다】

197 예비(禮裨) : 예방(禮房) 비장(裨將)이란 뜻이다. 비장이란 조선 시대 지방관의 막료를 말하며 예비라고 한 것은 아마 2명의 군관 중 예방을 맡았기 때문에 붙여진 이름인 듯하다.

198 감분(監分) : 감독하여 나누어 줌을 이른다.

199 좌수(座首) : 조선 시대 지방(地方)의 주(州) · 부(府) · 군(郡) · 현(縣)에 두었던 향청(鄕廳)의 우두머리 육방(六房) 중에 이방(吏房)과 병방(兵房)을 맡아보았다.

병신년丙申年 1836년, 헌종憲宗 2년 3월

3월 1일.

영하(營下, 감영이나 병영)에 비가 내린 상황을 장계를 밀봉하여 아뢰었다.

〔장계(狀啓)〕

방금 접수한 본 부 판관(本府判官) 겸(兼) 중군(中軍)[200] 김상우(金相宇)의 첩정(牒呈)에, "지난달 29일, 미시(未時, 오후 1시~오후 3시) 즈음 비가 내리기 시작하여 때로는 주룩주룩 내리다가 때로는 흩뿌리기도 하여 30일 묘시(卯時, 오전 5시~오전 7시)까지 내린 것이 거의 3려(犁)[201]가 되었고 영하의 측우기(測雨器) 수심(水深)이 5촌(寸) 3푼(分)이 되었습니다."라고 하였습니다. 이러한 연유를 치계합니다.

같은 날(3월 1일).

화령전(華寧殿)과 현륭원(顯隆園)에 봉심(奉審)하였는데 무탈한 일로 장계를 밀봉하여 아뢰었다.

〔장계〕

방금 접수한 화령전 겸위장(兼衛將) 김상우(金相宇)의 첩정에, "이달 초1일 분향하고 나서 바로 봉심하였는데 전내(殿內) 모

200 중군(中軍) : 조선 시대 각 군영(軍營)에 속한 종2품관으로 군영의 대장 혹은 사(使)를 보좌하는 무관. 총리영(摠理營)·수어청(守禦廳)·진무영(鎭撫營)·관리영(管理營)과 각 도 감영(監營)의 순영 중군(巡營中軍)은 정3품직이었다.

201 려(犁) : 우택(雨澤)의 관측 단위로 땅으로 스며든 빗물의 깊이를 땅을 파고 보습날의 길이를 이용하여 측정한 것으로 1려의 강우량은 현재 단위로 환산하면 약 20mm로 추정된다.

든 곳이 무탈하였습니다."라고 하였습니다. 동시에 접수한 현륭원 영(令) 이상조(李象祖)의 첩정 내용에, "이달 초1일 원상(園上)과 전내를 봉심하였는데 무탈하였습니다."라고 하였습니다. 이러한 연유를 치계합니다.

3월 2일.

내각(內各)에 나아가 어제(御製)를 교준(校準)하고 나서 바로 실록청(實錄廳)에 나아갔다.

3월 3일.

내각에 나아가 어제를 교준하고 나서 바로 실록청에 나아갔다.

3월 4일.

실록청에 나아갔다.

3월 5일.

농형 장계(農形狀啟)[202]를 밀봉하여 접수하였다.

〔장계〕

방금 접수한 본 부 판관(本府判官) 이민영(李敏榮)의 첩정에, "경내(境內) 농형은, 가을보리는 점차 푸른 빛이 돌고 봄보리는 싹을 틔워 가래질(鍤役)이 한창입니다."라고 하였습니다. 이

202 농형 장계(農形狀啟): 농형은 농사(農事) 형편(形便)의 준말로서 농사의 진행 상황 또는 작황을 말한다. 지방관은 농사가 시작되는 춘분에서 추분 사이에 대체로 열흘 간격으로 농형을 보고하였다.

러한 연유를 치계합니다.

3월 6일.

진각(辰刻, 오전 7시~오전 9시)에 길을 떠나 시흥(始興)에서 점심을 먹고 신각(申刻, 오후 3시~오후 5시)에 영(營)에 도착하여 장계를 밀봉하여 아뢰었다.

〔장계〕

신이 묘당(廟堂)에 품의(稟議) 할 일이 있어 상경하였다가 당일 영(營)에 돌아왔습니다. 이러한 연유를 치계합니다.

3월 7일.

해일(海溢)로 각 면에 기민(飢民)을 구급(救急)하기 위해 재도(再度) 순시에 나누어 주었다.

1창(倉)은 예비(禮裨)가 감분(監分)하였다.

【송동(松洞):44구(口), 쌀 8두(斗) 8승(升)·콩〔太〕 8두(斗) 8승(升)】

6창과 7창은 좌수(座首)가 감분(監分)하였다.

【토진(土津):63구(口), 쌀 12두 6승·콩 12두 6승

○오타(五朶):31구(口), 쌀 6두 2승·콩 6두 2승

○숙성(宿城):64구(口), 쌀 12두 8승·콩 12두 8승

○포내(浦內):58구(口), 쌀 11두 6승·콩 11두 6승

○가사(佳士):30구(口), 쌀 6두·콩 6두

○현암(玄巖):40구(口), 쌀 8두·콩 8두

9창(倉)은 공비(工裨)가 감분하였다.

【압정(鴨汀):99구(口), 쌀 1석(石) 4두 8승·콩 1석 4두 8승

○ 장안(長安) : 74구(口), 쌀14두 8승 · 콩 14두 8승

○ 초장(草長) : 45구(口), 쌀 9두 · 콩 9두

○ 우정(雨井) : 188구(口), 쌀 2석 7두 6승 · 콩 2석 7두 6승

○ 각 면 합계 : 736구(口), 각 쌀 2승과 콩 2승으로 쌀 합계는 9석 12두 2승이고 콩 합계는 9석 12두 2승이다】

같은 날(3월 7일).

교리(校吏)의 요미(料米)를 획송(劃送)하는 일로 다시 비국(備局)에 보고하고 광주부(廣州府)에 회이(回移)하였다. 지난 달 교리 요조(校吏料條)를 전례(前例)에 의거하여 획송하는 일로 비변사(籌司)에 논보(論報)하였다. 회제(回題) 내용에, "본 영(本營)과 해부(該府)의 사세(事勢)가 함께 생각하지 않을 수 없으니 지금 각 읍에 소재한 광주 구관(廣州句管) 화성 교리(華城校吏) 요조미(料條米) 중에 그 수에 맞춰 획송(劃送)하면 심히 잃게 됨이 없고, 실로 양쪽이 합리적인 길이다. 지금 이에 근거하여 거행하라는 뜻으로 다시 남영(南營)에 관문(關文)을 보내니 해부(該府)에서는 문이(文移)를 기다려 이를 취용(取用, 가져다 씀)하라."라고 하였다.

○ 남성(南城)의 이문(移文)[203] 내용에,

"상고하실 일.

귀 부에 보낸 교리 요미(校吏料米) 173석(石)은 본래 폐부(弊府)의

203 이문(移文) : 동등한 아문(衙門)에 보내는 공문서. 공이(公移) · 문이(文移)이라고 한다. 2품 이상 중앙 관아 및 지방 관찰사 등 조선 시대 최고 관서 사이에 행정적으로 협조할 필요가 있을 경우에 사용하였다.

향곡(餉穀) 중에서 추이(推移)하여 획송(劃送)한 것입니다. 그러나 지금 폐부의 향부(餉簿, 향곡 장부)를 보니 점차 수량이 줄어들어 예에 의거하여 수송할 길이 만무하여 이러한 뜻을 비변사에 논보하였습니다."

방금 접수한 관문 내용에, "절해(節該). 양 영(兩營)의 사세가 함께 생각하지 않을 수 없으니 각 읍에 소재한 광주 구관 화성 교리 요조미 중에 수량에 맞춰 획송하여 번거롭게 왕복함이 없어야 합니다."라고 하였습니다.

관사(關辭)에 의거하여 각 읍에 소재한 곡식 중에서 귀부(貴府)에 획부(劃付)하니 매년 취모(取耗)[204]의 바탕으로 삼게하며 동(同) 획송한 읍 명(邑名)과 곡식의 수를 후록(後錄)하여 문이(文移)하니, 먼저 작년 모조(耗條)[205] 173석(石) 12두(頭) 2승(升)을 관문을 발송하여 취용함이 마땅한 일입니다.

○ 이날, 한편으로는 회이(回移)하고 한편으로는 비변사(備邊司)에 논보(論報)하였다.

〔광주 회이(廣州回移)〕

회이한 일.

방금 접수한 귀 부(貴府)의 회이 내용에, "절해(節該). 본 부 교리미 173석을 각 읍에 소재한 곡식 중에서 후록(後錄)하여

---

204 취모(取耗) : 취모십일(取耗什一)로, 환자(還子)의 모곡(耗穀)을 보충하기 위하여 빌린 곡물의 10분의 1을 이식(利息)으로 받는 일을 말한다.

205 모조(耗條) : 모곡(耗穀)에 해당하는 몫. 모곡은 각 고을 창고(倉庫)에 저장한 양곡(糧穀)을 봄에 백성에게 대여(貸與)했다가 추수(秋收) 후 받아들일 때 말(斗)이 축나거나 창고에서의 손실을 보충하기 위하여 10분의 1을 첨가하여 받는 곡식을 말한다.

획송(劃送)하였습니다. 먼저 작년부터 모조(耗條)는 관문을 발송하여 취용하였다고 하더라도 폐부(弊府)의 지방조목(支放條目)을 반드시 귀 영(貴營)의 모미(耗米, 모곡으로 받아들인 쌀)로 바꾸어 획급하는 것이 마땅히 처음부터 설시(設始)한 뜻입니다. 진실로 폐영(弊營)의 지방조를 본색(本色)[206]으로 각 읍에 모미를 옮겨 보내는 것은 폐단이 있습니다. 귀 영의 창사(倉舍)가 이미 폐부의 성내(城內)에 있으니 모미를 취용함은 폐영에 있어 손닿는 곳의 물건과 다를 바가 없고, 귀 영에서는 5개 읍과 화영(華營) 등을 따지지 말고 똑같이 작전(作錢)하여 취용하더라도 여기나 저기나 조금도 다를 것이 없으니, 이것을 저것으로 바꾸는 것으로 사세가 편하고 순조로울 따름입니다. 40여 년간 끊임 없이 준행(遵行)한 나머지에 지금에 갑자기 이전의 법규를 수정하는 것은 이 대획(代劃)을 거행하는데 있어 장차 5개 읍에서 똑같이 집전(執錢)[207]하고자 하여 본 부에서 무미(貿米)[208]하는 것은 시가(時價)로 상정(詳定)했을 때 엄청난 차이가 날 뿐만 아니라 170여 석의 값으로는 본래 70~80석을 무취(貿取, 무역하여 지님)하기에도 부족하니 부족한 수량은 장차 어디에서 취하겠습니까? 폐영의 사세가 너무도 어찌할 바를 모를 지경이라 두 말할 필요도 없이 귀 영(貴營)에서도 이미 본색(本色)을 실어나르기 불가하니 그렇다면 집전(執錢)하여 취용(取用)

206 본색(本色) : 전지(田地)에서 생산된 그대로의 벼·보리·밀·콩 등을 말한다.

207 집전(執錢) : 돈을 쥔다는 뜻으로, 어떤 물건을 돈으로 바꾸거나 돈으로 만드는 작전(作錢)과 비슷하다.

208 무미(貿米) : 장사를 하려고 쌀을 많이 사들이는 것을 말한다.

할 뿐입니다. 귀 영의 무미 상정가(詳定價)[209]는 1석에 4냥에 불과하니 5개 읍에 신칙하여 한결같이 시가로 집전하면 귀 영에서도 터럭만큼의 손해가 없을 것입니다. 혹시라도 그렇지 않다면 폐부의 사세가 비록 매우 황급하다 하더라도 어찌 이와 같이 왕복을 지난(持難)[210]하며 번거로움을 꺼리지 않겠습니까? 작년에 모조(耗條)를 취용하는 한 가지 조목은 행하여도 얻지 못하고 받들어도 갈 수 없는 정사에 관계된 것입니다. 각 읍의 적정(糴政, 환곡(還穀)에 관한 정사)을 해를 넘겨 마감하면 삼춘(三春)[211]의 분환(分還)도 거의 창고가 바닥을 드러내게 되니 지금 창고에서 수송(輸送)해 오고자 하더라도 그림의 떡과 다름이 없습니다. 이와 같은 상황을 환하게 밝혀 바야흐로 이 뜻을 비변사에 매보(枚報, 낱낱이 보고함)할 계획이며 먼저 이렇게 회이(回移)하니 모름지기 공제(共濟)[212]의 도의(道義)를 생각하여 또한 모두 편한 계책을 진념(軫念)하시어, 동(同) 요미(料米) 173석을 예와 같이 획송(劃送)하니 즉시 반료(頒料)[213]함이 마땅합니다."

---

209 상정가(詳定價) : 호조, 선혜청, 균역청 등에서 전세, 대동, 공물, 신공 등의 명목으로 미(米), 태(太), 전미(田米), 목(木), 포(布) 등을 돈[錢], 은(銀), 기타 다른 물품으로 대신 환산하여 상납받을 때 또는 각종 급대(給代), 매매, 회계 처리 등을 할 때, 각 도(道)에서 환곡(還穀)을 돈으로 대신 상환받을 때 등에 적용하도록 정해 놓은 기준 가격을 말한다.

210 지난(持難) : 일을 빨리 처리하지 않고 질질 끌며 미루는 것을 말한다.

211 삼춘(三春) : 봄의 석달. 맹춘(孟春)·중춘(仲春)·계춘(季春)을 말한다.

212 공제(共濟) : 힘을 합하여 서로 돕거나 공동(共同)으로 일을 함을 말한다.

213 반료(頒料) : 방료(放料)라고도 한다. 이서(吏胥)나 군사(軍士) 등에게 급료를 지급하는 것을 말한다. 관원이 아닌 아전에게 주는 급료는 봉록(祿俸)이라 하지 않고 요(料)라 한다.

〔비국보첩(備局報牒)[214]〕

상고하실 일.

본 부(本府) 교리미(校吏料) 173석을 광주(廣州)에서 옮겨온 것을 전례에 의하여 구획(區劃)하여 때에 맞추어 반료하는 일로 논보한 바가 있습니다. 비변사의 제사(題辭) 내용에, "'본 영과 해부의 사세(事勢)가 함께 생각하지 않을 수 없으니 지금 각 읍에 소재한 광주 구관미 중 수량에 맞춰 획송하면 본 영에서는 심히 잃게 됨이 없고, 실로 양쪽이 합리적인 길이다. 지금 이에 근거하여 거행하는 뜻으로 다시 남영(南營)에 관문(關文)을 보내니 해부(該府)에서는 문이(文移)를 기다려 이를 취용하라.'라고 하였습니다.

연이어 접수한 광주부의 이문 내용에, '본 부 요조미(料條米)는 비변사 관사(關辭)에 의거하여 각 읍에 소재한 곡식 중에 후록(後錄)하여 획부(劃付)한 것을 매년 취모(取耗)[215]하기 위해 우선 작년 모조(耗條)를 관문을 발송하여 취용하였습니다.' 라고 하였습니다. 본 부의 지방조(支放條)는 당초에 광주 영(廣州營)의 모미로 바꾸어 획급한 것으로 오로지 본 영에서 말

---

214 비국보첩(備局報牒) : 비국(備局)은 조선 시대 군국의 사무(事務)를 맡아 처리(處理)하던 관아(官衙)인 비변사를 말하며, 보첩(報牒)은 어떤 사실(事實)을 위 관원에게 알려 바치는 공문(公文)을 말한다. 비국보첩은 지방 관아에서 비변사에 올리는 공문 형식의 글이다.

215 취모(取耗) : 조선 시대 환곡(還穀)을 운영하는 과정에서 축이 날 것을 예산하고 한 섬에 몇 되씩 더 받는 곡식을 모곡(耗穀)이라고 하는데, 원곡(元穀)의 10분의 1을 관례적으로 받아왔다. 《경국대전(經國大典)》에는 모곡에 대한 규정이 없는데, 1423년(세종5)에 처음으로 1섬(石)에 3되(升)의 모곡을 징수하기 시작하였다. 이후 폐지되었다가, 1425년과 1554년(명종9) 사이에 제정되었을 것으로 추정되는 1할(割) 모법, 즉 1섬에 1말 5되를 징수하는 법이 관례적으로 시행되었다. 이후 《속대전(續大典)》에 "가을에 곡식이 익어 거두면, 10분의 1의 모곡을 취한다.〔秋成而斂, 取耗什一.〕"라고 규정한 뒤 정식으로 시행되었다.(송찬식, 〈李朝時代 還上取耗補用考〉, 《역사학보》 27집, 34~37쪽, 1965).

미암은 것입니다. 지방조는 반드시 본색(本色)으로 하는데 광주 영 창사(倉舍)가 이미 본 부의 성내에 있으니 읍에 모미를 옮겨 보내는 것은 폐단이 있습니다. 귀 영의 창사(倉舍)가 이미 폐부(弊府)의 성내(城內)에 있으니 모미를 취용함은 번거롭게 운송할 필요가 없으며 광주 영에 있어서는 각 읍과 화영(華營)의 창고 등을 따지지 말고 작전(作錢)하여 취용하더라도 이것을 저것으로 바꾸는 것이니 사세가 편하고 순조로울 따름입니다. 40여 년간 끊임 없이 준행(遵行)한 나머지에 지금에 갑자기 이전의 법규를 수정하는 것은 이 대획(代劃)을 거행하는데 있어 장차 각 읍에서 이와 같이 집전하여 본 부에서 무미(貿米)하고자 한다면 시가(時價)로 상정(詳定)했을 때 엄청난 차이가 날 뿐만 아니라, 170여 석의 값으로는 본래 겨우 70~80석을 무취하기에 부족하니, 부족한 수량은 장차 어디에서 마련하겠습니까? 또 작년 모조(耗條)로 말하자면 광주 영은 각 읍에 소재한 것 중에 우선 취용한다고 하였으나 각 읍에 획급한 바를 탐문하여 보니 모두 본 읍에 소재한 남한(南漢, 남한산성(南漢山城)) 곡이거나 정퇴(停退)[216]하여 들인 것 혹은 민간에 아직 미봉(未捧)한 것이고 약간 거두어들인 것은 초춘(初春)에 이미 분환(分還)하여 남은 것이 없어 지금에 수량대로 수납(輸納)하기에는 방법이 없습니다.'"라고 하였습니다.

그러한 즉 지금 이렇게 대획한 곡식은 그림의 떡과 같아

216 정퇴(停退): 흉년이 들면 그해 거두어야 하는 환곡을 거두지 않고 다음 해에 거두게 하는 것을 말한다.

이름만 존재하고 실재가 없으니 교리 지방조는 장차 이로 인해 폐지될 지경을 면치 못할 것입니다. 본 영의 사세가 전혀 조처할 수 없어 이에 또 사실에 의거하여 매보(枚報)하니 비변사에서 모두 편한 방책을 특별히 진념(軫念)하시어 동(同) 요미(料米) 173석을 예와 같이 획송(劃送)하니 즉시 반료(頒料)의 뜻을 다시 해영(該營)에 관문으로 신칙하소서.

3월 9일.

화령전(華寧殿) 작헌례(酌獻禮)[217]에 헌관(獻官)으로 섭행(攝行, 대신 수행함)하고 좌의정(左議政)이 입부(入府)하여 전내(殿內)에 봉심(奉審)할 때 입참(入參)하였다.

이달 초5일은 영종대왕(英宗大王, 영조(英祖), 재위 1724~1776) 승하(昇遐) 회갑일(回甲日)이고, 초10일은 정종대왕(正宗大王, 정조(正祖), 재위 1776~1800)의 등극(登極) 회갑일이다. 대왕대비전(大王大妃殿)에서 전교하시길, "이달 초5일은 우리 영종대왕께서 승하하신 지 구갑(舊甲, 환갑)으로 신구(新舊)의 서글피 추모하는 아픔이 더욱 새롭다. 당일 원릉(元陵) 작헌례에 대신(大臣)을 보내 섭행하게 하니 해방(該房)[218]은 모두 잘 알아라." 또 전교하시길, "이 해 이날은 우리 정종대왕이 어좌(御座)에 오르신 주갑(周甲, 회갑)이다. 망극한 아픔과 오희(於戲)의 생각[219]이 이루 미칠 수

217 작헌례(酌獻禮) : 왕이나 왕비였던 조선(祖先), 또는 문묘(文廟)에 임금이 친히 제사하는 예(禮)를 말한다.

218 해방(該房) : 승정원의 승지를 육방(六房)으로 분담하여 육조(六曹)의 일을 각각 분장하게 하였다.

219 오희(於戲)의 생각 : 전왕(前王)의 훌륭한 업적을 잊지 못함을 비유하는 말로 여기서는 성군

있는 바가 아니다. 초10일 화령전 작헌례에 마땅히 대신을 보내 섭행하게 하니 해방은 모두 잘 알아라." 또 전교하시길, "원릉(元陵) 작헌례에는 영부사(領府事)[220]가 나아가고 화령전 작헌례에는 좌의정(左議政)이 나아가라"라고 하셨다

이날 좌규(左揆, 좌의정)가 향축(香祝)[221]을 모시고 내려가 유각(酉刻, 오후 5시~오후 7시)에 부(府)에 도착하여 나는 화령전 대문 밖에 나가 향축을 공경히 맞이하였다. 대료(大僚)[222]가 향대청(香大廳)[223]에서 향축을 받들고 나서 바로 전내(殿內)에 봉심하였는데 나는 제조(提調)[224]로서 따라 들어가 봉심한 한 후, 대료가 향대청 서편방(西偏房)에 거처하여 입알(入謁)[225]하고 장남헌(壯南軒)[226]으로 돌아왔다.

(聖君)이었던 정조에 대한 그리움을 이른다.《대학장구(大學章句)》 전(傳) 3장에 "《시경(詩經)》에 이르기를 '아, 전왕을 잊지 못한다.' 하였으니, 군자는 그의 어지심을 어질게 여기고 그의 친하심을 친하게 여기며, 소인은 즐겁게 해 주심을 즐거워하고 이롭게 해 주심을 이롭게 여기니, 이 때문에 세상에 없는데도 잊지 못하는 것이다.[詩云:於戲, 前王不忘. 君子賢其賢而親其親, 小人樂其樂而利其利, 此以沒世不忘也.]"라고 하였다.

220 영부사(領府事):중추부의 영사(領事), 즉 최고책임자로서 '영중추 또는 영부사'로 약칭되기도 하였다. 이는 1466년(세조 12) 종래의 중추원을 중추부로 개편하면서 처음 두었고, 1894년(고종 31) 갑오경장에 의한 관제개혁으로 폐지되었다.

221 향축(香祝):나라의 제사에 쓸 향(香)과 축문(祝文). 임금이 직접 제관(祭官)에 내려주거나 내시(內侍)를 시켜 보내주었다.

222 대료(大僚):정1품의 영의정(領議政), 좌의정(左議政), 우의정(右議政) 등 삼정승을 지칭하는 말로, 종1품 보국대부(輔國大夫) 이하의 관료들이 삼정승에 대하여 부르는 호칭이다.

223 향대청(香大廳):봉향청(奉香廳)이라고도 하는데, 분향과 석전대제 때 향(香)을 모셔두는 곳이다. 향대청의 양쪽에 향관(香官)이 머무는 방이 있는데, 헌관(獻官)도 향대청에 머물렀다.

224 제조(提調):제조(提調)는 잡무와 기술 계통 기관에 겸직으로 임명되었던 고위 관직이다. 각 사와 원에 관제상 우두머리가 아닌 종1품, 또는 2품의 품계를 가진 사람이 겸직으로 임명되어, 그 관청의 일을 지휘하고 감독한 관직이다. 제조의 제(提)는 거(擧)의 뜻이고 조(調)는 화(和)의 뜻이니, 제조는 한 관사의 사무를 조화롭게 처리한다는 뜻이다.

225 입알(入謁):들어와 알현하다의 의미인 입알(入謁)은 그대로 '입알'로 풀었다.

226 장남헌(壯南軒):화성 행궁의 정전(正殿) 건물이자 화성 유수부의 동헌(東軒) 건물의 편액 이름으로, 정조가 현륭원에 친제(親祭)하러 가서 화성 행궁에 머문 다음 어필(御筆)을 내려 동헌의 현판으로 걸게 하였다.

〔장계〕

이달 초10일, 화령전 작헌례(酌獻禮)를 섭행할 헌관(獻官) 홍석주(洪奭周)[227]가 본 부에 도착하였을 때 신이 예에 의거하여 경계(境界)에 나가 기다린 일을 첩보(牒報)하였습니다. 제사(題辭) 내용에 "보류하라(安徐)."라고 하셨기에 이러한 연유를 치계합니다.

3월 10일.

해가 뜰 무렵 화령전(華寧殿) 작헌례(酌獻禮)를 설행하는데 나는 제조(提調)로서 겸위장(兼衛將) 김상우(金相宇)와 영화 찰방(迎華察訪) 오치건(吳致健)과 함께 전정(殿庭)의 서반(西班)으로 입참(入參)하였다. 예를 마치고 좌규(左揆)가 서협문(西俠門)[228] 밖에 나가, 수복(守僕)[229]으로 하여금 말을 전하게 하여 다시 소본 어진(小本御眞)[230]에 봉심하였다. 나는 제조로서 거행하고 좌규는 퇴좌(退座)하여 장남헌(壯南軒)에서 조반(早飯)을 먹은 뒤 바로 건릉(健陵)과 현륭원(顯隆園)에 나가 봉심하고 미각(未刻, 오후 1시~오후 3시)에 다시 부(府)로 들어왔다. 나는 공장

227 홍석주(洪奭周) : 1774~1842. 조선 23대 순조(純祖) 때의 학자(學者)로 본은 풍산(豊山) 자는 성백(成伯) 호는 연천(淵泉)이다. 영의정을 지낸 홍락성(洪樂性)의 손자이자 우부승지를 지낸 홍인모(洪仁模)의 아들이다. 대제학(大提學)·이조판서(吏曹判書)를 거쳐 순조(純祖) 34(1834)년에 좌의정(左議政)이 되었다.

228 서협문(西俠門) : 궁궐이나 관아(官衙)에는 보통 문이 셋 있는데, 가운데를 정문(正門), 우측을 서협문(西挾門), 좌측을 동협문(東挾門)이라 한다.

229 수복(守僕) : 조선 시대 종묘서(宗廟署)나 향실(香室)을 관장하던 교서관을 비롯해 각 단(壇)·능(陵)·궁(宮) 등에 소속되어 청소하는 일을 담당하던 잡직(雜職)을 말한다.

230 소본 어진(小本御眞) : 정조는 재위 기간 동안 1781년(정조 5)과 1791년(정조 15), 1796년(정조 20) 총 세 차례에 걸쳐 자신의 어진(御眞)을 그렸다. 1792년(정조 16) 정조는 1791년에 그린 자신의 군복본 어진 소본을 현륭원 재전(齋殿, 재실(齋室))에 봉안하게 하였다. 이후 1800년(순조 즉위) 12월에 화령전의 건립을 앞두고 순조는 화성 행궁으로 정조어진 대본 1점을 내려보냈다.(윤진영, 〈화령전 正祖 御眞의 移奉 내력〉, 《조선 시대사학보》 no.87, 2018).

(公狀)[231]을 바치고 장남헌에서 입알(入謁)하였다.

〔헌관 장계(獻官狀啓)〕

이달 초10일, 화령전 작헌례에 신이 헌관으로 향축을 모시고 내려와 당일 진시(辰時, 오전 7시~오전 9시)에 설행한 후 제관(諸官)의 직함과 성명을 후록(後錄)하여 치계(馳啟)하였습니다【헌관(獻官)은 의정부(議政府) 좌의정(左議政) 홍석주(洪奭周), 전사관(典祀官)[232]은 겸 전사령(兼殿司令) 수원 판관(水原判官) 이민영(李敏榮), 집례(執禮)[233]는 사복 정(司僕正)[234] 조재경(趙在慶), 대축(大祝)[235]은 홍문관 수찬(弘文館修撰)[236] 권직(權溭), 축사(祝史)[237]는 사복시 첨정(司僕寺僉正) 이규수(李奎秀), 재랑(齋郎)[238]은 부사과(副司果)[239] 이현

---

231 공장(公狀) : 아랫사람이 윗사람을 알현(謁見)할 때에 자신의 신분을 소개하는 문서이다.

232 전사관(典祀官) : 제사에 쓰는 물건을 맡아 처리하던 궁 내부의 임시 벼슬의 하나이다.

233 집례(執禮) : 제향을 올릴 때 제반 절차를 기록한 홀기(笏記)를 큰 소리로 읽어 의식의 진행을 맡아보는 사람이다.

234 사복 정(司僕正) : 조선 시대에 궁중의 말과 가마를 관리하던 사복시(司僕寺)의 책임자인 정3품 벼슬을 가리킨다.

235 대축(大祝) : 제사 때에 축문을 읽는 관원이다. 친제에는 종묘의 매 실마다 각 1명씩 임명되었는데, 4품 이상의 지제교(知製教) 관원이 담당하였다. 섭사일 경우에는 6품 관원 2명이 담당하였다. 그리고 속절(俗節) 및 삭망(朔望)에 제사 지낼 때와 중류에는 참외관이 담당하였다. 대축이 담당한 가장 중요한 임무는 국왕이 술잔을 올린 후에 신위의 오른쪽에 나가 동향으로 꿇어앉아 축문을 읽는 것이다. 그러나 대축은 이외에도 국왕이 찬물(饌物)올리는 일을 돕고, 국왕이 음복하는 것을 도우며, 변두를 걷거나, 제사가 모두 끝난 후에 축판과 폐백을 묻고, 묘사·궁위령과 함께 신주를 갈무리하는 등의 일도 담당하였다.

236 홍문관 수찬(弘文館修撰) : 조선 시대 홍문관(弘文館)에 두었던 정육품(正六品) 관직으로 정원은 2원이다. 문한편수(文翰編修)의 일을 맡았고, 부수찬(副修撰)과 함께 지제교(知製教, 왕이 내리는 교서(教書)의 글을 짓는 사람)를 겸임하였다. 교리(校理), 부교리(副校理) 및 부수찬과 함께 서벽(西壁)이라고 칭하였다.

237 축사(祝史) : 나라의 제사 때 축문(祝文)을 맡아서 읽던 관원. 참외(參外)의 관원으로 임명했다.

238 재랑(齋郎) : 조선 시대에 묘(廟)·사(社)·전(殿)·궁(宮)·능(陵)과 원(園)의 참봉을 말한다.

239 부사과(副司果) : 오위(五衛)의 종6품의 군직(軍職). 사과(司果)의 다음으로 부사직과 같이 현직에 있지 아니한 문관·무관·음관과 그 외의 잡직에 있는 사람으로 시킨다.

오(李玄五), 찬자(贊者)[240]는 의영고 직장(義盈庫直長)[241] 강지(姜漬), 알자(謁者)[242]는 빙고 별검(氷庫別檢)[243] 정완용(鄭琬容), 제감(祭監, 제향을 감독하는 관원)은 사헌부 감찰(司憲府監察)[244] 서유우(徐有隅)】.

3월 11일.

해가 뜰 무렵 좌규(左揆)가 돌아오라는 복명(復命)[245]을 실행하기 위해 장남헌에서 작별을 고하였다.

〔장계〕

이달 11일, 좌의정 홍석주가 서울로 돌아갈 때에 신이 예에 의거하여 배행(陪行)한 뜻을 첩보(牒報)하였습니다. 제사(題辭) 내용에 "보류하라(安徐)."라고 하셨기에 이러한 연유를 치계합니다.

3월 15일.

화령전과 현륭원을 봉심(奉審)한 후에 장계를 밀봉하여 아뢰었다.

---

240 찬자(贊者) : 제사가 절차에 맞게 진행되도록 제관(祭官)을 곁에서 보좌하는 사람이다.

241 의영고 직장(義盈庫直長) : 의영고 종7품 관리. 의영고는 궁중의 유(油)·꿀〔淸蜜〕·밀〔黃蜜〕·후추〔胡椒〕·소물(素物) 등을 맡아보던 관아로 관원은 영(令)·주부(主簿)·직장(直長)·봉사(奉事) 등과 그 외에 서원(書員) 4명이 있는데, 궁중에 부속된 것이 아니고 호조관서 주관하에 있었다.

242 알자(謁者) : 제사 의식에서 헌관(獻官)을 인도하여 식의 진행을 돕는 사람을 말한다.

243 빙고 별검(氷庫別檢) : 조선 시대 얼음을 관리하던 빙고(氷庫)의 종8품 관원을 말한다.

244 사헌부 감찰(司憲府監察) : 조선 시대 사헌부(司憲府)에 두었던 정육품(正六品) 관직으로 문관·무관·음관이 모두 조하(朝賀, 조정에 나가 왕께 하례하는 일) 때나 동가(動駕, 왕이 탄 수레가 대궐 밖으로 거둥하는 일) 때에는 압반(押班)이 되고, 제향 때에는 제감(祭監)이 되었으며, 시소(試所, 과거를 치르는 곳)에서 문관(文官)은 대감(臺監)이 되었으나 무관·음관은 대감은 될 수 없었다. 모든 면을 감찰하여 기강을 세우고 풍속을 바로잡는 일을 맡아보았다.

245 복명(復命) : 왕명을 받고 어떠한 일을 하고서 그 결과를 보고하는 것이다.

〔장계〕

신이 오늘 화령전에 분향하고 나서 바로 봉심하였는데 전내(殿內)의 모든 곳이 무탈하였습니다. 방금 접수한 현륭원 참봉(顯隆園參奉) 김익정(金益鼎)이 첩정에, "오늘 원상(園上)과 전내를 봉심하였는데 무탈하였습니다."라고 하였습니다. 이러한 연유를 치계합니다.

같은 날(3월 15일).

농형(農形)을 장계를 밀봉하여 아뢰었다.

〔장계〕

방금 접수한 본 부 판관(本府判官) 이민영(李敏榮)의 첩정에, "경내(境內)의 농형(農形)은 가을보리는 점차 무성해 지고 있고 봄보리는 점차 푸른색을 띠고 있으며 가래질을 이미 마쳤습니다. 올벼는 부종(付種)[246]이 바야흐로 한창이고, 늦벼는 주앙(注秧)[247]과 건파(乾播)[248]를 이제 시작하였습니다."라고 하였습니다. 이러한 연유를 치계합니다.

같은 날(3월 15일).

주상께서 내려주신 호피(虎皮)를 공경히 받고 장계를 밀봉하여 아뢰었다.

---

246 부종(付種) : 작물의 종자를 밭이나 묘상에 뿌리는 일을 말한다.

247 주앙(注秧) : 볍씨를 물에 담가서 싹을 조금 틔운 다음 모판에 뿌리는 농사법이다.

248 건파(乾播) : 마른논에 볍씨를 뿌려 밭곡식처럼 기르다가 물을 대주는 농사를 말한다.

〔전교(傳敎)〕

화령전 작헌례 때 헌관(獻官) 이하 원역(員役) 등의 별단(別單)[249]에 대하여 전교하시기를, "헌관(獻官) 의정부(議政府) 좌의정(左議政) 홍석주(洪奭周)에게 내하(內下)[250] 대표피(內下大豹皮) 1령(令)을 사급(賜給)하고 전사관(典祀官) 이민영(李敏榮)에게 상현궁(上弦弓) 1장(張)을 사급하라. 집례(執禮) 조재경(趙在慶), 대축(大祝) 권직(權溭)에게는 아울러 가자(加資)[251]하고 축사(祝史) 이규수(李奎秀)·재랑(齋郎)이현오(李玄五)·찬자(贊者) 강지(姜渚)·알자(謁者) 정완용(鄭琬容)·제감(祭監) 감찰(監察) 서유우(徐有隅)에게 각 상현궁 1장씩을 사급하라. 제조(提調) 서유구(徐有榘)에게 내하 호피(內下虎皮) 1령을 사급하고 겸위장(兼衛將) 김상우(金相宇)에게 상현궁 1장을 사급하며 겸령(兼令) 이민영(李敏榮)에게 내하 녹피(內下鹿皮) 1령을 사급하라. 수문장(守門將) 홍시영(洪時榮)과 김원호(金遠浩)에게 각 상현궁 1장을 사급하고, 원역 등은 아울러 전례를 상고하여 시상(施賞)하라."라고 하셨다.

〔장계〕

이달 15일 좌부승지(左副承旨) 임한진(林翰鎭)이 성첩(成貼)[252]한 유지(有旨) 내용에, "경(卿)이 화령전 작헌례를 섭행(攝行)할 때

249 별단(別單): 임금께 올리는 주본(奏本)에 따로 덧붙인 문서나 명부 따위를 말한다.

250 내하(內下): 임금이 물건을 신하에게 내려 줌을 말한다. 내사(內賜).

251 가자(加資): 조선 시대 품계 승격 제도. 또는 승격된 품계를 말한다. 보통 정3품(正三品) 통정대부(通政大夫) 이상의 품계를 더 올려주던 것을 말하거나, 혹은 정3품 통정대부 이상의 품계를 가자라 하였다.

252 성첩(成貼): 성첩(成帖). 문서에 수결(手決)을 두고 관인을 찍어서 마무리하는 것, 또는 완성된 문서를 말한다.

본전 제조(本殿提調)로서 내하 대호피(內下大虎皮) 1령을 사급(賜給)하고자 원리(院吏)로 하여금 전하여 하사하게 하니 경은 공경히 받아라."라는 유지 1도(度)와 함께 대호피(大虎皮) 1령을 원리 김진영(金鎭英)이 당일 신시(申時, 오후 3시~오후 5시) 즈음 가지고 내려와 신이 본영에서 공경히 받았습니다. 이러한 연유를 치계합니다.

3월 16일.

화령전(華寧殿) 수복(守僕)과 원역(員役) 등에게 예조(禮曹)의 관문(關文)에 의거하여 시상한 후 장계를 밀봉하여 아뢰었다.

〔장계〕

방금 접수한 비변사의 관문 내용에, "이번에 계하하신 화령전 작헌례 설행에 헌관(獻官) 이하 원역(員役) 등 별단에 대하여 전교하시기를, '헌관은 의정부(議政府) 좌의정(左議政) 홍석주(洪奭周)에게 내하(內下) 대표피(內下大豹皮) 1령(令)을 사급(賜給)하고 전사관(典祀官) 수원 판관(水原府判) 이민영(李敏榮)과 집례(執禮) 사복시(司僕寺) 정(正) 조재경(趙在慶)과 대축(大祝) 홍문관 수찬(弘文館修撰) 권직(權溭)에게 아울러 가자(加資)하라. 축사(祝史) 사복시 검정(司僕寺僉正) 이규수(李奎秀)·재랑(齋郎) 부사과(副司果) 이현오(李玄五)·찬자(贊者) 의영고 직장(義盈庫直長) 강지(姜漬)·알자(謁者) 빙고 별검(氷庫別檢) 정완용(鄭琬容)·제감(祭監) 사헌부 감찰(司憲府監察) 서유우(徐有隅)에게 각 상현궁(上弦弓) 1장씩을 사급하라. 제조(提調) 서유구(徐有榘)에게 내하 호피(內下虎皮) 1령을 사급하고 겸위장(兼衛將) 수원부 중군(水原府中軍) 김상우(金相宇)에게 상현궁

(上弦弓) 1장(張)을 사급하며 겸령(兼令) 수원부 판관(水原府判官) 이민영(李敏榮)에게 내하 녹피(內下鹿皮) 1령을 사급하라. 수문장(守門將) 홍시영(洪時榮)과 김원호(金遠浩)에게 각 상현궁 1장을 사급하고 그 나머지 수복(守僕)과 원역(員役) 등은 아울러 본 부(本府)로 하여금 전례를 상고하여 시상(施賞)하라.'라고 전교하셨다. 전교 내의 뜻을 잘 받들어 시행하라."라고 하였습니다. 삼가 계하 관문에 의거하여 수복과 원역 등에게 전례에 의거하여 시상하고 외탕고(外帑庫)253에 소재한 쌀과 포목을 마련하여 마땅히 분급하였으며 원역의 성명과 시상한 각종 물품을 후록(後錄)하여 치계합니다.

〔후록(後錄)〕

수복(守僕) 황재중(黃在中) 등 4인	각각 목(木) 1필(疋), 쌀 2두(斗)
전직(殿直) 유한제(劉漢濟)	
조라치〔照羅赤〕 표판대(表判大) 등 4인	각각 포(布) 1필(疋), 쌀 2두(斗)
군사(軍士) 손명복(孫明福) 등 4인	각각 쌀 5두(斗)
총계	목(木) 5필(疋), 포(布) 4필(疋) 쌀 2석(石) 8두(斗)

3월 17일.

인각(寅刻, 오전 3시~오전 5시)에 서울로 출발하여 과천(果川)에서 점심을 먹고 한낮에 필곡(筆谷)에 도착하였다.

〔장계〕

신이 묘당(廟堂)에 품의(稟議)할 일이 있어 당일 출발하여 상경(上京)했습니다. 이러한 연유를 치계합니다.

---

253 외탕고(外帑庫) : 지방에 있는 임금의 사재를 넣어 두는 곳간을 말한다.

같은 날(3월 17일).

해일(海溢)로 각 면에 기민(飢民)을 구급(救急)하기 위해 3도(度) 순시(巡視)에 나누어 주었다.

1창(倉)은 예비(禮裨)가 감분(監分)하였다.

【송동(松洞) : 42구(口), 쌀 8두(斗) 4승(升) · 콩(太) 8두(斗) 4승(升)】

6창과 7창은 좌수(座首)가 감분하였다.

【토진(土津) : 70구(口), 쌀 14두 · 콩 14두.

○ 오타(五朶) : 32구(口), 쌀 6두 4승 · 콩 6두 4승.

○ 숙성(宿城) : 74구(口), 쌀 14두 8승 · 콩 14두 8승.

○ 포내(浦內) : 66구(口), 쌀 13두 2승 · 콩 13두 2승.

○ 가사(佳士) : 35구(口), 쌀 7두 · 콩 7두.

○ 현암(玄巖) : 46구(口), 쌀 9두 2승 · 콩 9두 2승.

9창(倉)은 좌열장(左列將)이 감분하였다.

【압정(鴨汀) : 99구(口), 쌀 1석(石) 4두 8승 · 콩 1석 4두 8승.

○ 장안(長安) : 74구(口), 쌀14두 8승 · 콩 14두 8승 .

○ 초장(草長) : 45구(口), 쌀 9두 · 콩 9두.

○ 우정(雨井) : 188구(口), 쌀 2석 7두 6승 · 콩 2석 7두 6승.

○ 각 면 합계 : 771구(口), 각 쌀 2승과 콩 2승으로 쌀 합계는 10석 4두 2승이고 콩 합계는 10석 4두 2승이다】

3월 18일.

내각(內各)에 나아가 어제(御製)를 교준(校準)하고 나서 바로 실록청(實錄廳)에 나아갔다.

3월 19일.

내각에 나아가 어제를 교준하였다.

3월 20일.

내각에 나아가 어제를 교준하고 나서 바로 실록청에 나아갔다.

3월 21일.

내각에 나아가 어제를 교준하고 나서 바로 실록청에 나아갔다.

3월 22일.

내각에 나아가 어제를 교준하였다.

3월 23일.

내각에 나아가 어제를 교준하였다.

3월 24일.

교리 요미(校吏料米)를 획송(劃送) 하는 일로 광주부(廣州府)에 문이(文移)하였다. 월 초에 교리 요미를 전례에 의거하여 획송한 일로 다시 남성(南城, 남한산성(南漢山城))에 문이(文移)하고 비변사에 논보하였다.

회제(回題)[254] 내용에, "본 영(本營)에서 해부(該府)로 왕복하여 방편(方便)에 힘써 다시 번거롭게 보고함에 이르지 마라."라고 하였다.

○ 남성(南城)의 회이(回移) 내용에, "회의한 일은 방금 도착한 귀

254 회제(回題) : 하급 관청이 올린 보고문에 대해 상급 관청이 내리는 지령(指令)을 가리킨다.

문건이라고 합니다. 폐영(弊營)의 조채(凋瘵, 쇠약함)한 상황을 자세히 들여다 보기를 기다리지 않고 귀 영의 교리 요미 173석을 당초에 환획(換劃)한 것은 비록 공제(共濟)의 도리에서 나왔지만 오랫 동안 준행해 온 일을 지금 바로 바꾸게 된 것 또한 그 신중함을 알지 못하는 바는 아닙니다. 향곡(餉穀)은 해마다 줄어들고 지방은 분배하여 쓸 수 없으니 눈 앞의 사세(事勢)가 전과 같이 획송(劃送)하기에 만만 길이 없어 부득이 비변사에 논보(論報)하였습니다. 이미 각 읍에 소재한 화성 요미(華城料米)를 환송(還送)하라는 표제(表題)가 있어 과연 귀 영에 소속한 각 읍 소재의 곡식에서 환획하니 정사가 모두 편한 방책이 되었습니다. 지금 도착한 귀 이문(移文)을 이처럼 끌면서 미루기만 하다가 이와 같이 통변(通變, 상황에 맞게 대처함)함은 오로지 만부득이 한 데서 나왔을 뿐입니다. 그러나 근래의 예로 말하자면 원래 본색(本色)으로 수송하지 않고 해색배(該色輩)가 값을 논해 집전(執錢)하여 귀 영에 대납(代納)하는 것은 지금 여기 이속(移屬)하는 곡물이니, 한결같이 귀 영 소속 5개 읍에 소재한 곡물을 전례에 따라 본색과 집전 사이에서 모두 취용한다면 터럭만큼도 귀 영에 손해가 될 것이 없고, 화성 창고의 곡식은 귀 영으로 옮기는 것 중에 비록 손바닥 안의 물건이라 할 수 있지만 또 그렇지 않은 것도 있으니 비단 곡식 품질이 거칠뿐 아니라 어떤 창고는 본 영에 있어 하나의 포수(逋藪)[255]일 뿐만 아닙니다. 화성 창고에 받아둔 모곡으로 과연 획송할 방도가 있다면 어찌 5읍의 곡식을 환획(換劃)할 리 있겠습니까? 얼마전 비변사에 보고하여 회제를

255 포수(逋藪) : 세금을 피해 도망한 사람들이 모여 사는 소굴을 말한다.

받든 날 귀 영의 지위(知委)를 기다려 거행하라는 뜻으로 각 읍에 관문을 발송하였으니 외읍(外邑)에서 거행할 방도가 있으면 어찌 감히 가볍게 진분(盡分)[256]하겠습니까? 지금 분환(分還)은 겨우 절반으로 다 나누어 주려면 아직 멀었으나 별다른 만시지탄(晩時之歎)은 없다고 하니 지금에 전례와 같이 획송함은 의론할 바가 아닌 탓에 이와 같이 회이(回移)하니 상고하여 시행하십시오."라고 하였다.

〔광주 이문(廣州移文)〕

상고(相考)할 일입니다.

폐영(弊營)의 교리 요조미(校吏料條米)를 환획(換劃)하는 일은 전혀 조처할 수 없어 다시 문이(文移)하여 비변사에 논보(論報)하였습니다. 방금 도착한 귀영의 회이(回移) 내용에, "이미 비변사에서 환획하라는 제목을 받아 폐영의 구관곡(句管穀) 중에서 귀영 소속의 각 읍에 있는 것은 수량에 의거하여 이획(移劃)하였습니다."라고 하였으며, 비변사의 회제 내용에, "본 영에서 해부(該府)와 상의하여 편리한 쪽으로 힘쓰도록 하라."라고 하였습니다.

지금 이 요조미는 곧 폐영에서 설시하는 초기에 연품(筵稟)하여 법으로 정한 것이 50년 가까이 되어 각별히 준행하여 바꾸지 않은 나머지에 이렇게 하루 아침에 훼획(毁劃)[257]하니 어찌 십분 어렵고 조심스럽지 않겠습니까? 누차 왕복하며 한결같이 버티고 있는 것도 공제(共濟)의 도리에 흠이 되니 관문

256 진분(盡分): 저장한 곡식을 조금도 남겨 두지 않고 모두 환곡으로 대출하는 일을 말한다. 원래는 절반은 남겨 두고〔留〕, 절반을 대출하는 것〔分〕이 원칙이다.

257 훼획(毁劃): 기와를 헐고 흙 손질한 벽에 금을 긋는다는 뜻으로, 일을 그르친다는 의미이다.

을 발송하여 곡식이 있는 각 읍에 독칙(督飭, 감독하고 타이름)하였습니다. 대개 본읍 소재 남한 산성(南漢山城)의 곡식을 혹 정퇴(停退)에 넣거나 혹 민간에서 거두지 못한 것을 지금 수납하는 것은 방법이 없기 때문입니다.

동일한 의사로 보고하건대 그중 안성(安城) 한 군(郡)에 떼어 주는 모조(耗條)가 모두 140여 석이나 되고 해군(該郡)이 보고한 것은 거듭된 흉년으로 민정(民情)이 모두 함함(顑頷)하니 비록 살을 깎고 뼛골을 때려도 결단코 거두어들일 희망이 없기에 광주부에서 연이어 엄중한 관문으로 독봉(督捧)하였습니다. 그러나 사세가 위와 같아 가을을 기다려 기한을 넉넉히 한다는 뜻으로 논보(論報)한 바가 있어 시행할 것을 허락하신 바 지금 비록 본 영으로 이부(移府)하여 이와 같이 엄히 신칙하더라도 이 때에 납부를 독촉하는 것은 시행할 수 없는 정사에 관계됩니다. 본 영이 조폐(凋弊)하고 한 동안 위급하여 이 한 가닥 길이 아니면 달리 손을 댈 곳이 없고 환획한 곡물은 명색(名色)만 있고 실제가 없어 거의 그림의 떡과 같습니다. 귀 영에서 아직 찾아오지 못하고 각 읍에서 책납(責納)하지 못하여 허다한 교리(校吏)들은 헛되이 먹여줄 것만 받들고 있고 요조를 내린 것이 이미 3개월에 이르니 눈 앞에 답답한 상황은 이미 말할 수 없습니다. 만약 진실로 각 읍에서 환획하더라도 모조는 이추(移推)하여 금년 가을부터 시작해야 하거늘 작년 모조는 새해가 되기 전에 이미 조사한 것으로 지금에 어찌 추후에 환획할 것이며 또 각 읍에 지징무처(指徵無處)[258]한 곡식을 이 춘궁에 장차 어디에 책봉하겠습니까? 이러한 사리가 횃불을 밝힌 듯 볼 수 있으니 금년 모미(耗米) 173석(石)은 전과 같이 획송하여 반료(頒料)하게 할 것이며 각 읍의 모조는 금년 가을부터 시작하여 환획하는 것이 방편에 매우 합당한 도리가 됩니다. 이에 다시 문이(文移)하니 상고하여 시행하십시오.

3월 25일.

농형 장계(農形狀啓)를 밀봉하여 아뢰었다.

〔장계〕

방금 접수한 본 부 판관(本府判官) 이민영(李敏營)의 첩정에, "경내 농형(農形)은, 가을 보리는 싹이 자라나고 봄보리는 점차 푸른 색을 띠고 있습니다. 올벼는 부종(付種)을 이미 마쳤고, 늦벼는 주앙(注秧)과 건파(乾播)하여 바야흐로 자라나고 있습니다."라고 하였습니다. 이러한 연유를 치계합니다.

3월 26일.

내각(內閣)에 나아가 어제(御製)를 교준(校準)하였다.

258 지징무처(指徵無處) : 세금을 낼 사람이 죽거나 도망하여 받을 곳이 없는 것을 말한다.

3월 27일.

종묘(宗廟) 영녕전(永寧殿)[259]에 환안(還安)[260]할 때 서반(西班)으로 배종(陪從)[261]하였고 신시(申時, 오후 3시~오후 5시) 이후에 후반(候班)으로 진참하였다.

같은 날(3월 27일).

해일(海溢)로 각 면에 기민(飢民)을 구급(救急)하기 위해 4도(度) 순시에 나누어 주었다.

1창(倉)은 예비(禮裨)가 감분(監分)하였다.

【송동(松洞):42구(口), 쌀 8두(斗) 4승(升)·콩〔太〕 8두(斗) 4승(升)】

6창과 7창은 좌수(座首)가 감분하였다.

【토진(土津):70구(口), 쌀 14두·콩 14두.

○ 오타(五朶):32구(口), 쌀 6두 4승·콩 6두 4승.

○ 숙성(宿城):74구(口), 쌀 14두 8승·콩 14두 8승.

○ 포내(浦內):66구(口), 쌀 13두 2승·콩 13두 2승.

○ 가사(佳士):35구(口), 쌀 7두·콩 7두.

○ 현암(玄巖):46구(口), 쌀 9두 2승·콩 9두 2승.

9창(倉)은 좌열장(左列將)이 감분하였다.

【압정(鴨汀):99구(口), 쌀 1석(石) 4두 8승·콩 1석 4두 8승.

---

259 영녕전(永寧殿):조선 시대 태조(太祖)의 4대조인 목조(穆祖), 익조(翼祖), 도조(度祖), 환조(桓祖) 및 그 비(妃), 그리고 대가 끊어진 임금과 그 비의 신위를 봉안하던 곳으로, 종묘의 서쪽에 있다. 임진왜란 때 불타 버렸는데 1608년(광해군 즉위년)에 정전(正殿) 4칸, 동서 익실(翼室) 각 3칸 등 모두 10칸으로 재건하였으며, 1667년(현종8)에 동서 익실의 좌우에 1칸씩을 더 늘렸다.

260 환안(還安):신주나 영정을 다른 곳에 임시로 모셨다가 다시 제자리로 모시는 일을 말한다.

261 배종(陪從):임금이나 높은 사람을 모시고 뒤에 따라가는 것을 말한다.

○장안(長安):73구(口), 쌀14두 6승·콩 14두 6승 .

○초장(草長):45구(口), 쌀 9두·콩 9두.

○우정(雨井):188구(口), 쌀 2석 7두 6승·콩 2석 7두 6승.

○각 면 합계:770구(口), 각 쌀 2승과 콩 2승으로 쌀 합계는 10석 4두이고 콩 합계는 10석 4두이다】

병신년丙申年 1836년, 헌종憲宗 2년 4월

4월 1일.

효성전(孝成殿)[262] 주다례(晝茶禮)[263]를 친행(親行)할 때 종승(從陞)하고 나서 내각(內閣)에 나아가 어제(御製)를 교준(校準)하였다.

같은 날(4월 1일).

화령전(華寧殿)에 봉심(奉審)하고 장계(狀啓)를 밀봉하여 아뢰었다.

〔장계(狀啓)〕

방금 접수한 화령전 겸위장(兼衛將) 김상우(金相宇)의 첩정(牒呈)에, "이달 초1일, 분향(焚香)하고 나서 봉심하였는데 전내(殿內)의 모든 곳이 무탈하였습니다."라고 하였습니다. 동시에 접수한 현륭원 참봉(顯隆園參奉) 김익정(金益鼎)의 첩정에 내용에, "이달 초1일 원상(園上)과 전내를 봉심하였는데 무탈하였습니다."라고 하였습니다. 이러한 연유를 치계합니다.

4월 3일.

효화전(孝和殿, 익종(翼宗)의 혼전(魂殿)) 하향대제(夏享大祭)[264]에 향축(香祝)을 친히 전하실 때 종승(從陞)하고 나서 내각(內閣)에 나아가 어제(御製)를 교준(校準)하였다.

---

262 효성전(孝成殿) : 창덕궁에 있던 순조의 신주를 모신 혼전(魂殿)을 말한다.

263 주다례(晝茶禮) : 임금·왕비의 장례를 마친 뒤 3년 안에 혼전(魂殿)·산릉(山陵)에서 낮에 지내는 제식(祭式)을 말한다.

264 하향대제(夏享大祭) : 여름철 절기를 맞이하는 나라의 큰 제사를 말한다.

4월 4일.

효성전(孝成殿) 하향대제를 친행할 때에 종승하였다.

4월 5일.

빈대(賓對)에 진참(進參)하고 나서 내각에 나아가 어제를 교준하였다.

4월 6일.

농형 장계를 밀봉하여 아뢰었다.

〔장계〕

방금 접수한 본 부 판관(本府判官) 이민영(李敏榮)의 첩정에, "경내(境內) 농형은 가을보리는 이미 배태(胚胎)하여 간간이 싹이 팼고 봄보리는 싹이 자라나고 있습니다. 올벼는 부종(付種)하여 모내기〔立苗〕를 하였고 늦벼는 주앙(注秧)과 건파(乾播)를 이미 마쳤습니다."라고 하였습니다. 이러한 연유를 치계합니다.

같은 날(4월 6일).

내각에 나아가 어제를 교준하였다.

4월 7일.

내각에 나아가 어제를 교준하였다.

같은 날(4월 7일).

해일(海溢)로 각 면에 기민(飢民)을 구급(救急)하기 위해 5도(度) 순시(巡視)에 나누어 주었다.

1창(倉)은 예비(禮裨)가 감분(監分)하였다.

【송동(松洞):42구(口), 쌀 8두(斗) 4승(升)·콩(太) 8두(斗) 4승(升)】

6창과 7창은 좌수(座首)가 감분하였다.

【토진(土津):70구(口), 쌀 14두·콩 14두.

○ 오타(五朶):32구(口), 쌀 6두 4승·콩 6두 4승.

○ 숙성(宿城):74구(口), 쌀 14두 8승·콩 14두 8승.

○ 포내(浦內):66구(口), 쌀 13두 2승·콩 13두 2승.

○ 가사(佳士):35구(口), 쌀 7두·콩 7두.

○ 현암(玄巖):46구(口), 쌀 9두 2승·콩 9두 2승.

9창(倉)은 우열장(右列將)이 감분하였다.

【압정(鴨汀):99구(口), 쌀 1석(石) 4두 8승·콩 1석 4두 8승.

○ 장안(長安):73구(口), 쌀14두 6승·콩 14두 6승 .

○ 초장(草長):45구(口), 쌀 9두·콩 9두.

○ 우정(雨井):188구(口), 쌀 2석 7두 6승·콩 2석 7두 6승.

○ 각 면 합계:770구(口), 각 쌀 2승과 콩 2승으로 쌀 합계는 10석 4두이고 콩 합계는 10석 4두이다】

4월 8일.

어금니 통증으로 내각에 나아가지 못했다.

4월 9일.

우택 장계(雨澤狀啟)를 밀봉하여 아뢰었다.

〔장계〕

이번에 접수한 본 부 판관(本府判官) 이민영(李敏榮)의 첩정에 "이달 초8일 비가 내리기 시작하여 때로는 주룩주룩 내리고 때로는 흩뿌리기도 하다가 같은 날 신시(申時, 오후 3시~오후 5시)까지 내린 것이 먼지를 적시기에 흡족하여, 영하(營下)에 측우기(測雨器)의 수심이 3푼이 되었습니다."라고 하였습니다. 가뭄을 애석하게 여기던 나머지에 단비가 내리기 시작하여 촉촉하게 적시다 얼마 지나지 않아 비가 멎고 하늘이 활짝 개니 백성의 일을 생각하면 지극히 근심스럽습니다. 이러한 연유를 치계합니다.

4월 12일.

비변사(備邊司)의 계하(啓下) 관문(關文)으로 인하여 본 부의 유호(流戶)와 절호(絕戶)[265]의 환곡(還穀)을 탕감한 일로 장계를 밀봉하여 아뢰었다.

〔장계〕

방금 접수한 비변사의 관문 내용에, "이번에 계하하신 이번 4월 초5일에 약방(藥房)이 입진(入診)하고 대신(大臣)과 비국당상(備局堂上)을 인견하여 입시(入侍)하였을 때에 좌의정 홍석주(洪奭周)가 아뢰기를, '신은 이번 화성(華城) 행차에서 대략 폐단을 물은 것이 있었으나 모두 하루아침 하루저녁에 급히 바로잡을 수 있는 것이 아니고, 거류(居留, 유수(留守))하는 신하가 지금 난숙(爛熟)하

265 유호(流戶)와 절호(絶戶) : 유랑하는 가호와 아주 없어진 가호를 말한다.

게 상의하고 헤아려 천천히 바로잡아 구제하기를 논의하고 있습니다. 그중에서 본 부(本府)의 유호와 절호의 환곡(還穀)은 합하여 7백여 석으로 전에 이미 장계로 청하여 배년(排年)[266]하고 있으나, 거두어들인 수(數)는 극히 약소합니다. 이는 지난번에 모두 지징무처(指徵無處)한 것으로, 비록 배년(排年)하여 나눠 받는다 해도 무고한 소민(小民)이 폐해를 입는 것은 똑같습니다. 조적법(糶糴法)[267]이 지극히 엄중하여 진실로 받기 어렵다 해서 선뜻 활협(闊俠)[268]을 의론해서는 안 되고, 지난번 남한산성에서 견탕(蠲蕩, 미납된 조세를 탕감함)하였던 은전(恩典)은 격외(格外)의 특별한 은전이니 아래에서 감히 전례로 끌어다 써서 앙청(仰請)할 바도 아닙니다. 그러나 다만 생각건대 본 부의 사체(事體)가 중함은 또 남한산성에 비할 뿐만이 아니어서 석년(昔年)부터 우리 정묘(正廟, 정조)의 전에 없는 혜택을 입었는데, 이를테면 모조(耗條)를 전수(全數) 제감(除減)한 것과 같은 것은 곧 제도(諸道)와 열군(列郡)에 없었던 것이 예(例)입니다. 계술(繼述)하는 의리에 있어서 한 사람의 필부(匹夫)라도 원망을 호소하는 일이 있어서는 안 되기에 감히 이렇게 앙달합니다.'라고 하니, 대왕대비전(大王大妃殿)에서 답하기를 '화성은 능침(陵寢)과 원소(園所)를 모신 곳이고 또 석년의 진념(軫念)하심이 자별하였으니 특별히 탕감하여 해당되지 않은 백성에게 억울하게 징수하는 폐단이 없게 하는 것이 옳다.'라고 전

---

266 배년(排年) : 한 해에 얼마씩 정하여 몇 해에 나누어 주는 것을 말한다.

267 조적법(糶糴法) : 봄에 나라의 곡식을 백성들에게 꾸어 주는 것을 조(糶)라 하고, 가을에 백성들에게 꾸어 주었던 곡식에 10분의 1 이자를 붙여서 거두어 들이는 것을 적(糴)이라 한다. 곧 곡식을 꾸어주거나 거두어 들이는 법을 말한다.

268 활협(闊俠) : 형편에 따라 징수를 연기하는 것을 말한다.

교하였다. 전교하신 내용의 뜻을 잘 받들어 시행하라."라고 하셨다.

이번 견탕의 교서는 진실로 광절(曠絕)한 은택에서 나온 것으로 무릇 분우(分憂)[269]의 처지에 있으면서 마땅히 대양(對揚)[270]의 도리를 다하는 것으로, 삼가 비지(批旨) 내의 사의(辭意)를 방방곡곡에 효유(曉諭, 깨달아 알도록 타이름)하여 우부(愚夫)와 우부(愚婦)로 하여금 모두 우러러 칭송하게 하였으며, 상처입은 자들을 보호하듯이 하는 성덕(聖德)의 지극한 뜻이옵니다. 이러한 연유를 치계합니다.

4월 15일.

화령전을 봉심하고 장계를 밀봉하여 아뢰었다.

〔장계〕

방금 접수한 화령전 겸령(兼令) 이민영(李敏榮)의 첩정에, "이달 15일, 분향하고 나서 봉심하였는데 전내(殿內)의 모든 곳이 무탈하였습니다."라고 하였습니다. 동시에 접수한 현륭원 영(顯隆園令) 이상조(李象祖)의 첩정에 내용에, "이달 15일, 원상(園上)과 전내를 봉심하였는데 무탈하였습니다."라고 하였습니다. 이러한 연유를 치계합니다.

---

269 분우(分憂) : 임금의 걱정을 나눠 갖는다는 뜻으로 지방 장관의 역할을 수행하는 것을 가리킨다.

270 대양(對揚) : 임금의 명을 받들어 백성에게 널리 알리는 것을 의미한다. 《서경(書經)》 〈열명 하(說命下)〉에, "감히 천자의 아름다운 명을 그대로 선양(宣揚)하겠습니다.〔敢對揚天子之休命.〕"라고 한 문장에서 나온 말이다. 대(對)는 답한다는 뜻이고, 양(揚)은 선양한다, 송양(頌揚)한다는 뜻이다.

같은 날(4월 15일).

우택 장계(雨澤狀啟)를 밀봉하여 아뢰었다.

〔장계〕

방금 접수한 본 부 판관(本府判官) 이민영(李敏榮)의 첩정에, “이달 14일 신시(申時, 오후 3시~오후 5시)에 비가 내리기 시작하여 때로는 주룩주룩 내리다가 때로는 흩뿌려, 같은 날 묘시(卯時, 오전 5시~오전 7시)까지 1서(鋤)[271] 가량 흡족하게 내려 영하(營下)에 측우기의 수심이 5푼이 되었습니다.”라고 하였습니다. 재차 비가 내린 것이 아직 흡족하지 못하여 잇달아 죽죽 쏟아지기를 간절히 바라는 마음입니다. 이러한 연유를 치계합니다.

4월 16일.

농형 장계를 밀봉하여 아뢰었다.

〔장계〕

방금 접수한 본 부 판관(本府判官) 이민영(李敏榮)의 첩정에, “경내(境內) 농형은, 가을보리는 싹이 팼고 봄보리는 배태(胚胎)하였으나 심각한 가뭄이 든 나머지에 간간이 백삽병(白颯)[272]이 들었습니다. 올벼는 부종(付種)하여 푸른 빛을 띠고 늦벼는 주앙(注秧)과 건파(乾播)를 이미 마쳐 모내기를 하였습니다.”라고 하였습니다. 이러한 연유를 치계합니다.

---

271 서(鋤) : 우택(雨澤)의 관측 단위로 땅으로 스며든 빗물의 깊이를 땅을 파고 호미날의 길이를 이용하여 측정한 것. 1서의 강우량은 현재 단위로 환산하면 약 6~8mm로 추정된다.

272 백삽병(白颯) : 흰가루병, 백분병(白粉病)이라고도 한다. 잎이나 줄기 표면에 밀가루 같은 곰팡이가 생기고 나중에는 회색을 띠며 중앙에 흑색소립이 발생한다. 병이 더욱 진전되면 병든 잎은 누렇게 말라죽는다.

4월 17일.

해일(海溢)로 각 면에 기민(飢民)을 구급(救急)하기 위해 6도(度) 순시에 나누어 주었다.

1창(倉)은 예비(禮裨)가 감분(監分)하였다.

【송동(松洞) : 41구(口), 쌀 8두(斗) 2승(升) · 콩〔太〕 8두(斗) 2승(升)】

6창과 7창은 좌수(座首)가 감분하였다.

【토진(土津) : 70구(口), 쌀 14두 · 콩 14두.

○ 오타(五朶) : 32구(口), 쌀 6두 4승 · 콩 6두 4승.

○ 숙성(宿城) : 74구(口), 쌀 14두 8승 · 콩 14두 8승.

○ 포내(浦內) : 66구(口), 쌀 13두 2승 · 콩 13두 2승.

○ 가사(佳士) : 35구(口), 쌀 7두 · 콩 7두.

○ 현암(玄巖) : 46구(口), 쌀 9두 2승 · 콩 9두 2승.

9창(倉)은 우사파총(右司把摠)이 감분하였다.

【압정(鴨汀) : 99구(口), 쌀 1석(石) 4두 8승 · 콩 1석 4두 8승.

○ 장안(長安) : 73구(口), 쌀14두 6승 · 콩 14두 6승 .

○ 초장(草長) : 45구(口), 쌀 9두 · 콩 9두.

○ 우정(雨井) : 188구(口), 쌀 2석 7두 6승 · 콩 2석 7두 6승.

○ 각 면 합계 : 769구(口), 각 쌀 2승과 콩 2승으로 쌀 합계는 10석 3두이고 콩 합계는 10석 3두이다】

4월 22일.

교리 요미(校吏料米)를 광주(廣州)에서 대획(代劃)한 것을 다른 곡식으로 구획(區劃)하는 일로 비변사(備邊司)에 논보(論報)하였다.

〔남성 회이(南城回移)〕

회이한 일.

이번에 귀 영의 이문(移文)을 접수하였습니다. 귀 영의 교리 요조(校吏料條)의 일로 전후로 왕복한 것이 한 두 번에 그친 것이 아니니 지금 다시 중복하여 가첩(架疊)할 수 없습니다. 그러나 폐영(弊營)의 향곡(餉穀)은 텅 비어 여유가 없는 가운데 작년에 미수된 것도 퍽 많아 본 성(本城) 지방(支放)의 수요도 분배하여 사용할 수 없으니 귀 영에 요미(料米)의 획송은 가죽도 남아 있지 않다고 말할 수 있습니다. 이러한 까닭으로 비변사에 곡식에 대하여 거론한 것은 사세가 하지 않을 수 없게 된 데에서 나온 것입니다. 진실로 일분(一分) 변통(變通)의 방도가 있다면 오래전부터 내려오는 옛 법식(舊規)인데 어찌 훼획(毁劃)하는 이치가 있겠습니까? 외읍(外邑)의 향모(餉耗)[273]는 환획(換劃)의 뜻을 관문(關文)을 발송해 지위(知委)하여 이미 정월에 외읍에서는 마땅히 관사(關辭)에 의거해 거행해야 하거늘, 수납할 방법이 없다고 말하니 또한 지금까지 지체한 것으로 말하면 진실로 놀라움을 이길 수 없습니다. 지금까지 책납(責納)[274] 한 가지 조항은 오직 곡식이 소재한 각 읍에 있고 폐영에서는 전례대로 획송하기에 방법이 전연 없어 이렇게 다시 문이(文移)하니 상고하여 시행하십시오.

---

273 향모(餉耗) : 군향보(軍餉保)의 모곡(耗穀)으로 군향보는 군량을 보충하기 위해 만든 보인을 말한다. 이들은 병역의 면제를 받고 그 대가로 군비에 소요되는 미포(米布)를 바쳤다.

274 책납(責納) : 세금이나 빚 따위를 다그쳐서 받아 들이는 일을 말한다.

〔비국보첩(備局報牒)〕

상고하실 일.

본 영(本營) 교리 요조미(校吏料條米)는 광주(廣州)에서 대획(代劃)한 것으로 봉납(捧納)을 재촉할 길이 없어 다시 비변사(備邊司)에 논보(論報)한 바 있습니다. 비변사의 제사(題辭) 내용에, "본 영에서 해부(該府)와 상의하여 편리한 쪽으로 힘쓰도록 하며 번잡하게 보고하지 말라."라고 하였습니다. 삼가 제사(題辭)의 말 뜻에 의거하여 눈 앞의 급한 실상을 고하고 대비하여 광주부에 문이(文移)하였습니다.

해영(該營)의 회이(回移) 내용에, "여러 해 동안 준행한 일을 지금 이렇게 고치게 되니 어렵고 조심스러움을 알지 못할 바가 아닙니다. 그러나 향곡(餉穀)이 해마다 줄어 지방에 배비(排比)할 수 없으니 눈 앞의 사세가 실로 전례대로 획송(劃送)할 길이 없습니다. 이에 비변사에 논보(論報)하여 이미 환송(還送)의 제교(題教)를 받았으니 과연 귀 영 소속의 읍에 수량대로 대획하는 것이 정말로 모두 편한 계책입니다."라고 하였습니다.

한결같이 미루는 것은 헤어려 살핀다고 볼 수 없고 공제(共濟)의 도리에 있어서도 한갓 서로 버티기만 할 수 없어 부득이 관문을 발송하여 곡식이 있는 각 읍에 독납(督納)하니 이미 본 읍 소재 남한산성(南漢山城)의 곡식은 들여야 하는데 정퇴(停退)하거나 민간에서 미봉(未捧)한 것을 지금에 이르러 수납하기에는 그 형세가 어찌할 수 없습니다. 이에 동사(同辭)로 보고하건대 그중 안성(安城) 한 군은 떼어준 모조(耗條)가 모두 140석(石)이나 됩니다. 그러나 해군(該郡)에서 보고한 바 흉년으로 인하여 적부(糴簿,

환곡 장부)가 대부분 텅 비고 춘궁(春窮)에 민정(民情)은 더욱 황급하여 비록 두곡(斗斛)[275]의 적은 양이라도 단연코 거둬들일 가망이 없습니다. 광주부(廣州府)에서 누차 관문으로 독칙(督飭)하였으나 일의 상황이 위와 같으니 가을을 기다려 기한을 늦춰 주는 뜻으로 논보(論報)한 바 있고, 이미 시행을 허락받았으니 지금 본 영으로 이부(移付)하라는 이와 같은 관칙이 있다하더라도 이 같은 때에 징봉(徵捧)하는 것은 만만 거행할 수 없는 정사입니다. 그렇다면 소위 환획(換劃)한 곡물은 이름만 있고 실체가 없어 자못 그림의 떡과 같이 되어 교리 요미는 끝내 밀가루 없이 수제비를 만드는 꼴과 같을 뿐입니다. 해가 바뀐 이후 지금까지 4개월이 지났는데 오히려 지방(支放)을 승홉(升合)도 받지 못하니, 본 부의 교리는 지금까지 생계를 꾸려나가는 데 믿을 바가 없어 명을 내리는 것은 다만 '한 말의 요미(斗料)'가 있을 따름입니다. 하물며 거듭 흉년을 당한 나머지에 먹여주기를 바라는 허다한 무리들로 하여금 하루 아침에 입 속에 들어가는 것을 잃게 하니, 이러한 형편은 아침 저녁으로 구덩이를 메우는 시체가 되는 경우가 아니면 오직 사방으로 흩어질 뿐만 아니니 어찌할 줄 모르겠다고 운운(云云)하는 것은 오히려 헐후(歇后)[276] 한 말에 속하는 것입니다.

---

275 두곡(斗斛) : 곡물을 되는 단위나 도량형기를 의미하기도 한다. 1446년(세종 28) 9월에 신영조척(新營造尺)을 기준하여 휘(斛)·말(斗)·되(升)·홉(合) 체제를 다시 새로 정했는데, 이에 의하면 곡(斛)에는 대곡(大斛) 용적 20두와 소곡(小斛) 용적 15두로 구별되어 장(長)·광(廣)·심(深)의 척(尺)·촌(寸)·분수(分數)와 용적이 규정되게 되었다. 말·되·홉도 역시 규격이 모두 정해졌다.

276 헐후(歇后) : 헐후는 뒷부분의 말을 생략하고 앞부분만으로 전체의 뜻을 암시하는 것을 말한다.

본 부 교리 요조의 설시(設始)는 여러 해 전 읍을 옮긴 초기에 연신(筵臣)[277]의 거조 비지(擧條批旨)에서 "일념(一念)으로 동동(憧憧)거리는 것은 신읍(新邑) 교리의 생계를 꾸려나가는 것으로 진념(軫念)하시는 성상의 뜻이 심상(尋常)을 훨씬 뛰어넘으셨다. 절목(節目)을 만든 뒤에 만약 다시 가을에 환곡을 받아들일 때를 기다린다면 그 사이 몇 개월간은 무료로 공역하게 하면 안 되니 특별히 명하여 9월 봉적(捧糴) 전을 기한으로 곧바로 광주 창(廣州倉)의 유고곡(留庫穀) 중에서 매달 요미를 분배하여 출급(出給)하여라."라고 하셨습니다. 당초에 설치한 법의가 엄중하여 지금까지 40여 년간 비록 기사년(己巳年, 1809, 순조 9)과 갑술(甲戌年, 1814, 순조 14)에 참혹한 흉년에도 애초 변통(變通)을 의의(擬議)[278]하지 않은 것은 진실로 당초에 설시한 법규가 관화(關和)[279]를 이루게 되어 감히 갑자기 훼획(毁劃)하지 않았기 때문인데 어찌 금일에 갑자기 이러한 험하고 막힌(阨塞) 경계(境界)를 당하였겠습니까? 눈 앞이 암담하고 답답함이 날로 심하여 각 읍의 사정이 비록 살을 깎고 뼛골을 때려도 실로 절반이라도 책납을 받아들일 방법이 없습니다. 번잡한 보고의 두려움을 무릅쓰고 이에 다시 사실에 의거하여 낱낱이 보고하니 비변사에서 자세히 살펴 특별히 모두에게 편리한 방책

---

277 연신(筵臣): 경연(經筵)이나 서연(書筵) 등에서 경전(經傳) 등을 강론하는 신하를 이른다.

278 의의(擬議): 의정부나 육조에서 중신(重臣)들이 모여 관서(官署)에서 보고한 사목(事目)이나 임금이 의논하도록 명한 일에 대하여, 그 가부를 의논하던 일을 말한다. 의논한 내용을 임금에게 보고하면, 임금이 이것에 근거하여 재결(裁決)하였다.

279 관화(關和): 《서경(書經)》 〈하서(夏書)·오자지가(五子之歌)〉에 나오는 '관석화균(關石和鈞)'의 준말이다. 여기서 석(石)과 균(鈞)은 무게의 단위이고, 관(關)은 통(通), 화(和)는 평(平)의 뜻이니, 도량형의 제도를 통일하여 고르게 함으로써 백성들의 생활을 안정되게 했다는 말이다.

을 진념하여 주시면 동 요조미(料條米) 173석은 다른 종류의 곡식으로 현재 곡식 수량에 맞게 구획하고 지금 반료(頒料)할 수 있게 하여 일분(一分) 지탱하여 보존할 바탕으로 삼으소서.

4월 24일.

내각에 나아가 어제를 교준하였다.

4월 25일.

실록청에 나아갔다.

4월 26일.

농형 장계를 밀봉하여 아뢰었다.

〔장계〕

방금 접수한 본 부 판관 이민영(李敏榮)의 첩정에, "경내 농형은, 가을보리는 누런빛을 띄고 봄보리는 이삭이 팼으나 심각한 가뭄이 들어 백삽병(白颯)이 들었습니다. 올벼는 부종(付種)하여 초벌 김매기가 바야흐로 시작이고, 늦벼는 건파(乾播)하여 푸른 빛을 띄고 있습니다. 수근(水根)이 있는 곳은 간혹 이앙(移秧)하였고 수근이 부족한 곳은 애석하게도 메말라 땅이 단단하게 말라있어 뒤집어 갈이할 방법이 없습니다."라고 하였습니다. 이 사이 한 차례 패연(霈然)이 쏟아지기를 간절히 빌며 이러한 연유를 치계합니다.

4월 27일.

풍은 부원군(豊恩府院君)[280] 수석(壽席, 축수(祝壽)하는 자리)에 나아갔다.

같은 날(4월 27일).

해일(海溢)로 각 면에 기민(飢民)을 구급(救急)하기 위해 7도(度) 순시에 나누어 주었다.

1창(倉)은 예비(禮裨)가 감분(監分)하였다.

【송동(松洞):41구(口), 쌀 8두(斗) 2승(升)·콩〔太〕 8두(斗) 2승(升)】

6창과 7창은 좌수(座首)가 감분하였다.

【토진(土津):70구(口), 쌀 14두·콩 14두.

○ 오타(五朶):32구(口), 쌀 6두 4승·콩 6두 4승.

○ 숙성(宿城):74구(口), 쌀 14두 8승·콩 14두 8승.

○ 포내(浦內):66구(口), 쌀 13두 2승·콩 13두 2승.

○ 가사(佳士):35구(口), 쌀 7두·콩 7두.

○ 현암(玄巖):46구(口), 쌀 9두 2승·콩 9두 2승.

9창(倉)은 중사파총(中司把摠)이 감분하였다.

【압정(鴨汀):99구(口), 쌀 1석(石) 4두 8승·콩 1석 4두 8승.

○ 장안(長安):73구(口), 쌀14두 6승·콩 14두 6승 .

280 풍은 부원군(豊恩府院君):조선 후기의 문신 조만영(趙萬永, 1776~1846)을 말한다. 본관 풍양(豊壤). 자 윤경(胤卿). 호 석애(石崖). 시호 충경(忠敬). 1813년(순조 13) 능원랑(陵園郎)으로 증광문과(增廣文科)에 을과로 급제하여 검열(檢閱)이 되고, 지평(持平)·정언(正言)·겸문학(兼文學) 등을 거쳐 1816년 전라도 암행어사로 나갔다. 1819년 부사직(副司直)으로 있을 때 딸이 세자빈(世子嬪, 순조(純祖)의 장남인 익종(翼宗)의 비(妃))이 되자 풍은부원군(豊恩府院君)에 봉해지고, 풍양조씨가 정계에 나서게 되자 중심인물로서 안동김씨(安東金氏)와 권력투쟁을 하였다. 이조참의에 이어, 1821년 금위대장(禁衛大將), 이조·호조·예조·형조의 판서, 한성부판윤·의금부판사(義禁府判事) 등 요직을 지냈다.

○초장(草長):45구(口), 쌀 9두·콩 9두.

○우정(雨井):188구(口), 쌀 2석 7두 6승·콩 2석 7두 6승.

○각 면 합계:769구(口), 각 쌀 2승과 콩 2승으로 쌀 합계는 10석 3두 8승이고 콩 합계는 10석 3두 8승이다】

4월 28일.

교리 요조(校吏料條)의 일로 광주부(廣州府)에 다시 문이(文移)하였다.

〔이문(移文)〕

상고하실 일.

폐영(弊營)의 교리 요조(校吏料條)의 일로 누차 왕복하였으나 끝내 양해를 구하지 못하니 안타깝고 답답하여 말할 바를 알지 못하겠습니다. 대개 이 요조를 처음 시행함은 지난 여러 해 전 읍을 옮긴 초기에 연신(筵臣)의 거조 비지(擧條批旨)에, "일념(一念)으로 동동(憧憧)거리는 것은 신읍(新邑) 교리(校吏)의 생계를 꾸려나가는 것으로 진념(軫念)하시는 성상(聖上)의 뜻이 심상(尋常)을 훨씬 뛰어넘으셨다. 절목(節目)을 만든 뒤에 만약 다시 가을에 환곡을 받아들일 때를 기다리면 그 사이 몇 개월간은 무료로 공역하게 하면 안 되니 특별히 명하여 9월 봉적(捧糴) 전을 기한으로 하여 곧바로 광주 창의 유고곡(留庫穀) 중에서 마련하여 출급(出給)하여라."라고 하시고, 또 명하시기를, "절목을 만든 양 건(兩件)은 양 영(兩營)에 나누어 보관하라."라고 하였습니다. 귀 영에서도 마땅히 소장(所藏)하여 감춰 둔 본(本)이 있을 것입니다.

지금까지 40여년 간 비록 기사년(己巳年, 1809)과 갑술년(甲戌

年, 1814)에 참혹한 흉년이 들었는데 애초에 변통을 의의(擬議)하지 않은 것이 어찌 당초 설치한 법의(法意)를 엄중히 여기지 않았기 때문이겠습니까? 감히 갑자기 훼획(毁劃)하지 않았기 때문입니다. 지금 이렇게 환획(換劃)을 행함은 본디 귀 영의 사세가 정말 어쩔 수 없음을 알았던 것이니 공제(共濟)의 도리에 있어서도 한결같이 서로 버티기만 할 수 없습니다. 이에 이문(移文)의 사의(辭意)에 따라 각 읍에 책납(責納)하면 모두 작년 겨울에 거두어들이지 못했다로 한 마디로 핑계를 댈뿐입니다. 그중 안성(安城)에 획급(劃給)한 것이 거의 9/10가 되어 해읍(該邑)에 보고한 바에 따르면 흉년으로 인하여 적부(糴簿, 환곡 장부)가 대부분 텅 비고 춘궁(春窮)에 민정(民情)은 더욱 황급하여 비록 살을 깎고 뼛골을 때려도 결단코 절반이라도 책납을 받아들일 가망이 없다고 하니, 소위 환획한 모조(耗條)는 모두 그림의 떡으로 교리 요미(校吏料米)는 진실로 가죽이 없는 터럭[281]이 될 뿐입니다. 해가 바뀐 이후 지금까지 4개월이 지났는데 오히려 지방(支放)을 승홉(升合)도 얻지 못하니 본 영 교리(校吏)가 의지할 것은 지금껏 잔박(殘薄)하여 믿고 목숨을 다스리는 것은 다만 "한 말의 요미(斗料)"와 같을 뿐입니다. 하물며 거듭 흉년을 당한 나머지에 먹여주기를 바라는 허다한 무리들은 하루 아침에 입 속에 들어가는 것을 잃게 되어 이러한 형

281 가죽이 없는 터럭:《춘추좌씨전(春秋左氏傳)》 희공(僖公) 14년 기사에 보이는데, 그 내용은 다음과 같다. 진(秦)나라에 기근이 들어 진(晉)나라에 곡식을 청하였으나 거절당했다. 그러자 괵역(虢射)이 "가죽이 없으면 털이 어디에 붙을 것인가.〔皮之不存, 毛將安傅.〕"라고 간하였다. 이것은 근본이 없으면 지엽의 노력도 효과가 없음을 뜻하는 말로 모조가 부족하면 실질적으로 요미를 지급할 방법이 없다는 뜻이다.

세는 반드시 뿔뿔히 흩어지게 되는데 이르니, 어찌할 줄 모르겠다고 운운(云云)하는 것은 오히려 헐후(歇後)한 말에 속하는 것입니다. 따라서 지금 일분(一分) 방편(方便)의 책략은 오직 금년의 요조에 있으니, 귀 영에서 편리한대로 길거(拮据)하여 수송하고 각 읍의 환획곡(換劃穀)은 가을 봉납을 기다려 양년 모조와 아울러 독촉하되 작년 모조는 귀 영이 추용(推用)하고, 금년 모조는 폐영에서 추거(推去)하면 양쪽이 모두 서로 편리하여 조금도 장애가 될 단서가 없거니와 이 조목을 버리면 다시 다른 방법은 없습니다. 본색(本色)과 시가(時價)는 전례대로 수송하기 어려움이 있다면 비록 귀 영이 상정(詳定)하더라도 곧바로 수량대로 획송하여 지금에 반료(頒料)해야 하며 안성(安城)은 애초 폐영에 소속된 읍이 아니라 모조(耗條)를 추용(推用)하는 것 또한 매우 어렵습니다. 편의대로 안성에 획급한 140여 석도 바로 폐영에 속한 5개 읍에 분배하여 가을 봉납부터 수량대로 추용하는 것이 마땅한 일입니다.

4월 29일.

영(營)으로 돌아왔다.

아침 일찍 출발하여 노량(鷺梁)에 도착하자 한바탕 쏟아지는 소나기를 만났다. 시흥현(始興縣)에 도착하여 점심을 먹고 출발하여 만안교(萬安橋)에 도착하였는데 또 한바탕 쏟아지는 소나기를 만나 유시(酉時, 오후 5시~오후 7시)에 부(府)에 머물러 묵었다. 이날 내린 비는 1촌(寸) 1푼(分)이라고 하여 우택 장계(雨澤狀啓)를 밀봉하여 발송하고 다시 환영(還營) 장계를 밀봉하여 아뢰었다.

〔우택 장계(雨澤狀啓)〕

방금 접수한 본 부 판관(本府判官) 이민영(李敏榮)의 첩정에, "이달 28일 오시(午時, 오전 11시~오후 1시)에 비가 내리기 시작하여 때로는 주룩주룩 내리고 때로는 그치다가 29일 진시(辰時, 오전 7시~오전 9시)에 다시 주룩주룩 내리고 흩뿌리기도 하여 같은 날 신시(申時, 오전 3시~오전 5시)까지 내린 것이 거의 1려(犁)가 되었습니다."라고 하였습니다. 신의 영에 측우기(測雨器) 수심이 1촌 1푼이 된다고 하여 가뭄을 안타깝게 여기던 나머지 이와 같은 단비를 얻어 백성의 일을 생각하면 진실로 천만 다행입니다. 또 같은 구름이 흩어지지 않고 더욱 비가 내릴 뜻이 있어 연이어 내린 것은 차례로 등문(登聞)[282]할 생각입니다. 이러한 연유를 치계합니다.

〔환영 장계(還營狀啓)〕

신이 묘당(廟堂)에 품의(稟議)할이 있어 상경(上京)하였다가 당일 영(營)에 돌아왔습니다. 이러한 연유를 치계합니다.

282 등문(登聞) : 중요한 사실이나 사건을 임금에게 알리는 것을 말한다.

병신년丙申年 1836년, 헌종憲宗 2년 5월

5월 1일.

화령전(華寧殿) 하대봉심(夏大奉審) 후에 장계를 밀봉하여 아뢰었다.

〔장계(狀啓)〕

화령전 하맹삭(夏孟朔, 음력 4월) 대봉심(大奉審)을 원래 정한 것이 지난달 15일로 마땅히 거행해야 하오나 신이 서울에서 아직 돌아오지 못하여 부득이 거행하지 못했습니다. 이달 초1일 분향(焚香) 후 겸령(兼令) 신(臣) 이민영(李敏榮)과 겸위장(兼衛將) 신(臣) 김상우(金相宇)와 함께 봉심하였는데 전내(殿內) 모든 곳이 모두 무탈하였으며, 방금 접수한 현륭원(顯隆園) 영(令) 이상조(李象祖)의 첩정(牒呈) 내용에, "원상(園上)과 전내를 봉심하였는데 무탈하였습니다."라고 하였습니다. 이러한 연유를 치계합니다.

5월 3일.

우택 장계(雨澤狀啓)를 밀봉하여 아뢰었다.

〔장계〕

지난달 29일 신시(申時, 오후 3시~오후5시)까지 비가 내린 것이 1촌(寸) 1푼(分)이 된 연유는 이미 치계하였거니와, 방금 접수한 본 부 판관(本府判官) 이민영(李敏榮)의 첩정에, "이후 때로는 부슬부슬 내리고 때로는 그치다가 이달 초2일 신시(申時)에 다시 주룩주룩 내려 초3일 묘시(卯時, 오전 5시~오전 7시)까지 내린 것 1서(鋤)가 되었습니다."라고 하였습니다. 신의 영(營)에 측우기(測

雨器) 수심(水深)은 7푼으로 모내기 철이 이미 이르렀는데 아직 두루 흡족하지 않아 계속해서 잇달아 죽죽 쏟아지기를 간절히 기원합니다. 이러한 연유를 치계합니다.

같은 날(5월 3일).

농사의 일을 권면(勸勉)하고 신칙(申飭)하는 일로 판관(判官)에게 감결(甘結)하였다.

〔감결(甘結)〕

위의 감결은 영문(營門)에 하거(下車, 영에 부임하는 일)한 처음에 농사를 권면하는 한 가지 일을 별도의 감결로 지위(知委)하였는데, 각 면의 면임배(面任輩)들이 거행하는데 있어 근만(勤慢)을 알지 못하겠으니 어떠한가? 한 달이 넘도록 가뭄을 안타깝게 여기던 나머지에 누차 단비가 내렸으니 어찌 천만 다행함을 이기겠는가? 추택(趨澤)[283]의 시급함은 시각을 다투지만 금번 내린 비가 높은 지대와 낮은 지대에 주루 흡족하지는 않으니 우선 수근(水根)이 있는 곳은 차례대로 이앙하고 수근이 없는 곳은 우택(雨澤)을 기다렸다가 때에 맞춰 공을 들인다면 농민의 힘을 펴주는 방법에 있어서는 일제히 분망(奔忙)하는 것보다는 크게 나음이 있는 바, 염려를 놓을 수 없는 것은 게으른 농군이 예전처럼 농사 지을 때를 잃고 곤궁한 백성이 농기구(鎡器)를 갖추지 못하는 것이다. 소와 양식이 없는 부류는 이웃 마을에 효유(曉諭, 알아듣게 타이름)하여 서로 빌려주

283 추택(趨澤) : 못으로 달려나간다는 뜻으로, 비오는 계절에 논 등에 달려나가 대비함을 말한다.

고 서로 도와서 절대로 시일을 질질 끌지 말도록 하고 절후(節候, 절기)를 놓치지 말게 하라. 혹시라도 병이 들어 폐농(廢農)한 자가 있으면 해당 마을에서 합력하여 부조(扶助)[284]하여 절대로 월시(越視)[285]하지 말라. 면임(面任)은 천맥(阡陌)[286]을 두루 다니며 면 마다 동칙(董飭)하고 초복(初伏) 전후로 영문에서는 적간(摘奸)하는 별기 감찰(別岐監察)을 많이 보낼 계획이다. 만일 한 뙈기의 작은 땅이라도 개간할 수 있는 땅을 개간하지 않거나 한 다발의 벼, 한 줌의 볏모라도 이앙할 수 있는 데 이앙하지 않으면 이 같은 순조로운 비와 적합한 바람을 만났을 때 돌연 전토(田土)가 광폐(曠廢)하다는 탄식에 이르게 될 것이니, 영문에서 일념으로 동동(憧憧)거리고 누차 제칙(提飭)하는 본의(本意)가 아니겠는가? 마땅히 해면(該面)의 이임(里任)은 결단코 별도로 엄히 추궁하고 해리(該里)의 두두인(頭頭人)[287]은 또한 임휼(任恤)[288]에 몽매한 책임을 면하기 어려울 것이니 이 감결의 말을 각 면에 지위하고 베껴 써서 풍헌(風憲)과 권농(勸農) 등의 책임자에게 각별히 두려워 하는 마음으로 거행하게 하

---

284 부조(扶助) : 상부상조(相扶相助). 서로 돕는다는 뜻이다. 《맹자(孟子)》 〈등문공 상(滕文公上)〉에 "죽음이나 이사에도 시골을 벗어나는 일이 없다. 향전(鄕田)에 정(井)을 함께한 자들이 나가고 들어올 때 서로 짝하고, 지키고 망볼 때 서로 도우며, 질병이 있을 때 서로 붙들어주고 잡아준다면 백성들이 친목하게 될 것이다.〔死徙無出鄕, 鄕田同井, 出入相友, 守望相助, 疾病相扶持, 則百姓親睦.〕"라는 내용이 보인다.

285 월시(越視) : 월시진척(越視秦瘠)의 준말로 월나라 사람이 멀리 떨어져 있는 진나라의 땅이 걸고 메마름을 상관하지 않듯이, 남의 일에 전혀 무관심함을 비유하는 말이다.

286 천맥(阡陌) : 천(阡)은 남북으로 통하는 밭 사이의 길을, 맥(陌)은 동·서로 통하는 밭둑길을 뜻한다. 전의(轉義)하여 보통 농토의 경계를 말한다.

287 두두인(頭頭人) : 우두머리라는 뜻으로 정식 관직이나 직급은 아니지만 일정 직역이나 업무를 맡았던 책임자를 말한다.

288 임휼(任恤) : 효(孝)·우(友)·목(睦)·인(婣)·임(任)·휼(恤)의 육행(六行) 가운데 두 가지 행실인데 임(任)은 남을 위해 힘쓰는 것이고, 휼(恤)은 없는 사람을 구휼하는 것이다.

고 일이 진행되는 상황도 바로 첩보(牒報)하라.

5월 5일.

현륭원(顯隆園) 단오제향(端午祭享)에 헌관(獻官)으로 진참(進參)하였다.

〔제향 계본(祭享啓本)〕

삼가 제향(祭享)의 일로 아뢰니다. 이달 초5일, 현륭원 단오 제향을 행할 때 정자각(丁字閣) 월대(月臺) 우변(右邊)에 전석(甎石, 벽돌)이 주저앉은 곳을 보수하였습니다. 겸 고유 제향(兼告由祭享)에 신이 헌관으로 진참하고 설행한 후 원상(園上)을 봉심하였는데 잡초와 잡목이 없었으며 사산(四山) 내에도 함부로 범작(犯斫)하는 폐단이 없었습니다. 이에 제관(祭官)의 직함과 성명을 뒤에 개록(開錄)하였습니다. 이러한 연유를 치계합니다.

같은 날(5월 5일).

이날 새벽 제향을 마치고 나서 바로 재실(齋室)에서 묵고 날이 밝기를 기다려 원상(園上)에 나아가 정자각 월대를 보수하는 역처(役處)에 봉심하였다. 사시(巳時, 오전 9시~오전 11시)에 영(營)으로 돌아와 오시(午時, 오전 11시~오후1시)에 화령전(華寧殿)에 일차 봉심(日次奉審)하였다.

〔예조 이문(禮曹移文)〕

상고(相考)할 일.

"이번에 계하하신 예조의 단자(單子)에, '대신(大臣)들의 연주(筵奏)[289]로 인하여 현륭원 정자각 우변에 전석(甎石)이 주저앉

289 연주(筵奏) : 연석(筵席)에서 임금에게 직접 품주(稟奏)하는 일을 말한다.

은 곳을 단오제향(端午祭享)에 고유(告由)[290]를 행하고 역사(役事)의 시작을 정탈(定奪, 임금의 재결(裁決))하였습니다. 수개(修改)하기 좋은 일시(日時)를 일관(日官)[291] 이병홍(李秉洪)으로 하여금 추택(推擇)하게 하니 오는 5월 13일 묘시(卯時, 오전 5시~오전 7시)가 길하다고 하였습니다. 이 일시에 거행하되 선고사유제(先告事由祭)에 쓸 절향(節享) 축문(祝文) 중에 조사(措辭)[292]를 보태고, 소입(所入)한 물종(物種)을 본 부(本府)로 하여금 마련하여 진배(進排, 물품을 진상함)하게 하였습니다. 또한 본 원(本園) 관원으로 하여금 역사의 감독을 겸하여 수개하는 일을 아울러 분부함이 어떻겠습니까?'라고 하니 '아뢴대로 시행하라.'라고 계하하셨다. 계하하신 내용을 잘 받들어 시행하고 소입한 물종은 마련하여 진배하고 길한 일시에 수개할 일을 상고하여 시행하라."

5월 6일.

농형 장계(農形封啓)를 밀봉하여 아뢰었다.

〔장계〕

방금 접수한 본 부 판관(本府判官) 이민영(李敏榮)의 첩정(牒呈) 내용에, "경내(境內) 농형은, 가을보리는 간간이 베어 내었고 봄보리는 누런빛으로 변하고 있습니다. 올벼는 부종(付種)하여 초벌 김매기가 한창이고, 늦벼는 건파(乾播)하여 초벌 김매기

290 고유(告由) : 국가나 사삿집에서 중대한 일을 치른 뒤에, 또는 장차 치르려고 할 때에 그 까닭을 사당(祠堂)이나 신명(神明)에게 고(告)하는 것을 말한다.

291 일관(日官) : 옛 제도의 추길관(諏吉官)의 별칭이다. 나라에 일이 있을 때에 길흉을 점쳐 택일하는 일을 맡았던 관리의 하나이다.

292 조사(措辭) : 시가(詩歌)나 문장을 제작하는 데 적절한 문구를 배치하는 것을 말한다.

를 바야흐로 시작하려고 하며, 수근(水根)이 있는 동답(洞畓)[293] 은 이앙(移秧)이 한창입니다."라고 하였습니다. 일전에 두 차례의 우택(雨澤)은 두루 흡족하지는 못하여 고지대의 마른 논은 여전히 밭두둑을 쳐다보며 비를 기다리고 있으니, 이 사이 잇달아 주룩주룩 쏟아지기를 간절히 바랍니다. 이러한 연유를 치계합니다.

5월 9일.

축만제(祝萬堤)[294]에 나가 농형을 자세히 살폈다.

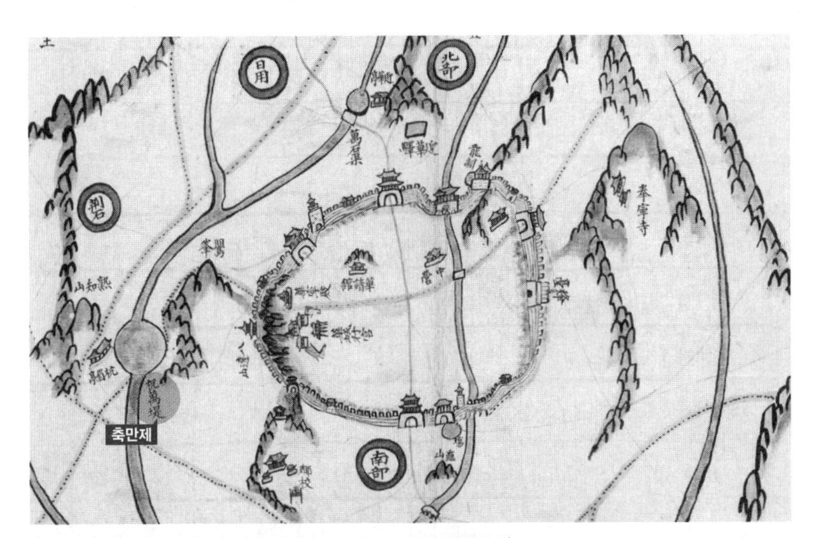

축만제《수원부지도(水原府地圖)》(서울대학교 규장각 한국학연구원)

293 동답(洞畓) : 동네 사람들이 공동으로 부치는 논을 말한다.

294 축만제(祝萬堤) : 조선후기 화성의 서쪽 여기산 아래 축조한 저수지로 1799년(정조 23) 수원성을 쌓을 때 일련의 사업으로 내탕금 3만 냥을 들여 축조하였다. 축만제의 규모는 문헌상 제방의 길이가 1,246척(尺), 높이 8척, 두께 7.5척, 수심 7척, 수문 2개로 되어 있다. 축만제는 천년만년 만석의 생산을 축원한다는 뜻을 가지고 있으며, 화성 서쪽에 있어 일명 서호로 불리고 있다.

5월 10일.

화령전(華寧殿)에 봉심하였다.

5월 11일.

교리 요미(校吏料米)는 광주(廣州)가 대전(代錢)으로 수송(輸送)하였다.

〔광주 이문(廣州移文)〕

방금 귀 영에서 보낸 공문이 도착하였습니다. 귀 영 교리 요미의 일은 이미 전후로 왕복한 이문에서 모두 다 갖추어 지금 다시 덧붙일 필요가 없습니다. 대개 환획(換劃)의 조치는 실로 사세가 정말 어쩔 수 없었던 데서 나왔을 뿐으로 당초 이획(移劃)할 때 반드시 귀 영 소속 5개 읍에 소재한 곡식 전체 수량을 구획(區劃)하고자 하였습니다. 5개 읍에 소재한 곡식은 1,800여 석(石)에 차지 않기 때문에 안성(安城)의 곡식을 첨획(添劃)함에 이르게 되었는데, 지금 도착한 귀영의 이문(移文)이 만약 이와 같이 정중(鄭重)하였다면 공제(共濟)의 도리에 있어서 한결같이 상지(相持)[295]하지 않을 수 있었을 것입니다. 안성(安城)에서 획급한 쌀 1,561석은 다시 용인(龍仁)·남양(南陽)·죽산(竹山)·양성(陽城) 등 읍의 곡식으로 환획하여 후록(後錄)하고 한편으로는 문이(文移)하고 각 해읍(該邑)에 관문을 발송하여 지위(知委)하였습니다. 이것은 금년 모미(耗米)에서 시작하여 가을을 기다려 추용(推用)할 처지이며 작년 모미 중에서 부족조(不足條) 144포(包)는 귀 영의 이문에 "폐영(弊營) 상정

295 상지(相持) : 서로 자기(自己)의 의견(意見)을 고집(固執)하고 양보(讓步)하지 않음을 말한다.

(詳定)으로 수송(輸送)하였습니다."라고 하였습니다.

이미 본색(本色)으로 상정하여 획송하지 않았으니, 경외(京外)의 상정을 논하지 말고 매 석(石)을 3냥으로 하는 것이 이미 통용되어 온 준례이므로 전례에 의거하여 매 석 3냥으로 수량에 맞춰 수송(輸送)하였습니다. 첫 회에 이획(移劃)하는 여러 고을 중에서 안성(安城) 외 다른 고을은 곡식의 수량이 많지 않을 뿐 아니라 지금에 옮겨 바꾸는 것도 소각의 혐의〔銷刻之嫌〕[296]가 없지 않습니다. 이에 전례에 따라 옮기고 아울러 작년 모조와 함께 귀 영에서 편의에 따라 추봉(推捧)하면 실로 편의에 합당할 것이니 아울러 상고하여 시행하십시오.

5월 13일.

우택 장계(雨澤狀啓)를 밀봉하여 아뢰었다.

〔장계〕

방금 접수한 본 부 판관(本府判官) 겸임 중군(兼任中軍) 김상우(金相宇)의 첩정에, "이달 10일 신시(申時, 오후 3시~오후 5시) 즈음 비가 내리기 시작하여 때로는 주룩주룩 내리다가 때로는 흩뿌리기를 반복하다 간혹 그치기도 하여 12일 유시(酉時, 오후 5시~오후 7시)까지 내린 것이 2서(鋤)가 되었습니다."라고 하였습니다. 신의 영(營)에 측우기 수심이 1촌(寸) 2푼(分)이라고 하며,

---

296 소각의 혐의〔銷刻之嫌〕: 소각(銷刻)은 한 나라 고조(高祖) 유방(劉邦)이 역이기(酈食其)의 말을 듣고 육국(六國)의 후손을 다시 왕으로 세우려 하여 급히 인신(印信)을 새기게 했다가 장양(張良)의 말을 듣고는 크게 놀라 급히 녹여 없애게 했던 고사(故事)를 말한다. 여기서는 말을 바꾸어 이랬다저랬다 하는 행태를 말하는 것이다.

가뭄을 애석하게 여긴지 자못 오래되었는데 이 때에 단비가 내리니 잇달아 죽죽 쏟아지기를 간절히 기원합니다. 이러한 연유를 치계합니다.

갑은 날(5월 13일).

현륭원(顯隆園) 정자각(丁字閣) 월대(月臺) 수개(修改, 다스려서 고침)의 역사(役事)를 시작해 묘시(卯時, 오전 5시~오전 7시)에 나아가 역사를 감독하고 신시(申時, 오후 3시~오후 5시)에 영(營)으로 돌아왔다.

〔장계〕

방금 도착한 예조(禮曹)의 관문 내용에, "이번에 계하하신 예조의 단자(單子)에, '대신(大臣)들의 연주(筵奏)로 인하여 현륭원(顯隆園) 정자각 우변(右邊)에 전석(甎石)이 주저앉은 곳을 단오제향(端午祭享)에 고유(告由)를 행하고 역사(役事)의 시작을 정탈(定奪, 임금의 재결(裁決))하였습니다. 수개(修改)하기 좋은 일시(日時)를 일관(日官) 이병홍(李秉洪)으로 하여금 추택(推擇)하게 하니 오는 5월 13일 묘시(卯時, 오전 5시~오전 7시)가 길하다고 하였습니다. 이 날 이 시간에 거행하되 선고사유제(先告事由祭)에 절향(節享) 축문(祝文) 중에서 조사(措辭)를 보태어 소입(所入)한 물종(物種)을 본 부(本府)로 하여금 마련하여 진배(進排, 물품을 진상함)하게 하였습니다. 또한 본원의 관원으로 하여금 역사의 감독을 겸하여 수개하는 일을 아울러 분부함이 어떻겠습니까?'라고 하니 '아뢴대로 시행하라.'라고 계하하셨다. 계하하신 내용을 잘 받들어 시행하라."라고 하였습니다.

단오제향 때 고유를 행한 연유는 이미 치계하였거니와 삼가 추택한 일시(日時)에 의거하여 오늘 13일 묘시(卯時)에 수개(修改)의 역사(役事)를 시작하였습니다. 이에 신이 당일에 달려나가 본 원(本園)의 영(令) 이상조(李象祖)와 참봉(參奉) 조병위(趙秉緯)와 더불어 함께 역사를 감독하였습니다. 이러한 연유를 치계합니다.

5월 15일.

화령전에 분향(焚香)하고 나서 봉심(奉審)한 후에 장계(狀啓)를 밀봉하여 아뢰었다.

〔장계〕

신이 금일 화령전에 분향하고 나서 봉심하였는데 전내(殿內) 모든 곳이 무탈하였습니다. 방금 접수한 현륭원(顯隆園) 참봉(參奉) 조병위(趙秉緯)의 첩정에, "금일 원상(園上)과 전내를 봉심하였는데 무탈하였습니다."라고 하였습니다. 이러한 연유를 치계합니다.

같은 날(5월 15일).

우택과 농형 장계를 밀봉하여 아뢰고 나서 바로 실록청(實錄廳)에 나아갔다.

〔장계〕

방금 접수한 본 부 판관(本府判官) 겸임(兼任) 중군(中軍) 김상우(金相宇) 첩정에, "이달 초15일 인시(寅時, 오전 3시~오전 5시) 즈음 비가 내리기 시작하여 때로는 부슬부슬 내리다가 혹은 좍좍 세차게 쏟아져 같은 날 오시(午時, 오전 11시~오후 1시)에 내린 것이 흡족히 3려(犁)가 되었습니다. 그리고 경내 농형(農形)은 가을보리는 이미 다 베어 내었고 봄보리는 간간이 베어 내었습니다. 올벼는 부종(付種)하여 초벌 김매기를 이미 마쳤고 늦벼는 건파(乾播)하여 초벌 김매기가 바야흐로 한창입니다. 이앙(移秧)은 바야흐로 한창이며 콩과 팥은 그루갈이를 시작하였습니다." 라고 하였습니다. 신의 영에 측우기 수심은 4촌 5푼이 되었다고하니 이앙의 절기가 점차 늦어져 무지개를 바라는 마음이 간절하온데 기약이나 한 듯 단비가 주룩주룩 쏟아져 높고 낮은 지대가 두루 흡족하니 백성의 일을 생각하면 진실로 다행입니다. 지금에 뭉개구름이 사방에서 모여 주룩주룩 내리는 것이 그치지 않으니 뒤이어 얻은 양은 차례차례 등문(登聞)할 생각입니다. 이러한 연유를 치계합니다.

5월 16일.

농사를 권장하여 신칙하는 일로 다시 겸 판관(兼判官)에게 감결하였다.

〔감결(甘結)〕

위의 감결은 근래 오랫동안 비가 내리지 않아 낮밤으로 근심하였는데 어제 반 척(尺, 약 30.3cm)의 비가 내렸으니 어찌 목마른 자가 금경로(金莖露)[297]를 얻은 것에 그치겠는가? 가랑

297 금경로(金莖露) : 동주(銅柱)를 세우고서 받은 이슬을 이르는데, 전설에 이 이슬에 옥설(玉屑, 옥가루)을 타서 마시면 신선이 된다고 하였따. 한(漢) 무제(武帝)가 신선설(神仙說)에 미혹하여 건장궁(建章宮) 서쪽에 동(銅)으로 선인장(仙人掌)을 만들어 세워서 그 위에 승로반(承露盤, 이슬을 받는 소반)을 든 선인(仙人)의 동상을 안치하고서, 이슬을 받아 그 이슬에 옥가루를 타서 마시며 장수하기를 바랐다고 한다. 《한서(漢書)》〈교사지(郊社志) 상(上)〉

비(霡霂)에서 시작하여 마지막은 좍좍 쏟아져 태락(汰落)되었으나 우려할 정도는 아니고 높고 낮은 곳에 두루 흡족하지 않은 곳이 없으니 곡물이 좋은 결실을 맺는 풍년은 좌계(左契)[298]을 가진 것과 같다. 그러나 염려를 늦출 수 없는 것은 특히 인력이 미치지 못하는 것 뿐으로 서로 빌려주고 서로 권하는 절기에는 전에 이미 별도로 신칙하였는데 각 면의 면임배들은 과연 모두 마음을 다하여 거행하였는가? 영문(營門)의 고심(苦心)을 저버리지 말아야 할 것이다. 추택(趨澤)이 시급함은 시각을 다투어야 하니 만약 혹시라도 시일이 지연되어 논두렁의 물을 잃게 되면 필경 진황(陳荒)의 탄식에 이르게 될 것이니 당사자인 농사를 게을리 한 자는 이미 할 말이 없고 임장은 명령을 태만히 한 것이니 그 죄가 어디에 해당되겠는가? 높고 건조한 밭의 농부는 매번 춥고 가난하니 소가 없으면 소를 빌려주고, 양식은 양식으로 도와주어 시기에 맞춰 이앙(移秧)하여 뒷날 김매기 때 품앗이를 하여 보상을 받으면 높고 낮은 논에 이앙을 하지 않은 곳이 없게 되니 가난한 집이나 넉넉한 집 모두 잃을 것이 없게 될 것이다. 이는 비단 이웃 마을의 도타운 풍습일 뿐 아니라 국전(國典)에도 실린 바이니 이와 같은 뜻으로 다시 거듭 자세히 밝혀 지위(知委)한다. 시일을 보아 차관(差官)[299]을 파견하여 적간(摘奸)할 계획이니 만

298 좌계(左契) : 둘로 나눈 부신(符信) 가운데 왼쪽의 것으로 좌권(左券)과 같은 뜻인데, 여기서는 명확한 증거를 뜻한다. 《노자(老子)》에 "성인은 좌계를 가질 뿐이지 사람을 책망하지는 않는다.〔聖人執左契, 而不責於人.〕"라고 하였다.

299 차관(差官) : 중요한 임무를 위해 중앙에서 파견하는 임시 관원을 말한다.

일 한 뙈기의 땅과 적은 땅이라도 시기를 잃어 이앙하지 못한 폐단이 있으면 마땅히 해면(該面)의 이임(里任) 등은 결단코 별도로 엄히 추궁할 것이니 금일 내로 감결(甘結)의 말을 번역하여 배껴 써 각 면에 지위하여 한 명의 백성이라도 모르는 폐단이 없게하라.

5월 18일.

우택 장계(雨澤狀啓)를 밀봉하여 아뢰었다.

〔장계〕

이달 15일 오시(午時, 오전 11시~오후 1시)에 4촌(寸) 5푼(分)의 비가 내린 연유를 이미 치계하였거니와 계속해서 접수한 본 부 판관(本府判官) 이민영(李敏榮)의 첩정에, "이후에 비가 쏟아지고 혹은 비가 그치기도 하다 17일 유시(酉時, 오후 5시~오후 7시)까지 내린 것이 또 1려(犂)가 되었습니다."라고 하였습니다. 신(臣)의 영(營)에 측우기(測雨器) 수심(水深)이 1촌 8푼이 되어 전후로 통계가 합이 6촌 3푼이 되었고 뭉게구름이 아직 그치지 않아 장마처럼 내리는 우려가 있다고 합니다. 이러한 연유를 치계합니다.

같은 날(5월 18일).

환향(還餉)[300] 가분(加分)[301]의 일로 장계를 밀봉하여 아뢰었다.

---

300 환향(還餉): 환곡(還穀)과 향곡(餉穀)을 합칭한 말이다. 환곡은 정부의 비축곡식을 춘궁기에 대여했다가 추수 후에 이자를 붙여 회수하는 것이고, 군량미를 대여했다가 회수하는 것을 향곡이라 한다.

301 가분(加分): 환곡(還穀)을 규정된 수량을 초과하여 대출(貸出)하는 것을 말한다. 환곡에는 유(留)와 분(分)이라는 것이 있어서, 대출하지 않는 것을 유, 대출하는 것을 분이라고 한다.

〔장계〕

방금 접수한 본 부 판관(本府判官) 이민영(李敏榮)의 첩정에, "회부(會付)[302]한 환향이 본래부터 넉넉치 못하여 비록 평년에도 매번 가분을 청하였는데, 금년은 작년 가을 농사가 흉작으로 정봉(停捧)[303]이 이미 많고 춘궁(春窮)에 환곡을 받을 민호(民戶)가 전에 비해 곱절이나 됩니다. 하물며 농사일이 한창 바쁜 시기에 민정(民情)은 더욱 황급하니 환향 유고조(留庫條, 창고에 저장해 둔 것) 가운데 벼(租) 5,048석 8두(斗) 3승(升)과 쌀(米) 2,847석 1두 2승 그리고 콩(太) 3,385석 8두 8승을 특별히 가분을 청하여 잇달아 지급하게 하게 하겠습니다."라고 하였습니다.

연속해서 접수한 속읍(屬邑) 안산 군수(安山郡守) 김원순(金原淳)·용인 현령(龍仁縣令) 이괵(李漍)·진위 현령(振威縣令) 오근상(吳謹常)·시흥 현령(始興縣令) 이명원(李鳴遠)·과천 현감(果川縣監) 정만교(鄭晩敎)가 보고한 바, "읍환(邑還)이 매우 적어 배순(排巡)할 방법이 없으니 본 부(本府) 소관(所管) 남한 향조 유고조(南漢餉租留庫條) 중에 안산(安山) 300석(石), 용인(龍仁) 2,251석(石) 9두(斗) 2승(升), 진위(振威) 1,779석 7두 3승, 시흥(始興) 590석 7두 5승, 과천(果川) 657석 9두 3승을 전례에 의거하여 가분하는 일로 보고하옵는 바, 환향의 법의(法意)가 엄중하지 않음이 없지만 여

절반 유, 절반 분하는 것이 원칙이나 경우에 따라 1류 2분, 2류 1분, 진분(盡分), 전류(全留)하는 일이 있는데, 1류 2분의 경우와 같은 것을 가분이라고 한다.

302 회부(會付): 금전이나 곡물을 회계 장부에 회록(會錄)하고 해당 관아에 넘겨주는 것을 말한다.

303 정봉(停捧): 조세나 환곡 따위의 납부를 중지함을 이른다.

러 고을의 민정이 진실로 보고한 말씀과 같아 지금 만약 엄중하여 두려운 마음만 품고 변통(變通)을 생각하지 않는다면 농사를 권면하고 서로 도와주는 도리가 아님이 있습니다."라고 하였습니다. 이에 감히 사실에 의거하여 등문(登聞)하오니 본 부 환향 유고조 중 벼〔租〕·쌀〔米〕·콩〔太〕 도합 11,281석 3두 3승과 5개 읍에 소재한 향조(餉租) 5,579석 3두 3승을 특별히 가분을 허락하는 일을 묘당(廟堂)으로 하여금 품지(稟旨)하여 분부(分付)하게 하소서.

【〔비국회관(備局回關)[304]〕

상고할 일.

"이번에 주상께서 계하하신 비변사(備邊司)의 계사에, '이번에 수원 유수(水原留守) 서유구(徐有榘)의 장계(狀啓)를 보니, 「회부(會付)한 환향이 본래부터 넉넉치 못하였고 작년 가을 농사가 흉작으로 정봉이 이미 많아 농사일이 한창 바쁜 시기에 배순(排巡)할 방법이 없어 민정(民情)은 더욱 황급하니 본 부 환향 유고(留庫) 중에서 벼〔租〕·쌀〔米〕·콩〔太〕 도합 11,281석을 특별히 가분을 허락하는 일로 묘당으로 하여금 분부하여 분부하게 하소서.」라고 하였습니다.

흉년이 든 뒤의 백성 형세는 의당 진념해야 하는데, 모내기 철에 농사지을 양식(糧食)은 더욱 보조(補助)가 급하나 청한 바의 석수(石數)가 아무래도 과다한 듯하니, 본 부의 유고(留庫)

304 비국회관(備局回關) : 비변사(備邊司)에서 회답하는 관문을 말한다.

중에서 벼〔租〕·쌀〔米〕·콩〔太〕 도합 5,000석과 속읍(屬邑)의 향조(餉租) 중에서 3,000석을 특별히 가분하도록 하는 것이 어떻겠습니까?'하니, 답하시기를 '아뢴대로 하라.'라고 전교하셨다. 전교하신 내용의 뜻을 잘 받들어 시행하라."】

5월 19일.

현륭원(顯隆園) 정자각(丁字閣) 월대(月臺)[305]의 역사(役事)를 마친 후에 장계를 밀봉하여 아뢰었다.

〔장계〕

현륭원 정자각 우변(右邊)에 전석(甎石)이 주저앉은 곳을 이번 13일 묘시(卯時, 오전 5시~오전 7시)부터 수개(修改)의 역사를 시작한 연유를 전에 이미 치계하였거니와, 월대 서변(西邊)의 계체(階砌)[306]의 넓이 6파(把)[307]와 남변(南邊) 근처 서쪽 계체의 넓이 3파를 아울러 철퇴(撤退)한 뒤 사력(沙礫)[308]으로 땅 아래에 가라앉거나 낮은 부분을 채우고 각별히 지대석(地臺石, 지대를 쌓는 돌) 1층을 편 다음 예전 계석(階石)을 바로잡아 지대석(地臺石) 1층을 펴서 전례에 의거하여 개배(改排)[309]하였습니다. 월대 상면(上面)에 펴 놓은 방전(方甎, 네모진 벽돌)과 하면(下面)에 펴 놓은 전석

305 월대(月臺) : 궁궐의 정전과 같은 중요한 건물 앞에 설치하는 넓은 기단 형식의 대(臺)로 각종 행사가 있을 때 이용된다.

306 계체(階砌) : 오르내리는 층계의 섬돌을 말한다.

307 파(把) : 약 한 뼘 정도의 길이를 말한다.

308 사력(沙礫) : 자갈. 사람이 손으로 쥘 수 있을 만한 정도(程度)의 크기를 가진 작은 돌인데, 특히 냇물이나 강의 바닥에서 오랜 세월(歲月)에 걸쳐 깎이고 갈려 표면(表面)이 반들반들해진 돌을가리킨다.

309 개배(改排) : 새 것으로 갈아 바꾸어 차려 놓거나 베풀어 놓거나 하는 것을 이른다.

이 비늘처럼 댄 자리가 갈라터진 곳을 아울러 고쳐 깔았으며, 정자각 동·서·북쪽 계체의 돌이 기울어진 것도 일일이 개배하여 금일 18일 역사를 마쳤습니다. 들어간 물력은 신의 영 관천고(筦千庫)[310]에서 진배(進排)하였으며 이러한 연유를 치계합니다.

5월 20일.

향축(香祝)을 모시고 현륭원(顯隆園)에 나아가 월대(月臺)의 역사(役事)하는 곳에 봉심하였다. 각신(閣臣) 이헌위(李憲瑋)[311] 대감(臺監)[312]이 내려왔다.

5월 21일.

현륭원(顯隆園) 기신제향(忌辰祭享)[313]에 헌관(獻官)으로 진참하고 나서 봉심한 각신과 함께 영(營)으로 돌아왔다.

---

310 관천고(筦千庫) : 현륭원(顯隆園)의 정자각(丁字閣)과 비각(碑閣), 담장 등의 석축(石築) 시설물의 유지 관리 및 식목(植木)이나 보토(補土)에 들어가는 재원을 충당하고 관리하기 위해 설치한 창고이다. 정조가 원행(園幸)과 관련하여 정부의 경상 비용(經常費用)을 사용하지 않고 공계(貢契)의 피해를 줄여 주기 위해 별도의 재정 관리소로서 화성에 설치한 내용고(內用庫)의 하나이다.

311 이헌위(李憲瑋) : 1791~1843, 조선 후기의 문신. 1817년(순조 17)에 진사로 정시문과에 병과로 급제하여 정자가 되었다. 1822년(순조 22) 의정부우참찬에 임명되고 그 뒤 대교·검열·설서·대사성을 역임하였으며, 통정대부(通政大夫), 가선대부(嘉善大夫)에 등에 올랐다. 1836년(헌종 2)에는 부제학에 올랐고 이조참판, 형조판서, 한성부판윤 등을 역임하였다.

312 대감(臺監) : 사헌부(司憲府)에 속하던 정6품의 관직인 감찰(監察)을 말한다. 감찰은 사헌부의 주요 기능 가운데 하나였던 언론 활동에는 참여할 수 없었다. 다만 중앙의 각 관서나 각 지방에 파견되어 일의 진행과 처리에 잘못이 있는지의 여부를 감찰하는 감찰관의 임무만을 수행하였고 언론 활동에 관여할 수 있는 지평(持平) 이상의 관원과는 그 직무상의 구별이 명확하여, 그 집무실도 따로 있었다. 특히 사헌부에서는 지방에 분대(分臺)를 파견하였는데 이를 행대 감찰(行臺監察)이라고 하였고 사헌부 감찰이 공식적으로 관청들에 나가서 입회하는 것은 청대(請臺)라 하였다.

313 기신제향(忌晨祭享) : 현륭원(顯隆園)은 정조의 생부인 장헌세자(莊獻世子)와 생모인 혜경궁 홍씨의 합장한 묘로서 장헌세자의 기일인 5월 21일과 혜경궁 홍씨의 기일인 12월 15일에 두 차례의 기신제향(忌晨祭享)을 지냈다.

〔계본(啓本)〕

삼가 제향한 일로 아룁니다.

이달 21일에 현륭원 기신제향을 거행하였습니다. 신이 헌관으로 진참하여 설행한 뒤에 원상(園上)을 봉심하니, 잡초와 잡목이 없었으며 사산(四山) 내에도 함부로 범작(犯斫)한 폐단이 없습니다. 제관(祭官)의 직책과 성명을 뒤에 개록(開錄)하였으며, 이러한 연유를 치계합니다.

같은 날(5월 21일).

어제(御製)를 교정(校正)하고 감인(監印)[314]한 각신(閣臣)에게 은자(恩資)[315]를 입은 유지(有旨)와 교유서(敎諭書)를 공경히 받은 후 봉계하였다.

20일에 순종 대왕 어제(純宗大王御製)와 익종 대왕 어제(翼宗大王御製)를 선사(繕寫)[316]할 때와 열성어제(列聖御製) 합부본(合附本)을 봉인(封印)할 때 교정(校正) 감인(監印)한 각신(閣臣) 이하의 별단(別單)에 대해 전교하시기를, "원임 제학(原任提學) 남공철(南公轍)·심상규(沈象奎)·홍석주(洪奭周)·박종훈(朴宗薰)은 각각 안구마(鞍具馬)[317] 1필(匹)씩을 면급(面給)[318]하고, 제학(提學) 조인영(趙寅永)·원임 제학(原任提學) 정원용(鄭元容)·제학(提學) 서유구(徐有榘)·검교 직제학(檢校直提學) 서희순(徐憙淳)·직

---

314 감인(監印): 공문(公文)을 시행할 때에 감인관(監印官)이 그 사목(事目) 내에 착오가 없는 지 살핀 후에 도장을 찍던 일을 말한다.

315 은자(恩資): 임금이 공(功)이나 덕(德)이 있는 벼슬아치에게 상으로 품계(品階)를 올려 주는 것을 말한다. 만약 공훈(功勳)에 의하여 품계를 올려주어야 할 사람이 이미 작고하여 친히 받을 수 없으면 그 적장자에게 가자(加資)했다.

316 선사(繕寫): 글의 부족한 점을 바로잡아 정서(淨書)하는 것을 말한다.

317 안구마(鞍具馬): 승마(乘馬)에 필요한 안장(鞍裝)과 다래〔韂〕·점불〔甫老〕·고들개〔鞦〕·굴레〔勒〕 따위의 부속품을 두루 갖춘 말을 말한다.

318 면급(面給): 문건이나 재물 따위를 서로 보는 앞에서 건네주는 것을 말한다.

제학(直提學) 박영원(朴永元) · 원임 직각(原任直閣) 서준보(徐俊輔) · 이광문(李光文) · 이가우(李嘉愚) · 이경재(李景在)는 아울러 가자(加資)하고, 오취선(吳取善)은 내하호피(內下虎皮) 1령(令)을 사급(賜給)하라. 직각(直閣) 이공익(李公翼) · 원임 대교(原任待教) 이헌위(李憲瑋) · 김정희(金正喜), 검교대교(檢校待教) 조두순(趙斗淳)에게 아울러 가자(加資)하고 내하호피(內下虎皮) 1령(令)을 사급(賜給)하라. 대교(待教) 김수근(金洙根)은 6품(品)으로 벼슬을 올리고 겸 검서관(兼檢書官) 류본예(柳本藝)와 원유영(元有永), 검서관(檢書官) 박종영(朴宗永) · 안계량(安季良) · 김봉서(金鳳敍) · 김기순(金箕淳)은 아울러 상당직(相當職)[319]으로 조용(調用, 골라서 등용함)하라. 승급을 하지 못한 6인은 승서(陞敍, 벼슬을 올려줌)하고 사자관(寫字官) 홍성로(洪聖老) 등 2인과 서원(書員) 장준량(張駿良) · 선사 사자관(繕寫寫字官) 이희룡(李希龍) 등 25인은 내각(內閣)으로 하여금 그 공과(工課)를 살펴 갑술년(甲戌年)의 예[320]에 의거해 시상하라. 택일관(擇日官) 박주환(朴周煥)과 어제 색서리(御製色書吏) 박완기(朴完基) 등 2인은 갑술년의 예에 의거하여 시상하고 전(前) 어제 색서리 강봉일(姜鳳一)과 유재건(劉在建)은 아울러 첩가(帖加)하여 거행하며 서리(書吏) 이하 원역(員役) · 공장(工匠) 등은 아울러 갑술년(甲戌年)의 예에 의거하여 시상하라."라고 하셨다. 전교하시기를, "어제를 선사할 때 교준(校準)한 각신 원임 제학 남공철 · 심상규 · 홍석주 · 박종훈에게 각각 내하표피 1령(令)을 사급하고, 제학 조인영 · 원임 제학 정원용 · 제학 서유구 · 검교 직제학 서희순 · 직제학 박영원 · 원임 직각 서준보 · 이광문 · 이

---

319 상당직(相當職) : 그 사람의 됨됨이나 품계(品階)에 걸맞는 벼슬을 말한다.

320 갑술년(甲戌年)의 예 : 1814년(순조 14)을 말하는데 이 해 6월 정종 대왕 어제(正宗大王御製)와 열성 어제(列聖御製)의 합부본(合附本)을 바칠 때 가자한 일을 말한다.

가우·원임 대교 이헌위에게 각 내하호피 1령을 사급하라. 원임 직각 이경재와 오취선·직각 이공익·원임 대교 김정희·검교 대교 조두순과 김학성·대교 김수근에게 각 내하녹피(內下鹿皮) 1령(令)을 사급하라. 겸 검서관 류본예와 원유영·검서관 박종영·안계량·김봉서·김기순에게 각 상현궁(上弦弓) 1장(張)을 사급하고 사자관(寫字官) 이하는 내각으로 하여금 그 공과를 살피어 아울러 원역(員役)과 공장(工匠) 등과 함께 신유년(辛酉年)의 예[321]에 의거하여 시상하라."라고 하였다. 전교하시기를, "순종 대왕 어제와 익종 대왕 어제와 열성어제 합부본을 봉모당(奉謨堂)[322]·문헌각(文獻閣)·5처(處)의 사고(史庫)[323] 외에 규장각 내각·옥당(玉堂, 홍문관)·장서각(藏書閣)·서고(西庫, 규장각(奎章閣) 서고(書庫)의 하나)에 각 1건씩 보관하고, 감인한 각신 원임 제학 남공철·심상규·홍석주·박종훈과 제학 조인영·원임 제학 정원용·제학 서유구·검교 직제학 서희순·직제학 박영원·원임 직각 서능보와 이광문과 이가우와 이경재와 오취선·직각 이공익·원임 대교 이헌위와 김정희·검교 대교 조두순과 김학성·대교 김수근에게 각 1건씩 반급(頒給)하라.

---

321 신유년(辛酉年)의 예: 1801년(순조 1)을 말하는데 이 해 11월 정조의 태실(胎室)을 가봉(加封)하는데 수고한 사람들에게 가자한 일을 말한다.

322 봉모당(奉謨堂): 1776년(정조 즉위) 정조는 규장각을 설치하면서 중심건물인 주합루(宙合樓)에 정조 자신의 왕위에 관련되는 어진(御眞)·어제(御製)·어필(御筆)·보책(譜冊)·인장(印章) 등을 보관하도록 하고, 본래 이곳에 봉안되었던 역대 선왕들의 유품들, 즉 어제·어필·어화(御畫)·고명(顧命)·유고(遺誥)·밀교(密敎) 및 선보(璿譜)·세보(世譜)·보감(寶鑑)·지장(誌狀) 등을 옛 열무정(閱武亭) 건물로 옮기고 이곳을 봉모당이라고 이름지었다.

323 5처(處)의 사고(史庫): 《조선왕조실록(朝鮮王朝實錄)》을 보관하는 서고(書庫)를 말한다. 조선 전기 사고는 춘추관(春秋館), 충주(忠州), 전주(全州), 성주(星州) 네 곳이었는데 임진왜란(1592) 때 전주 사고만 남고 모두 불타 버렸다. 광해군 때 전주 사고 본을 필사해서 춘추관(春秋館), 오대산(五臺山), 태백산(太白山), 마니산(摩尼山), 묘향산(妙香山) 다섯 곳에 보관하였다.

이날 정사(政事)는 정헌(正憲)[324]을 하비(下批)[325]하였다.

〔장계〕

이달 11일, 동부승지(同副承旨) 권직(權溭)이 성첩(成貼)한 유지(有旨)내용에, "경(卿)은 어제(御製)를 교정(校正)하고 감인(監印)한 각신(閣臣)으로, 가자 교유서(加資敎諭書)를 잘못 적은 데가 있어 고쳐 적고 옥새를 찍어 원리(院吏)에게 가져가서 전하도록 하니 경은 공경히 받으라."라고 하였습니다. 유지(有旨) 1통과 교유서(敎諭書) 1통 · 유서(諭書) 1통을 승정원(承政院) 서리(書吏)[326] 지윤벽(池胤壁)이 가지고 왔기에 신이 당일 본영에서 공경히 받았습니다. 이러한 연유를 치계합니다.

5월 22일.

춘등(春等)[327] 상시사(賞試射)[328]를 동장대(東將臺)[329]에 개장(開場)[351]하고 시험하여 뽑아 반상(頒賞, 상을 내림)하였다.[330]

---

324 정헌(正憲) : 정헌대부(正憲大夫)를 줄인 말. 조선 시대 정이품(正二品) 동서반(東西班) 문무관(文武官)에게 주던 품계(品階)이다. 정이품의 상계(上階)로서 자헌대부(資憲大夫)보다 상위 자리이다.

325 하비(下批) : 정사(政事)를 마친 뒤 이조(吏曹)나 병조(兵曹), 즉 전조(銓曹)에서 새로 제수된 관원의 이력 등을 적은 하비 단자(下批單子)를 올린 데 대해 왕이 계하(啓下)하는 행위이다. 이 과정을 거쳐 교지(敎旨)가 작성되어 새로 제수된 관원에게 전달되었다.

326 서리(書吏) : 각 관청에서 문서처리 · 등사(謄寫) 및 연락사무를 주로 맡던 수청서리(隨廳書吏)와 소속장의 명령을 수행하던 배서리(陪書吏)가 있었으며, 서리(胥吏:衙前)와는 구별되었다.

327 춘등(春等) : 한 해를 네 기간으로 나누어 3개월씩을 각각 춘등 · 하등 · 추등 · 동등이라 한다. 춘등은 음력 1월에서 3월까지의 기간을 말한다.

328 상시사(賞試射) : 각 군문(軍門)의 군병(軍兵)을 대상으로 대대적인 무예 시험을 치러, 성적이 우수한 자에게는 상을 주고 성적이 부진한 자에게는 벌번(罰番)을 내리는 제도이다.

329 동장대(東將臺) : 장대(將臺)란 성곽 일대를 한눈에 바라보며 화성에 머물던 장용외영 군사들을 지휘하던 지휘소로 화성에는 서장대와 동장대 두 곳이 있다. 동장대는 1795년(정조 19) 7월 15일 공사를 시작하여 8월 25일 완공되었다. 무예를 수련하는 공간이었기에 연무대(鍊武臺)라고 하였다. 이곳의 지형은 높지 않지만 사방이 트여 있고 등성이가 솟아 있어서 화성의 동쪽에서 성 안을 살펴보기에 가장 좋은 곳이다.

330 개장(開場) : 과장(科場)을 열어서 시험을 보이는 것을 말한다.

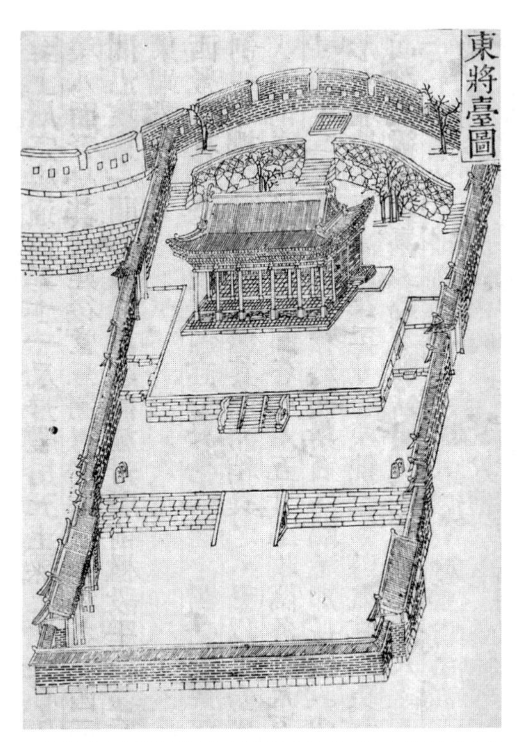

동장대《화성성역의궤(華城城役儀軌)》(서울대학교 규장각 한국학 연구원)

5월 23일.

별군관(別軍官)[331]에 입속(入屬)시킬 취재(取才)[332]를 중군(中軍)으로 하여금 설행하게 하고 병조(兵曹)에 이문(移文)하였다.

〔이문(移文)〕

상고하실 일.

---

331 별군관(別軍官):훈련도감(訓鍊都監)·금위영(禁衛營)·어영청(御營廳)·수어청(守禦廳) 등 중앙 각 군영에 소속되어 궁궐과 수도를 지켰는데 정원은 각 10명씩이나 수어청은 9명이었다. 현직에 있지 않은 자로 채우되, 충원방식과 구성원이 매우 다양하여 무과(武科)를 거치지 않은 자에서 첨사(僉使)를 역임한 사람도 있었다.

332 취재(取才):조선 시대 특정 부서의 관리·서리·군사·기술관 등의 채용을 위해 보던 자격시험이다. 시취(試取)라고도 한다.

폐영에 별군관(別軍官)의 정원 수를 아직 충정(充定)하지 못했다고 하기에 경내(境內) 선전관(宣傳官)[333]과 부장(部將)이 추천한 출신을 절목에 의거해 취재(取才) 하였습니다. 3가지에 입격한 이가 20인이 되었기에 그 성명과 획산 수를 성책(成冊)하여 보내오니 상고하여 시행하십시오.

5월 24일.

새벽에 출발하여 백봉(栢峰)[334]에 가서 양오(養吾)와 함께 잠시 이야기를 나누고 나서 바로 산소에 다례를 행하고 술시(戌時, 오후 7시~오후 9시)에 영으로 돌아왔다.

5월 25일.

화령전(華寧殿)을 봉심하는데, 이날 날이 흐리고 음산하여 다만 합문(閤門, 편전(便殿)의 앞문) 밖에서 봉심하였다.[335]

5월 26일.

농형 장계를 밀봉하여 아뢰었다.

333 선전관(宣傳官) : 조선 시대 선전관청에 속하여 형명(形名)·계라(啓螺)·시위(侍衛)·전명(傳命) 및 부신(符信)의 출납을 맡았던 무관직으로 정3품부터 종9품까지 있었다. 선전관은 임금을 가까이서 모셨기 때문에 서반승지(西班承旨)로 지목되어 청요직(淸要職)으로 간주되었다. 또 장차 무반의 중추가 될 인재라는 점에서, 무재(武才)가 있고 용맹스러운 사람을 뽑아 임명했으며 끊임없이 무예와 병법을 연마시켰다.

334 백봉(栢峰) : 경기도 남양주시의 와부읍과 진건면에 걸쳐 위치한 산으로 천마산과 이어져 있다. 평내동과 화도읍에서 부르는 이름인 '잣봉산' 또는 '잣봉'을 한자로 옮긴 것으로 보인다.

335 화령전(華寧殿)을……봉심하였다 : 《화령전응행절목(華寧殿應行節目)》에 보면 "봉심일이 만일 청명하지 않으면 운한각의 정문은 열지 말고 다만 내합만 열어서 받들어 살핀다(奉審日, 如不晴明, 則殿上正門勿開, 而只啓內閤奉審爲白齊.)"라고 하였다.

〔장계〕

방금 접수한 본 부 판관(本府判官) 이민영(李敏榮)의 첩정에, "경내(境內) 농형은, 봄보리는 이미 다 베어냈고 올 벼는 부종하여 두벌 김매기를 시작하였습니다. 늦벼는 건파(乾播)하여 초벌 김매기를 이미 마쳤고 이앙(移秧)은 이미 마쳤으며 팥과 콩은 그루갈이를 시작하였습니다."라고 하였습니다. 이러한 연유를 치계합니다.

같은 날(5월 26일).

청호 면임(晴湖面任)에게 전령(傳令)을 보냈다.

〔전령(傳令)〕

모두 자세히 알아 거행할 일.

지난 날 추택이 시급하였는데 병고나 사세가 군색함으로 인하여 시기가 어긋나 밭두둑의 물이 다 흘러나가버렸으니 이내 묵정밭이 되는 염려를 하지 않을 수 없다. 이에 동네 이웃끼리 서로 돕고 도우라고 말을 만들어 감결로 신칙하였는데 지금 들으니 본 면(本面)의 오산(烏山)과 장촌(場村)에 때를 놓쳐 농사를 그만두는 가호가 있다고 한다. 그러나 해당 마을의 농민 40여 명은 서로 의논하고 도와 주앙(注秧)하는 사람은 소를 빌려 모를 옮겨 심고 파종하는 사람은 힘을 모아 김을 매고 농작물을 다스린다고 한다. 이와 같은 순후(淳厚)한 풍속이 들려오니 가상함을 이기지 못해 청주 10복자(覆字)와 좋은 고기 3근을 내어 보내니 면임은 곧바로 해당 마을에 나아가 우두머리가 되는 사람과 그날 부역한 전부(田夫)를 불러 모아

이 같은 뜻을 전하고 술을 보내되 다른 마을은 어떠한 지 마땅히 낱낱이 탐색하여 살펴라. 혹시라도 '이에 반하는 일〔反於此之事〕'이 있으면 마땅히 '이에 반한 벌〔反於此之罰〕'이 있을 것이다. 이 뜻이 실로 '투료(投醪)하는 정사'[336]에 기탁한은 농사를 잘 짓는 일이 시급함이니, 이 뜻을 모두 자세히 알아야 할 일이다.

5월 27일.

우택(雨澤) 장계를 밀봉하여 아뢰었다.

〔장계〕

방금 접수한 본 부 판관(本府判官) 이민영(李敏榮)의 첩정에 "이달 26일 해시(亥時, 밤 9시~밤 11시) 즈음 비가 내리기 시작하여 때로는 주룩주룩 내리다가 때로는 흩뿌리기도 하여 27일 묘시(卯時, 오전 5시~오전 7시)까지 내린 것이 2서(鋤)가량 되었습니다."라고 하였습니다. 신의 영(營)에 측우기(測雨器) 수심이 1촌 2푼이 되었기에 이러한 연유를 치계합니다.

5월 28일.

영에서 출발하여 시흥(始興)에서 점심을 먹고 저녁에 필곡(筆谷)에서 머물러 묵었다.

336 투료(投醪)하는 정사: 군민(軍民)과 동고동락하는 것으로, 월(越)나라 왕 구천(句踐)이 막걸리를 강물에 풀어 많은 백성과 함께 마셨다고 한다.

〔장계〕

신이 묘당(廟堂)에 품의(稟議)할 일이 있어 당일에 길을 떠나 상경하였습니다. 이러한 연유를 치계합니다.

병신년丙申年 1836년, 헌종憲宗 2년 6월

6월 1일.

화령전(華寧殿)과 현륭원(顯隆園)을 봉심(奉審)하였는데 무탈한 일로 장계를 밀봉하여 아뢰었다.

〔장계(狀啓)〕

방금 접수한 화령전 겸령(兼令) 이민영(李敏榮)의 첩정(牒呈)에, "이달 초1일 분향(焚香)하고 나서 바로 봉심하였는데 전내(殿內)의 모든 곳이 무탈하였습니다."라고 하였습니다. 동시에 받아 본 현륭원 영(令) 이상조(李象祖)의 첩정 내용에, "이달 초1일 원상(園上)과 전내를 봉심하였는데 무탈하였습니다."라고 하였습니다. 이러한 연유를 치계합니다.

같은 날(6월 1일).

우택 장계(雨澤狀啓)를 밀봉하여 아뢰었다.

〔장계〕

이번에 접수한 본 부 판관(本府判官) 이민영(李敏榮)의 첩정에 "지난달 29일 유시(酉時, 오후 5시~오후 7시)에 비가 내리기 시작하여 때로는 주룩주룩 내리고 흩뿌리다가 때로는 그치기도 하여 이달 초1일 인시(寅時 오전 3시~오전 5시)까지 내린 것이 2려(犁) 남짓이 되었고 영하(營下, 감영이나 병영)의 측우기 수심이 3촌(寸) 1푼(分)이 되었습니다"라고 하였습니다. 이러한 연유를 치계합니다.

6월 6일.

가자 숙배(加資肅拜) 하였다.

같은 날(6월 6일).

우택(雨澤)과 농형(農形)의 일로 장계를 밀봉하여 아뢰었다.

〔장계〕

이달 초1일까지 3촌 1푼의 비가 내린 연유를 이미 치계하였거니와 연이어 접수한 본 부 판관(接本府判) 이민영(李敏榮)의 첩정에, "그 뒤에도 뭉게구름이 흩어지지 않고 계속해서 어둑어둑하다가 초4일 미시(未時, 오후 1시~오후 3시) 즈음 다시 비가 내리기 시작하여 때로는 주룩주룩 내리다가 때로는 흩뿌리기도 하여 초5일 오시(午時)까지 내린 것이 또 2서(鋤)가 되었으며, 영하(營下)의 측우기(測雨器) 수심이 1촌 2푼이 되었습니다. 경내 농형은, 올벼는 부종하여 두 벌 김매기가 한창이고 늦벼는 건파하여 두 벌 김매기가 바야흐로 시작되었습니다. 이앙은 초벌 김매기를 시작하였으며 팥과 콩은 그루갈이를 이미 마쳤습니다."라고 하였습니다. 이러한 연유를 치계(馳啟)합니다.

6월 7일.

실록청(實錄廳)에 나아갔다.

6월 9일.

실록청에 나아갔다.

6월 10일.

숙선옹주(淑善翁主)[337]의 상에 성복(成服)[338]한 뒤에 문안(問安)하는 반열에 진참(進參)하였다.

6월 12일.

본 영의 포폄등제(褒貶等第)[339] 세초단자(歲抄單子)[340]를 작성하여 올렸다. 과천현감(果川縣監) 정만교(鄭晩敎)[341]는 상피(相避)[342]하게 되어 부득이 고과(考課)를 매기지 못한 일로 별도로 장계를 올려 아뢰었다.

〔포폄등제(褒貶等第)〕

○ 화령전 겸위장(華寧殿兼衛將) 김상우(金相宇)

:부지런히 힘써 호위함. 상.

○ 겸령(兼令) 이민영(李敏榮)

---

337 숙선옹주(淑善翁主):1793~1836. 정조의 딸이며 순조의 하나뿐인 동기로, 12세에 해거재(海居齋) 홍현주(洪顯周, 1793~1865)와 결혼했다. 홍현주는 홍인모와 서영수합의 아들이며, 우의정 홍석주(洪奭周)의 아우이다. 숙선옹주와 혼인하여 영명위(永明尉)에 봉해졌다.

338 성복(成服):빈(殯)을 한 다음 날, 즉 사망한 지 4일째 되는 날에 복인(服人)들이 규정된 관(冠)·최복(衰服)·신발 등 상복을 착용하는 절차를 말한다.

339 포폄등제(褒貶等第):포폄은 관원의 근무 성적을 정기적으로 평가하는 것으로 매년 6월과 12월에 행해졌다. 경관(京官)은 소속 관사의 당상관(堂上官)과 제조(提調) 및 소속 조(曹)의 당상관이, 외관(外官)은 관찰사(觀察使)와 절도사(節度使)가 성적을 평가하여 매년 6월 15일과 12월 15일까지 계본(啓本)을 올리도록 하였다. 포폄 계본에는 해당 관원의 성적을 4자나 8자로 평가한 글[題目]과 그 평가에 따라 매긴 상·중·하 등급인 등제(等第)를 기록하였다. 정당한 평가를 위해서 경관은 만 30일, 외관은 만 50일의 기간을 채워야 평가 대상이 되었다.

340 세초단자(歲抄單子):세초(歲抄)는 매년 6월과 12월에 이조와 병조가 관원들의 공과(功過)를 초록(抄錄)해서 상주(上奏)하여 왕의 분부를 받아 감등 또는 서용하는 것이나 매년 6월과 12월에 사망, 도망했거나 질병에 걸린 군사를 보충하는 것을 말하는데, 여기서는 관원의 공과를 초록하여 올린 장부를 말한다.

341 정만교(鄭晩敎):서유구 여동생의 아들로 서유구와 정만교는 외삼촌과 조카인 구생(舅甥)의 관계이다.

342 상피(相避):친족 또는 긴밀한 관계에 있는 자는 같은 곳에 벼슬하는 일이나 청송(聽訟), 시관(試官) 같은 것을 서로 피하는 일을 말한다.

:엄숙하고 공경함. 상.

○ 겸수문장(兼守門將) 홍시영(洪時榮)

:자물쇠 지키는 데 게을리 하지 않음. 상.

○ 겸수문장(兼守門將) 김원호

:공직을 수행하는 데 근면함. 상.

○ 판관(判官) 이민영(李敏榮)

:창고의 일을 잘 살피고 곡자(斛子)에 흠이 없으며,
책상 위에 문서는 쌓일 틈이 없음. 상.

○ 검률(檢律) 변학수(卞學秀)

:자못 율례(律例)를 잘 이해함. 상.

○ 종사관(從事官) 이민영(李敏榮)

:욕심 없이 검약하고 정해진 규례가 있으니,
도울 일이 조금이라도 있겠는가. 상.

○ 중군(中軍) 김상우(金相宇)

:말은 모름지기 본질을 살피고,
정책은 맹필제관(猛必濟寬)[343]함. 상.

○ 별전사파총(別前司把摠) 진위 현령(振威縣令) 오근상(吳謹常)

:최과(催科)[344]에 애를 씀. 상.

---

343 맹필제관(猛必濟寬):엄격함은 반드시 관대함이 뒤따라야 한다는 말로 엄격함과 관대함을 상호 보완하여 융통성 있게 사태에 대처하면서 조화롭게 정책을 운용할 때에 쓰는 말이다. 《춘추좌씨전(春秋左氏傳)》 소공(昭公) 20년에 "정책이 관대하면 백성이 방자해지는데, 방자해지면 엄격함으로 바로잡아야 한다. 정책이 엄격하면 백성이 잔혹해지는데, 잔혹해지면 관대하게 베풀어야 한다. 관대함으로 엄격을 보완하고 엄격으로 관대함을 보완해야 하니, 정치는 이렇게 해서 조화되는 것이다.〔政寬則民慢, 慢則糾之以猛, 猛則民殘, 殘則施之以寬, 寬以濟猛 ,猛以濟寬, 政是以和.〕"라는 공자(孔子)의 말에서 온 것이다.

344 최과(催科):조세(租稅)를 독촉하여 징수하는 것이다.

○ 별좌사파총(別左司把摠) 용인 현령(龍仁縣令) 이괵(李漍)

: 어디에 간들 마땅치 않으리. 상.

○ 별중사파총(別中司把摠) 김노학(金魯學)

: 공지에 빠짐없이 이바지 함. 상.

○ 별우사파총(別右司把摠) 안산 군수(安山郡守) 김원순(金原淳)

: 예를 빠뜨려도 고의가 아님. 상.

○ 협수겸파총(協守兼把摠) 시흥 현령(始興縣令) 이명원(李鳴遠)

: 조그만 고을에 형인(硎刃)을 씀.[345] 상.

○ 척후장(斥候將) 영화도[346] 찰방(迎華道察訪) 오치건(吳致健)

: 폐역(弊驛)이 거의 온전해 짐. 상.

○ 독성겸파총(禿城兼把摠) 김상우(金相宇)

: 분적(分糴)[347]이 공평함. 상.

○ 둔아병파총(屯牙兵把摠) 평신진 첨사(平薪鎭僉使) 박윤묵(朴允默)

: 세납(稅納)에 허물이 없음. 상.

---

345 조그만……형인(硎刃)을 씀: 자유(子游)가 무성재(武城宰)가 되었는데, 공자(孔子)가 이르기를, "닭 잡는 데 어찌 소잡는 칼을 쓰랴(割鷄焉用牛刀).《논어(論語)》〈양화(陽貨)〉"라고 하여 조그마한 고을과 유능한 인재가 서로 걸맞지 않은 것을 말하였다. 여기서는 이명원이 작은 고을에 쓰이기 아까울 정도로 훌륭한 인물이 있음을 비유한 말이다.

346 영화도(迎華道): 1793년(정조 17) 1월 12일에 정조는 수원의 신읍치를 '화성(華城)'이라고 새로 바꾸고 동시에 이곳을 유수부로 승격시켰다. 1794년(정조 18) 1월에 정조의 특명으로 화성 성역을 시작하여 1796년(정조20) 9월 10일 화성 성역이 완공되었다. 같은 해에 경기 감영 소속인 광주의 양재역(良才驛)을 화성유수부로 이전하여설치하고, 영화도(迎華道)에 속하게 하였다. 병진년 8월 29일에 화성 북문 밖에 양재우관(良才郵館)을 정하고 이름을 고쳐 영화도 찰방(迎華道察訪)이라 하고 인신(印信)을 만들어 지급하도록 하였다.

347 분적(分糴): 춘궁(春窮) 등 곡식이 떨어졌을 때에 백성에게 대여하였다가 수확 뒤에 도로 받아들이는 관곡(官穀)을 말한다.

〔별계(別啓)〕

신의 영에 속하는 별오사파총(別五司把摠)은, 금년 춘하등(春下等) 포폄계본(褒貶啟本) 가운데 별후사파총(別後司把摠) 과천 현감(果川縣監) 정만교(鄭晩教)를 마땅히 함께 마감(磨勘)[348]해야 하오나 해당 현감이 신과 구생(舅甥)의 친분이 있습니다. 군무(軍務)는 비록 상피(相避)가 없지만 타 영에 이미 예가 있어 참고하여 부득이 관례를 따라 마감하였습니다. 이러한 연유를 치계합니다.

같은 날(6월 12일).

실록청(實錄廳)에 나아갔다.

같은 날(6월 12일).

우택 장계를 밀봉하여 아뢰었다.

〔장계〕

방금 접수한 본 부 판관(本府判官) 이민영(李敏榮)의 첩정에, "이달 초 10일 유시(酉時, 오후 5시~오후 7시)에 비가 내리기 시작하여 때로는 주룩주룩 내리다가 때로는 흩뿌리기도 하여 11일 오시(午時, 오전 11시~오후1시)까지 내린 것이 2려(犁)가량 되었으며, 영하(營下)에 측우기 수심이 3촌 3푼이 되었습니다."라고 하였습니다. 이러한 연유를 치계합니다.

348 마감(磨勘): 옛날 중국(中國)에서 관리(官吏)들의 성적(成績)을 매기던 제도(制度)를 말한다.

6월 13일.

실록청에 나아갔다.

6월 15일.

망제(望祭)[349]를 지내는 반열에 진참하였다.

같은날(6월 15일).

화령전과 현륭원에 봉심하였는데 무탈한 일로 장계를 밀봉하여 아뢰었다.

〔장계〕

이번에 접수한 화령전 겸령(兼令) 이민영(李敏榮)의 첩정에, "이달 15일 분향한 후에 봉심하였는데 전내(殿內) 모든 곳이 무탈하였습니다."라고 하였습니다. 동시에 접수한 현륭원 영(令) 이상조(李象祖)의 첩정 내용에, "이달 15일 현륭원 전내를 봉심하였는데 무탈하였습니다."라고 하였습니다. 이러한 연유를 치계합니다.

6월 16일.

우택(雨澤)과 농형(農形)의 일로 장계를 밀봉하여 아뢰었다.

〔장계〕

이달 11일 오시(午時, 오전 11시~오후1시)까지 내린 비가 3촌(寸) 3푼(分)이 된 연유는 이미 치계하였거니와 연이어 접수한 본

349 망제(望祭) : 매달 음력 보름에 지내는 제사를 말한다.

부 판관 이민영의 첩정에, "이후 연이어 날이 흐리고 음산하더니 13일 술시(戌時, 오후 7시~오후 9시) 즈음에 다시 비가 내리기 시작하여 주룩주룩 내리고 흩뿌리고 그치기를 반복하다가 15일 묘시(卯時, 오전 5시~오전 7시)까지 내린 것이 다시 1서(鋤) 가량 되어 영하의 측우기 수심이 6푼이 되었지만 짙은 구름이 비를 한껏 머금고 있어 아직 활짝 개이지 않았습니다. 경내(境內)의 농형(農形)은, 올벼는 부종(播種)하여 두 벌 김매기를 이미 마쳤고 늦벼는 건파하여 두 벌 김매기가 한창입니다. 또 이앙은 초벌 김매기가 한창이며 콩과 팥은 그루갈이 하여 싹이 트고 있습니다."라고 하였습니다. 이러한 연유를 치계합니다.

6월 18일.

효성전(孝成殿) 작헌례(酌獻禮)[350]를 친행(親行)하실 때에 종승(從陞)하였고, 주다례(晝茶禮)[351] 때에도 종승하였다.

6월 19일.

우택 장계(雨澤狀啟)를 밀봉하여 아뢰었다.

〔장계〕

이달 15일 묘시(卯時, 오전 5시~오후 7시)까지 내린 비가 6푼이 된 연유는 이미 치계하였거니와 연이어 접수한 본 부 판관(本

350 작헌례(酌獻禮) : 왕이나 왕비였던 조선(祖先), 또는 문묘(文廟)에 임금이 친히 제사하는 예(禮)를 말한다.

351 주다례(晝茶禮) : 임금이나 왕비의 장례를 마친 뒤 3년 안에 혼전(魂殿)·산릉(山陵)에서 낮에 지내는 제식(祭式)을 말한다.

府判官) 이민영(李敏榮)의 첩정에, "이후 연이어 흐렸다 개었다가 하며 비가 주룩주룩 내리고 흩뿌리기를 반복하다가 18일 미시(未時, 오후 1시~오후 3시)까지 내린 것이 다시 1려(犁)가 되었고 영하(營下)의 측우기 수심이 2촌 2푼이 되었습니다."라고 하였습니다. 이러한 연유를 치계합니다.

6월 20일.

빈대(賓對)에 현병(懸病)하였다.

6월 24일.

중군(中軍) 김상우(金相宇)의 포폄등제를 거중(居中)[352]으로 시행하는 일로 병조(兵曹)에서 초기(草記)[353]하였다.

〔초기(草記)〕

지금 수원 유수(水原留守) 서유구(徐有榘)의 포폄계본(褒貶啟本)을 보니, "본 영 중군 김상우를 '언수답실(言須踏實), 맹필제관(猛必濟寬)'으로 포폄 제목을 삼았으니 '중고(中考)'에 두어야 마땅한데, '상고(上考)'에 두었으니 전최(殿最)[354]를 엄명(嚴明)하게 하는 뜻이 전혀 없습니다. 이에 중군 김상우는 '거중'으로 시행하고 해당 수령은 추고(推考)[355]하여 경책(警責)하는 것이 어떻겠

352 거중(居中) : 관리의 고과(考課)에서 근무성적이 중등(中等)에 있는 것을 말한다.

353 초기(草記) : 중앙 각 관아에서 정무 상 그리 중요하지 않은 사항을 간단하게 요지만 기록하여 상주하는 문서이다.

354 전최(殿最) : 관찰사(觀察使)가 각 고을 수령(守令)의 실적을 조사(調査)하여 중앙(中央)에 보고(報告)하던 일을 말한다. 성적(成績)을 고사(考査)할 때 상(上)을 최(最), 하(下)를 전(殿)이라 하여, 매년 6월 15일과 12월 15일 두 차례(次例)에 걸쳐 시행(施行)하였다.

355 추고(推考) : 벼슬아치의 허물을 추문(推問)하여 고찰(考察)함을 말한다.

습니까? 하니, 주상께서 말씀하시길 '그리하라.'"라고 하셨다.

6월 26일.

우택(雨澤)과 농형(農形)의 일로 장계를 밀봉하여 아뢰었다.

〔장계〕

방금 접수한 본 부 판관(本府判官) 겸임(兼任) 영화도 찰방(迎華道察訪) 오치건(吳致健)의 첩정(牒呈)을 보니, "이달 22일 묘시(卯時, 오전 5시~오전 7시) 즈음 비가 내리기 시작하여 주룩주룩 내리며 흩뿌리고 활짝 개이기를 반복하다가 25일 묘시까지 내린 것이 다시 2서(鋤)가 되었고 영하(營下)의 측우기 수심이 1촌 1푼이 되었습니다. 경내(境內)의 농형은, 올벼는 세 벌 김매기를 막 시작하였고 늦벼는 건파하여 두 벌 김매기를 이미 마쳤습니다. 이앙(移秧)은 초벌 김매기를 이미 마쳤고 그루갈이 한 콩과 팥은 호미질을 시작하였습니다."라고 하였습니다. 이러한 연유를 치계합니다.

6월 28일.

실록청(實錄廳)에 나아갔다.

병신년丙申年 1836년, 헌종憲宗 2년 7월

7월 1일.

효성전(孝成殿) 삭제(朔祭)[356]의 반열에 진참(進參)하였고, 주다례(晝茶禮) 때 종승(從陞)하고 나서 실록청(實錄廳)에 나아갔다.

같은 날(7월 1일).

화령전(華寧殿)과 현륭원(顯隆園)을 봉심하였는데 무탈한 일로 장계를 밀봉하여 아뢰었다.

〔장계(狀啓)〕

방금 접수한 화령전 겸령 겸임 판관(兼令兼任判官) 영화도 찰방(迎華道察訪) 오치건(吳致健)의 첩정에, "이달 1일 분향(焚香)한 뒤에 바로 봉심(奉審)하였는데 전내(殿內) 곳곳이 무탈하였습니다."라고 하였습니다. 동시에 도착한 현륭원 참봉(顯隆園參奉) 조병위(趙秉緯)의 첩정 내용에, "이달 초1일 원상(園上)과 전내를 봉심하였는데 무탈하였습니다."라고 하였습니다. 이러한 연유를 치계합니다.

7월 2일.

효성전 추향제(秋享祭)를 지내는 반열에 진참하고, 아침에 실록청에 나아갔다.

---

356 삭제(朔祭) : 왕실에서 매달 음력 초1일마다 조상에게 지내던 제사이다.

같은 날(7월 2일).

본영의 추조(秋操, 가을 군사 조련) 설행(設行)을 계획하는 일로 장계를 밀봉하여 아뢰었다.

〔장계〕

신의 영(營)에 마보 군병(馬步軍兵)은 금년 가을 군병 조련을 정식(定式)에 의거해 택일(擇日)하여 설행할 계획입니다. 본 성(本城)과 독성산성(禿城山城)[357]의 조련 또한 일체 시행할지 아울러 묘당(廟堂)으로 하여금 품지(稟旨)하여 분부하게 하소서.

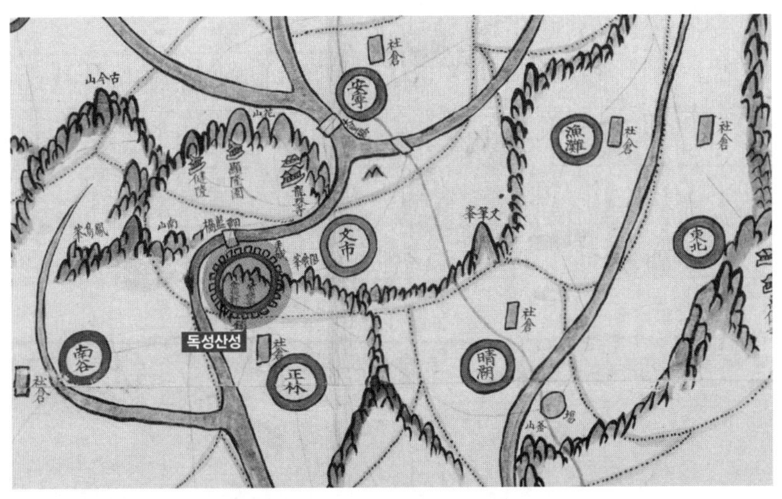

독성산성《수원부지도(水原府地圖)》(서울대학교 규장각 한국학연구원)

---

357 독성산성(禿城山城): 백제 때 석축된 성곽으로 추정되며 경기도 수원부(현 오산시)에 있다. 이 성은 돌로 쌓은 산성으로 둘레는 약 3.6km인데, 현재 약 400m 정도의 성벽과 성문 4곳이 남아 있다. 이 산성은 통일신라시대와 고려시대를 거쳐 임진왜란 때까지 계속 사용되었으며, 1593년(선조 26) 7월에 전라도관찰사 겸 순변사였던 권율(權慄)이 근왕병 2만 명을 모아 북상하다가 이곳에 진을 치고서 왜적을 물리쳤고, 이듬해 9월 11일~14일에는 백성들이 힘을 모아 불과 4일 만에 고쳐 쌓았다. 임진왜란이 끝난 뒤에는 전략적 위상이 계속 중시되어, 1602년(선조 35)에 변응성(邊應星)이 수리하여 쌓았고 1796년(정조 20)에 수원성 축조와 함께 고쳐 쌓아 오늘에 이른다.

7월 3일.

실록청에 나아갔다.

같은 날(7월 3일).

중군(中軍) 부임의 일로 장계를 밀봉하여 아뢰었다.

〔장계〕

신의 영에 "중군 박시회(朴蓍會)는 지난달 25일 주상 전하께 본직(本職)을 제수 받고 이달 초2일 하직 인사를 올린 후 당일 부임합니다."라는 첩정이 있었습니다. 이러한 연유를 치계합니다.

7월 7일.

농형 장계(農形封啓)를 밀봉하여 아뢰었다.

〔장계〕

방금 접수한 본 부 판관(本府判官) 겸임(兼任) 영화도 찰방(迎華道察訪) 오치건(吳致健)의 첩정을 보니, "경내(境內)의 농형은 올벼는 이삭이 팼고 늦벼는 건파하여 세 벌 김매기를 막 시작하였습니다. 또 이앙은 두 벌 김매기를 막 시작하였고 그루갈이 한 콩과 팥은 호미질을 시작하였습니다."라고 하였습니다. 이러한 연유를 치계합니다.

7월 11일.

효화전(孝和殿, 익종(翼宗)의 혼전(魂殿)) 가을 전알(展謁)[358] 때에 종승(從陞)하였다가 바로 실록청에 나아갔다.

7월 12일.

우택(雨澤)의 일로 장계를 밀봉하여 아뢰었다.

〔장계〕

방금 접수한 본 부 판관 겸임 영화도 찰방 오치건의 첩정을 보니, "이달 10일 유시(酉時, 오후 5시~오후 7시) 즈음 비가 내리기 시작하여 부슬부슬 내리고 흩뿌리기를 반복하다가 11일 인시(寅時, 오전 3시~ 오전 5시)까지 내린 것이 먼지를 겨우 적실 정도였고 영하(營下)의 측우기 수심은 4푼이 되었습니다."라고 하였습니다. 이러한 연유를 치계합니다.

같은 날(7월 12일).

제주공마(濟州貢馬) 중에 10필(匹)을 집류(執留)[359]한 일로 장계를 밀봉하여 아뢰었다.

〔장계〕

신의 영에 별효사(別驍士)[360]가 받은 말 중에 나이가 다 차

358 전알(展謁): 궁궐(宮闕)·종묘(宗廟)·문묘(文廟)·능침(陵寢) 등을 참배하는 일을 말한다.

359 집류(執留): 공금을 사사로이 쓴 사람의 재산을 압류하는 것을 이른다.

360 별효사(別驍士): 정조 17년에 수원에 설치한 총리영(摠理營)에 딸린 군사이다. 인원은 2백 명이다. 매년 봄가을에 활쏘기 시험을 보여 뽑았으며, 이 중에서 몰기(沒技)한 자에게는 전시에 직부하는 특전을 준다.

서 죽게 된 놈은 사복시(司僕寺)[361] 회계(回啓)[362]의 정식(定式)에 의거하여 금번에 온 제주목(濟州牧)의 세공마(歲貢馬)[363] 중에서 10필을 집류하였습니다. 동 마필(馬匹)의 수효(數爻)와 털의 색을 성책(成冊, 정리하여 기록함)하여 해시(該寺)에 보냈으며, 이러한 연유를 치계합니다.

7월 15일.

망제(望祭, 매월 보름날에 지내는 제사)의 반열에 진참(進參)하였고, 주다례(晝茶禮) 때 종승(從陞)하였으며, 주합루(宙合樓)[364] 봉심에 진참하였다.

같은 날(7월 15일).

화령전과 현륭원에 봉심하였는데 무탈한 일로 장계를 밀봉하여 아뢰었다.

〔장계〕

방금 접수한 화령전 겸위장(兼衛將) 박시회(朴蓍會)의 첩정에, "이달 15일, 분향하고 나서 바로 봉심하였는데, 전내(殿內) 모든 곳이 무탈하였습니다."라고 하였습니다. 동시에 접수한 현륭원 참봉(參奉) 조병위(趙秉)의 첩정 내용에 "이달 15일, 원상(園上)과 전

361 사복시(司僕寺) : 조선 시대에 승여(乘輿)와 말에 관한 일을 담당한 관청으로, 주로 무과 출신자들로 채워졌다.

362 회계(回啓) : 임금이 각종 계사(啓辭)나 장계(狀啓) 등을 담당 관사로 계하(啓下)하였을 때 담당 관사에서 해당 사안의 처리에 대한 의견을 아뢰는 행위를 말한다. 복계(覆啓)라고도 한다.

363 세공마(歲貢馬) : 연말에 각 목장(牧場)에서 공상하는 말을 말한다.

364 주합루(宙合樓) : 창덕궁 후원에 있다. 주합루는 1776년(정조 1)에 창건된 2층의 누각건물이다. 아래층에는 왕실 직속기관인 규장각(奎章閣)을, 위층에는 열람실 겸 누마루를 조성했다.

내를 봉심하였는데 무탈합니다."라고 하였습니다. 이러한 연유를 치계합니다.

7월 17일.

농형 장계(農形狀啓)를 밀봉하여 아뢰었다.

〔장계〕

방금 접수한 본 부 판관(本府判官) 이민영(李敏榮)의 첩정에, "경내(境內)의 농형은, 올벼는 간간이 황색으로 변하고 있으며 늦벼는 건파하여 세 벌 김매기를 이미 마쳤습니다. 이앙(移秧)은 두 벌 김매기를 이미 마쳤고 그루갈이 한 팥과 콩은 호미질을 이미 마쳤습니다."라고 하였습니다. 이러한 연유를 치계합니다.

7월 18일.

대전 탄신일(大殿誕辰日)에 문안을 올리는 반열로 진참 하였다.

7월 20일.

빈대(賓對)에 현병(懸病)하였다.

7월 21일.

실록청(實錄廳)에 나아갔다.

7월 22일.

권강(勸講)[365]에 입시(入侍)한 뒤에 바로 실록청에 나아갔다.

7월 25일.

실록청에 나아갔다.

7월 26일.

실록청에 나아갔다.

7월 27일.

권강(勸講)[366]에 입시(入侍)하였다.

같은 날(7월 27일).

농형 장계(農形狀啓)를 밀봉하여 아뢰었다.

〔장계〕

방금 접수한 본 부 판관(本府判官) 이민영(李敏榮)의 첩정에,

---

365 권강(勸講) : 당일 권강한 내용은 다음과 같다. 丙申七月二十二日辰時, 上御熙政堂。勸講入侍時, 提學徐有榘, 參贊官洪鍾遠, 檢討官李埣, 假注書權致和, 記事官鄭宬朝·李墩, 各持小學第五卷, 以次進伏訖。上曰, 史官分左右。上誦前受音一遍訖。有榘讀自或問第五倫, 止無私乎, 仍奏釋義訖。上讀新受音十遍訖。命陳文義。有榘曰, 第五倫, 卽東漢初名臣, 而以公正有名者也。時人皆意其無私, 故有此問, 而倫答如是, 此其所以平日省察之工, 大有異於衆人者也。選擧不能忘, 及退而安寢, 皆已所獨知, 而人所未見之事耳。倫之悉攄無隱, 政可見其公正無私, 朱夫子旣編入小學, 而語類亦稱其省察之工, 此政喫緊爲人處, 伏願留神焉.(《承政院日記》〈憲宗〉 2年 7月 22日 癸卯).

366 권강(勸講) : 당일 권강한 내용은 다음과 같다. 丙申七月二十七日辰時, 上御熙政堂。勸講入侍時, 提學徐有榘,……有榘曰, 茅容, 卽閭巷匹庶耳。郭泰見其姿質之有異, 勸令學書, 遂能成德, 學問之可以成就人材, 有如是矣。況人主一心, 萬化之源, 苟不致力於經史, 則德性何由而成就, 一日二日萬幾, 亦何以泛應曲當乎? 此所以君德成就之必由於講學也, 然講之爲言, 卽討論經旨之謂也。近來講筵, 罕有文義之反復討論者, 只以一番誦讀爲事, 如是而聖學何由長進乎? 今日新受音, 自心中, 亦有可合討論者, 伏願發問下詢焉.(《承政院日記》〈憲宗〉 2年 7月 27日 戊申).

“경내(境內)의 농형은, 올벼는 간간이 베어냈고 늦벼는 견파하여 간간이 이삭이 팼습니다. 이앙은 배태(胚胎)하였고, 그루갈이 한 팥과 콩은 꽃망울을 터트렸습니다. 그런데 동풍(東風)이 달포가 넘게 가더니 바로 다시 가뭄과 폭염이 이어져 일찍 이앙한 것은 수근(水根)이 있는 곳이면 아직 마르지 않았으나 원야(原野)의 높고 건조한 땅은 전답의 여러 곡식이 간간이 시들어 말라버린 것이 많습니다. 또 물가 하류나 연해(沿海) 각 면에 이르러서는 모두 건파한 봉천(奉天)의 땅[367]인데, 오랜 가뭄과 폭염으로 짠 기운이 위로 침투하여 뿌리는 바싹 타버리고 줄기는 메말라 먹을 열매를 기약하기가 어렵습니다.”라고 하였습니다. 백성의 농사 일을 생각하면 진실로 근심스러워 이 사이 한바탕 크게 쏟아지기를 간절히 바라는 마음입니다. 이러한 연유를 치계합니다.

같은 날(7월 27일).

환향(還餉)을 분류(分留)[368]하는 일로 장계를 밀봉하여 아뢰었다.

〔계본(啓本)〕

본 부의 환향 각곡과 이미 이획(移劃)[369]한 남한산성(南漢山城)

---

367 봉천(奉天)의 땅 : 물의 근원(根源)이 전혀 없어 끊임없이 비가 내려야 경작할 수 있는 메마른 논을 이르는데, ‘천수답’이라고도 하고 ‘하늘바라기’, ‘천둥지기’라고도 한다.

368 분류(分留) : 환곡(還穀) 방출 때 쓰던 한 가지 방법. 춘궁기에 백성에게 대여했던 곡물을 추수가 끝난 후 일정한 이식을 붙여 받아들였던 것을 이듬해 봄 다시 방출할 때 그 재고량의 절반은 창고에 쌓아두고 나머지 절반을 방출하는데 그 쌓아둔 절반을 유(留)라고 하고 방출된 절반을 분(分)이라고 하였다.

369 이획(移劃) : 금전과 양곡 등을 이곳에서 저곳으로 옮겨 주는 것을 말한다.

의 군향조를 분류 성책(分留成冊)[370]하여 어람(御覽)하실 문건과 함께 3건을 수정(修正)하여 비변사(備邊司)에 올려보냈습니다. 이러한 연유를 치계합니다.

7월 29일.

우택 장계를 밀봉하여 아뢰었다.

〔장계〕

방금 접수한 본 부 판관(本府判官) 이민영(李敏榮)의 첩정에, "이달 28일 신시(申時, 오후 3시~오후 5시) 즈음 비가 내리기 시작하여 때로는 주룩주룩 내리다가 때로는 흩뿌리기도 하여 같은 날 유시(酉時, 오후 5시~ 오후 7시)에 겨우 먼지를 적실정도가 되었고 영하(營下)의 측우기 수심이 5푼이 되었습니다."라고 하였습니다. 가물었던 나머지에 단비가 내렸으나 적시기에는 얼마 되지 않아 농사 일을 생각하면 더욱 근심스럽습니다. 이러한 연유를 치계합니다.

370 분류 성책(分留成冊) : 환곡의 분급(分給)과 유치(留置)를 기록한 문서를 말한다.

병신년丙申年 1836년, 헌종憲宗 2년 8월

8월 1일.

진시(辰時, 오전 7시~오전 9시)에 출발하여 과천(果川)에서 점심을 먹고 신시(申時, 오후 3시~오후 5시)에 영(營)에 머물러 묵은 일로 장계를 밀봉하여 아뢰었다.

〔장계(狀啓)〕

신(臣)이 묘당(廟堂)에 품의(稟議)할 일이 있어 상경(上京)하였다가 당일 영(營)으로 돌아왔습니다. 이러한 연유를 치계합니다.

같은날(8월 1일).

화령전(華寧殿)과 현륭원에 봉심(奉審)하였는데 무탈한 일로 장계를 밀봉하여 아뢰었다.

〔장계〕

방금 접수한 화령전(華寧殿) 겸령(兼令) 이민영(李敏榮)의 첩정(牒呈)에, "이달 초1일 분향(焚香)하고 나서 바로 봉심하였는데 전내(殿內)의 모든 곳이 무탈하였습니다."라고 하였습니다. 동시에 받아 본 현륭원(顯隆園) 영(令) 이상조(李象祖)의 첩정 내용에, "이달 초1일 원상(園上)과 전내를 봉심하였는데 무탈하였습니다."라고 하였습니다. 이러한 연유를 치계합니다.

8월 2일.

본 부 살옥(殺獄, 사람을 죽인 사건)의 사안(査案)[371]에 제사(題辭)[372]하였다.

【본 부(本府)의 박돌이(朴乭伊)가 용인(龍仁)의 백성 고험상(高驗尙)과 동행하다가 반정천(半亭川)에 이르러 고험상이 밀쳐 넘어뜨려 박돌이가 익사하게 된 일】

〔제사(題辭)〕

사안을 받아보았다.

취해서 취한 이를 밀치고, 취해서 취한 이를 발로 차는 것은 비록 평지라 하여도 쉽게 살상(殺傷)에 이르게 되는 일이거늘, 하물며 강물이 불어나 급한 여울 가운데서 어찌 사람을 밀치고 발로 찼는가. 그 정황에 의거해 보면 비록 "죽이려는 마음으로 죽이는 일을 행한 것〔以殺心行殺事〕"이라고 말하지는 않더라도 그 행적을 짚어보면 반드시 죽이려고 몰아가 그곳에 빠뜨린 다음에야 그만두었다고 하니 이것이 성옥(成獄)[373] 되지 않으면 법을 어떻게 시행한 것인가. 이른바 피고(被告)라고 하는 자는 다른 사람에게 발고되어 지목된 것이니, 그 정적(情跡)이 모두 의심스러운 종류일 따름이다. 한번 밀치고 한번 찼다고 저놈들이 자복하였는데, 지금 이 피고의 항목은 크게 합당하지 못하다. 동(同) 고험상(高驗尙)은, 원범(元犯)[374]으

371 사안(査案) : 사건(事件)을 조사(調査)하여 적은 문서(文書)를 말한다.

372 제사(題辭) : 원문은 '題'로 되어 있다. 제사는 백성이 제출한 소장(訴狀) 또는 하급 관아에서 올린 보장(報狀)에 대해, 관부(官府)나 상급 관아에서 내리는 판결문(判決文)이나 지령서(指令書)를 말한다. 이에 의거하여 공문서 용어로 쓰인 '제(題)'는 모두 '제사(題辭)'로 번역하였다.

373 성옥(成獄) : 살인 사건의 재판을 말한다.

374 원범(元犯) : 법상(刑法上) 범죄(犯罪) 행위를 실행한 사람을 말한다. 곧 주범(主犯)·정범(正犯)과 같은 의미로 쓰인다. 수범(首犯)은 정범이 여럿일 경우 맨 먼저 범행했거나 정범의 우

로 시행(施行)하고 먼저 낱낱이 고찰(考察)하여 한 차례 엄히 형신(形身)하고 진술을 받아라. 시체는 검험하지 않았으니 실인(實因)은 비록 확정하기 어렵지만 등 위에 누런 흔적은 손으로 밀친 증험이 되고, 좌측 옆구리 붉게 상기된 기운은 넘어뜨린 흔적이 된다.

양척(兩隻, 원고와 피고)의 공초(供招)[375]가 마치 부절(符節)처럼 일치할 뿐 아니라 설령 밀치고 발로 찬 흔적은 없다하더라도 분명코 밀쳐서 빠져 죽었다면 죽게 된 근본 원인은 밀쳐져 물에 빠지게 된 것이니 어찌 다시 의현(疑眩)의 단서가 있겠는가. 실인은 "밀쳐져 빠져 죽게 되었다〔被溺致死〕"라고 이정(厘正, 바로잡아 고침)하여 현록(懸錄)해야 할 것이다.

길을 가다 동무가 된 것은 민완실(閔完實)이요, 술에 취하여 함께 주정한 것도 민완실이다. 물속이라 상투를 잡았다고 저자가 비록 발명(發明)하였더라도 돈을 써서 사화(私和)[376]하였으니 어찌 장안(贓案)[377]에 기록되지 않겠는가. 동(同) 민완실은, 간범(干犯)으로 현록하고 한 차례 엄히 형신하여 공초를 받아 첩보하라. 남편이 죽었다고 말했는데 어찌 남의 권고를 받아들여 재물을 탐하여 원수를 잊었는가? 저(彼)가 비록 무식한 여인이라도 어찌 "시체를 팔아먹은 형률〔鬻屍之律〕"을 면할 수 있겠는가? 시친은 장형(杖刑) 30대를 집행하고 풀어주어라. 고

두머리를 말하며 종범(從犯)은 수범(首犯)을 따라했거나 수범을 도와 준 범인을 말한다.

375 공초(供招) : 죄인이 자신의 범죄 사실을 진술한 내용을 말한다.

376 사화(私和) : 판결에 의하지 않고 송사의 당사자끼리 화해하는 것을 말한다.

377 장안(贓案) : 장물죄(贓物罪)를 범한 관리들의 명단을 적은 장부로 여기에 오르면 자손들이 벼슬길이 막혔다.

태상(高太尙)이 끌어들여 도리어 발고(發告) 한 것도 죄가 없지 않으니 장형 30대를 집행하고 모두 징려하여 풀어주어라.

민재천(閔載天)은 사람을 속여 관아에 고발하고 사특한 계획을 세운 당사자이더라도 이미 도망쳐 지시하고 시킨 자는 완실이다. 이 점을 문목(問目)에 보태어 충분히 조사할 것이며 그 나머지 모든 죄수는 지금 다시 물을 단서가 없다면 이런 농사철을 당하여 체수(滯囚)[378]할 수 없으니 제사(題辭)가 도착하는 즉시 모두 풀어주어라. 판관은 지금 이미 영(營)에 돌아왔으니 겸관(兼官)은 바로 회사관(會査官)[379]을 정하고 날을 정해 회좌(會坐)[380]하여 거행하라. 문안(文案) 가운데 잘못된 글자가 다수 있는 데다가 격식을 위반한 곳이 없지 않으니 거행한 형리는 부과(附過)[381]하라.

8월 4일.

안녕면(安寧面)과 장주면(章州面)[382] 등에 나가 농형(農形)을 살펴보았다.

---

378 체수(滯囚) : 죄가 결정되지 아니하여 오래 구금되어 있는 죄수를 말한다.

379 회사관(會査官) : 지방의 큰 사건을 조사할 때 입회하는 조사관을 말한다.

380 회좌(會坐) : 법정이나 관청에서 공사(公事)를 처리하기 위해 관원들이 자리를 정하고 벌여 앉는 것을 말하는데, 이때 가장 관계(官階)가 높은 사람은 동쪽에, 그 다음은 서쪽에, 나머지는 남쪽에 앉았다.

381 부과(附過) : 표부과명(標付過名). 공무상 과실이 있을 때 곧바로 처벌하지 않고 관원 명부에 적어 두는 일을 말한다. 6월과 12월의 도목정사(都目政事) 때 고적(考績)하면서 참고하였다.

382 안녕면(安寧面)과 장주면(章州面) : 조선 시대 경기도 수원군은 태촌면(台村面), 장주면(章洲面), 안녕면(安寧面), 용복면(龍伏面)으로 나뉘었는데, 1914년 태촌면과 장주면 일부를 통합해 태장면으로, 안녕면과 용복면 일부를 통합해 안용면이라고 하였다. 향후 태장면과 안용면을 통합해 태안읍이 되었으며 현재 화성시 병점 일대이다.

8월 5일.

화령전을 일차 봉심(日次奉審)하였다.

8월 7일.

농형 장계(農形狀啟)를 밀봉하여 아뢰었다.

〔장계〕

방금 접수한 본 부 판관(本府判官) 이민영(李敏榮)의 첩정에, "경내(境內)의 농형은 올벼는 이미 다 베었고 건파한 늦벼의 이앙(移秧)은 수근(水根)이 있는 곳이면 간혹 이삭이 팼습니다. 그런데 바람과 가뭄에 시달리다 백삽병에 걸려 시들어 말라 버리거나 오그라들어 피지 못했습니다. 그루갈이 한 콩과 팥은 간혹 꼬투리는 맺었지만 알맹이가 드물고 작습니다."라고 하였습니다. 처음에는 동풍(東風)에 병이 들었고 나중에는 가을 가뭄에 해를 입은 것인데, 절후(節候, 절기)는 점점 늦어 가는데도 열매와 이삭은 거의 없습니다. 또 바닷가 각 면의 작년에 해일이 있었던 곳은 짠 기운이 위로 침투하여 뿌리와 줄기가 모두 시들어 버려 농사 일을 생각하면 너무도 걱정스럽습니다. 이러한 연유를 치계합니다.

8월 10일.

화령전을 일차 봉심(日次奉審)하였다.

8월 13일.

호남(湖南)과 영남(嶺南)의 모곡(耗穀)을 작전(作錢)하는 차인(差人)[343]

에게 절목(節目)을 만들어 성급(成給)[384]하였다.

〔절목(節目)〕

두려워하는 마음으로 거행할 일.

본영의 소폐(凋弊, 쇠산하고 피폐함)함이 이미 심하여, 거의 수습하지 못할 지경에 이르렀다. 진실로 그 이유를 찾아보면 폐일언(蔽一言)[385]하건대, 각 도의 곡물을 작전하여 추납(推納)한 것이 항상 기일을 어긴 탓이다. 대개 이 곡물을 처음 설시(設始)할 때부터 해마다 위송(委送)[386] 하였는데, 차인(差人)을 두어 작전 한 이래로 장리청(將吏廳)에 맡겨 각 그 청에서 가려 보내게 하였다. 차인은 당년에 각 도에서 추납한 것을 다음해 6월 내에 정해진 수량대로 본 영에 상납하였는데, 여러 해를 시행하였으나 감히 어김이 없었다. 근래 들어 서울 밖에 부랑하는 무리들이 공화(公貨, 공금)가 막중함을 유념치 않고, 불쑥 자신을 살찌우는 계책을 내어 차인의 명색(名色)을 얻기를 도모하거나 자기 물건으로 여겨 전체 수량을 건몰(乾沒)[387]하거나 혹은 부정한 이익을 꾀하여 흥판(興販)[388]하다가 시간을 끌며 납부하지 않는다. 혹은 남의 이름을 빌려 온갖 계책으로 부탁하기를 꾀하거나 관문(關文)을 받아내어 서로 돌아가며 매매(賣買)한다. 심지어는 왕왕 도망가서 나타나지 않는 경

383 차인(差人):특정 임무를 주어 파견하는 사람 혹은 각 관아에 소속되어 잡일을 하는 사람을 말한다.

384 성급(成給):문계(文契, 문서)를 작성하여 주는 것을 말한다.

385 폐일언(蔽一言):이러니저러니 할 것 없이 한 마디 말로 휩싸서 말하는 것을 이른다.

386 위송(委送):위견(委遣). 어떤 일을 위임하여 보내는 것을 말한다.

387 건몰(乾沒):자기의 소유가 아닌 물품이나 돈을 횡령(橫領)하는 것을 말한다.

388 흥판(興販):한번에 많은 물건을 흥정하여 매매하는 일을 말한다.

우도 있어 지정하여 징수할 곳이 없으니, 기강은 마치 비로 쓸어버린 듯 사라져버린 것은 차치물론(且置勿論) 하고라도, 이 작전은 1년 동안 봉상(奉上)할 수량으로 본 영의 1년간 지방(支放)[389]의 수요가 되거늘 환전(換錢)은 한갓 헛된 장부만 남아 있고 지방은 공고(公庫)에서 끌어다 쓰다가 1년 2년 끝없이 되풀이 되어 필경 창고에 남아 있는 것이 점차 탕진 될 것이다. 따라서 해마다 지방은 책응(策應)[390]할 방법이 없으니, 그 형편이 자연히 탕고(帑庫, 재화를 넣어 두는 창고)와 봉장(封樁)[391]에 비축해 두었던 돈에서 끌어다 보전하고 있어 지금 봉장을 보면 10에 8~9는은 비어 버렸다. 이는 차인배의 소행으로 예사로 공화(公貨)를 건몰할 뿐만 아니다.

사실 이는 어용고(御用庫)의 전화(錢貨)를 훔친 것과 다름없으니 어고(御庫)를 몰래 훔치는 죄를 어찌할 것인가? 만약에 지금 이 큰 일을 경장(更張)[392] 하지 않으면 장차 영(營)이 없어지고 나서야 그만둘 것이니, 이른바 '경장(更張)'은 다른 방책이 없고 오직 "옛 규례를 거듭 밝히라(申明舊規)"라고 이르는데 있을 뿐이다. 금년부터 시작하여 각 도에 작전(作錢) 한 가지 조항을 영구히 붙이고 집사(執事) 중에서 2인, 서리(書吏) 중에서 2인을 근면하고 성실하여 이를 감당해 낼 만한 사람들로 해

389 지방(支放) : 관아의 관원에게 봉급을 내어주는 것을 말한다.

390 책응(策應) : 벌어진 일이나 사태에 대하여 알맞게 헤아려서 대응함을 말한다.

391 봉장(封樁) : 천재지변이나 전란, 전염병 등의 비상시에 대처하기 위해 재용(財用)을 저장하는 일, 또한 그러한 창고를 말한다.

392 경장(更張) : 사회적(社會的)·정치적(政治的)으로 부패(腐敗)한 모든 제도(制度)를 개혁(改革)하는 것을 말한다.

당 관청에서 공의(公議)하여 택차(擇差)하라. 그리하여 여러 교리와 아전들의 이름을 나열해 보증인을 기록한 후 관문(關文)을 받아 각 도에 나누어 보내 새해가 되기 전에 추출(推出)하게 하여 다음해 6월 안에 호방소(戶房所)에 준납(準納)하고 7월 초 1일까지 각 호의 자문(尺文)[393]을 고환(考還)[394]하라. 간혹 부실하게 한 자는 차송(差送)하고, 기한을 넘겨 건납(愆納)[395]하는 폐단이 있거나 간혹 약간 색책(塞責)[396]하며 흠축(欠縮)[397]을 어려워 하지 않거든 해당자는 우선 제태(除汰)[398]하고 영원히 복속(復屬)[399]하지 말라. 또 그들과 같이 일한 사람들은 엄형에 처해 멀리 귀향을 보내고 아직 봉납하지 않은 수량은 해당 관청에서 한꺼번에 징봉(徵捧, 징수)하라. 하나는 부랑배가 차출되기를 도모하여 건몰(乾沒)하는 폐단을 근절하고, 또 하나는 영(營)의 형편을 예전처럼 되게 할 것이며 만약 이미 시험하여 감당할 수 있고 기한을 어기지 않는 사람은 굳이 이중으로 보내어 단속할 필요가 없으며 해마다 정하여 차송하더라도 불가하지 않다. 진실로 가세(家勢)가 빈한(貧寒)하여 오래 묵은 빚이 많은

393 자문(尺文): 조세를 몇 차례로 나누어 바친 데 대하여 그때마다 받은 표를 한데 몰아서 발행하여 주던 영수증을 말한다.

394 고환(考還): 조세 상납이나 죄인 호송 등의 임무를 수행하는 자에게 임무를 제대로 수행하였다는 증명서를 발급하면 담당 관아에서 이 증명서를 넘겨받아 확인하는 일이다.

395 건납(愆納): 조세(租稅)를 기한(期限) 안에 바치지 못하는 것을 말한다.

396 색책(塞責): 책임을 면하기 위하여 임시로 꾸며대는 일을 말한다.

397 흠축(欠縮): 일정한 수량에 부족이 발생한 것을 말한다.

398 제태(除汰): 군인(軍人)·하리(下吏)·하례(下隷) 따위의 칠반 천역(七般賤役)에 종사하는 사람의 구실을 떼는 것을 말한다.

399 복속(復屬): 관직이나 종적(宗籍) 등에서 쫓겨나거나 떨어져 나갔던 사람을 다시 복직하거나 다시 그 적에 올리는 것을 말한다.

사람은 십 년간 차출하지 않더라도 마땅히 말이 없어야 할 것이다. 이와 같은 뜻으로 절목을 성출(成出)하니 2건을 선사(繕寫)하여 장리청(將吏廳)에 나누어 두고 상시로 보고 두려워하며 좇아 따르며 혹시라도 고치거나 왜곡하지 말라. 혹여 영부(營府)에서 분부하여 특차(特差)하는 일이 있거든 모든 교리는 이 절목을 가지고 일제히 나아가 품의하여 방계(防啟)하라.

8월 14일.

현륭원(顯隆園) 추석제향(秋夕祭享)에 헌관(獻官)으로 향축(香祝)을 드리고 원소(園所)에 나아갔다.

8월 15일.

제향을 설행하고 나서 바로 장계를 밀봉하여 아뢰었다.

〔계본(啓本)〕

삼가 제향(祭享)의 일로 아룁니다.

이달 15일, 현륭원 추석제향에 신이 헌관으로 진참하고 설행한 후 원상(園上)을 봉심하였는데 잡초(雜草)와 잡목(雜木)이 없었으며 사산(四山) 내에도 함부로 범작(犯斫)하는 폐단이 없었습니다. 이에 제관(祭官)의 직함과 성명을 뒤에 개록(開錄)하였습니다. 이러한 연유를 치계합니다.

같은 날(8월 15일).

능·원소(陵園所)에 추대봉심(秋大奉審)을 한 후에 장계를 밀봉하여 아뢰었다.

〔계본〕

삼가 봉심(奉審)한 일로 아룁니다.

신이 이달 15일, 건릉(健陵) 능상(陵上)·정자각(丁字閣)·비각(碑閣)이하 모든 곳과 현륭원(顯隆園) 원상(園上)·정자각·비각 이하 모든 곳을 봉심한 후에 건릉(健陵) 제향 때, 사용한 제기(祭器)와 잡물(雜物) 가운데 파손되고 상한 것을 뒤에 개록하였으니, 해조(該曹)로 하여금 신속하게 처리하게 하소서.

현륭원은 무탈하고 수목(樹木)은 화소(火巢)와 거리가 멀어 일일이 적간(摘奸)하지 못했으나 낱낱이 순행(巡行)하며 사정(事情)을 살펴 범작(犯斫)하는 폐단이 없도록 각별히 능원관(陵園官)에 신칙하였습니다. 그리고 만년제(萬年堤) 동막이〔垌, 물막이〕 안을 모두 살펴보았는데 모두 무탈하였고, 앵봉(鶯峰)의 부석소(浮石所)에 편비(偏裨)를 보내어 적간하였는데 봉표(封標)[400] 내에도 무탈하였습니다. 이러한 연유를 치계합니다.

같은 날(8월 15일).

화령전 추대봉심(秋大奉審) 후에 장계를 밀봉하여 아뢰었다.

〔장계〕

화령전 추맹삭(秋孟朔, 음력 7월) 대봉심을 원래 정한 것이 지난달 15일인데, 마땅히 거행해야 하오나 신이 서울에서 아직 돌아오지 못하여 부득이 거행하지 못했습니다. 이달 15일 분향 후에 겸령(兼令) 신(臣) 이민영(李敏榮)과 겸위장(兼衛將) 신 박시

400 봉표(封標):능침(陵寢)의 자리를 미리 정하여 흙을 모아 봉분(封墳)하고 세워 놓는 표를 말한다.

회(朴蓍會)와 함께 봉심하였는데 전내 모든 곳이 모두 무탈하였습니다. 이러한 연유를 치계합니다.

8월 17일.

농형 장계(農形狀啓)를 밀봉하여 아뢰었다.

〔장계〕

방금 접수한 본 부 판관(本府判官) 이민영(李敏榮)의 첩정에, "경내 농형(農形)은, 건파한 늦벼는 이앙은 이미 모두 이삭이 팼으며 팥과 콩은 모두 열매를 맺었습니다. 그러나 가을에 들어선 이후 한결같이 가뭄으로 건조하여 전답(田畓)의 각 곡식이 손상을 입은 것은 끝내 소성(蘇醒)할 가망이 없습니다." 라고 하였습니다. 동풍은 겨우 잦아들었으나 때늦은 가뭄이 계속 심하여 전답의 각 곡식은 백삽병에 걸려 시들어 마른 것은 열매를 맺은 것이 매우 적으니 백성의 일을 생각하면 더욱 걱정스럽습니다. 이러한 연유를 치계합니다.

8월 18일.

영(營)에서 출발하여 시흥(始興)에서 점심을 먹고 저녁에 필곡(筆谷)에 도착하여 장계를 밀봉하여 아뢰었다.

〔장계〕

신이 묘당(廟堂)에 품의(稟議)할 일이 있어 당일 길을 떠나 상경(上京)하였습니다. 이러한 연유를 치계합니다.

8월 22일.

정족산성(鼎足山城) 사각(史閣, 사고(史庫))[401]의 실록(實錄)을 받들어 모셔올 때 협련군(挾輦軍)[402] 20명을 조발(調發)[403]하는 일로 왕명이 담긴 표신(標信)[404]을 공경히 받은 후 장계를 밀봉하여 아뢰었다.

〔장계〕

이달 22일, 우부승지(右副承旨) 서대순(徐戴淳)이 성첩(成帖)한 유지(有旨) 내용에, "금번 강화부(江華府) 정족산성 사각의 실록을 받들어 모셔올 때, 협련군 20명과 강화부 군병이 갑곶진(甲串津)을 건너면 협련군 20명과 경기 군병은 하루 전날 각 그 경계에서 명령을 기다렸다가 차례차례 교대하고 성 밖에 도달하면 해산하라. 그리고 각 경계 근처에서 낙후(落後)된 때에는 전례대로 표신(標信)[405]없이 거행하라는 뜻을 선전관(宣傳

---

401 정족산성(鼎足山城) 사각(史閣): 정족산성 사각은 1653년(효종 4) 마리산(摩利山) 사고(史庫)에 화재가 일어나면서 건립이 추진된 것으로 보인다. 그러다 정족산성이 완성된 1660년(현종 1)에 마니산의 사고에 보관되어 있던 《조선왕조실록(朝鮮王朝實錄)》을 성 안에 있는 정족산 사고로 옮기고, 장사각(藏史閣)과 함께 왕실의 족보를 보관하는 선원각(璿源閣)을 지었다. 이후 실록이 새로 만들어지는 대로 1부씩 보관하였고 그 밖에 왕실 족보나 의궤(儀軌)를 비롯한 여러 정부문서를 함께 보관하였다. 춘추관에 소속되어 그 곳에서 관장하였으나 현지의 관리는 수호사찰인 전등사에서 맡았다.

402 협련군(挾輦軍): 조선 후기 훈련도감에 소속된 군사로 임금이 거둥할 때에 좌우에서 연(輦)을 호위하였다.

403 조발(調發): 전쟁이나 요역에 조달하기 위해 사람이나 말 또는 군용품을 뽑아 모으는 것을 말한다.

404 표신(標信): 궁문(宮門)의 개폐(開閉), 야간의 통행이 금지된 시간 중의 통행 허가, 군국(軍國)의 긴급할 일에 관한 지시, 관원·군사 등의 징소(徵召) 등의 증명으로 쓰는 표를 말한다.

405 표신(標信): 대체로 두 가지가 있다. 하나는 국왕의 화압(花押)을 친서(親署)한 것으로 어압표신(御押標信) 또는 선전표신(宣傳標信)이라 하는 것이니, 왕의 명령으로 군대(軍隊)를 소집하거나 또는 궁문을 여닫을 때에 사용한다. 상아로 만들었고 모양이 둥글며 직경은 2촌 정도며, 사슴 가죽으로 끈을 달았다. 전면에는 '선전'이라 썼고, 후면에는 '어압'이라 썼다. 다만 궁문을 여닫을 때에 사용하는 것은 방형이다. 하나는 통행표신(通行標信)이라 하는 것이니, 야간 통행금지 시간 중에 병조·형조·의금부·한성 5부의 관리가 각자 관청의 서리나 하인을 데리고 순찰할 때에 휴대하는 것이다. 모양이 둥글며 전면에는 '통행'이라 쓰고, 후면에

官)이 표신과 병부(兵符)를 가지고 내려가니 경(卿)은 공경히 받은 뒤에 이에 따라 거행하라."라는 유지 한 통과 일천 자 표신(一天字標信) 및 발병부(發兵符) 좌일척(左一隻)[406]을 당일 사시(巳時, 오전 9시~오전 11시) 즈음에 선전관(宣傳官) 정익동(鄭益東)이 가지고 왔기에 신이 서울에서 공경히 받아 병부를 맞추어 본 다음 발병부 좌일척을 선전관 정익동에게 다시 공경히 올려 보냈습니다. 이러한 연유를 치계합니다.

같은 날(8월 22일).

협련군(挾輦軍)이 경계에서 명령을 기다리는 일을 병조(兵曹)의 관문(關文)에 따라 베껴 써 시흥 현령(始興縣令)에게 전령(傳令)하였다.

〔전령〕

지위(知委)하여 거행할 일.

이번에 접수한 병조의 관문 내용에, "지금 계하하신 병조의 계목(啓目)[407]은 '이번 강화부(江華府) 정족산성(鼎足山城) 사각

는 소인(燒印)으로 '통행'이라 썼다. 그 밖에도 문안표신·왕세자의 휘지표신(徽旨標信)·왕비의 내지표신(內旨標信) 등이 있다.

406 발병부(發兵符) 좌일척(左一隻): 발병부는 군대를 발병(發兵)할 때 사용하는 신부(信符)로, 한쪽 면(面)에는 발병이라 쓰고 다른 면에는 도명(道名)과 관찰사(觀察使) 또는 절도사(節度使)라 썼는데 제진(諸鎭)일 경우에는 진호(鎭號)를 썼다. 한 가운데를 쪼개어 우부(右符)는 그 책임자에게 주고 좌부(左符)는 중앙의 상서사(尙瑞司)에 두었다가, 임금이 발병할 때 이 좌부를 내려 보내어 우부와 맞추어 본 뒤 군사를 움직였다.

407 계목(啓目): 중앙 관서에서 임금에게 올리는 문서 양식으로서 중요한 일을 올릴 때에는 계본(啓本)의 서식을 썼고, 작은 일을 올릴 때에는 계목의 서식을 사용하였다. 그 기본 서식은 첫 줄에 계목을 올리는 관서 명을 적고, 다음 줄 첫머리에는 계목으로 시작하여 무슨 일인지를 적고, 다음 줄에 계목을 올린 시기와 관원을 적고, 올린 관서의 도장을 찍었다. 담당 승지(承旨)가 올리면 임금이 윤허를 내리면서 이를 나타내는 계(啓) 자가 새겨진 도장을 찍은 다음, 윤허한 날짜와 담당 승지의 성(姓)을 적고 수결하였으며, 담당 승지는 계목을 올린 관서에 임금이 윤허하였다는 사실을 하달하였다.

(史閣)에 《정종대왕실록(正宗大王實錄)》을 받들어 모셔와 봉안할 때 협련군 20명과 전사대(後射隊) 2초(哨)[408], 후사대(後射隊) 1초는 강화부 군병(江華府軍兵)이 갑곶진(甲串津)을 건너면 협련군 20명과 전후 사대(前後射隊) 2초와 경기 군병(京畿軍兵)이 기한 하루 전에 각각 그 경계에서 명령을 기다렸다가 차례대로 교대합니다. 주정소(晝停所)[409]와 숙소(宿所)는 전후 사대 군병(前後射隊軍兵)이 잇대어 시위(侍衛)하며 성 밖에 도달하면 해산하되, 각 그 경계에서 낙후된 때에는 전례대로 표신없이 거행하라는 뜻을 선전관이 표신과 병부를 가지고 경기도 관찰사(京畿監司)·총융사(摠戎使)·수원 유수(水原留守)·강화 유수(江華留守)에게 하유(下諭)[410]하여 처리하고 승정원으로 하여금 품지(稟旨)하여 거행하게 함이 어떻겠습니까?'하니 도광(道光)[411] 16년(1836) 8월 21일, 동부승지(同副承旨) 신(臣) 조재경(趙在慶) 차지(次知, 담당자)가 아뢴대로 윤허한다고 계하하셨으며 전후 발사대를 아울러 배치한 일도 판하(判下)[412]하였으며 교지 내의 말 뜻을 잘 받들어 시행하되 다만 협련군 20명은 각 그 경계에서 명령을 기다렸다가 거행하라."라고 하셨다.

받들어 모셔오는 날짜는 관문의 내용에 전서(塡書)하지 않았으나 이달 27~28일 사이가 틀림없다고 한다. 협련군 20명은 반드시 건장한 사람들로 미리 통지하고 각별히 택차(擇差)

---

408 초(哨) : 군편제(軍編制)의 하나로, 1백 명 가량이다.

409 주정소(晝停所) : 임금이 행행하는 도중에 잠시 머물러 낮 수라(水剌)를 들던 곳이다.

410 하유(下諭) : 지방 벼슬아치에게 상경을 명하는 왕의 명령을 말한다.

411 도광(道光) : 1821~1850. 청 선종(淸宣宗)의 연호이다.

412 판하(判下) : 신하가 아뢰어 청한 일을 임금이 윤허(允許)하던 것을 말한다.

하여 군장(軍裝)과 복색(服色)도 될 수 있는 대로 선명하고 뚜렷해야 할 것이다. 그리고 받들어 모셔오는 날짜에 미리 참읍(站邑)에서 차례로 탐문 한 뒤 먼저 본현의 첫 경계[初境]에서 기다리고 있다가 도착하면 즉시 배종(陪從)하여 숭례문(崇禮門) 밖 해송(解送, 인솔하여 인계함)하는 곳에 이르게 된다. 본 영(本營)의 집사(執事) 1인은 내일이나 모레 사이에 마땅히 영전(令箭)[413]을 가지고 내려가야 하니 한결같이 지휘를 따라 거행함이 마땅한 일이다.

8월 23일.

권강(勸講)[414]으로 입시(入侍)하고 나서 바로 실록청(實錄廳)에 나아갔다.

8월 25일.

서리가 내린 일로 장계를 밀봉하여 아뢰었다.

〔장계〕

방금 접수한 본 부 판관(本府判官) 이민영(李敏榮)의 첩정에, "이달 24일 새벽에 서리가 내렸습니다."라고 하였습니다. 늦은 가뭄이 이미 혹독하였는데 된서리가 바로 내려 늦게 이앙

413 영전(令箭): 군령을 전달하는 화살로, 긴 자루가 달린 틀에 살을 꽂는다.

414 권강(勸講): 당일 권강한 내용은 다음과 같다. 丙申八月二十三日辰時, 上御熙政堂。勸講入侍時, 提學徐有榘,……有榘讀自顧人之常情, 止如一日乎, 仍讀奏釋義訖。上讀新受音十遍訖, 仍命陳文義。有榘曰, 由儉入奢易, 由奢入儉難二句, 卽千古格言也。張知白此言, 不過爲一家內子弟僮僕之觀感而發耳。況處崇高之位, 臨億兆之民, 苟不身率以菲衣惡食之化, 民庶何卽觀感, 而侈風之濫觴, 容有極哉? 崇儉之治, 最爲今日急先務, 伏願深留聖意焉。(《承政院日記》〈憲宗〉 2年 8月 23日 甲戌).

하여 건파(乾播)한 백삽병에 걸려 시들고 말라버린 것은 결국 소성하여 열매를 먹을 희망이 없으니, 백성의 일을 생각하면 더욱 걱정스럽습니다. 이러한 연유를 치계합니다.

8월 27일.

실록청에 나아갔다.

8월 28일.

실록청에 나아갔다.

병신년丙申年 1836년, 헌종憲宗 2년 9월

9월 1일.

삭제(朔祭)를 친히 지내실 때에 종승(從陞)하였다.

9월 2일.

화령전(華寧殿)과 현륭원(顯隆園)에 봉심(奉審)하였는데 무탈한 일로 장계를 밀봉하여 아뢰었다.

〔장계(狀啓)〕

방금 접수한 현륭원 겸령(兼令) 이민영(李敏榮)의 첩정에, "이달 초1일, 분향(焚香)하고 나서 바로 봉심하였는데 전내(殿內) 모든 곳이 무탈하였습니다."라고 하였습니다. 동시에 접수한 현륭원 영(令) 이상조(李象祖)의 첩정 내용에, "이달 초1일, 원상(園上)과 전내(殿內)를 봉심하였는데 무탈하였습니다."라고 하였습니다. 이러한 연유를 치계합니다.

9월 3일.

실록청(實錄廳)에 나아갔다.

같은 날(9월 3일).

정족산성(鼎足山城) 사각(史閣)의 실록을 받들어 모셔올 때, 협련군(挾輦軍)은 시흥현(始興縣) 속오군(束伍軍)으로 동원하여 호위하다가 숭례문(崇禮門) 밖에 이르러 표신(標信) 없이 해산한 후 장계를 밀봉하여 아뢰었다.

〔장계〕

강화부(江華府) 정족산성 사각에 실록을 받들어 모셔올 때, 병조(兵曹)의 계하 관문에 의거하여 협련군 20명은 신의 영(營)에 소속된 시흥현 속오군을 동원하여 해당 현 경계에서 모셨다가, 이달 초3일에 호위하여 숭례문 밖 신지(信地, 규정(規定)된 위치)에서 표신 없이 해산하였다고 합니다. 이러한 연유를 치계합니다.

9월 4일.

실록청에 나아갔다.

9월 5일.

실록청에 나아갔다.

9월 6일.

권강(勸講)[415]에 입시(入侍)한 뒤에 바로 실록청에 나아갔다.

9월 7일.

실록청에 나아갔다.

---

415 권강(勸講) : 당일 권강한 내용은 다음과 같다. 丙申九月初六日辰時, 上御熙政堂。勸講入侍時, 提學徐有榘, ……有榘讀自一有聰明睿智, 止所由設也, 仍奏釋義訖。上讀新受音十遍訖, 上曰, 文義陳之。有榘曰, 此編文義, 昨日已盡奏矣, 別無更陳矣。(《承政院日記》〈憲宗〉 2年 9月 6日 丙戌).

9월 8일.

권강[416]에 입시한 뒤에 바로 실록청에 나아갔다.

9월 9일.

주다례(晝茶禮)를 친행할 때에 종승(從陞)하였다.

같은 날(9월 9일).

본 부(本府)의 모곡이 획급(劃給)하기 부족하여 대곡(代穀)을 의례대로 획급하는 일로 비국에 보고하였다.

〔보첩(報牒)[417]〕

상고하실 일.

본 부에서 맡아서 관리하는 각 도의 곡식 중에서 금년의 부족한 모조(耗條) 1,225석(石) 4승(升) 7홉(合) 5리(里)와 각 창고의 탕채 급대미(蕩債給代米)[418] 600석을 아울러 성책(成冊)하여 첩보합니다. 잘 헤아리시어 전례대로 획급하여 제때 사용할 수 있도록 하소서.

---

416 권강：당일 권강한 내용은 다음과 같다. 丙申九月初八日卯時, 上御熙政堂。勸講入侍時, 提學徐有榘,……有榘讀自十有五年, 止所以分也, 仍讀奏釋義訖。上讀新受音十遍訖, 命陳文義。有榘曰, 臣則別無可奏之文義, 問于儒臣焉。(《承政院日記》〈憲宗〉 2年 9月 8日 戊子).

417 보첩(報牒)：하급관청이 상급관청에 보내는 행정상의 보고 혹은 판결이나 지시를 구하기 위하여 보내는 공문서를 말한다

418 탕채 급대미(蕩債給代米)：채무(債務)를 탕감하고 대급(代給)한 쌀을 말한다.

9월 10일.

본생선고(本生先考)[419]에 추증(追贈)[420]하신 시호(諡號)를 수점(受點)한 것이 을축년(乙丑年, 순조5)이었는데, 얼마 되지 않아 향외(鄕外)로 물러 나오게 되면서 음식을 벌이고 연회를 베푼 것이 아직껏 지체되었다. 이제 편하고 가까운 곳에 이르게 되었으니 오는 25일 화영 임소(華營任所)에서 공경히 받으려고 한다. 이에 위송(委送)해 와서 사우(祠宇)[421]에 배봉(陪奉) 하기로 하고 이날 서울에 들어가 감역(監役)[422]과 함께 모화관(慕華館)으로 나가 포시(晡時, 해가 저물녘)에 모시고 돌아와 필곡(筆谷)의 사랑(舍廊)에서 임시로 예를 모셨다.

9월 11일.

영(營)의 형편이 조폐(凋弊, 쇠잔하고 피폐함)하고 여유가 없어 아직 자위(慈闈, 어머니의 존칭)를 모시지 못하여 내가 매번 일로 인해 영에 다

---

419 본생선고(本生先考):서유구의 아버지 서호수(徐浩修, 1736~1799)를 말한다. 자는 양직(養直), 호는 학산(鶴山), 본관은 대구(大邱)이다. 아버지는 판중추부사(判中樞府事) 서명응(徐命膺)이며 큰 아버지 서명익(徐命翼)에게 출계(出系)하였다. 1765년(영조 41)에 식년문과에 장원급제하였으며 1770년 영조의 명을 받아 관찬 백과사전인《동국문헌비고(東國文獻備考)》중《상위고(象緯考)》의 편찬을 맡았다. 정조 대에 관상감 제조 등을 역임하면서 천문관측 기구들을 중수(重修)했고 역법(曆法) 서적을 편찬하며 관련 제도를 개편하는 일을 진두지휘했다. 또 그는 규장각 직제학(直提學)을 역임하면서 국가적 편찬사업에 주도적 역할을 하는 등 정조의 문화정치의 일선에 있었다. 관직이 이조판서까지 이르렀고 정승 후보까지 오르기도 한 조정의 고위 관료로서는 드물게 수학, 천문학, 농학 등의 과학기술 분야에서 고도의 전문성을 보여주었다. 시호(諡號)는 정헌(靖憲)으로《순조실록》7권, 1805년(순조 5) 5월 23일 기사에 "賜故吏曹判書徐浩修諡靖憲, 以前諡文敏."라고 하였으며, 처음에 받은 시호는 문민(文敏)이다.

420 추증(追贈):공(功)이 많은 벼슬아치가 죽은 뒤에 나라에서 그의 관위를 높여 주던 일을 일컫는다.

421 사우(祠宇):선조(先祖)나 선현(先賢)의 신주(神主)나 영정을 모셔두고 배향하는 곳으로 사당(祠堂)·가묘(家廟)를 말한다.

422 감역(監役):조선 중기 이후 선공감(繕工監)에 두었던 종9품의 관직으로 주 임무는 궁궐·관청의 건축, 수리 공사를 감독하는 것이다. 같은 달 25일 기사를 참고해보면 서유교(徐有喬)를 말하는 것으로 보인다.

다랐을 때 곧바로 돌아가 모셨다. 이날 사우(祠宇)에 배봉(陪奉)하고 나서 바로 어머님을 모시는데 종자부(從子婦, 질부(姪婦))도 수행(隨行)하였다. 낮에 과천(果川)에 도착하여 점심을 먹었는데 생질(甥姪) 정만교(鄭晩敎)가 해쉬(該倅, 해당 지방관)로서 사우에 절하며 맞이하니, 이 일은 우연이 아니었다. 곧바로 길을 떠나 해질녘에 영에 도착하여 장계를 밀봉하여 아뢰었다.

〔장계〕

신이 묘당(廟堂)에 품의(稟議)할 일이 있어 상경(上京)하였다가 당일 영(營)에 돌아왔습니다. 이러한 연유를 치계합니다.

9월 15일.

화령전에 분향하고 봉심한 뒤에 장계를 밀봉하여 아뢰었다.

〔장계〕

신이 오늘 화령전에 분향하고 나서 바로 봉심하였는데 전내(殿內)의 모든 곳이 무탈하였습니다. 방금 접수한 현륭원 영(令) 이상조(李象祖)의 첩정에, "오늘 원상(園上)과 전내를 봉심하였는데 무탈합니다."라고 하였습니다. 이러한 연유를 치계합니다.

같은 날(9월 15일).

월식(月蝕)이 있어 구식(救食)[423]을 행한 뒤에 장계를 밀봉하여 아뢰

423 구식(救食) : 일식(日食)이나 월식(月食)이 있을 때, 해나 달이 먹히는 것을 구원하는 의식이다. 일식이나 월식은 흉변(凶變)으로 생각하여 중앙에서는 임금이 천담복(淺淡服) 차림으로 월대(月臺) 위에서 각 사(司)의 당상관(堂上官)과 낭관(郎官)을 거느리고 해나 달이 완전해질 때까지 기도하였으며, 지방에서도 각 고을의 지방관이 관속들을 거느리고 의식을 거행하였다.

었다.

〔장계〕

전에 접수한 예조(禮曹)의 관문(關文)에 의거하여 이달 15일 을미(乙未) 야망(夜望)에 월식(月食)이 있었습니다. 신과 본 부 판관(本府判官) 이민영(李敏榮)이 함께 구식을 행한 뒤에 식체(食體, 일식의 모양)를 그려 뒤에 개록(開錄)하였습니다【병신년(丙申年, 1836 헌종2) 9월 15일 을미 야망에 월식의 식분(食分)[424]은 1분(分) 12초(秒)이며, 초휴(初虧)[425]는 해초(亥初)[426] 1각(刻) 5분(分)이었으며 동북(東北)쪽부터 이지러지기 시작합니다. 이지러진 달이 정북(正北)쪽부터 복원(復圓)되는데 해정(亥正)[427] 초각(初刻) 1분(分)이며, 서북(西北)쪽부터 다시 둥글어집니다】.

9월 20일.

화령전을 일차 봉심(日次奉審)하였다.

같은 날(9월 20일).

각신(閣臣) 김정희(金正喜)[428] 대감이 화령전 탄신제향(誕辰祭享)에 봉

424 식분(食分) : 일식과 월식 때에 해나 달이 가려 보이지 않는 정도를 말한다.

425 초휴(初虧) : 일식이나 월식으로 태양이나 달이 이지러지기 시작하는 일을 말한다.

426 해초(亥初) : 해시(亥時)의 처음. 곧, 오후 9시를 말한다.

427 해정(亥正) : 해시(亥時)의 한 가운데. 곧, 저녁 10시를 말한다.

428 김정희(金正喜) : 1786~1856. 조선 순조(純祖)~철종(哲宗) 때의 문신이자 서화가(書畫家). 본관은 경주(慶州)이며 병조 참판(兵曹參判)·성균관 대사성(成均館大司成) 등을 지냈다. 추사체(秋史體)를 대성한 명필로 예서(隸書)·행서(行書)에 능하며, 그림과 금석학(金石學) 등에도 조예가 깊었다.

심하기 위해 내려왔다.

9월 21일.

향축(香祝)을 모시고 재실(齋室)[429]에 나아가 이날 봉명 각신(奉命閣臣)이 능·원소(陵園所)에 봉심한 후 부(府)에 들어왔다. 재실에서 밤까지 이야기를 나누고 다음날 바로 출발하였다.

9월 22일.

화령전 제향(祭享)을 설행한 후에 장계를 밀봉하여 아뢰었다.

〔장계〕

삼가 제향의 일을 아룁니다.

이달 22일, 화령전 탄신제향(誕辰祭享)을 행할 적에 신이 헌관(獻官)으로 진참(進參)하고 설행한 뒤에 제관(祭官)의 관직과 성명을 뒤에 개록(開錄)하였습니다. 이러한 연유를 치계합니다.

9월 24일.

선시관(宣諡官)[430]이 내려왔다.

9월 25일.

화령전을 일차 봉심(日次奉審)하였다.

---

429 재실(齋室) : 능(陵)이나 종묘(宗廟) 등의 제사 지내는 집을 말한다.

430 선시관(宣諡官) : 국왕이 내린 시호를 받들어 본가(本家)에 전달하는 임시 직책을 말한다.

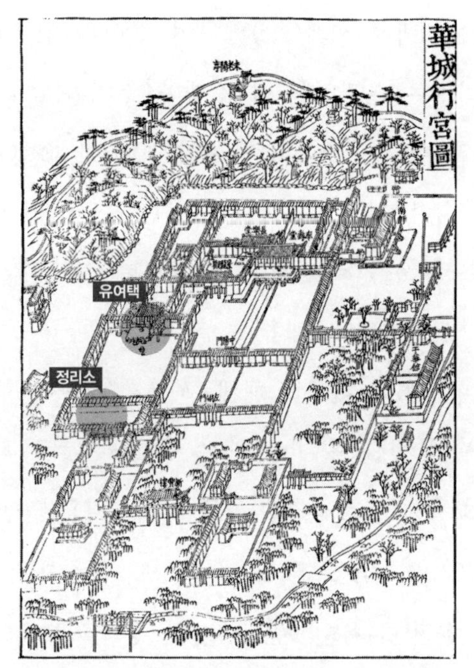

화성행궁도《정리의궤(整理儀軌)》〈화성행궁도〉(서울대학교 규장각 한국학연구원)

같은 날(9월 25일).

시호를 맞이할 처소〔延謚處所〕가 행궁 내에는 마땅한 곳이 없어 정리소(整理所)[431]에서 예를 행하였다【정리소는 유여택(維與宅)[432] 중문(中門) 밖에 있다】. 예(禮)를 마친 뒤, 돌아와 사우에 봉

---

431 정리소(整理所) : 1789년(정조13)에 원소(園所)를 수원(水原)으로 옮긴 뒤로 해마다 행행(幸行)할 때에 모든 비용을 관에서 지급하였는데, 1795년에 정리소(整理所)를 두고 당하 낭관을 차출하여 원행(園幸)에 따른 제반 업무를 관장하도록 했다. 또 화성(華城)에 별도로 재력(財力)을 비축해 두고서 외정리소(外整理所)라고 불렀으며 각종 수요를 대도록 하여 민폐를 끼치거나 경비가 축나는 일이 없도록 하였다. 《홍재전서(弘齋全書)》 권11 〈익정공주고전례유서(翼靖公奏藁典禮類叙)〉.

432 유여택(維與宅) : 화성 행궁의 건물 중 하나이다. 처음에는 은약헌(隱若軒)이라 부르다가, 1795년(정조 19)에 지금의 이름으로 고쳐 정하였는데, 이는 《시경》〈대아(大雅)·황의(皇矣)〉에 "상제가 이루고자 하시면 그 국경의 규모를 늘리시는지라 이에 권연하게 서쪽 땅을 돌아보시어 이곳을 주시어 거처하게 하시니라.〔上帝耆之, 憎其式廓, 乃眷西顧, 此維與宅.〕"라는 구절에서 따온 것이다. 임금이 행행하였을 때에는 소차(小次)로 이용되었고, 평상시에는 유

향(奉享)하고 유여택에 회좌(會坐)[433]하여 선시관 및 각 차비관(差備官)[434]에게 차례로 예물과 폐물을 전했다【선시관(宣諡官)은 조민식(趙民植), 거함관(擧函官)[435]은 영화 찰방(迎華察訪) 오치건(吳致健)과 경안 찰방(慶安察訪) 탁□□, 찬자(贊者)는 본 부 판관(本府判官) 이민영(李敏榮), 알자(謁者)는 시흥 현령(始興縣令) 이명원(李鳴遠), 도예차(都預差)[436]는 과천 현감(果川縣監) 정만교(鄭晩教)】.

이후에 사당(祠堂)에 나아가 개제주(改題主)[437]를 하였는데, 이날이 바로 선고(先考)의 생신(晬辰)이라 또 슬프고 사모하는 마음 더욱 간절하여 은전(殷奠)[438]으로 다례(茶禮)를 행하였다【감역(監役) 및 삼종제(三從弟, 팔촌 동생)인 유교(有喬)와 유상(有翔), 내종제(內從弟, 내종사촌(內從四寸) 아우)인 송지양(宋持養), 생질(甥侄)인 정만교(鄭晩教), 서족숙(庶族叔)[439]인 필수(珌修)가 함께 참석하였다】.

수(留守)가 거처하였다.

433 회좌(會坐) : 관원들이 한 곳에 모여 앉아 중요한 일을 논의함을 이른다. 이때 관계(官階)가 가장 높은 사람은 동쪽에, 그 다음은 서쪽, 나머지는 남쪽에 앉았다.

434 차비관(差備官) : 잡무(雜務)를 분장(分掌)하게 하기 위하여 임시로 차출하여 예비하는 관원을 말한다.

435 거함관(擧函官) : 함을 드는 일을 맡은 관원을 말한다.

436 도예차(都預差) : 정임자의 유고 시를 대비하여 보충하기 위한 후보자이다.

437 개제주(改題主) : 신주의 글자를 고쳐 쓰는 것으로, 모든 상례 절차를 마치고 돌아간 이의 신주를 사당에 모실 때, 5대조가 넘어가는 조상의 신주는 묻고, 나머지 신주의 글자를 고쳐 쓴다. 또한 증직을 받아서 신분이 바뀌었을 때에도 신주의 글자를 고쳐 쓴다. 이때에 개제주 고사를 지낸다.

438 은전(殷奠) : 성대하게 차린 전(奠)으로, 희생(犧牲)과 여러 가지 제수(祭需)를 갖추어서 올리는 것을 말한다.

439 서족숙(庶族叔) : 서자(庶子)의 자손(子孫)으로 이뤄진 겨레붙이를 서족(庶族)이라고 한다. 서족숙은 서자의 자손 중 친척 아재비 정도로 보인다.

9월 27일.

연분 장계(年分狀啟)[440]를 밀봉하여 발송하였다.

〔장계〕

본 부의 농사 형편은 전후로 장문에 아뢰었거니와 본 부의 지형은, 서남쪽은 바닷가로 땅에 소금 기가 많고 동북쪽으로는 산에 닿아 있어 관개(灌漑)가 매우 적어 한 차례 가뭄과 홍수가 들면 재변(災變)이 너무 심합니다. 비록 풍년을 기대할 만한 해라고 하더라도 흉작인 곳이 많았으니, 금년은 농사일을 시작하는(俶載)[441] 초기에 봄비가 빈번하게 내려 주앙(注秧)과 파종이 기대에 어긋나지 않았습니다. 그러나 이내 모의 싹이 날 무렵에는 우택이 점점 줄어들어 간혹 보슬비가 내리더니 끝내 가뭄의 근심을 면치 못했습니다. 그러다가 5월 초열흘께가 되어서야 다행히 큰비가 내렸으나 시절이 이미 하지(夏至)가 지나 추택(趨澤)의 시급함이 촌각을 다투었습니다. 이러한 이유로 감칙 판관(甘飭判官)은 밤낮으로 동칙(董飭)하여 서로 양식을 돕고 소를 빌려주어 높고 낮은 곳을 가리지 않고 차례로 옮겨 심어 큰 희망을 거의 가졌습니다. 그러다 한 번 내린 비가 장마가 되어 맑게 내리 쬔 날은 항상 적어 조금 일찍 옮겨 심은 것은 앙당그레 자라지 않아 얼마간 줄었

440 연분 장계(年分狀啟) : 각 지방관이 한 해 농사의 추수 상황을 종합적으로 정리하여 조정에 보고한 장계(狀啓)를 말한다.

441 농사일을 시작하는〔俶載〕: 원문의 '숙재(俶載)'는 어떤 일을 처음으로 시작한다는 뜻이다. 《시경》〈소아(小雅) · 대전(大田)〉에 "남쪽 들녘에서 일을 시작하여 온갖 곡식을 파종한다.〔俶載南畝, 播厥百穀.〕"라 하였는데, 주자(朱子)는 《집전(集傳)》에서 "숙(俶)은 비로소요, 재(載)는 일함이다."라고 하였다.

고, 늦게 옮겨 심게 된 것은 더욱 혹독하게 재해를 입어 소성(蘇醒)을 기약하기 어렵습니다. 그런데 6월 염후(念後, 20일) 이후로 3달 동안 가뭄이 극심하고 동풍(東風)이 잇달아 불어 이미 싹이 팬 것은 알맹이가 완전히 성기고 백삽병(白颯)에 걸린 것이 거의 절반이 되며 아직 싹이 패지 않은 것은 땅에 달라붙어 처량하게 이내 쪼그라들어 열매가 거의 달리지 않은 것이 곳곳이 모두 똑같습니다. 심지어 연해(沿海) 각 면은 작년 여름 해일이 있던 곳은 뜨거운 햇빛이 내리쬐고 짠 기운이 두루 투과하여 완전히 버려진 평야가 간간이 있었습니다. 처음에 곡식이 잘 익을 것으로 짐작했던 것은 겨우 흉년이 드는 것을 면했고, 늦게 열매를 먹을 것으로 예상했던 것은 한갓 곡식의 빈 껍데기만 남아 혹시라도 타작을 해도 종세(種稅)[442]가 부족하고 혹은 들판에 있어도 예확(刈穫)[443]에 이르지 못해 결국 이룬 것이라고는 처음 예상과 크게 빗나간 것입니다. 낮은 밭에 심은 각종 곡식은, 처음에는 장마로 인하여 호미질 할 때를 잃었고 나중에는 가뭄으로 메말라 고사(枯死, 식물의 마름 증상)로 인한 손해가 절반이 넘어 꼬투리를 맺은 것이 얼마 되지 않아 열매를 맺은 것은 매우 적었습니다. 통틀어 논하자면 전답은 모두 황폐하여 우열(優劣)을 분간할 수 없습니다.

토지를 검사하는 한 가지 일은 관계되는 바가 매우 중

442 종세(種稅) : 종자세. 종자(種子)까지 세금(稅金)을 바치는 것을 말한다.

443 예확(刈穫) : 농작물을 거두어들이는 것을 말한다.

하여 터럭만큼의 차이도 넘치거나 부족하면 모두 죄가 됩니다. 금년같은 해에는 더욱 십분 어렵고 신중히 해야 함이 마땅하니 곳곳을 샅샅이 조사하여 장부에 따라 조사하고 탕감해 주었습니다. 따라서 구초불(舊初不)[444]이 420결(結) 6속(束), 늦게 이앙한 것이 506결 24부(負) 5속, 풍해(風害)에 손실된 것이 287결 60부 8속이 되어 합이 1,213결 85부 9속이 되고 지부(地部, 호조(戶曹))에서 획급한 30결에 견주어 보면 부족한 것이 1,183결 85부 9속입니다. 지금 만약 한갓 두려워하는 마음을 품어 사실대로 아뢰지 않고 재난을 입은 백성들로 하여금 백징(白徵)[445]의 억울함이 있게 한다면 우리 성상(聖上)께서 다친 사람을 어루만지고 어린아이를 보호하듯이 하는 성대한 덕과 지극한 뜻을 저버리는 것입니다. 이에 감히 외람되고 군색함을 피하지 않고 사실대로 아뢰오니 위 항목의 재난으로 부족한 1,183결 85부 9속을 특별히 추가로 획급해 줄 것을 허락해 주신다면 신이 삼가 도말(塗抹)[446]하여 분표(分俵, 나누어 급여함)하겠습니다.

삼가 생각건대 환향법(還餉法)은 그 뜻이 준엄하고도 무거울 뿐만 아니니 내년 농량(農糧)[447]은 백성에 관한 정사에 크게 관계되는 것으로 금년 봉납조(捧納條) 각 곡 22,808석(石) 2두(斗) 7승(升) 6홉(合) 2석(夕) 4리(里)는 기한 내에 원 수량대로

444 구초불(舊初不) : 여러 해 전부터 경작하지 아니하고 묵혀둔 묵정밭을 말한다.

445 백징(白徵) : 백지징세(白地徵稅). 조세(租稅)를 면제할 땅이나 납세 의무가 없는 사람에게 까닭 없이 세금을 물리거나, 아무 관계없는 사람에게 빚을 물리는 일을 말한다.

446 도말(塗抹) : 임시로 변통하여 맞추거나, 문서의 자구 혹은 항목을 지우는 것을 일컫는다.

447 농량(農糧) : 농사를 짓는 동안 먹을 양식을 말한다.

맞추어 받아들일 것입니다. 그러나 해일이 일어난 각 면의 작년 정퇴조(停退條)[448]는, 환곡 장부에 거의 절반이 유실되어 지금 일일이 추적하여 감독하고자 하여도 그 형편이 장차 이웃이나 친족에게 징수해야만 하는데, 금년 백성의 형편은 이렇게 신구(新舊)의 조세를 함께 독촉하게 되면 백성과 곡식을 모두 잃을 염려가 있습니다. 동 정퇴조 각 곡 6,977석은 내년으로 우선 기한을 정지하게 하여 민력(民力)을 조금이나마 펼 수 있도록 하시고, 추노(推奴)와 징채(徵債)도 백성을 어지럽게 하는 단서이니 일절 막고 편의에 맞추도록 묘당(廟堂)으로 하여금 품지(稟旨)하여 분부하게 하소서.

같은 날(9월 27일).

모미(耗米)가 부족하여 급대곡(給代穀)으로 획하(劃下)한 일을 방제(防題, 반대하는 내용의 제사(題辭))로 인하여 다시 비변사에 논보하였다.

〔주제(籌題)[449]〕

【이것은 혹 본 부에서 점차 경영하고 관리하여 어떤 모양으로 미봉(彌縫)할 도리가 있을 것으로 여겨, 재작년에 내년부터는 번거롭게 다시 청하지 말라는 뜻으로 제사(題辭)를 보낸 바 있다. 그런데 작년에 구획한 것이 비록 사세가 어쩔 수 없는 곳에서 나왔다하더라도 지금에 경비(經費)는 이미 많고 곡

---

448 정퇴조(停退條) : 흉년이나 재해가 들면 그해 거두어들여야 할 환곡(還穀)을 거두지 않고 진휼하는 의미에서 기한을 뒤로 물려 다음 해에 거두게 하는 것을 말한다.

449 주제(籌題) : 비변사를 의미하는 주사(籌司)의 제사(題辭)를 말한다.

식 장부는 크게 줄어 실로 해마다 분배하여 획급할 도리가 없다. 모름지기 이 뜻을 잘 알아 이전 제사의 방편에 따라 길거(拮据)하여 경외(京外, 서울과 지방)의 버티어 이어나갈 계책으로 삼으라】.

〔보첩(報牒)〕

상고하실 일.

본 부에서 맡아서 관리하는 각 도의 곡식 중에 금년에 부족한 모곡은 급대미로 전례(前例)에 의거하여 획하(劃下)하라는 첩보장(牒報狀) 서목(書目) 제사 내용에, "이것은 혹 본 부에서 점차 경영하고 관리하여 어떤 모양으로 미봉(彌縫)할 도리가 있을 것으로 여겨, 재작년에 내년부터는 번거롭게 다시 청하지 말라는 뜻으로 제사(題辭)를 보낸 바 있다. 그런데 작년에 구획한 것이 비록 사세가 어쩔 수 없는 곳에서 나왔다하더라도 지금 경비(經費)는 이미 많고 곡식 장부는 크게 줄어 실로 해마다 분배하여 획급할 도리가 없다. 모름지기 이 뜻을 잘 알아 이전 제사의 방편에 따라 길거(拮据)하여 경외(京外)의 버티어 이어나갈 계책으로 삼으라."라는 교지였습니다.

대개 이 곡식의 설시(設始)는 지난 무오년(戊午年, 1798) 본 부의 환모(還耗)가 제감(除減, 수효(數爻)를 덜어서 줄임)하는 초기에 장리(將吏)와 군졸(軍卒)의 지방(支放)으로 지급할 비용이었는데, 기사년(己巳年, 1809)과 갑술년(甲戌年, 1814) 사이 정퇴(停退)와 탕감(蕩減)을 누차 겪으면서 원곡(元穀)이 감축되어 지방을 지급하지 못해 그 사세를 어쩔 수 없이 비변사에 보고한 것이지 추가로 획급한 것이 애초에 원획(原劃) 외에 수량을 더하여 획급을 청한 것은 아니었습니다. 따라서 지금까지 30여 년 간 그대로 세과(歲課, 매년의 과업(課業))가 되어 버려 바꿀 수 없는 법(不易之典)이 되어 혹시라도 어길 수 없었습니다.

근래에 들어 모든 도(道)의 곡식 장부는 해마다 점점 모곡이 줄어 일체 급대(給代)가 점차 위태로운 지경에 이르렀습니다. 이러한 상황을 어찌 전혀 알지 못하겠습니까? 그러나 금년에 염치를 무릅쓰고 획급을 청하여 수보(修報, 수정하여 보고함)하는 것은 진실로 영(營)이 있으면 교졸(校卒)이 있고 교졸이 있으면 지방(支放)이 있는 것인데 1년간 획래(劃來)한 수량은 1년간 가까스로 내려 보낼 수급(需給)정도로 남음도 부족함도 없어 가감하지 못하였습니다. 한바탕 대경장(大更張)[450]이나 개현역철(改絃易轍)[451]이 있기 전에는 본 부에서 길거(拮据)하고자 하지만 그 사정이 어쩔 수 없는 까닭입니다.

재작년 획급을 청하는 보첩(報牒)의 회제(回題)에 해마다 급대(給代)의 청은 깊이 헤아려 계속하기 어려웠습니다. 함께 몰락하게 된다는 근심으로 소매통을 조사하여 형의 비용으로 견보(牽補)[452]하는 격이니 내년부터는 번거롭게 다시 청하지 말라고 하였습니다. 무릇 보리(保釐)하는데 있어 근심을 나누어야 할 처지에 중(中)·외(外)가 서로 의지하는(相須) 도리를 어

450 대경장(大更張) : 제도(制度)를 크게 고쳐 새롭게 함을 말한다.

451 개현역철(改絃易轍) : 악기의 현을 새로 갈고 수레가 다니는 길을 변경하여 낸다는 뜻으로, 제도나 계획 등을 고치어 바꿈을 이르는 말이다.

452 견보(牽補) : 담쟁이덩굴을 끌어다가 새는 지붕을 덮는다는 견라보옥(牽蘿補屋)의 준말로, 근본적인 해결책은 강구하지 않고 임시로 미봉책을 쓴다는 뜻이다.

찌 어둡게 하겠습니까? 그러나 작년에 본 부가 어쩔 수 없이 염치를 무릅쓰고 획급을 청하니 비변사에서 어쩔 수 없지만 전례대로 기준에 맞춰 획급하여 이 한 가지는 본 부 형편의 어려운 점을 처리하여 굽어 살펴 주시는 혜택을 입었습니다. 하물며 금년은 경용(經用)[453]이 궁색하여 작년과 비교하면 몇 배가 될 뿐만 아닌데, 거듭된 흉년이 든 끝에 공사(公私)가 모두 고갈되고 각 창고의 돈과 곡식은 곳곳이 텅 비어 동서(東西)에서 끌어다 도말(塗抹)하기가 어렵습니다. 매년 획래(劃來)하는 곡식은 놓아두고, 별도로 반 만 여 금(金)의 재화를 별도로 마련하는 것은 전연 시행하여 추진하지 못할 정사입니다. 진실로 일분(一分)이라도 조처할 방법이 있다면 어찌 감히 한 번 두 번 보고하는 일을 번거로워하며 꺼리지 않겠습니까? 너무도 민망하여 몸 둘 바를 알지 못하겠으나 재차 사실에 의거하여 첩보하니, 비변사에서 일의 형편을 헤아려 동(同) 부족한 모곡(耗穀) 급대곡(給代穀) 1,825석을 전례대로 획하(劃下)하여 때에 맞춰 추용(推用, 옮겨 씀)하게 하소서.

9월 29일.

건릉(健陵)과 현륭원 국내(局內)에 해마다 나무를 심는 일로 장계를 밀봉하여 아뢰었다.

〔장계〕

방금 접수한 건릉 영(令) 김성구(金性求)와 현륭원 영(令) 이상

453 경용(經用) : 날마다 일정하게 쓰는 비용을 말한다.

조(李象祖)의 첩정에, "국내에 심은 나무가 드문드문 한 곳에 연례 보식(補植)의 역사(役事)를 이달 26일에 시작하여 27일에 마쳤습니다."라고 하였습니다. 보식한 경계와 심은 나무의 수를 후록(後錄)하여 치계(馳啟)합니다.

병신년丙申年 1836년, 헌종憲宗 2년 10월

10월 1일.

동이 틀 무렵 망궐례(望闕禮)[454]를 행하는데 영화 찰방(迎華察訪)이 진참(進參)하였다.

갈은날(10월 1일).

화령전에 분향하고 나서 봉심한 후 장계를 밀봉하여 발송하였다.

〔장계(狀啓)〕

신(臣)이 금일 화령전(華寧殿)에 분향하고 나서 봉심(奉審)하였는데 전내(殿內) 모든 곳이 무탈하였습니다. 방금 접수한 현륭원(顯隆園) 영(令) 이상조(李象祖)의 첩정(牒呈)에 "원상(園上)과 전내를 봉심하였는데 무탈합니다."라고 하였습니다. 이러한 연유를 치계합니다.

10월 2일.

을미년(乙未年, 1835)과 병신년(丙申年, 1836) 두 해의 사등 도시(四等都試)[455]를 초3일로 날을 정하여 합하여 설행(設行)하는 일로 장계를

---

454 망궐례(望闕禮): 음력 초하루와 보름에 지방관이나 사신(使臣)이 객사(客舍)에 안치된 궐패(闕牌)에 절하던 예식을 말한다. 이는 외관이나 사신이 왕을 공경하고 충성을 다한다는 뜻을 나타내기 위한 것으로, 왕과 궁궐을 상징한 나무에 '궐(闕)' 자를 새겨 패를 만들어 각 고을 관아의 객사에 봉안해 놓고 예를 올렸다. 여기서는 우리나라 임금이 중국 조정을 향하여 예를 올리는 것을 뜻한다.

455 사등 도시(四等都試): 도시(都試)는 '한데 모아서 시험본다.'라는 뜻으로 무반(武班)의 무예 단련을 위한 시취를 말한다. 한 해의 기간을 봄·여름·가을·겨울 사등(四等)으로 똑같이 나누어 매년 봄·가을 시행을 원칙으로 유엽전(柳葉箭)·편전(片箭)·기추(騎芻)·조총(鳥銃)·철전(鐵箭) 등을 시험하고, 직부전시(直赴殿試)·가자(加資) 등 여러 가지 상전이 주어졌다.

밀봉하여 아뢰었다.

〔장계〕

신의 영에서 별효사(別驍士)[456]와 열교(列校)를 대상으로 작년 춘추등(春秋等)과 금년 춘하등(春夏等)을 합한 사등 도시(四等都試)를 이달 3일로 날을 정해 설행할 계획입니다. 이러한 연유를 치계합니다.

10월 3일.

이른 아침, 동장대(東將臺) 도시(都試)를 설행하는 과장(科場)에 나아가니 중군(中軍)과 영화 찰방(迎華察訪)이 참좌(參座)하였다.

10월 4일.

비가 반나절 동안 끊임없이 부슬부슬 내려 도시(都試)를 설행하지 못했다.

10월 5일.

화령전(華寧殿) 일차 봉심(日次奉審) 후 도시를 설행하였다.

10월 6일.

도시를 설행하였다.

---

456 별효사(別驍士) : 1793년(정조 17)에 수원에 설치한 총리영(摠理營)에 딸린 군사이다. 인원은 2백 명이다. 매년 봄가을에 활쏘기 시험을 보여 뽑았으며, 이 중에서 몰기(沒技)한 자에게는 전시에 직부하는 특전을 준다.

10월 7일.

도시를 설행하였다.

10월 8일.

도시를 설행하였다.

10월 9일.

도시를 설행하였다.

10월 10일.

화령전을 일차 봉심 후 이날 도시 설행을 마무리하였다.

10월 11일.

도시를 설행하고 장계를 밀봉하여 발송하였다.

〔장계〕

신(臣)의 영(營)에서 별효사(別驍士) 및 열교(列校)는 작년과 금년 양년(兩年)의 사등 도시(四等都試)로 이달 초3일에 설행한 연유를 이미 치계하였거니와 신이 당일에 과장(科場)을 열어 취재(取才)하는데 종사관(從事官) 이민영(李敏榮)이 마침 몸에 병을 얻어 부득이 도시에 참관하지 못했습니다. 이에 좌열장(左列將) 박종림(朴宗林)을 차출하여 도시에 참석하게 하되, 중군(中軍) 박시회(朴蓍會)와 더불어 함께 거행하였습니다. 초10일까지 연속하여 시취(試取)[457]

457 시취(試取) : 조선 시대 때 과거를 통하지 않고 인재를 등용하는 일종의 특별 채용 시험으로,

한 뒤에 별효사 거수인(居首人)[458]·몰기인(沒技人)[459]·열교 거수인(列校居首人)의 성명·나이·아버지의 성명·주소·화살 수를 후록하여 치계하였으며, 곧장 전시(殿試)에 응하도록 하는[460] 일을 해조(該曹)로 하여금 품의하여 처리하게 하소서.

을미년(乙未年, 1835) 춘등(春等)에서 2등을 차지한 자는 우열 별효사(右列別驍士) 한량(閑良) 정효원(鄭孝源)이고, 3등을 차지한 자는 좌열 별효사(左列別驍士) 한량 정환영(鄭煥榮)입니다. 열교(列校)에서 2등을 차지한 자는 수첩군관(守堞軍官) 한량 임광록(林光祿)이며, 3등을 차지한 자는 별무사(別武士) 한량 김상호(金祥浩)입니다.

을미년 추등(秋等)에서 2등을 차지한 자는 좌열 별효사(左列別驍士) 한량 변문규(卞文圭)이고, 3등을 차지한 자는 좌열 별효사(左列別驍士) 한량 홍서문(洪聖文)입니다. 열교에서 2등을 차지한 자는 수첩군관(守堞軍官) 한량 송현규(宋鉉圭)이며, 3등을 차지한 자는 기패관(旗牌官) 한량 장익두(張翼斗)입니다.

병신년(丙申年, 1836) 춘등(春等)에서 2등을 차지한 자는 우열 별효사(右列別驍士) 한량(閑良) 이동규(李東珪)이고, 3등을 차지한 자는 좌열 별효사(左列別驍士) 한량 변문규(卞文圭)입니다. 열교(列校)에서 2등을 차지한 자는 수첩군관(守堞軍官) 한량 이세환(李世

주로 음자제나 녹사, 서리, 역승 등 일정한 신분을 가진 자에게 제한된 한도 내에서 관직을 주기 위하여 제정되었다.

458 거수인(居首人): 평가에서 수석을 차지한 사람을 말한다.

459 몰기인(沒技人): 몰기(沒技)는 무과(武科)의 시취(試取)에 있어서 유엽전(柳葉箭)·편전(片箭)·기추(騎芻)등 정한 화살의 수를 모두 마치는 것을 말한다. 이 말이 전화(轉化)되어 한 기술에 대하여 만점(滿點)을 얻는 것을 의미하는 말이 되었으며, 몰기인(沒技人)은 정해진 화살수를 모두 맞춘 사람을 말한다.

460 곧장……하는: 이 말은 직부전시(直赴殿試)를 번역한 것인데, 예비 시험인 초시와 본 시험인 복시를 면제하고 곧장 순위만 결정하는 최종 시험에 응하게 하는 것이다.

煥)이며, 3등을 차지한 자는 기패관(旗牌官) 한량 박재관(朴在觀)입니다.

병신년 추등(秋等)에서 2등을 차지한 자는 우열 별효사(右列別驍士) 한량 김순영(金順榮)이고, 3등을 차지한 자는 좌열 별효사(左列別驍士) 한량 이명하(李命夏)입니다. 열교에서 2등을 차지한 자는 수첩군관(守堞軍官) 한량 정시호(鄭時浩)이며, 3등을 차지한 자는 토포군관(討捕軍官) 한량 용영재(龍永在)입니다. 아울러 신의 영에서 전례대로 시상(施賞)하였습니다. 이러한 연유를 치계합니다.

【을미년(乙未年) 춘등(春等)에, 좌열 별효사(左列別驍士) 한량(閑良) 이명하(李命夏)는, 나이 20세, 아버지는 춘관(春寬)이며, 남부(南部)에 살고 있습니다. 철전(鐵箭)[461] 1시(一矢)는 111보(步), 2시(二矢)는 120보, 3시(三矢)는 110보였으며, 유엽전(柳葉箭)[462]은 과녁에 2회 명중, 1회 변중(邊中)[463]하였습니다. 편전(片箭)[464]은 1회 변

461 철전(鐵箭) : 조선 시대에 무과와 교습 등에 사용한 철(鐵)로 촉을 만든 화살로《국조오례의(國朝五禮儀)》에 나오는 철전(鐵箭)은 단순히 철촉이 달린 화살이 아니라, 화살촉이 박두, 즉 나무촉 화살처럼 둥글고 날이 없으며 화살깃이 좁은 무과 시험용 화살을 말한다. 철전은 조선 시대에 무과 시험과 습사용으로 사용되었으며, 무게에 따라 육량전(六兩箭)·아량전(亞兩箭)·장전(長箭) 등으로 나뉘었다.

462 유엽전(柳葉箭) : 조선 중기 이후에 신설된 무과시험에서 사용되었던 화살로 화살의 촉이 버드나무잎처럼 생겼다고 하여 붙여진 이름이다.

463 변중(邊中) : 과녁의 관(貫) 밖의 부분을 맞히는 것을 말한다.

464 편전(片箭) : 1천 보(步) 이상의 먼 거리를 쏠 수 있는 가늘고 짧은 화살로 크기가 작아 일명 '아기살'이라고 하는데, 나무로 만든 대롱[筒兒]에 넣고 쏘도록 되어 있었다. 화살이 작아 가벼운 대신 가속도가 붙어 관통력이 컸기에 보병전은 물론이고 기병전에서도 크게 활용되었다. 이것은 천 보 이상의 거리에서도 갑옷과 투구를 관통할 수 있을 만큼 날쌔고 촉이 날카롭다.

중, 기추(騎蒭)[465]는 1회 명중, 편추(鞭蒭)[466]는 2회 명중하여 합이 10시(矢) 2푼(分)입니다. 열교(列校) 수첩군관(守堞軍貫) 한량(閑良) 김기석(金基錫)은, 나이 31세, 아버지는 낙천(洛天)이며 남부(南部)에 살고 있습니다. 철전(鐵箭) 1시(一矢)는 110보(步), 2시(二矢)는 106보, 3시(三矢)는 112보였으며, 유엽전(柳葉箭)은 2회 변중, 기추(騎蒭)는 3회 명중, 편추(鞭蒭)는 2회 명중, 조총(鳥銃)[467]은 1회 변중하여 합이 11시(矢)입니다.

추등(秋等)에, 우열 별효사(右列別驍士) 한량(閑良) 김수철(金守哲)은, 나이 25세, 아버지는 득신(得信)이며 청호면(晴湖面)에 살고 있습니다. 철전(鐵箭) 1시(一矢)는 106보(步), 2시(二矢)는 104보, 3시(三矢)는 105보였으며, 유엽전(柳葉箭)은 과녁에 2회 명중, 2회 변중하였으며 편추(鞭蒭)는 1회 명중, 조총(鳥銃)은 과녁에 1

---

465 기추(騎蒭) : 기병들이 말을 달리며 활을 쏘아 짚 인형[蒭人]에 화살을 맞히는 마상무예의 일종이다. 조선전기에는 단순하게 표적이라고 하여 지상에서 일정 높이만큼 올라간 기둥에 둥근 원형 판을 부착하여 말을 달리며 활을 쏘았는데, 이러한 방식의 활쏘기 방법은 실용성에서 많은 문제점이 발생하였다. 조선후기에는 좌우에 각각 다섯 개의 짚 인형을 일정한 거리마다 마주 보게 세우는데, 좌우의 폭은 5보(步)이며 한 열에 세워진 짚 인형의 간격은 35보이다. 좌우로 마주 보게 짚 인형을 세우는 이유는 훈련자 혹은 과거 시험자가 왼손잡이와 오른손잡이로 구별되므로 시험의 공정성을 높이기 위해서였다. 훈련자나 과거 시험자는 짚 인형이 세워진 중앙을 달리면서 좌우에 놓인 추인을 번갈아 가며 한 번씩 쏘았다.

466 편추(鞭蒭) : 편추는 달리는 말 위에서 마상편곤(馬上鞭棍)을 사용하여 전후좌우 사방의 적을 공격하는 마상 무예의 일종이다. 조선후기에는 기창(騎槍)보다 빠른 회수력과 휴대의 간편성 때문에 마상편곤이 기병 돌격 무예의 핵심으로 인정받았다. 특히 훈련도감에는 편곤군(鞭棍軍)을 따로 두어 전문 부대를 육성하였다. 무과 시험에서 편추는 표적인 여섯 개의 짚 인형을 각각 28보(步)씩 서로 떨어뜨려 놓고, 중앙의 마로(馬路)를 달리다가 좌우의 짚 인형을 마상편곤을 이용하여 때리는 형태였다. 편추에서 짚 인형의 머리 길이는 1척(尺) 2촌(寸)이고, 추인의 목 길이는 3촌이다. 좌우의 거리는 마로로부터 3보 떨어져 있다. 특히 편추 시험은 시간과 공간 제한이 있었는데, 마로를 벗어나 옆길로 달리거나 정해진 시간 안에 치기를 마치고 원위치로 되돌아오지 못한 경우에는 기추(騎蒭)의 경우와 같이 점수를 주지 않았다.

467 조총(鳥銃) : 조총은 말 그대로 날아가는 새를 맞혀 잡을 수 있다고 해서 붙여진 이름으로 화약의 폭발력을 이용하여 연환(鉛丸)을 발사하는 화승식(火繩式) 점화법의 휴대화기이다.

회 명중, 1회 변중하여 합이 10(矢)시 3푼(分)입니다. 열교 별무사(列校別武士) 한량 김상호(金祥浩)는 나이 26세, 아버지는 전(前) 우후(虞候)[468] 정환(廷煥)이며, 북부(北部)에 살고 있습니다. 철전(鐵箭) 1시(一矢)는 112보(步), 2시(二矢)는 111보, 3시(三矢)는 111보였으며, 유엽전(柳葉箭)은 3회 변중, 기추(騎蒭)는 1회 명중, 편추(鞭蒭)는 2회 명중, 조총(鳥銃)은 1회 변중하여 합이 10시(矢)입니다.

병신년(丙申年) 춘등(春等)에, 우열 별효사(右列別驍士) 한량(閑良) 이동수(李東秀)는 나이 33세, 아버지는 인덕(仁德)으로 진위(振威)에 살고 있습니다. 철전(鐵箭) 1시(一矢)는 111보(步), 2시(二矢)는 110보, 3시(三矢)는 118보였으며, 유엽전(柳葉箭)은 과녁에 2회 명중, 1회 변중하였고, 편전(片箭)은 과녁에 1회 명중, 기추(騎蒭)는 2회 명중, 편추는 2회 명중, 조총(鳥銃)은 1회 변중하여 합이 12(矢)시 3푼(分)입니다. 열교 기패관(列校旗牌官) 한량 장익두는 나이 18세, 아버지는 출신(出身)[469] 계복(啓福)으로 남부(南部)에 살고 있습니다. 철전(鐵箭) 1시(一矢)는 112보(步), 2시(二矢)는 108보, 3시(三矢)는 114보였으며, 유엽전(柳葉箭)은 과녁에 2회 명중, 2회 변중, 기추(騎蒭)는 1회 적중, 편추(鞭蒭)는 과녁에 2회 명중, 조총(鳥銃)은 1회 변중하여 합이 10시(矢) 2푼(分)입니다.

---

468 우후(虞候) : 조선 시대 병마절도사(兵馬節度使)와 수군절도사(水軍節度使)의 보좌관으로서 병마우후(兵馬虞候)는 종3품, 수군우후(水軍虞候)는 정4품이었다. 병마우후는 병사(兵使) 유고(有故)시에 도내(道內)의 군사 전반을 다루는 일 외에도 제읍(諸邑)을 순행하면서 지방군 훈련, 군기(軍器) 정비 등을 살피고 명령 전달과 군량(軍糧)·군자(軍資)의 관리를 담당하였다. 수군우후는 충청도, 전라좌·우도, 경상좌·우도의 다섯 수영(水營)에만 있었는데, 역할은 병마우후와 유사했을 것으로 보인다.

469 출신(出身) : 문·무과(文武科) 또는 잡과(雜科)에 급제하고 아직 출사(出仕)하지 못한 사람으로 주로 무과 급제자를 지칭한다.

추등(秋等)에, 좌열 별효사(左列別驍士) 한량 변문규(卞文圭)는 나이 31세, 아버지는 광위(光瑋)이며 북부에 살고 있습니다. 철전(鐵箭) 1시(一矢)는 128보(步), 2시(二矢)는 116보, 3시(三矢)는 125보였으며, 유엽전(柳葉箭)은 2회 변중, 편전(片箭)은 과녁에 1회 명중·1회 변중, 기추(騎芻)는 1회 명중, 편추(鞭芻) 2회 명중, 조총(鳥銃)은 과녁에 1회 명중하여 합이 11(矢)시 2푼(分)입니다. 열교 별무사(列校別武士) 한량 김성달(金聲達)은 나이 28세, 아버지는 제원(濟元)이며 남부에 살고 있습니다. 철전(鐵箭) 1시(一矢)는 106보(步), 2시(二矢)는 106보, 3시(三矢)는 110보였으며, 유엽전(柳葉箭)은 과녁에 1회 명중·3회 변중하였고, 편전(片箭)은 1회 변중, 기추(騎芻)는 1회 명중, 편추(鞭芻) 2회 명중, 합이 11(矢)시 1푼(分)입니다. 좌열 별효사 한량 윤지환(尹志煥)은 나이 25세, 아버지는 용록(龍祿)이며 남부에 살고 있습니다. 편전(片箭)은 과녁에 1회 명중·2회 변중하였습니다】.

10월 15일.

동이 틀 무렵, 망궐례(望闕禮)를 행하는데 중군(中軍)이 진참(進參)하였다.

같은 날(10월 15일).

화령전(華寧殿) 동대봉심(冬大奉審)[470] 후에 장계를 밀봉하여 아뢰었다.

470 동대봉심(冬大奉審): 음력 10월은 겨울로 접어드는 첫 달로 이달에 대대적으로 시행하는 봉심을 말한다.

〔장계〕

신이 금일, 화령전에 분향한 후 동맹삭(冬孟朔, 음력 10월) 대봉심을 바로 거행하였습니다. 겸령(兼令) 신 이민영(李敏榮)이 서울에서 아직 돌아오지 않아 영화 찰방(迎華察訪) 오치건(吳致健)을 겸령으로 권차(權差, 임시로 임명함)하여 겸령과 겸위장(兼衛將) 신 박시회(朴蓍會)과 함께 봉심하였는데 전내 모든 곳이 모두 무탈하였습니다. 연이어 접수한 현륭원 참봉(參奉) 조병위(趙秉緯)의 첩정에 "금일 원상(園上)과 전내(殿內)를 봉심하였는데 무탈합니다."라고 하였습니다. 이러한 연유를 치계합니다.

10월 20일.

화령전 일차 봉심(日次奉審)인데 내가 우연히도 설사병(泄痢)에 걸려 부득이 진참하지 못하였다.

10월 25일.

화령전을 일차 봉심을 하였다.

같은날(10월 25일).

관문(官門)과 진문(鎮門)의 취점(聚點, 사열하며 조련하는 일)을 설행하는 일로 장계를 밀봉하여 아뢰었다.

〔장계〕

이전에 접수한 비변사의 관문 내용에, "이번에 계하하신 비변사의 계사에, '각 도(各道) 도신(道臣)과 수신(帥臣)의 추조 품계(秋操稟啓)[471]가 지금 이미 일제히 도착하였습니다. 힐융(詰戎, 군대를 훈련함)의 중한 직무를 전연 포기한 지가 이미 수십 년이 되었으니, 편안할 때에 위태로움을 잊지 않는다〔安不忘危〕는 뜻에서도 참으로 그지없이 소홀하였습니다. 지금에 거행하는 것은 그만둘 수 없겠으나, 다만 생각건대 상두(桑土)[472]를 미리 준비하는 도리도 모름지기 백성의 힘을 아끼고 길러주는 기본이 됩니다. 지금 동북(東北) 지역은 모두 흉년을 겪었고, 양서(兩西, 황해도와 평안도)는 또 공억(供億, 사신에게 주는 선물)에 지쳤으며, 기전(畿甸)과 삼남(三南)은 비록 풍년이 들 가망이 있으나 태풍과 장마가 중간에 재해가 되어 가을 일이 아직도 판가름 나지 않은 상태입니다. 이런 때에 이랑에서 농사짓는 백성을 급히 징발하는 일은 사실 품어 보호하고 너그럽게 돌보는 뜻이 아니므로 금년 가을의 팔도(八道)와 삼도(三都, 경주·서울·개성)의 수륙(水陸) 여러 조련과 순력(巡歷)·순점(巡點)을 아울러 우선 정지하고, 관문(官門)과 진문(鎭門)의 취점(聚點)은 비록 정조(正操)[473]와 다름이 있지만 착실히 거행한다면 이 또한

471 추조 품계(秋操稟啓) : 가을 조련〔秋鍊〕에 대해 문의하는 장계이다.

472 상두(桑土) : 뽕나무 뿌리를 주워다가 출입문을 단단히 얽어 둔다는 말로 환란을 미연에 방지하려는 계획을 뜻한다. 《시경》〈치효(鴟鴞)〉에 "하늘이 흐려 비가 오기 전에, 저 뽕나무 뿌리를 주워다가, 출입문을 단단히 얽어 둔다면, 이제 네 하민들이, 혹시라도 나를 업신여기랴.〔迨天之未陰雨, 徹彼桑土 綢繆牖戶, 今女下民, 或敢侮予.〕"라고 한 데서 나온 말이다.

473 정조(正操) : 조선 시대 군영(軍營)에서는 한 달에 세 차례 조련을 행하였는데, 군영의 대장(大將)이나 병사(兵使) 등이 직접 참여하는 조련을 정조(正操)라고 하고, 대장이 참여하지

군사를 조련하고 무예를 익히는 데에 도움이 있을 것이니 각별히 더 신칙하여 감히 문구(文具)로 여기지 말게 하며, 제언(堤堰)이 있는 곳으로 자리를 옮겨 취점하고 공사를 완결짓는 것 또한 근례(近例)에 의거하여 시행하며, 각양의 도시(都試) 복심(覆審)[474]·고강(考講)[475]과 정퇴(停退)한 도시는 아울러 설행하라고 분부하는 것이 어떻겠습니까?'라고 하니, '윤허한다'라고 전교하셨다. 전교 내의 뜻을 잘 받들어 시행하라."라고 하셨습니다.

이에 신의 영에서 마보군병(馬步軍兵)은 24일에 전례에 의거하여 취점하였는데 모두 빠짐이 없었고, 5개 읍에 속한 군병도 관문에 적힌 사연에 의거하여 거행할 뜻을 전령하여 지위(知委)하였습니다.

방금 접수한 용인 현령(接龍仁縣) 김운순(金芸淳)·과천 현감(果川縣監) 정만교(鄭晩敎)의 보고를 보니, "본 현(本縣)의 군병은 전례에 의거하여 취점하였는데 별다른 궐오(闕伍)가 없었습니다."라고 하였습니다. 안산 군수(安山郡守) 김원순(金原淳)·시흥 현령(始興縣令) 이명원(李鳴遠)·진위 현령(振威縣令) 남흥중(南興中)의 보고에, "본현의 군병은 제언을 소착(疏鑿)[476]하는 역사에 이점(移

않고 중군(中軍)이나 영장(營將) 등이 대행하는 조련을 사조라고 하였다. 대체로 군병을 소집한 이튿날 사조를 행하고, 3일째 되는 날에 정조를 행하도록 되어 있었다.

474 복심(覆審): 한 번 심사가 끝난 것을 다시 심사하는 것으로 하급관사에서 심사한 것을 상급관사에서 재차 심사하는 절차이다.

475 고강(考講): 조선 시대 과거시험은 문과(文科)의 경우 초시(初試)가 초장(初場)·중장(中場)·종장(終場)으로 이루어지는데, 고강은 이 가운데 초장에 시험 보는 방법 중 하나이다. 고강은 임문고강(臨文考講)이라고도 하며, 책을 보고 뜻을 말하는 것을 평가하는 것이다.

476 소착(疏鑿): 개천이나 우물 같은 것을 쳐서 물이 흘러 내리게 함하는 일을 말한다.

點, 장소를 옮기어 점열(點閱)함)하였습니다."라고 하였습니다. 이러한 연유를 치계합니다.

같은 날(10월 25일).

모미(耗米) 지급이 부족하여 전보(前報)에 의거해 대곡(代穀)으로 획하하는 일로 비국회관(備局回關)에 따라 경상 감영(嶺營)에 문이(文移)[477]하였다.

【(비국회관)

상고(相考)하실 일.

"이번에 계하하신 비변사의 계사에, '수원(水原)에서 구관(句管)하는 각도의 곡식으로 흠축(欠縮, 줄어든 것)된 모곡의 조항은 금년의 모미(耗米, 모곡으로 받아들인 쌀) 1,225석과 채전(債錢, 빚진 돈)을 탕감하고 급대(給代)한 곡식 600석, 광주(廣州)에서 구관하는 관서곡(關西穀)과 호서곡(湖西穀)으로 흠축된 것, 을미년(乙未年, 헌종1, 1835)의 모미 320석, 송도(松都)에서 구관하는 관서곡의 금년 모조(耗條)를 대신한 2,000석으로 각 해부(該府)에서 급대해 줄 것을 보청(報請)하였습니다. 이렇게 대신 획급해 주는 것은 해마다 하는 관례로 수원은 영남(嶺南)의 가분조(加分條)[478]에 대한 모곡과 본사(本司)에서 구관하는 각종 명색의 곡식에 회록(會錄)[479]

477 문이(文移): 관아(官衙)와 관아 사이에 공사와 관계되는 일을 조회하기 위하여 공문을 보내는 일이나 그 문건(文件)을 말한다.

478 가분조(加分條): 가분곡(加分穀)의 모곡(耗穀)이다. 가분(加分)은 정부의 승인 아래 지방에 있는 창고에 저장된 곡식의 일부를 나누어 주는 것이다. 흉년 등의 특수한 상황에서 환곡의 원래 정해진 유고곡(留庫穀)의 비율을 줄이고 분급하는 곡식의 비율을 늘린다.

479 회록(會錄): 전세(田稅)나 환곡(還穀) 등의 세곡(稅穀)을 징수할 때, 자연 감모(減耗)를 보충하기 위해 거둔 1할의 모곡(耗穀)을 다른 목적에 쓰기 위하여 일부를 떼어 용도가 다른 회

한 모조 중에서 절미(折米)[480]하여 획급하고, 광주는 해서(海西)에 있는 본사에서 구관하는 각종 명색의 곡식의 회록한 모조 중에서 절미하여 획급하며, 송도는 호서(湖西)의 본사에서 구관하는 각종 명색의 곡식에 회록한 모조에 절미하여 획급해서 가져다 쓰게 하는 것이 어떻겠습니까?'라고 하니, '윤허한다.'라고 전교하셨다. 전교 내의 뜻을 잘 받들어 시행하라." 라고 하셨습니다. 그러나 금년에는 부득불 대획(代劃)한다 하더라도 내년부터는 모름지기 보충할 방법을 강구하여 방편으로 이어나갈 것입니다】.

〔이문〕

상고(相考)할 일.

폐영(弊營) 각 도에 흠축(欠縮)된 모곡의 조항입니다. 금년에 부족한 모미 1,225석 4승 7홉 7리와 채전(債錢)을 탕감하고 급대(給代)한 곡식 600석을 합한 1,825석 4승 7홉 7리는 영남(嶺南)의 가분조(加分條)에 대한 모곡과 비국(備局)에서 구관하는 각종 명색의 곡식에 회록(會錄)한 모조 중에서 절미하여 획급하는 일로 본사(本司)에서 복계(覆啓)[481]하여 윤허를 받은 것입니다. 수송(輸送)하여 오는 일로 차인(差人) 임노풍(林潞豐)을 보내니 도착하면 수량에 의거해 출급(出給)하여 때에 맞춰 실어 보내는 일입니다.

계 장부에 기록하는 것을 말한다.

480 절미(折米) : 다른 물종을 쌀의 가치로 계산하는 것을 말한다.

481 복계(覆啓) : 어떤 일을 다시 신중하게 심사하여 임금에게 거듭 아뢰는 것을 말한다.

병신년丙申年 1836년, 헌종憲宗 2년 11월

11월 1일.

동이 틀 무렵, 망궐례(望闕禮)를 행하는데 중군 판관(中軍判官)과 영화 찰방(迎華察訪)이 진참(進參)하였다.

같은 날(11월 1일).

화령전(華寧殿)에 분향(焚香)하고 봉심(奉審)한 후에 장계를 밀봉하여 아뢰었다.

〔장계(狀啓)〕

신이 금일, 화령전에 분향한 후에 바로 봉심하였는데 전내(殿內) 모든 곳이 모두 무탈하였습니다. 방금 접수한 현륭원(顯隆園) 영(令) 이상조(李象祖)의 첩정에, "금일 원상(園上)과 전내를 봉심하였는데 무탈합니다."라고 하였습니다. 이러한 연유를 치계합니다.

11월 5일.

화령전을 일차 봉심(日次奉審)하였다.

11월 9일.

영(營)을 출발하여 시흥(始興)에서 점심을 먹고 저녁에 필곡(筆谷)에 도착하여 영을 떠난 일을 장계를 밀봉하여 아뢰었다.

〔장계〕

신(臣)은 이달 13일 효성전(孝成殿) 대상(大祥)[482] 곡반(哭班)[483]에 진참하는 일로 당일 출발하여 상경하였습니다. 이러한 연유를 치계합니다.

11월 11일.

효성전 조상식(朝上食)[484]과 주다례(晝茶禮) 때에 종승(從陞)하였다.

11월 12일.

효성전 조상식과 주다례, 석상식(夕上食)[485] 때 종승하였다. 이날 밤 대상(大祥)을 지내는 반열에 바로 종승하였는데, 애통하고 허무한 심정이 더욱 새로웠다.

11월 13일.

현륭원 동지제향(冬至祭享)[486]에 헌관(獻官)으로서 향축(香祝)을 모시고 궐내(闕內)를 떠나 시흥(始興)에서 점심을 먹고 한밤중에 영으로

---

482 대상(大祥) : 사망한 날로부터 만 2년이 되는 두 번째 기일(忌日)에 지내는 제사이다. 대상으로 상을 벗으면 다음 주년(周年)부터는 정식 기제사(忌祭祀)로 바뀌게 된다. 소상(小祥)과 아울러 상례 중에서 가장 큰 행사이다.

483 곡반(哭班) : 국상(國喪) 때에 곡(哭)하는 벼슬아치의 반열(班列)을 말하는데, 여기서는 1834년 11월 13일에 승하한 현종의 선친 순조(純祖)를 위한 곡반을 말한다.

484 조상식(朝上食) : 상(喪)을 지낼 때 아침에 궤연(几筵, 죽은 사람의 영궤(靈几)와 그에 딸린 모든 것을 차려 놓는 곳) 앞에 올리는 음식을 말한다.

485 석상식(夕上食) : 상(喪)을 지낼 때 저녁에 궤연(几筵) 앞에 올리는 음식을 말한다.

486 동지제향(冬至祭享) : 동지에 지내는 종묘와 각 능원에 제향하는 일을 말한다. 조선 시대에 지내는 본전(本殿) 제향은 4맹삭(四孟朔) 상순, 즉 1·4·7·10월의 각 10일 이내와 납일(臘日), 즉 동지 후 셋째 술일(戌日)에 대향(大享)을 드렸고, 매월 삭망과 5속일(五俗日, 정월(正朝)·한식(寒食)·단오(端午)·추석(秋夕)·동지(冬至))에는 소사(小祀)를 지냈다. 한편, 영녕전의 대향제는 4월과 8월 상순에 행하였다.

돌아왔다. 이때 윤명규(尹命奎) 대감이 건릉 헌관(健陵獻官)으로 함께 내려왔다.

11월 14일.

영(營)으로 돌아왔음을 알리는 장계를 밀봉하여 아뢰었다.

〔장계〕

신(臣)이 현륭원 동지제향(冬至祭享)에 헌관으로서 향축을 모시고 당일 영으로 돌아왔습니다. 이러한 연유를 치계합니다.

같은 날(11월 14일).

향축을 모시고 원소(園所)에 나아갔다.

11월 15일.

헌관(獻官)으로 진참하고 나서 바로 장계를 밀봉하였다. 건릉 헌관(健陵獻官)이 함께 입부(入府)하였다가 이날 바로 돌아갔다.

〔계본(啓本)〕

삼가 제향(祭享)한 일을 아룁니다.

이달 15일 현륭원 동지제향(冬至祭享)을 행할 적에 신이 헌관으로 진참하고 설행한 뒤에 원상을 봉심하였는데 잡초와 잡목이 없었으며 사산(四山) 내에도 범작(犯斫)하는 폐단이 없습니다. 제관(祭官)의 직책과 성명을 뒤에 개록(開錄)하였으며, 이러한 연유를 치계합니다.

같은 날(11월 15일).

동이 틀 무렵, 망궐례(望闕禮)를 행하는데 중군 판관(中軍判官)과 영화 찰방(迎華察訪)이 진참하였다.

같은 날(11월 15일).

화령전(華寧殿)에 분향(焚香)하고 봉심(奉審)한 후에 장계를 밀봉하여 아뢰었다.

〔장계〕

신이 금일, 화령전에 분향하고 나서 바로 봉심하였는데 전내(殿內) 모든 곳이 모두 무탈하였습니다. 방금 접수한 현륭원 영(令) 이민기(李民耆)의 첩정에, "금일 원상(園上)과 전내를 봉심하였는데 무탈합니다."라고 하였습니다. 이러한 연유를 치계합니다.

같은 날(11월 15일).

진위현(振威縣)의 군전(軍錢) 건납(愆納)의 일로 수향(首鄕, 수좌)과 수리(首吏)[487]를 재촉하라는 뜻으로 관문(關文)을 보냈다.

〔감결(甘結)〕

다음과 같이 감결한다.

본 현(本縣)의 상납에 관한 일이 지리(支離)하다고 할 수 있다. 임진년(壬辰年, 순조32, 1832)과 계사년(癸巳年, 순조33, 1833)의 정퇴

487 수리(首吏) : 각 지방 관아의 여섯 아전(衙前) 중, 이방(吏房)이 으뜸이라는 뜻으로 일컫는 말로, 곧 이방을 가리킨다.

조(停退條)는 각 양(各樣) 상납에서 거두어들이지 못한 것이 또 한 2,000냥이나 되는데 한결같이 어지러이 분간치 못해 끝내 수납(受納)하지 못한 이러한 상황은 옛날에 없었을 뿐만 아니다. 심지어 금년 상납의 일로 말하자면 다른 고을은 모두 상납을 마쳤거니와 본 현은 거의 수 천의 상납 중에 겨우 단백(單百)의 적은 수량을 한 차례 색책(塞責)[488]하는 데 그쳤을 뿐이다. 이에 전후로 동칙(董飭)하였건만 공문(空文)[489]을 붙여 털끝만큼도 신경을 쓰지 않으니 더욱 놀랍다. 또 달 초에 본 현이 공관(空官)[490]일 때 공형(公兄)[491]에게 명령을 내려 신칙한 바 있었는데, 기일이 이미 다 지났고 현령이 그러는 동안 돌아왔다. 이에 상납의 여부와 이향(吏鄕)을 불러올리는 것은 모두 거론하지 않고 단지 환관(還官)의 일로 관례에 따라 보고하니, 어찌 이러한 일이 있는가? 수리향(首吏鄕)은 관문이 도착하는 즉시 형리(刑吏)를 정하여 목에 칼을 씌우고 올려보내 법률에 따라 엄히 처리하는 것이 마땅한 일이다.

11월 20일.

화령전을 일차 봉심(日次奉審)하였다.

---

488 색책(塞責) : 책임을 면하기 위하여 임시변통으로 꾸며대는 일을 말한다.

489 공문(空文) : 당세에 실행되지 않은 글이나 법률을 말한다.

490 공관(空官) : 예전의 수령이 그만두고 새 수령이 아직 부임하기 전의 상태를 말한다.

491 공형(公兄) : 삼공형(三公兄)의 준말로 각 고을의 상급 관속(官屬). 호장(戶長)·이방(吏房)·수형리(首刑吏)를 이른다.

11월 23일.

별군관(別軍官)[492] 취재(取才)를 위한 도시(都試)를 25일에 설행할 계획인 일로 장계를 밀봉하여 아뢰었다.

〔장계〕

신의 영에 별군관 금번 추등도시(秋等都試)를 이달 25일로 택정(擇定)하여 설행할 계획입니다. 이러한 연유를 치계합니다.

11월 24일.

권강 각신(勸講閣臣)으로 내하(內下)하신 장복(章服)[493]을 받들어 내외로 은사(恩賜)를[494] 받들었다. 《대학(大學)》 진강(進講)을 마친 것이 지난달 그믐께였는데, 이에 이르러 대비께서 전교(傳教)하시어 기쁨을 표하시고 이에 분반(匪頒)[495]의 하사를 하셨다. 이날 각리(閣吏)가 가지고 온 것【분홍설한단(雪漢緞) 1필, 남수화방주(藍水花方紬) 3필】을 공경히 받았다. 지난 임술년(壬戌年, 1822) 선대 조정에서 《상서(尙書)》 진강을 마친 뒤에 권강 각신으로 주단(紬緞, 명주와 비단)의 하사품을 받았는데 이렇게 뜻하지 않게 늙어서 죽지도 않고 재차 이 같은 은혜를 오늘에 입었으니 지극한 영광에 감격의 눈물이

---

492 별군관(別軍官) : 훈련도감(訓鍊都監) · 금위영(禁衛營) · 어영청(御營廳) · 수어청(守禦廳) 등 중앙 각 군영에 소속되어 궁궐과 수도를 지켰는데 정원은 각 10명씩이나 수어청은 9명이었다. 현직에 있지 않은 자로 채우되, 충원방식과 구성원이 매우 다양하여 무과(武科)를 거치지 않은 자에서 첨사(僉使)를 역임한 사람도 있었다.

493 장복(章服) : 해·달·별 등의 도안을 수놓아 신분을 나타내는 예복(禮服)이다. 매 도안마다 1장(章)을 삼는데, 천자는 12장이고 신하는 품계에 따라 9·7·5·3장으로 점점 내려간다.

494 은사(恩賜) : 과거의 합격을 거치지 않고 임금이 특별히 급제를 주는 것이다.

495 분반(匪頒) : 《주례(周禮)》 〈천관태재(天官大宰)〉에 나오는 말로, 왕이 신하들에게 물건을 나누어 주는 것을 말한다. 분(匪)은 분(分)과 같고, 반(頒)은 반포(班布)의 반(班)과 같다. 즉 반사(班賜)나 분사(分賜)의 뜻과 동일하다.

주룩주룩 흘러내렸다.

11월 25일.

화령전을 일차 봉심(日次奉審)하였다.

같은 날(11월 25일).

도감(都監)[496] 진배전(進排錢)[497] 5,000냥을 호조(戶曹)에 실어 나르고 바로 비국(備局)에 보고하였다.

〔보첩(報牒)〕

상고하실 일.

비변사(備邊司)에서 계하(啓下)하신 관문(關文) 내용에, "절해(節該). 각 도감의 진배차(進排次) 화성 탕전(帑錢, 내탕금) 5,000냥을 호조에 이송하였다고 한다. 외탕고(外帑庫) 행용전(行用錢, 통상 쓰는 돈)은 불과 1,000여 냥에 지나지 않는데 이는 당년 각양(各樣)에 지출해야 할 수요이고, 봉부동(封不動)[498]에 있어서는 탕고봉장법(帑庫封椿法)의 뜻이 엄중하여 6~7년 동안 경사(京司)에 수납한 것이 도합 4차례가 되었으나 지금 장부에 기록으로 남아 있는 것은 불과 10,000여 냥에 지나지 않는다."라고 하였습니다.

---

496 도감(都監) : 나라에 중요한 일이 있을 때 그 일의 집행을 위하여 관제(官制) 외에 임시로 설치하는 관청이다.

497 진배전(進排錢) : 대궐이나 각 궁(宮)·관아(官衙)에서 쓸 용도에 이바지하기 위하여 경비를 호조(戶曹)나 각 관아에서 지급하는 돈을 말한다.

498 봉부동(封不動) : 국가의 중대한 비상사태에 대비하기 위하여 은이나 포목 등을 별도로 저장하여 봉해 두고 쓰지 않는 것을 말한다. 비상시 이외에는 절대로 쓰지 않는 것이 규례이다.

탕장(帑藏)[499]에 모축(耗縮)이 이미 송구하기 그지없는데 이런 가운데 만약 또 5,000금(金)을 제출(除出)[500]한다면 남은 것이 겨우 반 만큼에 지나지 않을 뿐입니다. 국경 방비에 있어 중요한 지역에 뜻밖의 일에 대한 대비를 어찌 이와같이 단박(單薄)하게 할 수 있겠습니까? 경사의 수용(需用)도 또한 일이 긴급하여 내외가 함께 힘을 합하는 의로움에 있어 감히 모르는 척 방보(防報)[501]할 수 없기에 각별히 다른 길거(拮据)의 방법을 궁구하여 일찍이 계사년(癸巳年) 간에 있었던 탕고의 부상목(腐傷木) 24동(同)을 34필(疋)로 개색(改色)[502] 하여 전인(廛人, 점포 상인)에게 출급(出給)하였습니다. 그 뒤 잇달아 목화 농사가 흉작이 들어 본색(本色)[503]으로 거두어들이는 일은 형편상 될 수가 없었습니다. 이에 부득불 대전(代錢)으로 거두어 들인 것이 2,468냥이 되고 탕고(帑庫)의 묵은쌀 250석은 시가에 따라 작전(作錢)한 것이 1,000냥이 됩니다. 과천(果川) 별치미(別置米) 모조(耗條)를 상정가로 추래(推來)한 것이 예입니다. 작년과 금년 양년 간에 모조(耗條)를 작전한 것이 1,053냥이 되어 주합(湊合, 하나로 끌어 모음)하면 4,521냥이 되니, 부족분 479냥은 저치고전(貯置庫錢)으로 채워 도합 5,000냥을 색리(色吏)를 정하고

---

499 탕장(帑藏) : '내탕(內帑)의 재물'이라는 뜻으로 국고(國庫)를 말한다.

500 제출(除出) : 일정한 수량이나 수효에서 일부를 덜어 내는 것을 말한다.

501 방보(防報) : 상급관청의 지휘대로 업무를 수행하지 못할 때 그 이유를 변명하여 올리던 보고(報告)를 말한다.

502 개색(改色) : 오래 보관하여 변질될 우려가 있거나 운반하는 도중 수침(水沈) 등의 사고가 있는 경우, 그것을 백성들에게 분배하고 딴 곡식으로 바꾸는 일을 말한다.

503 본색(本色) : 조세(租稅)를 징수하는 데 미곡(米穀)으로 걷은 환곡을 본색이라고 하고, 은전(銀錢)으로 환산(換算)한 것을 절색(折色)이라고 한다. 즉 본색이란 다른 물건에 대한 조세 본래의 종류라는 뜻이다.

이문(移文)하여 호조(戶曹)에 올려보냈습니다. 이러한 연유를 첩보합니다.

11월 26일.

별군관(別軍官) 시취(試取)를 설행한 일로 장계를 밀봉하여 아뢰었다.

〔장계〕

신의 영에 별군관 금번 추동등(秋冬等) 도시(都試)를 이달 25일 설행한 연유를 이미 치계하였거니와 신이 당일에 종사관(從事官) 이민영(李敏榮)과 중군(中軍) 박시회(朴蓍會)와 함께 개장(開場)[504]하여 26일에 이르러 시험을 마쳤습니다. 거수인(居首人)의 성명과 나이, 아버지의 이름, 화살 수〔矢數, 과녁에 맞은 화살의 수효〕 및 월천(越薦)[505] 연조(年條), 천거한 사람의 직책과 성명을 왼쪽에 개록(開錄)하였으며, 이러한 연유를 치계합니다.

【거수(居首, 수석)한 좌열 별군관(左列別軍官) 최현정(崔顯鼎)은 나이는 31세, 부친은 경윤(慶潤)입니다. 병신년(丙申年)에는 부천(部薦)[506]을 넘었고 천거한 사람은 부장(部將) 김응호(金應浩)입니다. 철전(鐵箭) 1시(一矢)는 117보(步), 2시(二矢)는 110보, 3시(三矢)는 110보였으며, 유엽전(柳葉箭)은 2회 변중(邊中)하였고, 편전(片箭)은 과녁에 1회 명중, 1회 변중하였으며 기추(騎蒭)는 1회 명중,

504 개장(開場) : 과거장(科擧場)의 문을 열고 과거를 보이기 시작하는 것을 이른다.

505 월천(越薦) : 선천(宣薦) 또는 다른 관직에 대한 천거를 통과하는 경우에 쓰이는 말로 여기서는 선천에 통과했다는 말이다

506 부천(部薦) : 무과(武科)에 급제한 사람 중에서 부장(部將)의 후보자로 천거하던 일을 말한다.

편추(鞭芻)는 2회 명중하여 합이 10시(矢) 1분(分)입니다】.

11월 28일.

본 부(本府) 연분(年分)[507] 결총(結摠, 전지(田地)의 총 면적)을 성책(成冊)하여 호조(戶曹)에 올려보낸 일로 장계를 밀봉하여 아뢰었다.

〔계본(啓本)〕

삼가 상고하실 일을 아룁니다.

이번에 접수한 호조(戶曹)의 연분 사목(年分事目)[508]에 계하하신 관문(關文) 내용에, "수원(水原) 전답(田畓)은 을미년(乙未年, 1835) 원총(元摠, 원결 총수) 5,839결 중에서 급재(給災)[509]는 30결(結)이 되어 실제로 5,809결로 마감(磨勘)[510]하였습니다. 그러나 본부(本府)에는 일찍이 여러 해 동안 오래 묵은 논밭이 있는데 아직 거두어들이지 못한 영탈(永頉)[511] 전답을 금재(今災)와 함께 집총(執摠)[512]한다면 그 수량이 너무 많아 그 연유를 갖추어 청을 올렸습니다. 특별히 획하(劃下)해 주신 970결과 더불어 사목(事目)에 하재(下災) 30결을 포함하여 재난을 당한 정도〔淺深〕

---

507 연분(年分): 그해의 농사의 풍흉에 따라 해마다 토지를 상상(上上)에서 하하(下下)까지 9등급으로 나누는 제도로 조선 1446년(세종 28)부터 실시하였다. 연분 구등(年分九等)이라고도 한다.

508 연분 사목(年分事目): 매년 호조에서 그해의 작황을 참고하여 조세 감면 대상인 급재결(給災結)과 조세 부과 대상인 실결(實結)의 총수를 정하여 각 도(道)에 반포한 것을 말한다.

509 급재(給災): 재해를 입은 농지(農地)에 대하여 피해 정도에 따라 일정한 비율로 세금을 면제하거나 경감해 주는 일을 말한다.

510 마감(磨勘): 전곡(錢穀)·요역(徭役) 등의 관리 결과를 상부에 보고하기 위해 작성하는 문서이다.

511 영탈(永頉): 재해(災害)는 영구적인 재해〔永災〕와 당년의 재해〔當年災〕로 구분되는데, 홍수로 인해 논밭이 내로 바뀌는 것〔川反〕과 강물에 논밭이 개먹어서 무너져 떨어져나간 것〔浦落〕이 영구적인 재해에 해당함.

512 집총(執摠): 농작물의 잘되고 못된 상태를 조사하여 세금의 총수를 매기는 것을 말한다.

를 헤아려 평균으로 분표(分俵)하였습니다"라고 하였습니다.

금년 실제 전답은, 신기전(新起田, 새로 일군 논밭) 4,863결(結) 69부(負) 6속(束)과 함께 권장하여 개간한 신기전 2결 39부는 조정의 명령(朝令)에 의해 첫해에 감세(減稅) 되었고, 경신년(庚申年) 권장하여 개간한 전답 중 19결 45부 8속은 환진(還陳, 논밭을 도로 묵힘)으로 감세하였으니, 실제 총 4,841결 84부 8속을 비변사(備邊司) 계하 관문(啓下關文)에 의거해 2건을 성책(成冊)하여 호조에 올려보냈습니다. 이러한 연유를 치계합니다.

병신년丙申年 1836년, 헌종憲宗 2년 12월

12월 1일.

동이 틀 무렵 망궐례(望闕禮)를 행하는데 중군(中軍)과 영화 찰방(迎華察訪)이 진참(進參)하였다.

같은 날(12월 1일).

화령전(華寧殿)에 분향(焚香)하고 봉심(奉審)한 후에 장계(狀啓)를 밀봉하여 아뢰었다.

〔장계(狀啓)〕

신(臣)이 오늘 화령전에 분향하고 나서 바로 봉심하였는데 전내(殿內) 모든 곳이 무탈하였습니다. 방금 접수한 현륭원 영(顯隆園令) 이민기(李民耆)의 첩정(牒呈)에, "오늘 원상(園上)과 전내를 봉심하였는데 무탈하였습니다."라고 하였습니다. 이러한 연유를 치계합니다.

12월 2일.

공도회(公都會)[513] 을병(乙丙) 양년조(兩年條)를 합설(合設)하였다.[514] 참시관(參試官)은 연서 찰방(延曙察訪) 전제현(田齊賢)이다.

---

513 공도회(公都會) : 조선 시대에 과거 제도의 하나로 관찰사(觀察使)·유수(留守)가 해마다 자기 지방의 유생(儒生)들에게 보이는 소과(小科) 초시(初試)이다. 제술(製述)·고강(考講)의 두 가지를 시험 보였는데, 이에 합격한 사람은 다음 해에 보는 생원·진사의 복시(覆試)에 응할 수 있었다.

514 을병(乙丙)……합설(合設)하였다. : 을병(乙丙) 양년조(兩年條)는 을미년(1835, 헌종 1)과 병신년(1836, 헌종 2)을 가리킨다. 이 두 해의 공도회를 함께 설행한 것을 말한다.

이날, 시권(試券, 시험 답안지) 309장을 거두고 밤에 방목(榜目)[515]을 내 걸었다【부제(賦題)는 '닭과 개가 달아나면 찾을 줄을 앎〔鷄犬識路〕'[516]이고, 시제(詩題)는 '성인으로 하여금 장수하고 부유하며 아들이 많게 함〔使聖人壽富多男子〕'[517]이다】.

〔방목(榜目)〕

【부(賦) 삼하 (三下)[518]:

이우신(李又新)·김성택(金星澤)·홍우주(洪雨周)·신준모(申濬模)·최동현(崔東顯)·한용근(韓容根)·심낙순(沈樂淳)·김석중(金錫中)·신형모(申衡模)·장주기(張周祈)·김제락(金濟洛)·이원용(李元容)·이배길(李培吉)·최재희(崔在熙)·윤태승(尹泰昇)·김종소(金鍾熽)·김재구(金在龜)·남윤승(南允升)·윤익선(尹益善)·한진욱(韓鎭彧)·김진수(金眞秀)

515 방목(榜目): 과거에 급제한 사람의 성명을 적은 명부를 말한다.

516 닭과…줄을 앎: 《맹자》 〈고자 상(告子上)〉에 "인(仁)은 사람의 마음이요, 의(義)는 사람의 길이다. 그 길을 버리고서 따르지 않으며, 그 마음을 놓치고서 찾을 줄을 모르니, 애달프다. 닭이나 개가 달아나면 사람들이 찾을 줄을 알면서도 마음이 달아나면 찾을 줄을 모른다. 학문의 길은 다른 것이 아니다. 달아난 그 마음을 찾는 것일 뿐이다.〔仁, 人心也, 義, 人路也, 舍其路而弗由, 放其心而不知求, 哀哉! 人有雞犬放則知求之, 有放心而不知求, 學問之道無他, 求其放心而已矣.〕"라는 맹자의 말에서 나온 것이다.

517 성인으로…많게 함: 장수와 부귀, 아들을 많이 두는 것이 좋은 것이기는 하지만 덕으로 이를 가져야 함을 말한 것이다. 《장자(莊子)》 〈천지(天地)〉에 화(華) 땅을 지키는 봉인(封人)이 요(堯) 임금에게 아뢰기를 "아, 성인께 축복 드리기를 청하노니, 성인께서 장수하고 부유하고 아들을 많이 두시기를 축원합니다.〔噫! 請祝聖人, 使聖人壽富多男子.〕"라고 하자, 요 임금이 "아들이 많으면 걱정이 많고 부자가 되면 해야 할 일이 많고 장수하면 욕되는 일이 많으니, 이 세 가지는 덕을 기르는 것이 아니다.〔多男子則多懼, 富則多事, 壽則多辱, 是三者, 非所以養德也.〕"라고 하며 사양한 고사가 있다.

518 삼하(三下): 과차(科次)의 하나로 과거의 등제(等第)는 상지상(上之上)·상지중(上之中)·상지하(上之下)·이상(二上)·이중(二中)·이하(二下)·삼상(三上)·삼중(三中)·삼하(三下)·차상(次上)·차중(次中)·차하(次下)로 되어 있다. 차상 이하는 출신(出身)이 되지 못하였다.

부(賦) 차상(次上)[519] :

조장년(趙長年) · 정학조(鄭鶴朝) · 정낙연(鄭樂淵) · 이종덕(李鍾德) · 이만용(李晩容) · 김용(金溶) · 정우용(鄭禹容) · 이용원(李容元) · 정낙화(鄭樂和) · 이호(李灝) · 김기오(金箕五) · 이수만(李壽萬) · 김준(金準) · 심낙선(沈樂善) · 홍의순(洪義淳) · 심태영(沈泰永) · 한명리(韓明履) · 이재유(李栽游) · 윤찬(尹燦) · 이수억(李壽億) · 임태원(任泰元) · 박뢰원(朴賚源) · 정기학(鄭基學) · 홍대원(洪大元) · 윤달선(尹達善) · 최숙(崔淑) · 윤돈(尹焞) · 최중의(崔重義) · 이배철(李培哲) · 정영일(鄭永一) · 황기덕(黃基德) · 심노증(沈魯曾) · 원세윤(元世胤) · 최환달(崔煥達) · 신익모(申翼模) · 이경회(李慶會) · 정현풍(鄭鉉豊) · 박재수(朴載壽) · 최기호(崔氣鎬) · 윤영배(尹榮培) · 박화수(朴華壽) · 이의익(李義翼) · 유신환(兪宸煥) · 서계보(徐綮輔) · 신계(申綮) · 김영호(金永浩) · 한정리(韓正履) · 윤치만(尹致萬) · 이양익(李陽翼) · 박진수(朴振壽) · 최정순(崔靖淳) · 조강년(趙崗年) · 한치홍(韓致弘) · 이용재(李容載)

시(詩) 삼하(三下) :

정상진(鄭相鎭) · 조석건(曺錫建) · 윤동부(尹東溥) · 이학휴(李鶴休) · 임백신(任百愼) · 이능빈(李能彬) · 한용면(韓用冕) · 이렴(李濂) · 송정옥(宋正玉) · 이원신(李遠鎭) · 이민우(李敏愚) · 조창년(趙昌年) · 송건화(宋建和) · 윤봉호(尹鳳浩) · 김황수(金簧秀) · 김규응(金奎應) · 이규(李奎)

---

519 차상(次上) : 시권(試券)의 성적을 평가하는 등급 가운데 넷째 등(等)의 첫째 급(級)을 이른다. 시권의 성적을 평가하는 등급은 상상(上上) · 상중(上中) · 상하(上下), 이상(二上) · 이중(二中) · 이하(二下), 삼상(三上) · 삼중(三中) · 삼하(三下), 차상(次上) · 차중(次中) · 차하(次下)로 나뉜다.

시(詩) 차상(次上):

이병덕(李秉德)·윤치봉(尹致鳳)·이동혁(李東爀)·유정(柳珽)·조희철(趙熙徹)·최중후(崔重厚)·최중익(崔重翼)·안사섭(安思燮)·김세두(金世斗)·이제익(李濟翊)·유창무(柳昌楙)·최홍석(崔鴻錫)·임희렴(任希濂)·이운성(李運星)·이운기(李雲驥)·정대현(鄭大鉉)·최덕준(崔德峻)·목원익(睦源翼)·오승묵(吳升默)·우종혁(禹宗赫)·송노화(宋魯和)·이민용(李敏用)·성진수(成進修)·이익서(李翼書)·홍후영(洪厚永)·정탁선(鄭鐸善)·허필(許弼)·임백근(任百謹)·조재인(趙在寅)·이봉신(李鳳信)·박종석(朴宗奭)·조만붕(趙萬鵬)·홍순모(洪純謨)·심영규(沈永奎)·윤용선(尹用善)·정기석(鄭基奭)·최창래(崔昌來)·이우신(李遇新)·홍정모(洪鼎謨)】

12월 3일.

과장(科場)을 설치한 이날, 시권(試券) 303장을 거두어 밤에 방목을 내 걸었다.

【부제는 "정당을 피해 합공을 모시다(避正堂舍蓋公).[520]"이고, 시제는 "어찌 합공이 그 사이에 왕래하지 않음을 알겠는가(安知蓋公不往來其間乎?)"[521]이다】.

---

520 정당을…모시다(避正堂舍蓋公): 《당송팔대가문초(唐宋八大家文鈔)》 소식(蘇軾) 〈합공당기(蓋公堂記)〉에 보인다. 한 효혜제(漢孝惠帝) 때 조참(曹參)이 제상(齊相)이 되었을 적에 그곳에서 가장 뛰어난 유자(儒者)로서 특히 황로(黃老)의 학설에 밝았던 합공(蓋公)을 초빙(招聘)하여 치도(治道)를 물으니, 합공이 청정(淸淨)함으로 다스리면 백성들이 저절로 안정될 것이라고 말해 주자, 조참이 마침내 자신이 정당(正堂)을 피해서 합공을 그곳에 모시고 수시로 그에게 치도를 자문하여 다스린 결과, 끝내 제나라가 잘 다스려졌던 데서 온 말이다.

521 어찌…알겠는가?(安知蓋公不往來其間乎?): 위와 같은 책에 보인다.

〔방목〕

【부(賦) 삼하(三下) :

이용원(李容元) · 홍우주(洪雨周) · 정우용(鄭禹容) · 최환달(崔煥達) · 이우신(李又新) · 이명우(李名愚) · 신계(申綮) · 정기학(鄭基學) · 심노증(沈魯曾) · 조장년(趙長年) · 서계보(徐綮輔) · 윤치만(尹致萬)

부(賦) 차상(次上) :

신형모(申衡模) · 정현풍(鄭鉉豊) · 김석중(金錫中) · 정낙화(鄭樂和) · 심노수(沈魯洙) · 김종소(金鍾熽) · 김재구(金在龜) · 심노필(沈魯弼) · 이정택(李鼎澤) · 송응만(宋應萬) · 신태룡(申泰龍) · 조언화(趙彦和) · 황기락(黃基洛) · 김용(金溶) · 이배길(李培吉) · 윤찬(尹燦) · 홍희순(洪羲淳) · 이종덕(李鍾德) · 임태원(任泰元) · 최환익(崔煥翊) · 이희익(李羲翼) · 최숙(崔淑) · 심낙순(沈樂淳) · 최정순(崔靖淳) · 정낙연(鄭樂淵) · 한치홍(韓致弘) · 최재희(崔在熙) · 박재수(朴載壽) · 이원용(李元容) · 원세윤(元世胤) · 이경회(李慶會) · 이양익(李陽翼) · 조강년(趙崗年) · 김제락(金濟洛) · 김기오(金箕五) · 안병옥(安秉玉) · 신준모(申濬模) · 최동현(崔東顯) · 신익모(申翼模) · 한정리(韓正履) · 이용재(李容載) · 김진수(金眞秀)

시(詩) 삼하(三下) :

조석건(曺錫建) · 조창년(趙昌年) · 이봉신(李鳳信) · 이제익(李濟翊) · 백횡진(白滉鎭) · 임희렴(任希濂) · 조희철(趙熙徹) · 윤치봉(尹致鳳) · 이운기(李雲驥) · 이운성(李運星) · 조재완(趙在完) · 채노영(蔡魯永) · 이익서(李翼書) · 홍정모(洪鼎謨) · 성진수(成進修) · 심영규(沈永奎) · 정기석(鄭基奭) · 정낙휴(鄭樂休) · 최중익(崔重翼) · 이우신(李遇新) · 최창래(崔昌來) · 유정(柳珽)

시(詩) 차상(次上) :

김규응(金奎應) · 이기승(李基昇) · 박두현(朴斗炫) · 이능빈(李能彬) · 이학휴(李鶴休) · 윤동부(尹東溥) · 송정옥(宋正玉) · 한용면(韓用冕) · 윤봉호(尹鳳浩) · 목원익(睦源翼) · 이병덕(李秉德) · 송정화(宋廷和) · 최현익(崔鉉翼) · 원후등(元厚鄧) · 이수홍(李壽洪) · 최홍석(崔鴻錫) · 이렴(李濂) · 이동혁(李東爀) · 허필(許弼) · 윤양호(尹養浩) · 홍순모(洪純謨) · 정규헌(鄭圭憲) · 김수삼(金秀三) · 이재항(李載恒) · 박종유(朴宗瑜) · 박회원(朴會源) · 박한기(朴漢綺) · 유진화(俞鎭華) · 조재성(趙在性) · 안사후(安思煦) · 유창무(柳昌懋) · 이정선(李廷善) · 우종혁(禹宗赫) · 송지경(宋持璟) · 최현주(崔顯周) · 이운붕(李雲鵬) · 정대현(鄭大鉉) · 오승묵(吳升默) · 이규(李奎) · 조재인(趙在寅) · 윤용선(尹用善) · 이원기(李元基) · 송효옥(宋孝玉) · 송노화(宋魯和) · 박종석(朴宗奭) · 조기면(趙基冕) · 정교승(鄭敎承) · 문재중(文在中) · 이익로(李翼魯) · 정탁선(鄭鐸善) · 이병무(李秉武) · 이붕신(李鵬信) · 이민우(李敏愚) · 임백신(任百愼)】.

12월 4일.

과장을 설치한 이 날, 시권 203장을 거두어 밤에 방목을 내걸었다. 【부제는 "거사(居士)는 자못 숨어서 산다.〔居士殆將隱〕[522]"이고,

---

522 거사(居士)는 자못 숨어서 산다〔居士殆將隱〕:《당송팔대가문초(唐宋八大家文抄)》 소식(蘇軾) 〈육일거사전 후(六一居士傳後)〉에 보인다. 육일거사(六一居士)는 송(宋) 나라의 문신이자 학자인 구양수(歐陽脩)를 가리킨다. 구양수는 일찍이 집에 장서(藏書)가 만 권이요 금석의 유문을 기록한 것이 1000권이요, 여기에 거문고 하나, 바둑판 하나, 술 한 병 그리고 구양수 자신을 합하여 여섯이 하나가 되었다 해서 스스로를 육일거사(六一居士)라고 호(號)하였다. 소식(蘇軾)은 〈육일거사전 후(六一居士傳後)〉에 "지금 거사(居士)는 스스로 자신을 육일거사(六一居士)라 하였는데, 이는 자기 몸이 다섯 물건과 하나가 된 것이니, 알지 못하겠다, 이것은 거사가 물건을 소유한 것인가? 물건이 거사를 소유한 것인가?〔今居士, 自謂六一, 是其身, 均與五物爲一也, 不知, 其有物耶? 物有之也?〕"라고 하며 "하나의 입장에서 다섯 가지를 보

시제는 "이수(伊水)[523] 별서(別墅, 별장)에서 도롱이를 입고 삿갓을 쓰고서 연꽃 배(蓮艇)를 끄는 백의선인(白衣仙人)[524]이 납승(衲僧)[525]과 함께 강물을 거슬러 오르며 읊조리는 것을 보고, 높은 뜻에 미치지 못함을 탄식한다(伊水別墅, 見簑笠牽蓮艇白衣與衲僧泝流吟嘯, 歎高逸之情莫及)"이다】.

〔방목〕

【부(賦) 삼하(三下):

신형모(申衡模) · 정낙화(鄭樂和) · 김종소(金鍾熽) · 김재구(金在龜) · 박재수(朴載壽) · 한치홍(韓致弘) · 서계보(徐綮輔) · 이명우(李名愚) · 윤치만(尹致萬)

부(賦) 차상(次上):

이우신(李又新) · 원세윤(元世胤) · 정학조(鄭鶴朝) · 신익모(申翼模) · 정기학(鄭基學) · 이종덕(李鍾德) · 신준모(申濬模) · 심태영(沈泰永) · 김준(金準) · 김성택(金星澤) · 김기오(金箕五) · 정우용(鄭禹容) · 홍우주(洪雨周)

면 거사를 오히려 볼 수 있지만, 다섯 가지와 더불어 여섯이 되면 거사를 볼 수 없으니, 거사는 아마도 장차 다섯 가지 물건과 하나가 되어 은둔할 것이다(自一觀五, 居士猶可見也, 與五爲六, 居士不可見也, 居士殆將隱矣.)"라고 하였다.

523 이수(伊水): 중국 하남성(河南省) 낙양(洛陽) 남쪽을 흐르는 강 이름으로 송(宋)나라 정호(程顥)와 정이(程頤) 두 형제가 낙양(洛陽)의 이수와 낙수 근처에서 학문을 강론하였다 하여 이들의 학문 연원을 뜻한다. 곧 정주지학(程朱之學)을 달리 이르는 말이다.

524 백의선인(白衣仙人): 불교에서 말하는 관세음보살(觀世音菩薩)을 가리킨다. 그가 항상 흰옷을 입고 백련(白蓮) 가운데 앉아 있기 때문에 붙여진 호칭인데, 고통 받는 중생(衆生)들이 일심(一心)으로 보살(菩薩)의 명호(名號)를 염송(念誦)하면 보살이 즉시 그 음성(音聲)을 관(觀)하여 곧바로 가서 그 고통 받는 이를 구해 준다 하고, 또 불(佛), 비구(比丘), 우바새(優婆塞), 천(天), 야차(夜叉) 등 여러 가지 모습으로 현신(現身)하여 중생들을 교화시킨다고 한다.

525 납승(衲僧): 승려의 별칭이다. 승려는 세상 사람들이 내버린 낡은 천조각을 누덕누덕 기워서 옷을 만들어 입는다는 뜻에서 나온 말이다. 납자(衲子) 혹은 납승(衲僧)이라고도 한다.

시(詩) 삼하(三下) :

이제익(李濟翊) · 임희렴(任希濂) · 심영규(沈永奎) · 이운기(李雲驥) · 김규응(金奎應) · 정기석(鄭基奭) · 안사섭(安思燮) · 최창래(崔昌來)

시(詩) 차상(次上) :

조창년(趙昌年) · 조석건(曺錫建) · 조희철(趙熙徹) · 홍순모(洪純謨) · 조재인(趙在寅) · 정교승(鄭敎承) · 이익서(李翼書) · 우종혁(禹宗赫) · 이동혁(李東爀) · 최홍석(崔鴻錫) · 윤치봉(尹致鳳) · 임학주(林鶴柱) · 채노영(蔡魯永) · 이학휴(李鶴休) · 최현익(崔鉉翼) · 이방헌(李邦憲) · 윤동부(尹東溥) · 박종석(朴宗奭) · 윤봉호(尹鳳浩) · 송정옥(宋正玉)】.

12월 5일.

화령전을 일차 봉심(日次奉審)하였다.

같은 날(12월 5일).

공도회(公都會)[526] 3일을 계획(計劃, 점수 통계)한 후에 부(賦)에 7인을 선발하고 시(詩)에 9인을 선발한 다음 바로 장계를 밀봉하여 아뢰었다.

〔계본〕

삼가 시취(試取)한 일을 아룁니다.

본 부의 을병(乙丙) 양년조(兩年條)의 공도회(公都會)를 신이 이

526 공도회(公都會) : 각 도(道)의 감사(監司) 및 개성(開城) · 강화(江華)의 유수(留守) 등이 관내의 유생을 대상으로 시행하는 소과(小科) 초시(初試)인데, 여기에 합격한 자에게는 다음 해의 소과 복시(覆試)에 응시할 자격을 주었다.

달 초2일에 시작하여 삼장(三場)[527]을 연이어 설행하였습니다. 시관(試官)은 경기도 감영에 공문을 보내 연서도 찰방(延曙道察訪) 전제현(田齊賢)을 차송(差送)하여 함께 시취한 뒤에 출방(出榜)[528]하였습니다. 본 부에는 강경 유생(講經儒生) 중에 원하는 강경(講經)[529]자가 없는 탓에 정식에 의거하여 제술(製述)[530] 원액(元額, 본래의 정원) 6인 외에 추가로 2인을 더 뽑아 제강(製講)을 준하여 8인입니다. 이에 동(同) 입격한 유생을 후에 개록하고 거수자(居首者)의 시권도 등서(謄書, 베껴 적음)하여 내각(內閣)에 올려보냈습니다. 이러한 연유를 함께 치계합니다.

【을미조(乙未條)

유학(幼學) 이우신(李又新), 나이는 29세, 부(賦)는 2푼 반으로 생원시(生員試)를 원함.

부친은 학생(學生) 운익(運翼).

유학(幼學) 홍우주(洪雨周), 나이는 40세, 부(賦)는 2푼 반으로 생원시를 원함.

부친은 성균진사(成均進士) 성모(性謨).

유학(幼學) 김재구(金在龜), 나이는 39세, 부(賦)는 2푼 반으로 진사시(進士試)를 원함.

부친은 유학(幼學) 기찬(箕燦).

---

527 삼장(三場) : 과거(科擧)에서 초장(初場), 중장(中場), 종장(終場) 세 번의 시험을 치는 것을 가리킨다.

528 출방(出榜) : 과거 합격자 명단을 입격방목 이외에 따로 방을 만들어 발표하는 것을 말한다.

529 강경(講經) : 과시(科試)에서 경서 중의 어느 구절을 지정하여 배송(背誦)하고 강해(講解)하게 하는 것.

530 제술(製術) : 과거(科擧) 시험의 하나. 시(詩) · 부(賦) · 표(表) · 책(策) · 논(論) 등의 문예(文藝)로 시취(試取)하였다.

유학(幼學) 김종소(金鐘爔), 나이는 58세, 부(賦)는 2푼 반으로 진사시를 원함.

부친은 통덕랑(通德郎)[531] 치성(致聖).

유학(幼學) 이운기(李雲驥), 나이는 51세, 시(詩)는 2푼 반으로 진사시를 원함.

부친은 통덕랑(通德郎) 승진(昇鎭).

유학(幼學) 심영규(沈永奎), 나이는 32세, 시(詩)는 2푼 반으로 진사시를 원함.

부친은 통덕랑(通德郎) 헌조(憲祖), 생부는 통훈대부 행 경모궁령(通訓大夫行景慕宮令) 상조(尙祖).

유학(幼學) 임희렴(任希濂), 나이는 45세, 시(詩)는 2푼 반으로 진사시를 원함.

부친은 학생(學生) 철중(喆中).

유학(幼學) 정기석(鄭基奭), 나이는 39세, 시(詩)는 2푼 반으로 생원시를 원함.

부친은 학생(學生) 준용(濬容), 생부는 유학(幼學) 순용(循容).

병신조(丙申條)

유학(幼學) 신형모(申衡模), 나이는 43세, 부(賦)는 2푼 반으로 진사시를 원함.

부친은 학생(學生) 용록(用祿).

유학(幼學) 서계보(徐綮輔), 나이는 33세, 부(賦)는 2푼 반으로

531 통덕랑(通德郎) : 조선 시대 정5품 문관의 품계이다.

진사시를 원함.

부친은 학생(學生) 유성(有星).

유학(幼學) 윤치만(尹致萬), 나이는 63세, 부(賦)는 2푼 반으로 생원시를 원함.

부친은 증통정대부승정원좌승지 겸 경연참찬관 행절충장군순천영장(贈通政大夫承政院左承旨兼經筵參贊官行折衝將軍順天營將) 형렬(衡烈).

유학(幼學) 조석건(曺錫建), 나이는 48세, 시(詩)는 2푼 반으로 진사시를 원함.

부친은 통정대부 첨지중추부사(父通政大夫僉知中樞府事) 시진(始振).

유학(幼學) 조창년(趙昌年), 나이는 36세, 시(詩)는 2푼 반으로 진사시를 원함.

부친은 학생(學生) 만영(萬榮).

유학(幼學) 이제익(李濟翊), 나이는 44세, 시(詩)는 2푼 반으로 진사시를 원함.

부친은 통덕랑(通德郎) 석구(錫龜).

유학(幼學) 김규응(金奎應), 나이는 58세, 시(詩)는 2푼 반으로 진사시를 원함.

부친은 학생(學生) 희성(希性), 생부는 학생 희리(希理).

유학(幼學) 최창래(崔昌來), 나이는 34세, 시(詩)는 2푼 반으로 진사시를 원함.

부친은 학생(學生) 덕진(悳鎭)】.

12월 7일.

화령전 수문장(華寧殿守門將)을 차하(差下, 관직을 임명함)하는 일로 장계를 밀봉하여 아뢰었다.

〔장계〕

화령전 겸수문장(華寧殿兼守門將) 홍시영(洪時榮)이 과체(瓜遞)[532] 되어 신의 감영에 초관(哨官)[533] 서호풍(徐鎬豊)을 대신 차하하니 해조(該曹)로 하여금 정식에 의거하여 단부 계하(單付啓下)[534]할 일입니다.

12월 9일.

화령전 납향(臘享)[535] 제향(祭享)에 헌관(獻官)으로 향축(香祝)을 모시고 재실(齋室)에 나아갔다.

12월 10일.

납향 제향을 설행한 후 장계를 밀봉하여 아뢰었다.

〔계본(啓本)〕

삼가 제향의 일을 아룁니다.

이달 초10일, 화령전 납향 제향을 행하는데 신이 헌관(獻官)으로 진참하여 설행한 후 제 관직(諸官職)의 성명을 뒤에 개록

532 과체(瓜遞) : 임기가 차서 벼슬이 갈림을 말한다.

533 초관(哨官) : 군영에 딸린 위관(尉官)의 하나로 한 초(哨)를 거느리는 장교를 말한다. 초는 약 100명쯤 된다.

534 단부 계하(單付啓下) : 단일 후보 추천(單付)을 가지고 임금의 결제를 받음을 말한다.

535 납향(臘享) : 납일(臘日)에 그 한 해 동안 지은 농사 형편과 그 밖의 일을 여러 신(神)에게 고(告)하는 제사를 말한다.

(開錄)하였습니다.

12월 12일.

본 영이 포폄등제(褒貶等第)를 발송하는데, 과천 현감(果川縣監) 정만교(鄭晩教)는 상피(相避)하게 되어 부득이 고과(考課)를 매기지 못한 일로 별도로 장계를 올렸다.

〔포폄등제(褒貶等第)〕

○ 화령전(華寧殿) 겸위장(兼衛將) 박시회(朴蓍會)

: 공경하는 뜻으로 조심하며 마음을 다하며 지킴, 상.

○ 겸령(兼令) 이민영(李敏榮)

: 일념으로 공경하고 조심함, 상.

○ 겸수문장(兼守門將) 홍시영(洪時榮)

: 근무 일수가 다 차서 이미 보충함, 상.

○ 겸문수장(兼守門將) 김원호(金遠浩)

: 자물쇠를 지키는 일에 각별히 조심스러움, 상.

○ 판관(判官) 이민영(李敏榮)

: 바야흐로 조적(糶糴)이 완비되어 기뻐하였으나 갑자기 오이가 익어 안타까울 뿐[536], 상.

○ 종사관(從事官) 이민영(李敏榮)

: 떠나감에 백성들이 안타까워하고, 군사들도 또한 안타까워함, 상.

---

536 갑자기……안타까울 뿐:《춘추좌씨전(春秋左氏傳)》 양공(襄公) 8년에 제(齊)나라 양공(襄公)이 연칭(連稱)과 관지보(管至父)를 규구(葵丘)로 보내 그곳을 지키게 하면서 "내년에 오이가 익을 때 교대시켜 주겠다.〔及瓜而代〕"라고 약속한 고사에서 나온 말로, 관리의 임기가 다 찼다는 말이다.

○ 중군(中軍) 박시회(朴蓍會)

: 번잡하지도 흔들리지도 않고, 도적들을 단도리 하고 체포하는 일을 완수함, 상.

○ 검률(檢律) 변학수(卞學秀)

: 율례를 자못 잘 연마함, 상.

○ 별전사 파총(別前司把摠振) 진위 현령(振威縣令) 남흥중(南興中)

: 건납(愆納)을 자주 독촉함, 상.

○ 별좌사 파총(別左司把摠) 용인 현령(龍仁縣令) 김운순(金芸淳)

: 군사와 백성이 다 함께 기뻐함, 상.

○ 별중사 파총(別中司把摠) 김노학(金魯學)

: 오래도록 더욱 부지런함, 상.

○ 별우사 파총(別右司把摠) 안산 군수(安山郡守) 이준수(李俊秀)

: 근래에 진실로 귀를 기울여 정성스럽게 들음, 상.

○ 협수겸 파총(協守兼把摠) 시흥 현령(始興縣令) 이명원(李鳴遠)

: 이전의 평가와 다름이 없음, 상.

○ 척후장(斥堠將) 영화도 찰방(迎華道察訪) 오치건(吳致健)

: 가히 폐읍(弊邑)[537]을 바로잡을 만함, 상.

○ 독성 겸파총(禿城兼把摠) 박시회(朴蓍會)

: 적정(糴政, 환곡(還穀)에 관한 사무의 실마리에 나아가게 함, 상.

○ 둔아병 파총(屯牙兵把摠) 평신진 첨사(平薪鎭僉使) 박윤묵(朴允默)

: 최무(催撫)[538]두 가지 방면을 모두 잘함, 상.

537 폐읍(弊邑) : 자신의 나라나 고을을 낮추어 칭하는 말이다.

538 최무(催撫) : 세금을 독촉하고 백성을 어루만지며 위로함을 나타내는 말이다.

〔별계〕

신의 영에 속하는 별오사 파총(別五司把摠) 중 별후사 파총(別後司把摠) 과천 현감(果川縣監) 정만교(鄭晩教)는 신과 더불어 구생(舅甥)의 친족이 되기에 지난 춘하등(春夏等) 포폄(褒貶) 때에 부득이 함께 마감(磨勘)하지 못한 뜻을 별계로 진문(陳聞)하였습니다. 그리하여 금번 추동등(秋冬等)[539] 포폄(褒貶)의 일도 부득이 관례에 따라 마감하지 못하였습니다. 이러한 연유를 치계합니다.

12월 14일.

현륭원(顯隆園) 기신제향(忌辰祭享)에 헌관으로 향축을 모시고 재실에 나아갔다. 이날 봉심 각신(奉審閣臣) 김학성(金學性)[540] 영감(令監)이 내려왔다.

12월 15일.

제향(祭享)을 설행하고 나서 바로 장계를 밀봉하여 아뢰었다. 이날 새벽 봉신 각신과 함께 의정부에 들었다가 아침 일찍 가서 사별(辭別, 인사를 하고 헤어짐)하였다.

---

539 추동등(秋冬等) : 관찰사가 1년에 두 번 각읍에 있는 수령을 포폄(褒貶)하여 상·중·하 등급으로 나눈 것 가운데 하반기 평가를 말하고 상반기는 춘하등(春夏等)이라고 한다.

540 김학성(金學性) : 1807~1875. 자는 경도(景道), 호는 송석(松石)이며, 종정(鍾正)의 증손, 동헌(東獻)의 아들이다. 1828년(순조 28) 사마시(司馬試)를 거쳐 이듬해 정시 문과(庭試文科)에 병과(丙科)로 급제, 1833년(순조 33) 대교(待敎), 1841년(헌종 7) 대사성, 이듬해 홍문관 부제학(弘文館副提學), 1844년 이조 참판(吏曹參判), 1848년 한성부 판윤(漢城府判尹)·규장각 제학(奎章閣提學), 이어 호조 판서를 지냈다. 1863년(철종 14) 공조 판서·판의금부사 등을 역임하고 1872년(고종 9) 평안도 관찰사가 되었다. 시호는 효문(孝文)이다.

〔계본〕

삼가 제향의 일로 아룁니다.

이달 15일, 현륭원 기신제향(忌辰祭享)을 행할 때, 신이 헌관으로 진참하고 설행한 후 원상(園上)을 봉심하였는데 잡초와 잡목이 없었으며 사산(四山) 내에도 함부로 범작(犯斫)하는 폐단이 없었습니다. 이에 제관(祭官)의 직함과 성명을 뒤에 개록(開錄)하였습니다. 이러한 연유를 치계합니다.

같은 날(12월 15일).

화령전에 분향(焚香)하고 봉심(奉審)한 뒤에 장계를 밀봉하여 아뢰었다.

〔장계〕

신이 금일 화령전에 분향하고 나서 바로 봉심하였는데 전내(殿內)의 모든 곳이 무탈하였습니다. 지금 받아 본 현륭원 영(令) 이민기(李民耆)의 첩정 내용에, "금일 원상(園上)과 전내를 봉심하였는데 무탈하였습니다."라고 하였습니다. 이러한 연유를 치계합니다.

12월 17일.

우금(牛禁, 소의 도살을 금지함)을 각별히 신칙(申飭)하는 일로 각 면에 전령(傳令)하였다.

〔전령〕

두려워하는 마음으로 금(禁)할 일.

소를 몰래 도살(屠殺)하는 일은 삼금(三禁)[541]의 첫 번째 조건으로 조정의 명령이 지금껏 엄중하여 영칙(營飭)으로 거듭 신칙하였거늘, 근래 민습(民習)이 애써 법을 두려워하지 않고 종종 금법(禁法)을 어겨 전후로 현착(現捉)[542]하는 일이 한둘이 아니니 기강을 생각하면 매우 한심하다. 소를 잘 기르는 것이 농사일과 관계됨은 과연 어떠한가? 세력 있는 양반과 미련한 백성들은 법의(法意)를 저버리고 함부로 법을 어기며 어렵게 여기지 않아 날로 축이나 해마다 줄어들어 한 해의 경간(耕墾, 논이나 밭을 개간하여 갊)은 매번 때를 놓치는 걱정에 풍년과 흉년은 여기에 따라 판가름나니 이것이 어찌 미미한 까닭이라 하겠는가. 만약 내버려두고 엄하게 금단(禁斷)하게 하지 않는다면 비단 법으로 금하는 일이 탕연(蕩然)해 질 뿐 아니라 동작(東作)[543]이 멀지 않았는데 토지를 개간〔墾闢〕할 길이 없다. 감영의 단단(斷斷)[544]한 고심은 우금(牛禁) 이 한 가지 일이니, 반드시 처음부터 끝까지 굳게 지켜 만의 하나라도 용서하지 않을 것이다.

지금 세제(歲除, 세밑)가 가까운데 혹시라도 간세배(奸細輩)가

---

541 삼금(三禁) : 법으로, 소의 도살을 금하는 일〔牛禁〕과 함부로 술을 빚거나 팔지 못하게 하는 것〔酒禁〕과 소나무를 베지 못하도록 막는 것〔松禁〕을 말한다.

542 현착(現捉) : 잘못이 드러난 그 자리에서 잡아들이는 것을 말한다.

543 동작(東作) : 봄 농사. 《서경(書經)》 〈요전(堯典) · 공전(孔傳)〉에 "한 해가 동쪽에서 시작되어 비로소 들로 나아가서 경작하는 것을 동작(東作)이라고 한다.〔歲起於東 而始就耕 謂之東作〕"라고 하였다.

544 단단(斷斷) : 마음이 정성스럽고 전일(專一)한 모양을 형용한 말이다. 《서경(書經)》 〈주서(周書) · 진서(秦誓)〉에 "여기에 어떤 한 신하가 있다. 그는 다른 특별한 재주는 없어도 언제나 성의(誠意)로 일관〔斷斷〕한다. 그는 마음이 너르고 커서 남을 모두 포용할 것처럼 보인다. 그리하여 남이 재능을 지니고 있으면 자기가 지닌 것처럼 기뻐하고, 남에게 훌륭한 점이 있으면 자기 마음속으로 좋아한다.〔若有一个臣, 斷斷兮無他技, 其心休休焉, 其如有容焉, 人之有技, 若己有之, 人之彦聖, 其心好之.〕"라는 말이 나온다. 《대학장구(大學章句)》 전(傳) 10장에도 이 말이 인용되어 있다.

방자하게 사사로이 도축하는 폐단이 있을까 우려되어 이에 선갑(先甲)의 영(令)을 내리니, 이것으로 전령하여 집집마다 타이르고 깨우쳐 아침에는 금하고 저녁에는 신칙하여 한 사람의 백성도 법을 어기는 일이 없게하라. 만일 법을 어기는 자가 있으면 반상(班常)을 따지지 말고 하나하나 지명(指名)하여 치고(馳告)하고 엄히 형벌을 가할 것이며 소위 면임(面任)의 무리들이 사사로운 정리(情理)에 얽매여 숨겨주고 보고하지 않다가 별기군(別技軍)의 염탐(廉探)에 현발(現發)되면 법을 어긴 자뿐만 아니라 해당 면임도 중벌을 면하기 어려우니, 예사로 여기지 말고 두려워하는 마음으로 거행하라. 전령이 도착한 일시와 일이 진행되는 상황을 우선 급히 보고하라.

12월 20일.

화령전을 일차 봉심(日次奉審)하였다.

12월 24일.

경내(境內)에 90세 노인과 효행인(孝行人)에게 술과 고기를 가지고 존문(存問)[545]하는 일로 각 면에 전령(傳令)하였다.

〔전령〕

모두 알아서 거행할 일.

세밑에 나이 많은 사람과 효제(孝悌)[546]하는 사람을 존문하

545 존문(存問) : 고을 수령이 그 지방의 찾아볼 만한 사람을 인사로 방문하는 일을 말한다.

546 효제(孝悌) : 어버이에게 효도하고 형제에게 우애하는 것을 말한다.

는 것은 한리(漢吏)[547]의 좋은 법도이다. 이에 이를 본받아 이 법도를 행하고자 하니 본 면에 거주하는 90세 노인과 효행인에게 술 1병과 고기 2근씩을 단자(單子)[548]로 만들어 후록한 다음 해당 면임(面任)에게 보내어 영납(領納)하고 나서 바로 존문한 뒤에 그 상황을 치보(馳報, 달려와 급히 알림)하라.

12월 25일.

화령전을 일차 봉심(日次奉審)하였다.

12월 26일.

청국(淸國) 헌서(憲書)[549]를 내려보낸다는 유지(有旨)를 공경히 받은 일로 장계를 밀봉하여 아뢰었다.

〔장계〕

이달 25일, 좌부승지(左副承旨) 조병헌(趙秉憲)[550]이 작성한 유지(有旨) 내용에, "이번에 청국 시헌서 1건을 내려보내니 경(卿)

---

547 한리(漢吏) : 한(漢)나라 때의 순리(循吏)로, 영천 태수(潁川太守)로 있으면서 크게 선정(善政)을 베풀어 고과(考課)가 천하에 으뜸이라서 높이가 한 길이나 되는 수레 덮개와 황금 100근을 하사받고 관내후(關內侯)에 봉(封)해졌던 황패(黃霸)를 가리킨다. 《한서(漢書)》 권89 〈황패전(黃霸傳)〉.

548 단자(單子) : 물품의 이름·수량 등을 적은 종이를 말한다.

549 헌서(憲書) : 역서(曆書)를 말한다. 청 고종(淸高宗)의 이름이 홍력(弘曆)이기 때문에 역(曆)을 서(書)로 피휘(避諱)하여 《시헌서(時憲書)》라 개칭하였다.

550 조병헌(趙秉憲) : 1803(순조 3)~?. 조선 후기의 문신. 본관은 풍양(豊壤). 자는 윤문(允文), 호는 금주(錦洲). 조정의 증손으로, 할아버지는 조진택(趙鎭宅)이고, 아버지는 이조판서 조종영(趙鍾永)이며, 어머니는 서유병(徐有秉)의 딸이다. 1827년(순조 27) 생원으로 증광문과에 병과로 급제한 뒤 1832년 규장각대교를 거쳐 수찬·응교 등을 역임하였으며, 1837년(헌종 3) 대사성에 이르렀다. 이어 1841년 이조참의가 되었고, 그 해 강원도관찰사로 나갔다. 이 해는 풍양조씨가 득세하여 안동김씨(安東金氏) 세력에 대항하던 시기로 그의 작은아버지인 조인영(趙寅永)이 영의정에 올랐으며, 그도 관찰사에서 돌아와 호조판서가 되었다.

은 감영에 두어라"라는 한 차례 유지(有旨)였습니다. 신이 당일 본영에서 공경히 받았습니다. 이러한 연유를 치계합니다.

같은 날(12월 26일).

정유년(丁酉年, 1837, 헌종 3) 새해 첫날, 응자 노인(應資老人)[551]을 후록(後錄)하여 장계를 밀봉하여 아뢰었다.

〔장계〕

방금 접수한 본 부 판관(本府判官) 겸임(兼任) 중군(中軍) 박시회(朴蓍會)의 첩정에, "다가올 정유년 새해 첫날에 응자 노인을 성책하여 보고합니다."라고 하였습니다. 노인의 직함과 성명 그리고 연세를 후록하여 치계합니다【전 정언(正言) 김약수(金若水), 나이 80세, 초평(楚坪)에 거주】.

같은 날(12월 26일).

용주사(龍珠寺)[552]에 오래 거주한 승려들을 정식(定式)에 의거해 후록하고 장계를 밀봉하여 아뢰었다.

---

551 응자노인(應資老人) : 해마다 연초에 일정한 나이에 이른 노인 가운데 새로 자급(資級)을 주거나 자급을 올려 주어 노인 공양의 뜻을 나타내었다. 양민이나 천민을 막론하고 80세 이상인 자, 종반(宗班) 부수(副守) 이상으로 80세 이상인 자, 봉군(封君)·시종신(侍從臣)·곤수(閫帥)의 아버지로서 70세 이상인 자, 동반(東班)이나 서반(西班)의 4품 실직을 역임한 자로서 80세인 자들이 해당되었다.

552 용주사(龍珠寺) : 경기도 화성시 송산동의 화산(華山) 기슭에 있는 사찰. 일제강점기 때는 31본산(本山)의 하나였는데, 이곳에는 원래 854년(신라 문성왕 16)에 세운 갈양사(葛陽寺)가 있었다. 952년(고려 광종 3)에 병란으로 소실된 것을 조선 제22대 정조(正祖)가 부친 장헌세자(莊獻世子)의 능인 현륭원(顯隆園)을 화산으로 옮긴 후, 1790년(정조 14) 갈양사 자리에 능사(陵寺)로서 용주사를 세우고 부친의 명복을 빌었다.

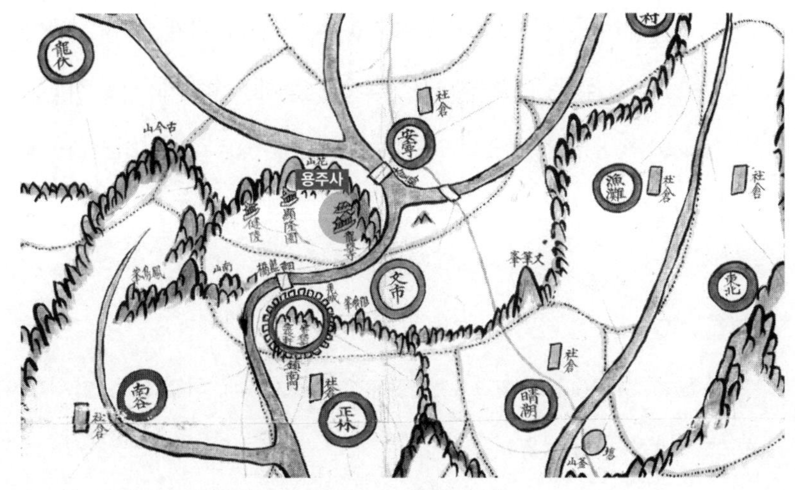

용주사《수원부지도(水原府地圖)》(서울대학교 규장각 한국학연구원)

〔장계〕

용주사에 30년 간 오래 거주한 승려들은 남한성성과 북한산성(南北漢)의 예(例)[553]에 의거하여 수신(守臣)이 장계로 아뢴 뒤에 체가(帖加)[554]를 성급(成給)하는 일입니다. 일찍이 정사년에 정식이 있던 뒤로 기한이 찬 승려들은 연달아 개록하고 치계하여 모두 체가의 은전을 입게하였습니다. 병인년(丙寅年, 1806년, 순조 6)부터 병신년(丙申年, 1836년, 헌종 2)까지 30년을 채워 오래 거주한 승려는 5인이 되기에 삼가 정식에 의거하여 동(同) 기한

553 남한성성과 북한산성〔南北漢〕의 예(例) : 남한산성과 북한산성에 있는 절에 30년간 오래 거주한 승려들에게 첩지를 내려 신분을 더해주는 체가를 주는 것을 말한다.《일성록(日省錄)》 정조(正祖) 21년 2월 17일 기사에 남한산성과 북한산성에 있는 절에 30년간 오래 거주한 승려들에게 첩가를 만들어 주게 하면서 용주사(龍珠寺)의 승려들에 대해 용주사는 새로 창건된 절이니 이번에는 15년이 찬 자에게만 먼저 첩가를 만들어 주고 이 뒤로는 남한산성과 북한산성의 예에 따라 만들어 주도록 하라고 명한 일이 있었다.

554 체가(帖加) : 벼슬을 주면서 정식 발령은 내지 않고 임명장인 체지(帖紙)만 주는 체가자(帖加資)의 준말로, 공명첩(空名帖)을 이른다.

이 찬 승려 등은 이름과 그 수를 후록하여 치계하오니, 체가 한 가지 조항은 해조(該曹)로 하여금 품처(稟處)하게 하소서【통정(通政)[555] 석의감(釋義坎), 통정 석치기(釋致琦), 통정 석선찬(釋善贊), 한산(閑散)[556] 석도균(釋道均), 한산 석최열(釋最悅)】.

12월 28일.

건릉(健陵) 정조(正朝, 정월 초하룻날 아침) 제향(祭香)에 헌관(獻官) 김재삼(金在三)[557] 대감이 내려왔다.

12월 29일.

현륭원 정조제향에 헌관으로 향축을 모시고 원소(園所)에 나아갔다.

555 통정(通政) : 정3품 당상관(堂上官)을 말한다.

556 한산(閑散) : 품계(品階)만 가지고 직무(職務)없이 한가하게 지내는 사람을 말한다.

557 김재삼(金在三) : 1775~1837 족보에 의함. 조선 후기 관리이며 자는 자강(子綱)이다. 사계(沙溪) 김장생(金長生)의 후손으로, 부친은 사도세자의 딸과 결혼하여 광은부위(光恩副尉)가 된 김기성(金箕性)이다. 음보(蔭補)로 벼슬살이를 시작하하여 1800년(순조 즉위년)에 종척집사(宗戚執事)의 소임을 맡았고 1831년(순조 31) 그동안의 공로를 인정받아서 통정대부(通政大夫)에 올랐다. 1833년(순조 33) 의주부윤(義州府尹)에 임명되었는데, 칙사(勅使)를 맞이하는 일에 소홀하였다는 죄목으로, 비변사(備邊司)로부터 탄핵을 받았다.

엎드려 생각건대 신은 송구스럽게도 화봉(華封)의
직임에 있으나 정성은 규경(葵傾)에 간절하니 크나큰
은혜 가슴 속 깊이 새기고 비록 연애 (涓埃, 물방울과
티끌) 진찰(塵刹)을 갚지 못했으나 성절(聖節, 임금의
생일)을 맞이하여 그나마 송백 (松柏)과 강릉(岡陵)을
헌축(獻祝)합니다. 신은 천성(天聖)을 우러르는
간절한 마음 가눌 길 없습니다.

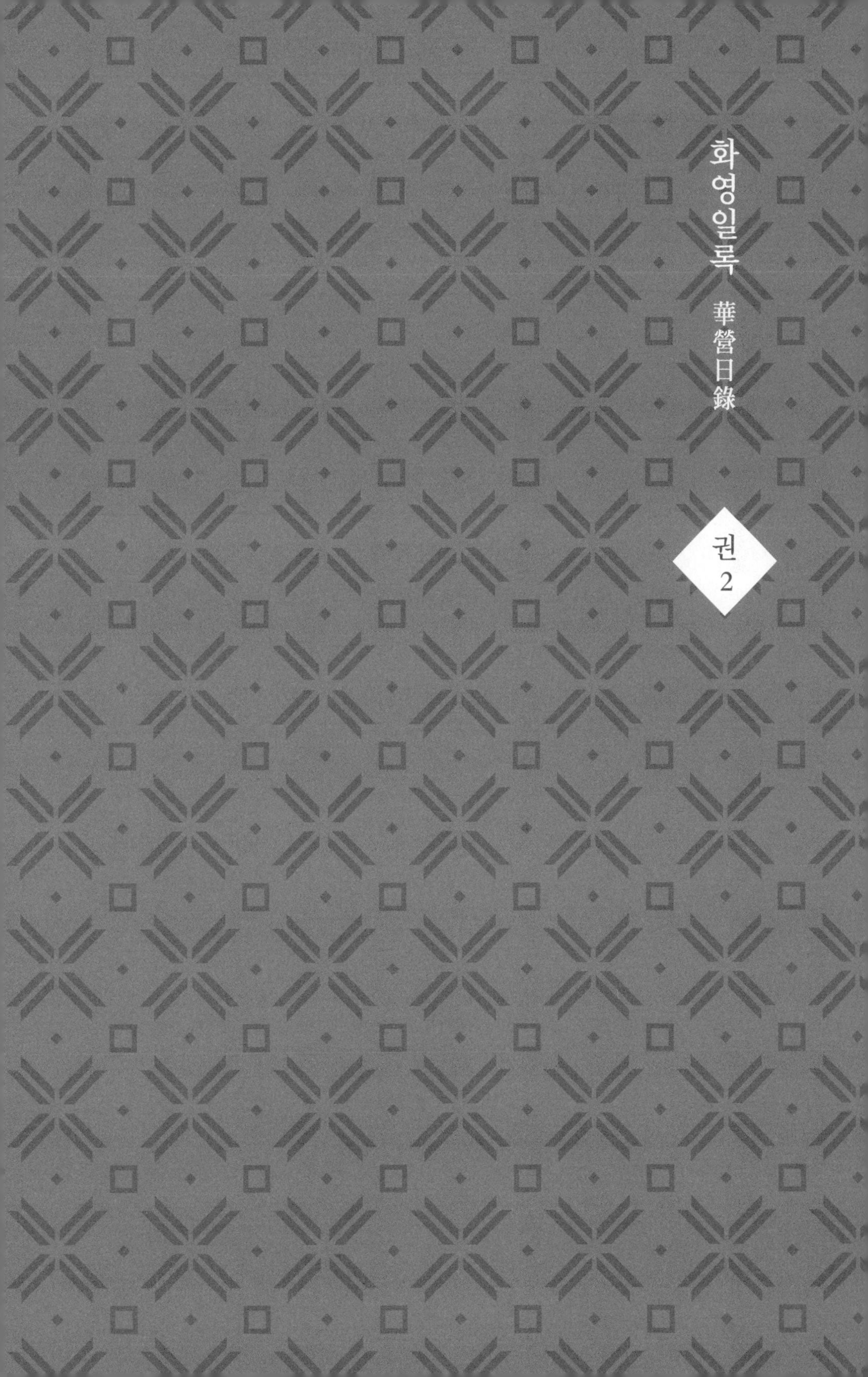
화영일록
華營日錄
권 2

정유년丁酉年 1837년, 헌종憲宗 3년 1월

정유년(丁酉年) 1월 1일.

현륭원(顯隆園) 정조(正朝, 정월 초하룻날 아침) 제향(祭享)에 헌관(獻官)으로 진참(進參)하고 나서 바로 장계를 밀봉하여 아뢰었다.

〔계본(啓本)[1]〕

삼가 제향의 일로 아룁니다.

이달 초1일, 현륭원 정조제향을 행할 때에 신이 헌관으로 진참하고 설행한 후 원상(園上, 현륭원)을 봉심(奉審)하였는데 잡초와 잡목이 없었으며 사산(四山) 내에도 함부로 범작(犯斫)하는 폐단이 없었습니다. 이에 제관(祭官)의 직책과 성명을 뒤에 개록(開錄)[2]하였습니다. 이러한 연유를 치계합니다.

---

1 계본(啓本): 조선 시대에 임금에게 제출하는 문서로, 1412년(태종 12)에 장신(狀申)을 고쳐 부른 것이다. 1417년에는 입초(入抄)와 일반 사무 외에는 계본을 사용하도록 하였으며, 1489년(성종 20)에는 일반 백성이 함부로 계본을 올리는 폐단을 시정하여 반드시 관원이 검토한 뒤 임금에게 올리도록 하였다. 계본에 대한 회답은 10일을 기한으로 정하였으며, 1835년(헌종 1)에는 계본의 지폭(紙幅)을 규격화하였다. 2품 아문(衙門)에서는 임금에게 직접 계(啓)를 올리고 관문서(官文書)로 조회(照會)할 수 있었으나, 그 외의 아문에서는 모두 소속된 조(曹)를 통하여 제출해야 하는데, 계본식(啓本式)이라는 일정한 양식에 따라 문서를 작성하였다.

2 개록(開錄): 상급 기관에 문서를 보낼 때, 문서의 후반에 이름이나 의견을 적어 보내는 일을 말한다.

같은 날(1월 1일).

향역(享役, 제사에 관한 일)으로 인해 효성전(孝成殿) 담사(禫祀)[3]에 진참(進參)하지 못하고 객사(客舍)에 나아갔다. 망곡(望哭)[4]을 하고 길복(吉服)[5]으로 갈아입으니 슬프고 휑한 마음이 더해가 바로 망궐례(望闕禮)를 행하였다. 중군(中軍)[6] 판관(判官)·영화 찰방(迎華察訪)·과천 현감(果川縣監) 등이 아울러 건릉 헌관(健陵獻官)으로 참여하고 장남헌(壯南軒)으로 들어와 잠시 이야기를 나누고 바로 돌아갔다.

같은 날(1월 1일).

화령전(華寧殿)에 분향한 뒤에 장계를 밀봉하여 아뢰었다.

〔장계(狀啓)〕

신이 오늘 화령전에 분향하고 나서 봉심하였는데 전내(殿內) 모든 곳이 무탈하였습니다. 방금 접수한 현륭원 영(顯隆園令) 이민기(李民耆)의 첩정(牒呈)에, "오늘 원상(園上)과 전내(殿內)를 봉심하였는데 무탈합니다."라고 하였습니다. 이러한 연유를 치계합니다.

---

3 담사(禫祀) : 담제(禫祭)라고도 하는데, 3년의 상기(喪期)가 끝난 뒤 상주가 일상생활로 되돌아가는 것을 고하는 제례 의식이다. 장사를 지낸 뒤 2년 정확히는 25개월 만에 지내는 제사인 대상(大祥)을 지낸 뒤, 다음다음 달[中月] 즉 초상부터 윤달을 따지지 않고 27개월이 되는 달의 하순의 정일(丁日)이나 해일(亥日)에 지내는 제사를 말한다. 담제를 지내는 달을 담월(禫月)이라고 하고, 그때 입는 옷을 담복(禫服)이라고 한다.

4 망곡(望哭) : 임금이나 어버이의 상사를 당했을 때 먼 곳에 있어서 곡할 장소에 몸소 가지 못할 경우 그쪽을 향하여 슬피 우는 의식을 말한다.

5 길복(吉服) : 삼년상(三年喪)을 마친 뒤에 입는 보통 옷을 말한다.

6 중군(中軍) : 조선 시대 각 군영(軍營)에 속한 종2품관으로 군영의 대장 혹은 사(使)를 보좌하는 전문 무관이다. 총리영(摠理營)·수어청(守禦廳)·진무영(鎭撫營)·관리영(管理營)과 각 도 감영(監營)의 순영 중군(巡營中軍)은 정3품직 관직이다.

1월 2일.

영(營)을 떠나, 과천(果川)에서 점심을 먹고 저녁에 필곡(筆谷)에 머물러 묵었다. 영을 떠난 일[離發]로 대해 장계를 밀봉하여 아뢰고, 다시 춘조(春操, 봄철 조련)를 설행할 계획으로 장계를 밀봉하여 아뢰었다.

〔장계〕

신이 하례를 드리는 반열에 진참(進參)하는 일로 당일 길을 떠나 상경(上京)하였습니다. 이러한 연유를 치계합니다.

〔장계〕

신의 영에 마병(馬兵)과 보병(步兵)의 이번 봄 습조(習操)[7]를 정식(定式)에 의거하여 날을 정해 설행할 계획입니다. 본 성(本城)과 독성산성(禿城山城)의 산성 조련(操鍊)도 모두 시행해야 할지 아울러 묘당(廟堂)[8]으로 하여금 품지(稟旨)하여 분부하게 하소서.

1월 3일.

부묘(祔廟)[9] 전문(箋文)[10] 3건과 존숭(尊崇) 전문 3건을 경기 영(營)에 봉송(封送, 물건을 싸서 보냄)하였다.

---

7 습조(習操) : 군사의 습진(習陣)과 조련(操鍊)을 말한다.

8 묘당(廟堂) : 조선 시대 비변사의 별칭으로 주사(籌司)라고도 하였다. 이 말은 대신(大臣)들이 국가의 중요한 일을 의논할 때, 종묘(宗廟)에 나아가 고한 뒤에 회의, 결정한 데서 생겨난 것으로 당초에는 의정부를 뜻하기도 했었다.

9 부묘(祔廟) : 임금의 삼년상(三年喪)을 마친 다음에 그 신주(神主)를 종묘(宗廟)에 모시는 것을 말한다.

10 전문(箋文) : 왕실에 길사(吉事)·흉사(凶事)·경사(慶事)·영절(令節) 등에 신료가 국왕 또는 대비(大妃)·왕대비(王大妃)·대왕대비(大王大妃)에게 올리는 사륙체(四六體)의 글을 말한다.

〔부묘 전문(祔廟箋文)〕

엎드려 생각하건대, 삼상(三霜)[11]의 남은 슬픔이 절모(切慕, 절실한 연모의 마음)가 갱장(羹墻)[12]에 깊고 양조(兩朝, 순조(純祖)와 익종(翼宗))의 부례(祔禮)[13]는 칭경(稱慶, 경사를 치름)이 종석(宗祏)[14]에 흘러 넘칩니다. 소목(昭穆)[15]을 차례로 서열하니 진실로 정문(情文)에 화합[16]하고, 공경함은 오로지 홍도(弘圖, 왕의 대업)를 계승하시니 효(孝)를 바쳐서 선대의 업(業)을 실추하지 않고자 하셨습니다.[17] 성상을 사모하는 마음은 추원보본(追遠報本)[18]에 돈독하고 상례(喪禮)는 슬픔을 다하고 제례(祭禮)는 진실로 정성을 다하셨습니다. 어렵고 큰 선왕의 유업(遺業)을 크게 펴 계승하셨으니[遺大投艱],[19] 뜻을 잘 잇고 일을 잘 처리하여 중월(中月)에

---

11 삼상(三霜): 흰 옷을 입고 상제(喪制)로 있는 3년을 말한다.

12 갱장(羹墻): 국그릇과 담벼락으로, 누군가를 우러러 사모하는 마음을 뜻하는 말로 흔히 쓰인다. 《후한서(後漢書)》 권63 〈이고열전(李固列傳)〉에 옛날에 요(堯) 임금이 죽자 순(舜) 임금이 3년 동안을 우러러 사모하였는데, 앉아 있을 때면 요 임금의 모습이 담벼락에 나타나고, 밥을 먹을 때면 국그릇에 나타났다고 한 데서 온 말이다.

13 부례(祔禮): 삼년상을 마치고 신주를 사당으로 옮겨 모시는 부묘(祔廟)의 예를 말한다.

14 종석(宗祏): 종묘(宗廟)에 있는 위패(位牌)를 모신 석실(石室)을 말한다.

15 소목(昭穆): 사당에 조상의 신주를 모시는 차례로, 시조를 가운데 모시고 2세·4세·6세는 왼편에 모셔 소(昭)라 하고, 3세·5세·7세는 오른편에 모셔 목(穆)이라 한다. 천자는 7묘로 3소·3목이고, 제후는 5묘로 2소·2목이고, 대부는 3묘로 1소·1목인데, 할아버지와 손자가 항상 배(配)가 된다. 《문헌통고(文獻通考)》 〈종묘고(宗廟考)〉.

16 정문(情文)에 화합: '정문(情文)'은 인정(人情)과 예문(禮文)을 이른다. 예컨대, 제사에 있어서 조상을 사모하는 것은 정이고 제사를 올리는 의식은 문인데, 두 가지가 모두 구비되었다는 뜻이다.

17 효(孝)를……하셨습니다: 《시경(詩經)》 〈문왕유성(文王有聲)〉에 "성을 쌓되 도랑은 그대로 따르고 풍읍(豐邑)을 만들되 그 성에 걸맞게 하시니, 그 욕심을 빨리 이루려는 게 아니라 선인의 뜻에 따라 효를 이루는 것이다.〔築城伊淢, 作豐伊匹, 匪棘其欲, 遹追來孝.〕"라고 하였다.

18 추원보본(追遠報本): 먼 조상을 추모하여 근본에 보답함. 즉 선대 조상에게 해야 할 도리를 하는 것을 일컫는 말이다.

19 어렵고……계승하셨으니〔遺大投艱〕: 원문의 '유대투간(遺大投艱)'은 《서경》 〈대고(大誥)〉에 "내가 하는 일은 하늘이 시키신 것이다. 하늘이 내 몸에 크고 어려운 일을 물려주고 던져 주셨다.〔予造天役, 遺大投艱于朕身.〕"라는 주(周)나라 성왕(成王)의 말을 인용한 것으로 하

미쳐 상담(常禫)의 제도[20]를 따라 길일(吉日)에는 승부(陞祔)의 의식[21]을 거행하셨습니다.

엎드려 생각건대 신의 직책이 외람되이 동교(東郊)를 다스리고〔釐東〕[22] 있지만 뜻은 공북(拱北)[23]에 간절합니다. 태실(太室)[24] 종인(宗禋, 조상의 제사)의 예를 우러러보면 통곡은 유궁(遺弓)에 미치지 못하고[25] 화봉청축(華封請祝)[26]의 법도를 본받아 정성은 거홀(擧笏)에 대강 다하였습니다. 신은 천성(天聖)을 우러르는 간절한 마음 가눌 길 없습니다.

–이상은 대전(大殿)에 올리는 전문.

늘이 맡긴 어려운 선왕의 유업을 잇는다는 뜻을 말한다.

20 중월(中月)……제도 : 중월(中月)은 한 달을 건너뛰는 것으로, 대상(大祥)을 지내고 한 달을 건너뛰어 담제(禫祭)를 지내는 제도를 말한다.

21 승부(陞祔)의 의식 : 삼년상이 지난 뒤에 임금의 신주(神主)를 종묘에 올려 모시거나 지위를 높여 그 신주(神主)를 종묘(宗廟)의 조상(祖上) 곁에 모시는 일을 말한다.

22 동교(東郊)를 다스리고〔釐東〕 : 《서경》 〈필명(畢命)〉에 "강왕 12년 6월 경오일 새벽에서 3일이 지난 임신일에 왕이 아침에 종주로부터 걸어서 풍 땅에 이르러서 성주의 무리를 필공에게 명하여 동교를 편안히 다스리게 하였다.〔惟十有二年六月庚午朏越三日壬申, 王朝步自宗周至于豐, 以成周之衆命畢公保釐東郊.〕"라고 한 데서 나온 말이다.

23 공북(拱北) : 뭇별이 북두성을 옹위하는 것처럼 신하가 임금을 모시는 것을 말하는데, 《논어(論語)》 〈위정(爲政)〉의 "덕정(德政)을 펴게 되면, 북두성이 가만히 제자리를 지키고 있어도 뭇별이 옹위하는 것처럼 될 것이다.〔爲政以德, 譬如北辰居其所, 而衆星共之.〕"라는 말에서 나온 것이다.

24 태실(太室) : 조묘(祖廟)의 중앙에 있는 감실. 종묘(宗廟)가 5실로 되어 있는데, 동서에 각각 둘이 있고 그 중앙에 태실이 있으니, 곧 태조(太祖)를 모시는 곳이다.

25 유궁(遺弓)에……못하고 : 유궁(遺弓)은 황제(黃帝)가 용을 타고 신선이 되어 떠날 때 신하들이 붙잡고 함께 올라가려 하자, 황제의 활이 땅에 떨어졌다는 데서 나온 말로 임금의 유물, 나아가서 임금의 죽음을 뜻한다. 여기서 "유궁에 미치지 못함"은 따라가려고 해도 미치지 못하는 것처럼, 죽은 사람을 따라가지 못하는 슬픔을 말한다.

26 화봉청축(華封請祝) : 화봉인(華封人)의 삼축(三祝)을 이르는 말로 임금의 덕을 송축하는 충심을 말한다. 《장자(莊子)》 〈천지(天地)〉에 화(華) 땅을 지키는 봉인(封人)이 요(堯) 임금에게 아뢰기를 "아, 성인께 축복 드리기를 청하노니, 성인께서 장수하고 부유하고 아들을 많이 두시기를 축원합니다.〔噫! 請祝聖人, 使聖人壽富多男子.〕"라고 하자, 요 임금이 "아들이 많으면 걱정이 많고 부자가 되면 해야 할 일이 많고 장수하면 욕되는 일이 많으니, 이 세 가지는 덕을 기르는 것이 아니다.〔多男子則多懼, 富則多事, 壽則多辱, 是三者, 非所以養德也.〕"라고 한 데서 온 말이다.

엎드려 생각건대 희사(熙事, 왕업을 넓히는 일)가 일정한 상담(祥禫)에 이루어지니, 삼상(三霜)이 막 끝남을 슬퍼합니다. 욕례(縟禮)[27]를 종인(宗禋)에 거행하여 양성(兩聖, 순조(純祖)와 익종(翼宗))의 승부(陞祔)를 우러러 보니, 슬픔과 기쁨이 교차하고 죽은 자와 산 자가 함께 아름답습니다.

공경히 생각건대 덕(德)은 여요(女堯)[28]와 견줄 만하고, 공(功)은 문왕(文王)의 모후 태임(太任)[29]을 뛰어넘으셨습니다. 황조(皇祖)[30]의 짝이 되어 천지를 화육(化育)하시니 내간의 규범이 크게 빛나고 영고(寧考)[31]을 낳으시어 아름다움을 돈독히 하시니 자애로운 은혜가 두루 퍼졌습니다. 성대한 예(禮)를 거행하심이 태실(太室, 종묘)에 이르니 연하(燕賀)[32]가 흔정(昕庭)[33]에 다투어 올랐습니다. 엎드려 생각건대 신(臣)은 보리(保釐)에 능력이 부족하여 정성스럽고 간절히 찬축(攢祝)하오나 유궁(遺弓)을 좇을

---

27 욕례(縟禮) : 번거롭고 까다로운 예절이나 성대한 의식을 말한다.

28 여요(女堯) : 중국 송(宋)나라 영종(英宗)의 비(妃)이며 철종(哲宗)의 모후(母后)인 선인 태후를 말한다. 철종이 어려서 섭정(攝政)하면서 왕안석(王安石)을 물리치고 사마광(司馬光)을 등용하여 원우(元祐)의 치(治)를 이루었으므로, '여중 요순(女中堯舜)'이라고 세상 사람들에게 칭송받았다.

29 태임(太妊) : 주(周)의 왕계(王季)의 비(妃), 문왕(文王)의 어머니로 성품이 단정하고 덕행(德行)이 훌륭하였으며, 문왕을 가졌을 때 태교(胎教)를 하였다고 전한다.

30 황조(皇祖) : 임금의 할아버지를 말한다. 백성들을 경시하지 말고 가깝게 공경하라는 《서경(書經)》 오자지가(五子之歌)의 서두에 '할아버지께서 훈계를 남기셨으니〔皇祖有訓〕'라고 시작한다.

31 영고(寧考) : 영왕(寧王)이란 말과 같다. 영왕은 원래 《서경(書經)》 〈주서(周書)·대고(大誥)〉에서 주(周)나라 성왕(成王)이 부왕(父王)인 무왕(武王)을 가리킨 말로, 무왕이 은(殷)나라를 이기고 천하를 편안히 하였다 하여 지칭한 것인데, 후세에는 선대의 왕을 높이는 칭호로 사용하였다.

32 연하(燕賀) : 연하(燕賀)는 《회남자(淮南子)》 〈설림훈(說林訓)〉에 "목욕할 채비가 갖추어지면 이들이 서로 슬퍼하고, 큰 집이 이루어지면 제비와 참새들이 서로 축하한다.〔湯沐具而蟣蝨相弔, 大廈成而燕雀相賀.〕"라고 한 데서 온 말로, 본디 제비와 참새가 사람의 집을 자기들의 깃들 곳으로 삼아 서로 축하한다는 뜻에서, 흔히 남이 새로 집을 지은 것을 축하하는 말로 쓰이며, 또는 일반적인 축하의 뜻으로도 쓰인다.

33 흔정(昕庭) : 왕이나 왕후가 거처하는 곳을 말한다.

수 없으니 여전히 욕의(褥蟻)의 상심에 휘감깁니다. 이에 보배로운 함을 공경히 받들어 호배(虎拜)[34]의 정성을 대강 다하였습니다. 신은 천성(天聖)을 우러르는 간절한 마음 가눌 길 없습니다.

– 이상은 대왕대비전(大王大妃殿)에 올리는 전문.

엎드려 생각건대 은제(殷制)[35]를 겨우 마치니 상담(祥禫, 대상(大祥)과 담제(禫祭))이 어느덧 지나감을 슬퍼하며 노묘(魯墓, 부묘(祔廟)하는 것)를 정성으로 제시지내고, 소목(昭穆)의 병부(并祔)를 우러러보며 성대한 의식을 거행하니 남은 슬픔이 더욱 깊습니다. 공경히 생각건대 오직 상서로움이 증사(曾沙)[36]에 응하여 장락(長樂)[37]을 길러 융성하게 하였고, 덕(德)은 하(夏)나라 우(禹) 임

---

34 호배(虎拜): 대신(大臣)이 임금을 배알하여 절하면서 만수무강을 기원하는 것을 말한다. 호(虎)는 주(周)나라 선왕(宣王) 때 사람인 소목공(召穆公)의 이름이다. 《시경》 〈강한(江漢)〉에 "소호(召虎)가 절하고 머리를 조아리면서, 천자께서는 만년을 누리소서.〔虎拜稽首, 天子萬年.〕"라는 구절이 나온다.

35 은제(殷制): 성대한 예제로, 천자와 제후가 3년상을 마치고 조상의 혼령을 합제(合祭)하는 큰 제사를 말한다.

36 증사(曾沙): 높은 사록(沙麓)이라는 뜻인데, 후비(后妃)가 탄생할 전조(前兆)를 말한다. 중국 춘추 시대 때 사록(沙麓)이 무너지자 진(晉)나라 사관(史官)이 이를 점치기를 "645년 뒤에 그 땅에서 성녀(聖女)가 나올 것이다."고 하였는데, 그 후 과연 여기에서 한(漢)나라 원제(元帝)의 비인 원후(元后)가 태어났다는 고사에서 온 말이다. 《한서(漢書)》 권98 〈원후전(元后傳)〉.

37 장락(長樂): 한(漢)나라 때에 황태후가 상시 거처하던 궁전인 장락궁(長樂宮)을 가리킨다. 이 궁전은 황제의 거처인 미앙궁(未央宮)의 동쪽에 있었으므로 동조(東朝)라고도 부르며, 일반적으로 태후(太后) 또는 대비(大妃)의 궁전을 뜻하는 말로 쓰인다.

금의 배필 도산(塗山)[38]을 취하니 육위(六闈)[39]가 모두 음교(陰敎)[40]를 칭송하였습니다. 공(功)은 주(周)나라 태임(太任)이 문왕(文王)을 낳은 일에 합하니, 온 나라가 자부(慈覆)[41]의 덕의(德意)를 두루 입었습니다. 드디어 상제(喪制)를 겨우 끝마치고 부례(祔禮)가 이제야 이루어짐을 보니 신의 직책은 황송스럽게도 백성을 보호하여 편안하게 하는 일인지라 진실로 기쁜 마음뿐입니다. 교산(喬山)[42]의 세월이 쉽게 지나가니 오히려 용염(龍髥)[43]의 통곡에 휘감기는데, 자극(慈極, 왕대비)의 춘휘(春暉)[44]가 바

---

38 도산(塗山) : 하(夏) 나라 우왕(禹王)이 후비로 취한 도산씨의 딸을 말한다. 우왕을 이은 아들 계(啓)를 낳았다. 《열녀전(列女傳)》〈인지전(仁智傳)〉에서 "하(夏) 나라의 흥함은 도산(塗山) 때문이요, 망함은 말희(末喜) 때문이다."라고 하였다.

39 육위(六闈) : 육궁(六宮)으로 고대 황후의 침궁(寢宮)을 이르는데, 한 곳의 정침(正寢)과 다섯 곳의 연침(燕寢)을 합하여 육궁이라고 하였다. 《예기(禮記)》〈혼의(昏義)〉에 "옛날 천자는 황후 이하로 육궁(六宮)을 두고, 3인의 부인(夫人), 9인의 빈(嬪), 27인의 세부(世婦), 81인의 어처(御妻)를 두어 천하의 내부를 다스리도록 하여, 여성(女性)의 화순(和順)함을 미루어 밝히었기 때문에 외부가 화목하여 나라가 안정되었다."라고 하였다.

40 음교(陰敎) : 임금의 후궁을 말한다. 음교(陰敎)는 음(陰)의 교화로, 후비(后妃)의 덕을 말한다.《주례(周禮)》〈천관(天官)·내재(內宰)〉에 "음례로 육궁을 가르치고 음례로 구빈을 가르친다.〔以陰禮敎六宮, 以陰禮敎九嬪.〕"라고 한 데서 온 말이다.

41 자부(慈覆) : 임금의 인자한 은혜로 감싸 주는 것을 이른다.

42 교산(喬山) : 교산(喬山)에 있는 능이다. 옛날에 황제(黃帝)를 장사 지낸 곳인데, 전하여 임금의 능을 가리킨다.

43 용염(龍髥) : 임금의 죽음을 비유하는 말이다. 《사기》〈봉선서(封禪書)〉에 "황제(黃帝)가 수산(首山)에 있는 구리를 채취하여 형산(荊山) 밑에서 솥을 만들었는데, 솥이 완성되자 용 한 마리가 수염을 길게 늘어뜨리고 땅으로 내려와 황제를 맞이하였다. 황제가 용에 올라타자, 여러 신하들과 후궁 70여 명이 따라 올라탔다. 용이 하늘로 올라가자, 나머지 신하들이 용에 타지 못하고 모두 용의 수염을 붙잡으니, 용의 수염과 황제가 지니고 있던 활이 지상으로 떨어졌다. 백성들은 황제가 이미 하늘로 올라간 것을 바라보면서 그 활과 수염을 안고 통곡하였다. 이 때문에 후세 사람들이 그곳을 정호(鼎湖)라고 이름하고, 그 활을 오호라고 이름하였다.〔黃帝采首山銅, 鑄鼎於荊山下, 鼎旣成, 有龍垂胡髥下迎黃帝. 黃帝上騎, 群臣後宮從上者七十餘人, 龍乃上去. 餘小臣不得上, 乃悉持龍髥, 龍髥拔, 墮黃帝之弓. 百姓仰望黃帝既上天, 乃抱其弓與胡髥號, 故後世因名其處曰鼎湖, 其弓曰烏號.〕"라고 보인다.

44 춘휘(春暉) : 봄날의 햇볕으로, 어머니의 사랑을 말한다. 당나라 맹교(孟郊)의 시 〈유자음(游子吟)〉에 "한 치의 풀과 같은 자식의 마음을 가지고서, 봄날의 햇볕 같은 어머니의 사랑을 보답하기 어려워라.〔難將寸草心, 報得三春暉.〕"라는 구절에서 인용한 것이다.

야흐로 펼쳐지니 태배(鮐背)[45]의 정성의 축원을 대강 다하였습니다. 신은 천성(天聖)을 우러르는 간절한 마음 가눌 길 없습니다.

–이상은 왕대비전(王大妃殿)에 올리는 전문.

〔존숭 전문(尊崇箋文)〕

엎드려 생각건대 옛 나라가 오직 새로워지니 천명이 대궐(宸闈)을 소중히 여겨 태평을 누리는 치세입니다. 덕이 반드시 이름을 얻어 양전(兩殿)에 성대한 꾸밈(崇賁)의 휘호(徽號)를 바치니 정성스레 현책(顯冊)[46]을 받들어 빛나는 휘음(徽音)[47]을 밝힙니다. 공경히 생각건대 비승(丕承)[48]과 연모(燕謀)[49]는 큰 덕을 크게 뛰어넘어 진실로 무성하게 하셨고, 자애로운 가르침은 임사(任姒)[50]를 공경히 받들어 삼조(三朝)를 성독(誠篤)하시어 성

---

45 태배(鮐背) : 노인의 등에는 살이 빠지고 반점(斑點)이 생겨 복어 껍질처럼 된다는 말로, 장수하는 노인을 형용할 때 흔히 쓰는 표현이다.

46 현책(顯冊) : 왕실의 예식을 거행할 때, 그 주된 내용을 기록한 책을 가리킨다. 예를 들면 왕대비 봉책이나 존호 등을 행할 때 그것을 기록한 책을 말한다.

47 휘음(徽音) : 후비(后妃)의 아름다운 덕을 표현할 때 쓰는 말이다. 주 문왕(周文王)의 비(妃)인 태사(太姒)가 문왕의 어머니인 태임(太任)의 덕을 이어받아 많은 후손을 두었다는 말이다. 《시경(詩經)》 〈대아(大雅)·사제(思齊)〉에 "태사께서 태임의 아름다운 덕을 이어받아 아들이 백 명이나 되도다.〔太姒嗣徽音, 則百斯男.〕"라는 말에서 나온 것이다.

48 비승(丕承) : 조상의 큰 업적을 훌륭하게 계승하였다는 뜻으로서, 《서경(書經)》 〈군아(君牙)〉에, '위대하게 빛나도다 문왕(文王)의 경륜이여! 훌륭하게 계승했도다 무왕(武王)의 업적이여!〔丕顯哉, 文王謨; 丕承哉, 武王烈.〕에서 인용된 말이다.

49 연모(燕謀) : 자손을 위한 좋은 계책을 의미하는 말로, 《시경(詩經)》 〈문왕유성(文王有聲)〉에 "후손에게 계책을 남겨 주어 공경하는 아들을 편안하게 하셨다.〔詒厥孫謀, 以燕翼子.〕"라고 하였다.

50 임사(任姒) : 태임(太任)과 태사(太姒)를 말한다. 태임은 주(周)나라 문왕(文王)의 어머니이며 왕계(王季)의 아내이고, 태사는 문왕의 아내이며 무왕(武王)의 어머니로, 모두 훌륭한 부덕(婦德)을 지녔다고 한다.

효(聖孝)가 진실로 순(舜) 임금과 문왕(文王)에 딱 들어맞으니 일국(一國)을 길러 융성하게 하셨습니다. 드디어 열성조(列聖朝)의 이전(彝典, 변하지 않는 전례(典禮))을 따라 곧 양 자전(慈殿)에 휘칭(徽稱)[51]을 바치셨습니다.

엎드려 생각건대 신은 공적이 동교(東郊)를 다스리는 데에 부족하지만, 뜻은 공북(拱北)에 절실하여 몸소 옥장(玉仗, 임금의 의장(儀仗))을 모시고 변오(抃鰲, 손뼉치고 환호하는 예)에 욕의(縟儀, 성대한 의식)를 다행히 보게 되니 손으로 낭함(琅函)[52]을 받들고 호배(虎拜)에 작은 정성을 대강 다하였습니다. 신은 천성(天聖)을 우러르는 간절한 마음 가눌 길 없습니다.

-이상은 대전(大殿)에 올리는 전문.

엎드려 생각건대 보록(寶籙)[53]이 자천(慈天)[54]에 넘치니 드디어 높은 하늘의 명을 맞이하여 길일에 요첩(瑤牒)[55]을 받들어 크나큰 명예를 더욱 드높여 이에 현책(顯冊)을 거듭 드러내고 아름다운 법도를 크게 밝히셨습니다. 공손히 생각건대 주(周)나라 무왕의 어머니 태사(太姒)에 필적하고 송(宋)나라 영종(英宗)의 비(妃)인 여요(女堯)를 앞지르셨습니다. 황조(皇祖)의 짝이 되

---

51 휘칭(徽稱) : 후비(后妣)에게 아름다운 칭호를 올리는 것으로 휘(徽)는 후비의 아름다움을 나타내는 말이다.

52 낭함(琅函) : 낭함(琅函)은 옥으로 만든 함으로, 귀중한 글이나 서적을 보관한다.여기서는 이 함에 전문을 담아서 바치는 것을 말한다.

53 보록(寶錄) : 전설에 봉황이 전후로 황제(黃帝)와 요제(堯帝)에게 가져다 주었다는 도록(圖籙)을 가리키는 말로, 왕위를 계시(啓示)하는 천명(天命)을 상징한다.

54 자천(慈天) : 자천은 인자한 하늘이란 의미로 흔히 임금을 뜻한다.

55 요첩(瑤牒) : 후비 등을 책봉하고 칭송하는 글발을 적어 새긴 간책(簡冊)으로 옥책(玉冊) 등을 말한다.

어 적유(翟褕)[56]를 입고 다스려 밝히시니 자은(慈恩)이 천하(寰宇)에 널리 퍼지고 주상을 보좌하고 연익(燕翼)[57]을 남기시니 종사(宗祀)가 굳건하고 태산 반석에 올라 마침내 자덕(慈德)의 광림이 휘칭(徽稱)의 가진(加晉)을 우러릅니다. 엎드려 생각건대 신은 외람되게도 화봉삼축(華封三祝)하고 가만히 숭호(嵩呼)[58]를 드러냅니다. 극검(克儉)[59]하고 극근(克勤)[60]함에 유화(柔化)를 칭송하니 정성은 북극(北極)에 달렸고, 왈강(曰康, 강녕함)하고 왈수(曰壽, 장수함) 함에 경복(景福)[61]을 의지하여 남산(南山)같은 장수[62]를 바라는 마음으로 헌수하여 짓습니다. 신은 천성(天聖)을 우러르는 간절한 마음 가눌 길 없습니다.

–이상은 대왕대비전(大王大妃殿)에 올리는 전문.

엎드려 생각건대 궁위(宮闈, 궁중(宮中)의 내전(內殿))께서 복을 널리 펴시니 온 나라가 다함께 자부(慈覆)를 입고, 완염(琬琰)[63]이

---

56 적유(翟褕) : 꿩을 수놓은 왕후의 옷으로, 왕후를 상징한다.

57 연익(燕翼) : 《시경(詩經)》 〈문왕유성(文王有聲)〉에서 주(周)나라 무왕(武王)에 대해 "후손에게 계책을 남겨 두어 공경하는 아들을 편안케 하셨다.[詒厥孫謀, 以燕翼子]" 한 데서 온 말로, 여기서는 후사(後嗣)를 세우는 것을 가리킨다.

58 숭호(嵩呼) : 만세를 부르는 구호. 호숭(呼嵩) 또는 산호(山呼)라 하기도 한다. 한 무제(漢武帝)가 숭산(崇山)에서 등봉(登封)할 때 곳곳에서 만세 소리가 들렸다 한다. 《한서(漢書)》 〈무제기(武帝記)〉.

59 극검(克儉) : 집에서는 능히 사사로운 공양(供養)을 검소하게 한다는 뜻을 말한다.

60 극근(克勤) : 나라의 일에 능히 부지런하여야 한다는 말한다.

61 경복(景福) : 《시경》 〈대아(大雅) · 기취(既醉)〉에 "이미 술에 흠뻑 취하였고 이미 덕에 배가 불렀도다. 군자께선 만년토록 큰 복을 누리시기를.[既醉以酒, 既飽以德, 君子萬年, 介爾景福]"이라는 말이 나온다.

62 남산(南山)같은 장수 : 장수를 축원하는 말로, 《시경》 〈천보(天保)〉에 "차오르는 달과 같고 떠오르는 해와 같으며, 언제나 버티고 있는 남산과 같아 무너지지 않고 이지러지지 않는다.[如月之恆, 如日之升, 如南山之壽, 不騫不崩.]"라고 한 데서 온 말이다.

63 완염(琬琰) : 옥(玉)으로 된 홀(笏)의 일종으로 완규(琬圭)와 염규(琰圭)를 말함. 여기에 아름

법도에 밝아 두 자〔二字〕가 휘유(徽猷, 훌륭한 계책)를 드러내길 도우니, 겸양하는 마음을 애써 돌려 칙명(勅命)[64]성대히 받았습니다. 공손히 생각건대 덕은 여일(儷日)[65]에 화합하고 자리는 장추(長秋)[66]에 높으니, 주위(周闈)에서 귀걸이를 빼셨습니다.[67] 영고(寧考)의 짝이되어 홍화(鴻化, 큰 덕화)를 함께 도우셨고, 검소하시어 복련(服練)[68]하신 한전(漢殿)[69]입니다. 성궁(聖躬)을 도와 영원히 연모(燕謀)[70]를 넉넉하게 하셨으니 이에 보력(寶曆, 왕위)이 번연함에 당하여 마침내 옥첩(玉牒)[71]의 드날림을 거행합니다.

엎드려 생각건대 신은 동교(東郊)를 다스리며〔釐東〕 공적은 부족하지만 공북(拱北)을 향하는 정성은 깊어 검옥(檢玉)에 이

다운 행실을 적어서 후세에 전하기도 한다는 말이 있다.

64 칙명(勅命) : 원문의 환호(渙號)는 《주역(周易)》 〈환괘(渙卦) · 구오(九五)〉에 나오는 환한대호(渙汗大號)의 준말로, 땀이 한 번 나오면 다시 들어갈 수 없는 것처럼, 다시 번복할 수 없는 제왕의 호령, 즉 칙명을 뜻한다.

65 여일(儷日) : 태양과 짝함. 군왕과 짝함을 말한다.

66 장추(長秋) : 한(漢)나라 때 황태후가 거처했던 장추궁(長秋宮)으로, 후대에 왕후의 궁(宮)을 가리키는 말로 쓰인다.

67 주위(周闈)에서……빼셨습니다 : 주(周)나라 선왕(宣王)이 아침에 늦게 일어나자, 강후(姜后)가 방을 나와 곧 비녀와 귀걸이를 빼고 궁중에 죄가 있는 궁녀를 유폐시키는 골방인 영항(永巷)에서 '첩(妾)이 재덕(才德)이 없어서 임금으로 하여금 실례(失禮)하고 늦게 일어나게 하였으니, 죄줄 것을 청한다.' 하므로 선왕이 드디어 정사(政事)에 부지런히 하여 중흥(中興)의 명망을 이루게 됐다는 고사이다. 주로 현숙한 부덕(婦德)을 뜻한다

68 복련(服練) : 거친 명주로 만든 대련복(大練服)을 입었다는 말이다.

69 한전(漢殿) : 한전(漢殿)은 후한(後漢) 명제(明帝)의 마황후(馬皇后)가 거처한 장추전(長秋殿)을 말한다. 마황후가 의복을 검소하게 입고, 겸손하고 정숙(靜肅)하여 용의가 있었음을 말한 것으로, 대비도 이러함을 말한 것이다.

70 연모(燕謀) : 자손을 위한 좋은 계책을 의미하는 말로, 《시경(詩經)》 〈문왕유성(文王有聲)〉에 "후손에게 계책을 남겨 주어 공경하는 아들을 편안하게 하셨다.〔詒厥孫謀, 以燕翼子〕"라고 하였다.

71 옥첩(玉牒) : 왕실(王室)의 계보(系譜). 또는 본디 하늘에 제사 지낼 때의 제문(祭文)을 간책(簡策)에 써서 자물쇠를 채워 봉하고 옥으로 장식하므로, 극히 진중(珍重)한 문적(文籍)을 일컫기도 한다.

금(泥金)[72]으로 전문(箋文)을 봉하여 백세에 밝히어 드러냄을 보고, 뜨는 해 차오르는 달처럼 번창하도록 만 년의 축복을 빕니다. 신은 천성(天聖)을 우러르는 간절한 마음 가눌 길 없습니다.

–이상은 왕대비전(王大妃殿)에 올리는 전문.

1월 4일.

내각전문(內閣箋文)을 두 차례 수정하였다.

〔부묘 전문(祔廟箋文)〕

엎드려 생각건대 양암(亮闇)[73]의 제도가 끝나니 바야흐로 개확(慨廓)[74]의 마음이 깊으나 종인(宗禋)의 예가 중(重)하니 마침내 승부(陞祔)의 의식을 거행하여 신과 인간이 함께 탄식하고 천하가 함께 하례하였습니다. 공경히 생각건대 배움은 취일(就日)[75]에 힘쓰고 효는 타고남에 나타나니, 준덕(峻德)은 스스로 선왕의 덕을 따르는 데 밝아서 탕반(湯盤)의 경계[76]를 보존하

72 검옥(檢玉)에 이금(泥金): 검옥은 옥첩(玉牒), 옥책문을 넣은 옥함(玉函)이며, 이금은 아교를 섞은 금분(金粉)으로 왕사(王事)에 관한 귀중한 글을 봉(封)하는 데 사용되었다.

73 양암(亮闇): 임금이 상중(喪中)에 있는 것을 말한다. 《논어(論語)》 〈헌문(憲問)〉에 "은 고종(殷高琮)이 '양암'하는 삼 년 동안 말을 하지 않았다."라고 했다. 양음(亮陰)·양음(諒陰)·양암(涼闇)이라고도 한다.

74 개확(慨廓): 상(喪)을 당하여 그 슬픔이 축쇄되어가는 것을 표현한 말이다. 《예기(禮記)》 〈단궁 상(壇弓上)〉에서, 개(慨)는 소상(小祥)을 당하여 세월이 빠른 것을 탄식하는 마음을 말하고, 확(廓)은 대상(大祥) 때 정의(情意)가 허전한 것을 표현하였다.

75 취일(就日): 사람이 햇볕을 보면 나아가게 된다는 말로 요(堯) 임금의 덕(德)을 칭찬하는 "취지여일(就之如日)"이라는 말에서 나온 것이다. 요(堯)임금 시대에 백성이 요임금에게 바라기를 "가뭄에 구름 바라듯 하고, 장마에 햇별 보고 나아가듯 한다〔望之如雲, 就之如日〕."에서 나온 말로 말로 정치를 잘하여 백성이 따른다는 말로 쓴다.

76 탕반(湯盤)의 경계: '탕반(湯盤)'은 상(商)나라 탕왕이 목욕하던 탕조(湯槽)인데, 탕왕이 여기에 "진실로 어느 날에 새로워졌거든 나날이 새롭게 하고 또 날로 새롭게 하라.〔苟日新, 日日新, 又日新.〕"라는 명문(銘文)을 새겨 평생의 경계로 삼았다. 《대학장구(大學章句)》 전(傳) 2

고, 연모(燕謨)가 다만 후대를 깨우쳐 이어나가 요(堯) 임금을 갱장(羹墻)에서 보듯 선왕(先王)을 사모하는 정성을 붙이셨습니다. 이에 3년의 상기(喪期)가 어느덧 흘러감에 양묘(兩廟)의 제부(躋祔)[77]를 거행하십니다.

엎드려 생각하니 신은 정성스럽고 간절하게 청축(請祝)하오나 공적은 보리(保釐)에 부족하여 삼가 일창삼탄(一倡三歎)[78]을 본 듯 삼가고 애통함은 욕의(褥蟻)에 미치지 못하였으나, 성대하게 만천세를 외쳐 정성을 변오(抃鼇, 환호의 예)에 대강 다하니, 신은 천성(天聖)을 우러르는 간절한 마음 가눌 길 없습니다.

〔존숭 전문(尊崇箋文)〕

엎드려 생각하니 선위(璇闈, 대비의 궁전)의 경사가 펼쳐지는 원춘(元春)에 즉길(卽吉)[79]의 기약에 다다르고, 요첩(瑤牒)[80]이 빛나고 아름다워 대왕대비께 양휘(揚徽)의 호(號)를 바치셨으니, 효성은 애일(愛日)[81]에 깊고 칭송은 하늘에 올랐습니다. 공손히

장(章).

77 제부(躋祔): 승부(陞祔) 혹은 부묘(祔廟)와 같은 뜻으로, 신주를 종묘에 올려 모시는 것을 말한다. 여기서는 효종(孝宗)에 대한 삼년상을 마치고 종묘에 신주를 봉안하는 것을 말한다.

78 일창삼탄(一倡三歎): 《예기(禮記)》 〈악기(樂記)〉에 "청묘의 비파는 붉은 줄에 너른 구멍을 밑바닥에 뚫었으며, 한 사람이 연주를 하면 세 사람이 따라서 감탄하는데, 이는 선왕의 남긴 소리가 있는 것이다.〔淸廟之瑟, 朱絃而疏越, 壹倡而三歎, 有遺音者矣.〕"라고 한 데서 온 말로, 전하여 훌륭한 음악(音樂)이나 시가(詩歌)를 의미한다.

79 즉길(卽吉): 상복(喪服)을 벗고 길복(吉服)으로 바꾸어 입는 것으로, 곧 탈상을 가리킨다.

80 요첩(瑤牒): 후비 등을 책봉하고 칭송하는 글발을 적어 새긴 간책(簡冊)으로 옥책(玉冊) 등을 말한다.

81 애일(愛日): 세월이 가는 것을 애석하게 여긴다는 뜻으로 효자(孝子)가 부모(父母)를 장구히 모시고자 하는 마음을 이르는 말이다.

생각건대 비현비승(丕顯丕承)[82]하시고 지인지효(止仁止孝)[83]하시어 보의(寶扆)[84]께서는 비할 데 없이 힘 들고 어려운〔艱大〕 사업을 계승하셨고, 숙야(夙夜)[85]에 더욱 근면하시고 장락(長樂)에 이유(怡愉)[86]의 기쁨을 받들어 봄 햇살과 같은 은혜〔春暉〕에 보답하고자 하였습니다. 의호(懿號, 아름다운 칭호)를 날리니 자덕(慈德)이 아름답게 드러나고, 현책(顯冊)을 바치니 신효(宸孝, 임금의 효성)가 더욱 빛납니다.

엎드려 생각건대 신은 외람되이 가까운 반열에 끼어 성대한 예를 보게 되니 끝없는 기쁨이자 끝없는 근심[87]이 되기도 하지만, 축하하는 숭호(嵩呼)[88]를 거행하니 반드시 그 수명과 명예를 얻게 되실 것입니다. 개미처럼 하찮은 정성을 화축(華祝, 화봉삼축(華封三祝))에 대강 다하니, 신은 천성(天聖)을 우러르는

---

82 비현비승(丕顯丕承) : 조상의 큰 업적을 훌륭하게 계승하였다는 뜻으로서, 《서경(書經)》 〈군아(君牙)〉에, "위대하게 빛나도다, 문왕의 경륜이여. 훌륭하게 계승하였도다, 무왕의 업적이여.〔丕顯哉, 文王謨, 丕承哉, 武王烈.〕"라는 말에서 유래하였다.

83 지인지효(止仁止孝) : 인(仁)에 머물고 효(孝)에 머문다는 뜻이다.

84 보의(寶扆) : 임금이 거처하는 곳에 치는 병풍으로, 임금을 가리키는 말이다.

85 숙야(夙夜) : 이른 새벽과 깊은 밤을 가리킨다. 《시경》에 아침에 일찍 일어나고 밤에는 늦게 잔다는 '숙흥야매(夙興夜寐)'의 뜻과 같은 말이다. 아침 일찍부터 밤늦게까지 직무에 몰두하여 부지런히 일하는 것을 이르는 말이다.

86 이유(怡愉) : 어버이를 옆에서 모시면서 기쁘고 즐겁게 해 드리는 것을 말한다. 당(唐)나라 한유(韓愈)의 〈원화성덕시(元和聖德詩)〉에 "기쁘고 즐거운 기색으로 태황후를 받들었다.〔怡怡愉愉, 奉太皇后〕"라고 한 데서 나온 말이다.

87 끝없는……근심 : 임금이 새로 즉위한 것이 큰 기쁨이지만 하늘의 뜻을 제대로 행하지 못할까 근심하는 것을 말한다. 주(周)나라 성왕(成王)에게 소공(召公)이 "아, 황천의 상제가 그 원자와 이 대국인 은나라의 천명을 바꿔 버렸으니, 왕께서 천명을 새로 받은 것이 한없는 기쁨이 되기도 하지만, 또한 한없는 근심이 되기도 합니다. 아, 그러면 어찌해야 하겠습니까. 어찌 공경하지 않을 수 있겠습니까.〔嗚呼! 皇天上帝, 改厥元子玆大國殷之命, 惟王受命, 無疆惟休, 亦無疆惟恤, 嗚呼曷其 奈何弗敬.〕"라고 경계한 고사에서 나온 것이다. 《서경(書經)》 〈소고(召誥)〉.

88 숭호(嵩呼) : 한나라 무제(武帝)가 숭산(嵩山)에 올라갔을 때에 만세를 세 번 부르는 소리를 들었다고 한 데에서 나온 어휘인데, 이후로 만세를 부르는 것을 뜻하는 말로 쓰였다.

간절한 마음 가눌 길 없습니다.

1월 5일.

권농윤음(勸農綸音)[89]을 공경히 받고 일이 진행되는 상황을 밀봉하여 아뢰었다.

〔장계〕

이달 초2일, 우승지(右承旨) 박종길(朴宗吉)[90]이 성첩(成貼)[91]한 유지(有旨) 내용에, "왕이 말하노라. 아! 공경히 생각건대 우리 선대왕(先大王)께서는 한결같이 민천(民天)[92]만을 생각하시어, 잠시라도〔造次〕[93] 게으르지 않았고 부지런히 농사의 어려움을 돌보시어 재위하신 34년(순조 1800~1834) 간 휴기(休氣)[94]가 충만하니 천화(天和)가 기다려 응하는 것이어서 태사(太史)가 풍년이

89 권농윤음(勸農綸音) : 임금이 농사를 권장하기 위해 해마다 정월 초하루에 백성에게 반포하는 글이다.

90 박종길(朴宗吉) : 1783~1852. 조선 후기 문신. 자는 목여(穆如), 본관은 반남(潘南)이다. 1804년(순조 4) 식년시에서 생원에 합격하였고, 1827년(순조 27) 증광시 문과에서 병과 1위로 급제하였다. 1828년에는 홍문록(弘文錄)에 선발되었으며, 서장관(書狀官)의 임무 수행으로 인해 품계를 올려 받기도 하였다. 이후 부응교(副應敎)·사간(司諫) 등을 역임하였다. 1835년(헌종 1)에는 부사과(副司果)로 재직 중이었는데, 그동안의 공로를 인정받아서 재차 품계를 올려 받았다. 1839년(헌종 5)에는 사간원대사간(司諫院大司諫)에 임명되었다.

91 성첩(成貼) : 문서에 수결(手決)을 두고 관인을 찍어서 마무리하는 것, 또는 완성된 문서를 말한다.

92 민천(民天) : 백성이 하늘로 삼는 것, 즉 식량이 되는 곡식을 말한다. 《사기(史記)》 권97 〈역생육가열전(酈生陸賈列傳)〉의 "다스리는 자는 백성을 하늘로 삼고, 백성은 먹는 것을 하늘로 삼는다.〔王者以民人爲天, 而民人以食爲天.〕"라는 말에서 나온 것이다.

93 잠시라도〔造次〕 : 원문의 '造次'는 '조차필어시(造次必於是)'를 줄인 말로, 《논어(論語)》 〈이인(里仁)〉에 "군자는 밥 한끼를 먹는 동안이라 할지라도 인(仁)을 어기는 일이 없어야 하니, 아무리 다급한 때라도 반드시 이 인에 입각해서 행해야 할 것이다.〔君子去仁, 惡乎成名? 君子無終食之間違仁, 造次必於是, 顚沛必於是.〕"라는 공자의 말이 나온다.

94 휴기(休氣) : 휴기(休氣)는 상서로운 기운이라는 뜻으로, 《송서(宋書)》 권27 〈부서지(符瑞志)〉에 "요(堯) 임금이 즉위하니 영광이 황하에서 나오고 휴기가 사방에 가득하였다.〔榮光出河, 休氣四塞〕"라고 하였다.

라고 기록한 데가 모든 곳이고 한 군데만이 아니었으니, 이는 모두 오늘날 방백(方伯)과 수령(守令)들이 일찍이 목도(目睹)하고서 찬앙(攢仰)하였던 바이다.

유충(幼沖)한 내가 어렵고도 큰 기업(基業)을 계승하여 문득 3년이 되었다. 유모(孺慕)[95]가 더욱 새로운데 전(前) 영인(寧人)[96]의 유지(遺志)를 삼가 받들고 지난 날 회보(懷保)[97]의 지극한 어짊과 성덕(盛德)을 본받음은 더욱 백성을 부지런하게 하고 농사를 중히 여김에 달렸다. 대저 농사라는 것은 천하의 대본(大本)이며, 곡식이라는 것은 백성의 사명(司命)[98]이다. 농사가 번성하지 않으면 백성은 곡식이 없고, 백성이 곡식이 없으면 나라에는 백성이 없게 되니, 이러한 까닭에 신농씨(神農氏)[99]는 직접 밭을 갈고 우(禹)와 직(稷)[100]은 몸소 곡식을 심었으며 문왕

---

95 유모(孺慕): 어린아이가 어버이를 깊이 사모하는 것을 이르는데, 여기서는 곧 임금이 선대왕을 사모하는 것을 비유한 말이다.

96 전(前) 영인(寧人): 《서경(書經)》 〈대고(大誥)〉에, "내 어찌 전 영인의 공을 마칠 것을 도모하지 않겠는가.〔予曷其不于前寧人圖功攸終?〕"라는 말을 인용한 것이다. 그 주에 "영인(寧人)은 무왕(武王)의 대신(大臣)이니, 당시에 무왕을 '영왕(寧王)'이라 하였고, 인하여 무왕의 대신을 '영인'이라 하였다."라고 하였는데, 전하여 '옛날에 문덕(文德)이 있던 사람'을 후세 사람들이 칭하는 말로 쓰이는데, 선대의 왕을 일컫기도 한다.

97 회보(懷保): 품어 보호하다는 뜻으로, 《서경(書經)》 〈주서(周書)·무일(無逸)〉에, "아름답게 부드럽고 공손히 하여 백성을 보호하고 홀아비와 과부를 아껴 한낮과 저녁이 되도록 밥 먹을 겨를도 없이 만민을 화하게 하였다.〔徽柔懿恭, 懷保小民, 惠鮮鰥寡, 自朝至于日中昃, 不遑暇食, 用咸和萬民.〕"라고 하여 문왕(文王)의 덕을 찬양한 말이다.

98 사명(司命): 사람의 생명을 맡고 있다는 뜻으로 《관자(管子)》 22권 〈국축(國蓄)〉에 "오곡의 곡식은 백성의 사명(司命)이다.〔五穀食米, 民之司命也〕"라고 하였다.

99 신농씨(神農氏): 신농씨는 중국 고대의 삼황 중 한 명으로, 농경을 가르쳐 농업의 신으로도 숭앙되며, 각종 초목의 맛을 보며 온갖 질병에 대해 처방을 제시했는데, 후세에 이를 전승하여 《신농본초(神農本草)》라는 책을 만들었다고 한다.

100 우(禹)와 직(稷): 《맹자(孟子)》 〈이루 하(離婁下)〉에서 맹자는, 태평성대(太平聖代)에 나랏일을 돌보느라 자신의 집을 세 번이나 지나치고도 들르지 않은 우(禹) 임금과 후직(后稷), 난세를 만나 가난 속에서도 자신의 즐거움을 변치 않은 안회(顔回)에 대하여 공자가 칭송한 점을 들면서 "우 임금과 후직, 안회는 그 도가 같다.〔禹、稷、顔回, 同道.〕"라고 하였다.

(文王)은 백성을 안정시키고 기르셨고,[101] 옛 선왕(先王)들께서도 여기에 급급해 하시며 오직 이것을 우선으로 하셨다. 농사를 짓는 데에 있어 농사에 힘쓰는 것으로는 그 시기를 잃지 않는 것이 가장 으뜸이니, 우러러 중성(中星)[102]을 보고 오운(五運)[103]을 두루 살피며 수공(水功)이 저축되었는지 새는지, 토의(土宜)[104]가 건조한 지 비옥한 지와 농기(農器)가 편리한 지와 같은 구비되지 않음이 없어야 하고, 혹시라도 부주의하여 과실〔愆失〕이 없은 후에야 비로소 만 억에 이르는 곡식이 산더미처럼 축적됨을 바랄 수 있으니, 이것이 바로 농부의 경사이며 또한 국가〔邦家〕의 상서(上瑞)일 것이다. 자목(字牧)의 책임[105]을 맡은 자가 있으면 누가 감히 계칙(戒飭)하고 살피지 않겠으며, 말단을 억누르고 근본을 돈독하게 하여 일은 오늘날 부고(敷告)의 지극한 뜻을 선양하지 않겠는가? 하물며 지금 관북(關北)과 관동(關東) 지방은 거듭 흉년이 들이닥쳐 흩어져 떠나고,

---

101 문왕(文王)은……기르셨고 : 강공(康功)은 백성들을 안정시키는 일을 말하고, 전공(田功)은 백성을 기르는 일을 말한다. 《서경(書經)》〈무일(無逸)〉에 이르기를 "문왕께서는 허름한 옷을 입고 백성을 편히 해 주는 일과 농사일을 하셨습니다.〔文王卑服, 卽康功田功.〕" 하였다.

102 중성(中星) : 28수(宿)가 사방에 분포해 있으면서 일정한 궤도에 따라 운행하다가 순서에 따라서 매월 남방의 중천(中天)에 나타나는 별을 가리킨다. 12개월마다 각각 중성이 정해져 있는데, 춘분(春分)에는 순화(鶉火)인 유(柳)·성(星)·장(張) 세 별이고, 하지(夏至)에는 대화(大火)인 심성(心星)이고, 추분(秋分)에는 허성(虛星)이고, 동지(冬至)에는 묘성(昴星)이다.

103 오운(五運) : 오행(五行)의 운행. 목(木)·화(火)·토(土)·금(金)·수(水)의 다섯 가지 요소로 질병의 발생을 설명하는 한의학 이론이다. 오운은 십간(十干, 甲乙丙丁戊己庚辛壬癸)에 배정되는데, 십이지(十二支, 子丑寅卯辰巳午未申酉戌亥)에 배정된 육기(六氣)와 결합하여, 그 해의 기후 변화와 질병 발생의 상관관계를 설명한다.

104 토의(土宜) : 땅의 성질이 사람이 살거나 식물을 가꾸기에 알맞은 것을 말한다.

105 자목(字牧)의 책임 : 자목(字牧)은 고을 백성을 사랑으로 다스리는 것을 말하며, 자목지임(字牧之任)은 목사 이하 군수, 현감, 현령 등을 통칭하는 말로 쓰인다.

곤궁한 처지[顚連][106]가 되어 다 죽게 생긴[近止][107] 근심이 호흡하는 사이에 있다. 양남(兩南, 호남(湖南)과 영남(嶺南))의 목화 농사도 이번에 큰 흉년이 들었으니 슬프도다. 저 의지할 데 없고 먹을 것 없는, 메추리 같고 고니 같은 누더기의 백성이 무엇에 의지하여 살겠는가?

무릇 세금을 정지하고, 줄여주고, 진휼(賑恤)하는 방도에 관계되는 것은 하늘같은 자전(慈殿)의 덕성에 의지하여 봄바람이 불어주듯 바닷물이 담아주듯 모두 크게 화평하고, 교화하고 품어주는 가운데 모두 길러져서[108] 비록 굶주려 얼굴이 누렇게 뜨고 엄청난 추위가 살갗에 사무쳐도 덕의(德意)에 울음이 웃음으로 바뀌고 괴로움이 즐거움으로 바뀌며, 끌어 안고[保抱携持][109] 그 거처에서 편안하고 각자 그 일에 나아가게 되었다. 이번에 청양(靑陽)이 비로소 돌아와 농사지을 채비가 가까이에 있으므로 농부가 심가 부지런하고 전준(田畯)[110]

---

106 곤궁한 처지[顚連]: 원문은 '전련(顚連)'으로 가난하고 의지할 곳 없는 것을 의미한다. 송(宋)나라 장재(張載)의 《서명(西銘)》에 "온 천하의 쇠잔하고 병든 자, 고아와 독거노인과 홀아비와 과부가 모두 곤궁하여 하소연할 곳 없는 나의 형제들이다.[凡天下疲癃殘疾, 惸獨鰥寡, 皆吾兄弟之顚連而無告者也.]"라는 표현이 있다.

107 다 죽게 생긴[近止]: 원문의 '근지(近止)'는 대명근지(大命近止), 즉 흉년으로 인해 죽음의 운명이 가까이 다가왔다는 뜻이다. 《시경》에 "죽음이 가까운지라, 우러러볼 곳 돌아볼 곳이 없노라.[大命近止, 靡瞻靡顧.]"라는 구절이 있는데, 여기서 유래한 말이다. 《시경(詩經)》 〈대아(大雅)·운한(雲漢)〉.

108 교화하고……길러져서: 원문의 '陶勻'은 도자기를 만들 때에 그 그릇의 용도에 따라 속도를 조절하여 적절히 굴리는 물레라는 뜻으로, 조정에서 정국을 통제하는 대권(大權)을 장악하고 백성을 교화하는 것을 뜻한다.

109 끌어 안고[保抱携持]: 《서경(書經)》 〈소고(召誥)〉에 "은(殷)나라가 종말을 고할 즈음에 지혜 있는 자는 숨어 버리고 백성을 병들게 하는 자만 벼슬자리에 있었으므로 사람들이 모두 처자(妻子)를 안아 붙잡고는 애통한 심정을 하늘에 호소하였다.[厥終, 智藏瘝在, 夫知保抱攜持厥婦子, 以哀籲天.]"라는 말이 나온다.

110 전준(田畯): 주(周) 대의 권농관(勸農官)으로, 밭고랑 사이의 농막인 우표철(郵表畷)에 거처

이 지극히 기뻐하니, 복을 받고 편안함을 얻어 나와 함께 태평할 것이다. 이제부터 시작하여 좌부(左符)를 잡듯이 할 것이니, 아! 너희 유사(有司)의 신하는 정성을 다해 감히 혹시라도 마음이 게으르지 말게 하라. 과업을 권장하고 구휼하는 방책은 진실로 농사에 이로움이 있고 백성에 넉넉함이 있어 각자 그 힘을 다해서 내 팔도(八道)의 백성들이 모두 춘대(春臺)[111]의 교화에 적셔져 영원히 오막살이의 근심을 없게 하는 것이니, 나 혼자만의 행복일 뿐만 아니라 사실 종사(宗社)와 생령(生靈, 백성)의 복이다. 모두 모름지기 잘 알아서 지극한 뜻에 부응하라"라는 한 차례 유지(有旨)였습니다.

신은 이달 초 3일 술시(戌時, 오후 7시~ 오후 9시) 즈음에 서울에서 공경히 받은 뒤에 본 부 판관(本府判官) 겸임(兼任) 중군(中軍) 박시회(朴蓍會)에게 감결(甘結)을 보내 신칙(申飭)하고 그로 하여금 경내(境內)의 백성에게 일일이 효유(曉諭, 깨달아 알도록 타이름)하게 하였습니다. 신도 또한 삼가 마땅히 때에 맞추어 살피고, 추택(趨澤)을 권장하고 간핍(艱乏)을 도와 농사를 중히 여기고 백성을 여유롭게 하라는 성덕(盛德)의 지극한 뜻을 대양(對揚)[112] 하고자 합니다. 이러한 연유를 치계합니다.

하면서 백성들의 농경(農耕)을 독려하였다. 《예기(禮記)》 〈교특생(郊特牲)〉.

111 춘대(春臺): 태평성대를 나타내는 말이다. 《노자(老子)》 제20장에 "세속의 중인들은 화락하여 큰 잔칫상을 받은 듯, 봄날 누대에 오른 듯 즐거워한다.[衆人熙熙, 如享太牢, 如登春臺.]"라고 한 데서 온 말이다.

112 대양(對揚): 임금의 명을 받들어 백성에게 널리 알리는 것을 의미한다. 《서경(書經)》〈열명 하(說命下)〉에, "감히 천자의 아름다운 명을 그대로 선양(宣揚)하겠습니다.[敢對揚天子之休命.]"라고 한 문장에서 나온 말이다. 대(對)는 답한다는 뜻이고, 양(揚)은 선양한다, 송양(頌揚)한다는 뜻이다.

1월 6일.

효성전(孝成殿, 순조의 혼전(魂殿))과 효화전(孝和殿, 익종(翼宗)의 혼전(魂殿))에 부태묘(祔太廟)[113] 지영반(祇迎班)[114]으로 진참(進參)하고 나서 바로 종묘(宗廟) 문 밖 의막(依幕)[115]에 머물렀다가 이날 밤 춘향대제(春享大祭)[116]에 입참하였다.

1월 7일.

종묘에 주상전하께서 친히 전알(展謁)[117]하고 나와서 환궁(還宮)할 때 모시고 따라가 참배하고 문안반(問安班)에 진하(陳賀)할 때에 전(殿)에 올라갔다.

1월 10일.

대왕대비전(大王大妃殿)과 왕대비전(王大妃殿)에 존호(尊號)를 올려 진하(陳賀)할 때에 전(殿)에 올라갔다.

같은 날(1월 10일).

반사문(頒赦文)[118]을 공경히 받고 일이 진행되는 상황을 밀봉하여 아뢰었다.

---

113 부태묘(祔太廟) : 임금이나 왕비의 3년상을 마친 뒤 그의 신주를 태묘(太廟)에 모시는 일을 말한다.

114 지영반(祇迎班) : 임금의 행차를 공경스럽게 맞이하는 백관들의 반열을 말한다.

115 의막(依幕) : 임금이나 관원이 임시로 머물 수 있도록 마련한 막사를 말한다.

116 춘향대제(春享大祭) : 이른 봄에 종묘(宗廟)와 사직(社稷)에 지내는 제사를 말한다.

117 전알(展謁) : 궁궐·종묘(宗廟)·문묘(文廟)·능침 따위에 참배하는 일을 말한다.

118 반사문(頒赦文) : 나라의 기쁜 일을 맞아 죄인를 사면(赦免)할 때 임금이 내리던 글을 말한다.

〔사문(赦文)〕

왕이 말하노라, 아! 황조(皇祖) 뒤를 계승하여, 대상(大祥)과 담제(禫祭)가 어느덧 지나 상복을 벗었노라〔外除〕[119]. 이에 내가 선왕을 대향(大享)[120]하여 소목(昭穆)에 아울러 합사하고, 방락(訪落)[121]의 유의(有意)를 받들어 알밀(遏密)[122]의 남은 생각에 답하니, 예(禮)는 감히 지나치지 않았으나 슬픔은 아직 미진한 바가 있다. 공경히 생각건대 우리 순종 대왕(純宗大王)께서는 자품(資品)이 상성(上聖)처럼 빼어나시고 태평의 운세를 만나 화저(華渚) 홍류(虹流)[123]에 부합하여 탄생하셨고 이잠(尼岑)[124]에 장경성(長庚星, 샛별)이 떨어짐을 만났노라. 어리신 나이에도 밤낮으로 나라의 명운을 다지는 일〔夙夜基命〕[125]에 골몰하시고 오래도록 이

119 상복을 벗었노라〔外除〕: 원문의 '外除'는 부모를 위하여 상복을 입고 있는 사람이 비록 상기가 다 되어 상복을 벗었더라도 마음속으로는 그대로 슬픔을 간직하고 있는 것을 말한다. 여기서는 상복을 벗었다는 뜻으로 쓰였다.

120 대향(大享): 종묘(宗廟)에서 사맹월(四孟月)의 상순(上旬)과 납일(臘日)에 지내는 제사와, 사직(社稷)에서 정월 첫 신일(辛日)에 풍년을 빌며 지내는 제사, 또는 중춘(仲春)·중추(仲秋)의 첫 무일(戊日)과 납일(臘日)에 지내는 제사.

121 방락(訪落): 《시경(詩經)》 〈주송(周頌)〉의 편명(篇名)으로, "주(周)나라 성왕(成王)이 어린 나이로 처음 즉위하여 종묘에 뵙고 신하들에게 정치를 물었다."라는 내용인데, 새로 즉위한 임금이 여러 신하들과 더불어 국사를 논의하는 것을 이른다.

122 알밀(遏密): 임금이 승하하여 온 세상에 음악 소리가 끊어져 고요하다는 뜻이다. 《서경(書經)》 〈순전(舜典)〉의 "임금이 세상을 떠나자 백성이 마치 부모의 상을 당한 것처럼 삼년복을 입었고, 천하에 음악 소리가 끊어져 조용해졌다.〔帝乃殂落, 百姓如喪考妣三載, 四海遏密八音.〕"라는 말에서 나온 것이다.

123 화저(華渚) 홍류(虹流): 화저(華渚)는 전설상의 지명이며 홍류(虹流)는 무지개가 흘러내렸다는 뜻으로, 임금의 생일이나 탄생을 비유할 때 쓰는 표현이다. 소호씨(少昊氏)의 모친인 여절(女節)이 무지개처럼 큰 별이 흘러내리는 꿈을 꾸고서 소호씨를 낳았다는 전설에서 유래한 것이다. 《송서(宋書)》 권27 〈부서지 상(符瑞志上)〉에 "제지 소호씨의 어머니는 여절인데, 마치 무지개와 같은 별이 아래로 화저에 흘러 내려오는 것을 보고 이윽고 꿈속에서 감응하여 소호를 낳았다. 소호가 제위에 오르자 봉황이 날아오는 상서가 있었다.〔帝摯少昊氏, 母曰女節, 見星如虹, 下流華渚, 既而夢接意感, 生少昊. 登帝位, 有鳳凰之瑞.〕"라고 한 데서 온 말이다.

124 이잠(尼岑): 이잠(尼岑)은 산동성(山東省) 곡부현(曲阜縣)에 있는 이산(尼山)을 말한다.

125 밤낮으로……일〔夙夜基命〕: 원문의 '숙야기명(夙夜基命)'은 《시경(詩經)》 〈주송(周頌) 호천유

어갈 방도에 이르기 위해 시종일관 전학(典學)[126]에 공을 들였노라. 종묘(宗廟)에는 공경함을 드리고 전궁(殿宮)에는 기쁨을 받들어 동해(東海)에 이르게 하면 동해의 수준이 되시고[127] 해와 달처럼 밝게 조화를 이루시어 천지처럼 큰 도량으로 포용하여 비유하자면 북극성이 그 자리에 있는 듯하였노라.

아! 우리나라 수많은 백성들을 위무하여 자득(自得)하게 하였고 34년 동안 나라를 누리면서 어진 자를 친애하여 이롭게 해 주는 것을 잊지 않으시어 성공(聖功)과 신화(神化)를 크게 성취하셨으니, 이는 모두 천덕(天德)과 왕도(王道)의 극치가 아닐 수 없다. 더럽고 나쁜 것들을 깨끗하게 쓸어 내어 방토(邦討)를 신장하였고 서양의 사특한 자들을 물리치니 백성의 윤리가 바로잡혔다. 하우씨(夏禹氏)의 상물(象物)의 기물(器物)[128]

성명(昊天有成命)〉의 "성왕(成王)께서 감히 편안히 계시지 못하시어 밤낮으로 명을 다지기를 크게 하고 정밀(靜密)하게 하셨다.〔成王不敢康, 夙夜基命宥密.〕"라는 구절을 원용한 것이다.

126 전학(典學) : 항상 학문에 힘쓴다는 말로 전(典)은 상(常)의 뜻이다. 《서경(書經)》〈열명 하(說命下)〉에 "가르침은 배움의 절반이니, 처음부터 끝까지 늘 학문에 뜻을 두면 그 덕이 닦여짐을 자신도 깨닫지 못할 것이다.〔惟斅學半, 念終始典于學, 厥德修罔覺.〕"라는 말에서 유래하였다.

127 동해(東海)에……되시고 : 효성이 매우 지극하다는 뜻이다. 《예기(禮記)》에 "대저 효의 덕이란 어떠한 것인가. 이것을 세워 두면 하늘과 땅에 가득 차고, 이것을 펼쳐 두면 사방의 바다에 퍼지고, 후세에 전하면 영원토록 무궁할 것이다. 이것을 밀어서 동해에 이르게 하면 동해와 수준(水準)이 같아지고, 이것을 밀어서 서해에 이르게 하면 서해와 수준이 같아지고, 이것을 밀어서 남해에 이르게 하면 남해와 수준이 같아지고, 이것을 밀어서 북해에 이르게 하면 북해와 수준이 같아진다.〔夫孝, 置之而塞乎天地, 溥之而横乎四海, 施諸後世而無朝夕, 推而放諸東海而準, 推而放諸西海而準, 推而放諸南海而準, 推而放諸北海而準.〕"라는 증자(曾子)의 말이 나오는데, 여기서 유래한 말이다. 《예기(禮記)》〈제의(祭義)〉.

128 하우씨(夏禹氏)의 상물(象物)의 기물(器物) : 고대(古代)의 하우씨(夏禹氏)가 구주(九州)의 금붙이를 수합하여 구정(九鼎)을 만들고서 거기에다 온갖 물건을 상징한 것을 말한다. 《춘추좌씨전(春秋左氏傳)》 선공(宣公) 3년 기사에 "옛날 하(夏)나라의 덕이 한창 융성한 때에는 먼 나라들이 각기 그 나라의 괴이한 물건의 형상을 그려 올렸는데, 구주의 장관에게는 쇠〔金〕를 바치게 하여 솥을 만들어서 여러 가지 형상의 물건을 새겨 넣고 모든 물건을 새겨 넣어 백성들로 하여금 귀신의 간사한 정상을 알아보게 하였다. 그러므로 백성들이 천택이나 산림에 들어가서도 요괴를 만나지 않았고, 도깨비를 만나지 않았다.〔昔夏之方有德也, 遠方圖物, 貢金九牧, 鑄鼎象物, 百物而爲之備, 使民知神姦. 故民入川澤山林, 不逢不若, 魑魅罔兩, 莫

을 두니 이매(魑魅)[129]가 도망치지 못하고 봄이 되면 덕을 펴는 윤음(綸音)을 내리어 풀과 나무들도 모두 즐거워하니 정의(精義)[130]는 1백 년 뒤에도 의혹 됨이 없을 것이며 치법(治法)은 삼왕(三王)의 법을 아울러 베풀었다. 국시(國是, 나라의 방침)는 선왕을 계승하는 데 크게 정해져 음양(陰陽)과 숙특(淑慝, 선행과 악행) 사이에서 전전긍긍(戰戰兢兢)하셨고, 천명(天命)은 소민(小民)을 화합하기를 영원토록 기원하며 수한(水旱, 홍수와 가뭄)의 재앙 사이에서 동동거렸노라. 총명하고 예지롭고 신무(神武)가 있었기에 사람을 죽이지 않으셨고 늙은 홀아비와 홀어미, 고아(孤兒)와 늙어서 의지(依支)할 데 없는 자, 몹쓸 병에 걸린 자들을 길러 주었노라. 하물며 낮은 집에서 검소하게 사셨으니 진실로 조심하는 태도가 크게 드러났고, 외물(外物)의 화려함을 물리치고 고요하게 거하시며 청명(淸明)한 기상을 즐기셨노라. 하늘이 하는 일은 소리와 냄새가 고요하여[131] 몸소 행하는 일에는 현묵(玄默)의 풍도[132]가 있으셨고, 경륜과 업적(謨

能逢之.〕"라고 한 데서 온 말이다.

129 이매(魑魅) : 이매는 얼굴은 사람이고 몸은 짐승 모양을 한 사람을 잘 해친다고 하는 도깨비를 말한다. 하(夏)의 우(禹) 임금이 구목(九牧)의 금동(金銅)으로 정(鼎)을 주조하면서 온 나라 안의 기이한 형상들을 새겨 넣어 백성들로 하여금 귀신과 괴물이 어떻게 생겼는지 알게 함에 따라 이매 같은 귀신도 그 정에 그려 넣어 백성들을 해칠 수 없게 하였다는 것이다. 《춘추좌씨전(春秋左氏傳)》 선공(宣公) 3년.

130 정의(精義) : 의(義)를 정밀히 탐구하여 신묘한 경지에 이른다는 말이다. 《주역(周易)》 〈계사전 하(繫辭傳下)〉에 "의를 정밀히 하여 신묘한 경지에 들어감은 씀을 지극히 하기 위해서요, 씀을 이롭게 하여 몸을 편안히 함은 덕을 높이기 위해서이다.〔精義入神, 以致用也, 利用安身, 以崇德也.〕"라고 하였다.

131 하늘이……고요하여 : 《시경(詩經)》 〈대아(大雅) · 문왕(文王)〉에 "하늘이 하시는 일은 소리도 나지 않고 냄새도 나지 않는다.〔上天之載, 無聲無臭〕" 하였다. 겉으로 드러난 자취가 없어 하늘의 의중을 헤아릴 수 없다는 뜻이다.

132 현묵(玄默)의 풍도 : 현묵이란, 현묘(玄妙)한 도(道)를 묵묵히 생각하여 법령이나 군사를 너무 떠벌리지 않고 백성을 절로 교화되게 하는 것이다. 한(漢)나라 양웅(揚雄)의 〈장양부(長楊

烈)[133]은 이름을 붙일 수가 없으니 문장을 보면 알 수가 있도다. 도서(圖書)[134]는 규벽(奎壁)[135]의 문운(文運)에 감응하여 교화가 영대(靈臺)[136]의 솔개와 물고기(鳶魚)[137]같았으며, 운한(雲漢)[138]의 빛을 돌려다 만들어 서서(西序)의 완염(琬琰)[139]으로 받들었노라. 또한 우리 익종대왕(翼宗大王)께서는 땅에서는 주기(主器)[140]의 중책을 맡으셨고 하늘에서는 계속하여 비추는 상서(祥瑞)를 여셨다. 준철(濬哲) 문명(文明)하여 요(堯) 임금처럼 부지런하고 순(舜) 임금처럼 섭정(攝政) 하셨으며, 구가(謳歌)하고

賦)〉에 "임금은 현묵으로 정신을 삼고 담박함으로 덕을 삼는다." 하였다. 《한서(漢書)》 권87 하(下) 〈양웅전 하(揚雄傳下)〉.

133 경륜과 업적[謨烈]: 원문의 '모열(謨烈)'은 나라를 다스리는 훌륭한 가르침과 공열을 이른다. 《서경(書經)》 〈주서(周書)·군아(君牙)〉에 "크게 드러나시도다, 문왕의 가르침이여. 크게 계승하셨도다, 무왕의 공렬이여.[丕顯哉, 文王謨; 丕承哉, 武王烈.]"라는 구절에서 유래하였다.

134 도서(圖書): 하도(河圖)와 낙서(洛書). 하도는 복희씨(伏羲氏) 때 황하(黃河)에서 길이 8척이 넘는 용마(龍馬)가 등에 지고 나왔다는 그림으로 《주역(周易)》의 8괘에 원용되었고, 낙서는 하우씨(夏禹氏)의 9년 치수(治水) 때 낙수(洛水)에서 나온 신귀(神龜)의 등에 있었다는 글로서 《서경(書經)》중의 홍범 구주(洪範九疇)에 원용되었다.

135 규벽(奎壁): 8수(宿) 중 규수(奎宿)와 벽수(壁宿)를 병칭하는 말로, 문운(文運)을 주관하는 별로 알려져 있다.

136 영대(靈臺): 주(周)나라 문왕(文王) 때 망기(望氣)하기 위하여 세운 대(臺)를 말한다. 문왕(文王)이 백성들과 함께 즐기는 인정(仁政)을 펴자, 백성들이 문왕의 집을 영대(靈臺), 못을 영소(靈沼)라 하고 그 못에서 뛰노는 고기를 보고 "아, 가득히 고기가 뛰노는구나.[於牣魚躍]"라고 찬미하여 노래한 데서 온 말이다. 《시경(詩經)》 〈대아(大雅)·영대(靈臺)〉.

137 솔개와 물고기[鳶魚]: 《시경》 〈대아(大雅)·한록(旱麓)〉에, "솔개는 하늘 위를 날고, 고기는 연못에 뛰고 있네.[鳶飛戾天, 魚躍于淵]"라고 하였는데, 이는 정도(正道)에 맞게 움직여지고 있는 성군(聖君)이 다스리고 있는 세상에 비유한 것이다.

138 운한(雲漢): 은하수가 밤하늘에 아름답게 펼쳐진 것을 말함. 《시경》 〈대아(大雅) 역복(棫樸)〉에, "찬란한 저 은하수 밤하늘을 수놓았네.[倬彼雲漢, 爲章于天]"라고 하였다.

139 서서(西序)의 완염(琬琰): 서서(西序)는 조석(朝夕)으로 정사를 보던 곳이며 완염(琬琰)은 서서에 보관되어 있던 귀한 보옥인데 선대왕(先大王)의 교훈(敎訓)의 글을 뜻한다. 《서경(書經)》 〈고명(顧命)〉에 "옥을 오중(五重)으로 하며 보물을 진열하니, 적도와 대훈과 홍벽과 완염은 서서에 있고, 대옥과 이옥과 천구와 하도는 동서에 있다.[越玉五重, 陳寶, 赤刀 大訓、弘璧、琬琰在西序, 大玉、夷玉、天球、河圖在東序.]"라고 하였다.

140 주기(主器): 주기(主器)는 종묘제기(宗廟祭器)를 맡는다는 뜻으로 왕세자를 말한다. 《주역(周易)》 〈서괘(序卦)〉에 "제기를 주관하는 사람은 장자(長子)만 한 이가 없기 때문에 그 일을 장자로서 받는다.[主器者莫若長子, 故受之以震]"라고 하였다.

송옥(訟獄)하니 우(禹) 임금의 도를 계(啓)가 계승하듯[141] 삼선(三善)[142]은 바탕이 하나에 있었다. 치학(齒學)[143]하신 이래로 세자의 법도를 조심하였고 구경(九經)[144]과 사물(四勿)[171]의 뜻을 명심하여 부득이 청정(聽政)하게 되어서는 성인(聖人)의 말씀을 공경하셨다. 이는 선대의 아름다움을 계승하는 방도를 알아 모두 인(仁)과 효(孝)로서 근본을 삼으니 옥첩(玉牒, 임금의 계보를 적은 서첩)에 민심이 쏠리고[146] 갑관(甲觀, 세자궁(世子宮))에 만년의 터전이 세워져 술잔을 올리는 기쁨이 모여들었노라. 해옥주

---

141 구가(謳歌)하고……계승하듯: 익종이 부왕(父王)인 순조의 명을 받들어 세자로서 1827년부터 1830년까지 대리청정을 한 일을 말한다. 계(啓)는 우(禹) 임금의 아들로 우 임금이 천하를 그 신하 익(益)에게 전해 주려 하였으나 구가(歐歌)하는 사람들과 송옥(訟獄)을 하는 사람들이 모두 우왕의 아들인 계(啓)에게로 향하며 계를 향해 '우리 임금의 아들이다.'라고 한 데서 온 말로, 《맹자(孟子)》 〈만장(萬章) 상〉에서 인용된 말이다.

142 삼선(三善): 친속을 친히 하고, 임금을 존중하고, 어른을 존경하는 것을 말한다. 《예기(禮記)》 〈문왕세자(文王世子)〉에 "한 가지 일을 행하여 삼선을 모두 얻을 수 있는 자는 세자뿐이다."라고 하였다.

143 치학(齒學): 왕세자가 국학(國學)에 들어가 신분의 상하를 따지지 않고 나이의 순서에 따라 예양(禮讓)하는 것을 말하는데, 곧 입학례(入學禮)를 뜻한다. 《예기》 〈문왕세자(文王世子)〉에 "한 가지 일을 행하여 세 가지의 선한 것을 다 얻을 수 있는 자는 오직 세자뿐인데, 그가 국학에서 나이의 순서를 따름을 말하는 것이다.〔行一物而三善皆得者, 唯世子而已, 其齒於學之謂也.〕"라고 한 데서 나온 말이다.

144 구경(九經): 《중용(中庸)》에 천하를 다스리는 데 있어 아홉 가지의 중요한 법을 말한 것. 첫째 몸을 닦는 것〔修身〕, 둘째 어진이를 존경하는 것〔尊賢〕, 셋째 친족을 친애하는 것〔親親〕, 넷째 대신을 공경하는 것〔敬大臣〕, 다섯째 신하들을 사랑하는 것〔體群臣〕, 여섯째 서민을 돌보는 것〔子庶民〕, 일곱째 공인들을 오게 하는 것〔來百工〕, 여덟째 먼 데 사람을 회유하는 것〔柔遠人〕, 아홉째 제후를 감싸주는 것〔懷諸侯〕이다.

145 사물(四勿): 네 가지 하지 말아야 할 것으로, 《논어(論語)》 〈안연(顏淵)〉에, 공자의 제자 안연(顏淵)이 '극기복례(克己復禮)'의 조목을 묻자, 공자가 "예가 아니면 보지 말며〔〔非禮勿視〕, 예가 아니면 듣지 말며〔非禮勿聽〕, 예가 아니면 말하지 말며〔非禮勿言〕, 예가 아니면 움직이지 말라〔非禮勿動〕"라고 하였다.

146 민심이 쏠리고: 원문의 귀미(歸美)는 임금이 될 사람에게 민심이 쏠려 찬미하는 것이다. 《송서(宋書)》 권1 〈무제기(武帝紀)〉에 "사해가 귀미(歸美)하고 조야가 추숭(推崇)하였다.〔四海歸美, 朝野推崇.〕" 하였다.

(海屋籌)[147]는 사순(四旬)의 경사가 되었고 증상약사(蒸嘗禴祠)[148]에는 정성을 지극히 쏟으셨으며, 규찬(圭瓚)을 엄숙히 하여 섭의(攝儀)[149]하셨다. 예악(禮樂)과 형정(刑政)은 잘 정리되어 음악에 맞춰 교화를 도우니 예공(睿工, 성상의 공부)이 경전(經典)과 사서(史書)를 총괄하였노라. 매번 토론을 할 때마다 늦은 밤까지 열중하였고, 신조(宸藻, 임금의 문장(文章))는 전모(典謨)[150]에 합치하여 고개를 들어 책상 위에 두고 보관함[151]을 우러러 보니, 국가의 형세가 태산 반석처럼 안정되고 조정에는 성해(星海)의 노래[152]가 오르거늘 어찌하여 막힌 운수에 거듭 걸렸는가? 문득 임금께서 거듭 참된 세계로 돌아가셨으니(眞遊)[153] 경

---

147 해옥주(海屋籌) : 해옥첨주(海屋添籌)의 준말로 장수를 기원하는 말이다. 소식(蘇軾)의 《동파지림(東坡志林)》 권7에 "세 노인이 있었는데 서로 만나서 나이를 물으니, 한 사람이 '바다가 뽕나무 밭이 될 때마다 나는 산가지를 하나씩 놓았는데 지금까지 10칸 집에 그 산가지가 가득 찼다.(海水變桑田時, 吾輒下一籌, 爾來吾籌已滿十間屋)'라고 하였다."라고 한 데서 유래되었다.

148 증상약사(烝嘗禴祀) : 주(周) 나라 때 종묘에 지내는 사시(四時) 제사의 이름으로, 증(烝)은 겨울 제사, 상(嘗)은 가을 제사, 약(禴)은 여름 제사, 사(祀)는 봄 제사이다. 《시경(詩經)》 〈소아(小雅)·천보(天保)〉.

149 섭의(攝儀) : 왕이 거상(居喪) 중이거나 사정이 있어 제사에 직접 나아가 친히 행할 수 없는 경우에 대신을 보내어 의례를 섭행(攝行)하게 하는 것을 가리킨다. 직접 의례에 참여하는 경우는 친향(親享) 또는 친행(親行)이라고 한다. 의례의 격식에 따라 상위의 의례 때 섭의를 하면 하위의 의례 때도 이에 맞추어 친행을 못하고 섭의를 하였다.

150 전모(典謨) : 전(典)은 《서경(書經)》의 〈요전(堯典)〉과 〈순전(舜典)〉이며, 모(謨)는 〈대우모(大禹謨)〉, 〈고요모(皐陶謨)〉, 〈익직(益稷)〉 등의 편을 가리키는데, 모두 제왕의 도리와 치국(治國)의 대도(大道)를 논한 글이다.

151 책상……보관함 : 원문의 존각(尊閣)은 존중하여 시렁 위에 고이 보관해 둔다는 말이며, 《설문(說文)》의 해석을 인용하여 "전(典)은 책이 책상 위에 있음을 따랐으니, 높여서 보관하는 것이다."라고 하였는데, 여기서는 성현(聖賢)을 대하듯이 소중하게 보관한다는 뜻이다.

152 성해(星海)의 노래 : 태자의 덕을 칭송함을 말한다. 《고금주(古今注)》에, 한 나라 명제(明帝)가 태자로 있을 때에 악인(樂人)이 태자의 훌륭한 덕을 칭찬하여 노래하기를, '해는 거듭 빛나고 달은 거듭 차며 별은 거듭 반짝이고 바다는 거듭 윤이 난다.(日重光, 月重輪, 星重輝, 海重潤.)'고 한 데서 온 말이다.

153 참된……돌아가셨으니(眞遊) : 원문의 '진유(眞遊)'는 참된 세계로 돌아가는 것을 뜻하는 말로, 여기에서는 임금의 승하를 가리킨다.

록(景籙, 하늘의 복록)이 아직 대통(大統, 왕위를 계승하는 계통)에 모이지 않았건만 학어(鶴馭)[154]가 먼저 재촉하니 장수(遐籌)[155]가 중년에 미치지 못하였다. 오궁(烏弓)[156]을 연이어 껴안고 신운(神雲)이 창오(蒼梧)[157]의 들판에서 순 임금의 시신을 거두니 슬프게도 이 소자(小子)가 외로운 처지에 있어 자천(慈天)[158]께서 자미원(紫微垣)[159]에 임하시고 다행히 태모(太母)의 감싸주심을 입었노라. 한(漢)나라 왕실에서는 대대로 제향(祭享)하여 비록 온 나라 사

154 학어(鶴馭) : 학어(鶴馭)는 학가(鶴駕)와 같은 말로, 왕세자(王世子)를 가리킨다. 《열선전(列仙傳)》 〈왕자교(王子喬)〉에 "왕자교는 바로 주(周)나라 영왕(靈王)의 태자 진(晉)인데, 일찍이 흰 학을 타고 가 구지산(緱氏山)에 머물렀다."라고 하였다. 이로 인해서 후대에는 태자의 거가(車駕)를 학가라고 하게 되었다.

155 장수(遐籌) : 소식(蘇軾)의 《동파지림(東坡志林)》 권7에 "세 노인이 있었는데 서로 만나서 나이를 물으니, 한 사람이 '바다가 뽕나무 밭이 될 때마다 나는 산가지를 하나씩 놓았는데 지금까지 10칸 집에 그 산가지가 가득 찼다.(海水變桑田時, 吾輒下一籌, 爾來吾籌已滿十間屋)'라고 하였다."라고 하여 장수나 오래 산 것을 상징하는 말이다.

156 오궁(烏弓) : 오호(烏號)라는 이름의 활을 이른다. 《사기(史記)》 〈봉선서(封禪書)〉에 "황제(黃帝)가 수산(首山)에 있는 구리를 채취하여 형산(荊山) 밑에서 솥을 만들었는데, 솥이 완성되자 용 한 마리가 수염을 길게 늘어뜨리고 땅으로 내려와 황제를 맞이하였다. 황제가 용에 올라타자, 여러 신하들과 후궁 70여 명이 따라 올라탔다. 용이 하늘로 올라가자, 나머지 신하들이 용에 타지 못하고 모두 용의 수염을 붙잡으니, 용의 수염과 황제가 지니고 있던 활이 지상으로 떨어졌다. 백성들은 황제가 이미 하늘로 올라간 것을 바라보면서 그 활과 수염을 안고 통곡하였다. 이 때문에 후세 사람들이 그곳을 정호(鼎湖)라고 이름하고, 그 활을 오호라고 이름하였다.(黃帝采首山銅, 鑄鼎於荊山下, 鼎旣成, 有龍垂胡髥下迎黃帝. 黃帝上騎, 群臣後宮從上者七十餘人, 龍乃上去. 餘小臣不得上, 乃悉持龍髥, 龍髥拔, 墮黃帝之弓. 百姓仰望黃帝旣上天, 乃抱其弓與胡髥號, 故後世因名其處曰鼎湖, 其弓曰烏號.)"라고 보인다.

157 창오(蒼梧) : 창오는 순(舜) 임금이 남쪽으로 순행하다가 이곳에서 죽어 장사 지낸 곳으로, 전하여 돌아가신 임금의 능이 있는 곳을 가리킨다. 두보(杜甫)의 시 〈동제공등자은사탑(同諸公登慈恩寺塔)〉에 "머리 돌려 순 임금 향해 절규하노니, 창오의 구름이 정녕 시름겨워라.(迴首叫虞舜, 蒼梧雲正愁.)"라는 구절이 나온다.

158 자천(慈天) : 인자하신 임금이라는 뜻으로 보통 임금을 뜻하는데, 여기에서는 대비(大妃)를 가리킨다.

159 자미원(紫微垣) : 삼원(三垣)의 하나로 중원(中垣)에 해당하며, 북천(北天)의 한 가운데에 위치하여 중궁(中宮)으로 불리며, 북극을 중추로 삼는다. 북극 부근의 천체 구역을 포괄하는데, 대체로 천구의 극 둘레를 돌면서 지평선 아래로 내려가지 않는 주극성(周極星)의 구역에 해당한다. 모두 15개의 별자리가 좌원(左垣)과 우원(右垣)으로 나뉘어 펼쳐져 있으며, 천황대제(天皇大帝), 태자(太子), 태존(太尊)처럼 황실의 지위와 관련된 것으로 주로 명명되었다.

람들이 모두 같은 간절한 마음으로 펼쳐 주(周) 나라에 왕을 추존(追尊)하였으나 어찌 종천(終天)[160]의 사무치는 슬픔을 위로할 수 있겠는가? 갱장(羹墻)의 깊은 그리움에 붙여 보각(寶閣)에 편마(騙馬, 상량(商量)하여 편찬(編纂)함)의 공역을 다하여 단선(壇墠)의 옛 제도[161]를 열어 태실(太室, 종묘)을 다듬는 역사(役事)를 이루었으니, 드디어 개확(愾廓)의 날을 당해 태실에 올려 승부(陞祔)의 예가 이루어졌다. 세월이 쉽게 다하여 어느덧 영위(靈位)가 영원히 걷히고 전례(典禮)를 잘 갖추어 이제 현복(玄服, 조복(朝服))을 모두 입었노라. 협사(祫事)[162]가 번갈아 찾아들어 삼년상을 이미 마치고, 이위(禰位, 사당에 든 아비의 칭호)를 받듦에 모두 차례가 있었으니 칠세(七世)의 묘(廟)에 덕을 볼 수 있노라. 아침저녁으로 아직도 바라보고 의지하니[瞻依][163] 신침(神寢)은 가까이에서 도와주시는 우리 부모님이 되시고[神寢孔邇][164] 비가 오거나 이슬이 내리면 슬픔이 더욱 깊어지니 감실(龕室)[165]

---

160 종천(終天): 몸을 마칠 때까지 계속되는 슬픔이라는 뜻으로 보통 부모의 상을 가리킬 때 쓰는 표현이다.

161 단선(壇墠)의 옛 제도: 단(壇)은 흙을 쌓아 올려 만든 제단(祭壇)이고, 선(墠)은 평지를 깨끗이 소제하여 만든 제단이다. 고례(古禮)에 의하면, 제후(諸侯)는 오묘(五廟)를 세운 이외에 단 하나와 선 하나를 더 설치한다. 6세조는 단에서 제향하고 7세조는 선에서 제향하고 8세조 이상은 제향하지 않는다. 《예기(禮記)》 〈제법(祭法)〉.

162 협사(祫事): 협(祫)은 합한다[合]는 뜻으로, 죽은 자의 뜻을 편안하게 하기 위하여 죽은 자의 혼령과 선조(先祖)의 신령이 합하게 하는 것이므로 협사라고 하는 것이다.

163 바라보고 의지하니[瞻依]: 원문은 '첨의(瞻依)'로 항상 바라보고 의지한다는 뜻이다. 부모나 존장(尊長)에 대한 경의(敬意)를 나타내는 말이다. 여기서는 선왕에 대한 사모의 정을 뜻하는 말로 쓰였다. 《시경(詩經)》 〈소반(小弁)〉의 "눈에 뜨이나니 아버님이요, 마음에 그리나니 어머님일세.[靡瞻匪父, 靡依匪母]"라는 말에서 나왔다.

164 신침(神寢)은……되시고[神寢孔邇]: 원문의 '공이(孔邇)'는 《시경》 〈주남(周南) 여분(汝墳)〉에 "방어의 꼬리가 붉거늘, 왕실이 불타는 듯하도다. 비록 불타는 듯하지만, 부모가 매우 가까이 계시니라.[魴魚赬尾, 王室如燬, 雖則如燬, 父母孔邇.]"라고 한 데서 온 말이다. 여기서는 선왕이 자식의 어려움을 염려하여 함께 함을 말한다.

165 감실(龕室): 사당 안에 신주를 모셔 두는 장(欌)이다. 벽을 뚫어 공간을 마련하기도 한다.

은 아득히 멀도다.

올해 정월 초7일에 사당에 제부(躋祔)[166]하니 희준(犧尊)[167]에 부신(孚信)[168]이 가득차고 용무늬 깃대(龍旂)에 복이 서렸노라. '조(祖)'는 공이 있고 '종(宗)'은 덕(德)이 있어서 열성(列聖)이 척강(陟降)[169]이 양양(洋洋)[170]한데 제기(祭器)를 진설하고 제복(祭服)을 입느라 많은 선비가 분주하고 제제(濟濟, 많고 아름다운 모양)하노라. 상제(喪祭)는 받음이 있어 희생과 폐백은 임술년(1802, 순조 2)에 거행한 것에 견주었고, 효사(孝思)는 무궁하나 헌가(軒架)[171]는 정묘(正廟, 정조(正祖))를 따라 베풀지 않았다. 도수(陶遂)[172]의 정성이 바야흐로 간절하나 휴휼(休恤)[173]의 우환 또한 많아 즉위하여[履端] 거정(居正)의 정치를 펼침[174]에 만물이 옛과 같음

166 제부(躋祔) : 승부(陞祔), 혹은 부묘(祔廟)와 같은 뜻으로, 삼년상이 지난 뒤에 임금의 신주를 종묘에 올려 모시는 것이다.

167 희준(犧尊) : 고대 제기(祭器) 중 하나. 소의 모양으로 된 술을 담는 그릇이다.

168 부신(孚信) : 사람의 신의가 진실하면 무지한 동물인 돼지나 물고기까지 감동시킬 수 있다는 말로, 《주역(周易)》 〈중부괘(中孚卦)〉에 "중부는 믿음이 돼지와 물고기에 미치면 길하다.〔中孚, 豚魚吉.〕" 하였는데, 정이는 《역전(易傳)》에서 "돼지는 조급하고 물고기는 어두우니, 물건 중에 감동시키기 어려운 것이다. 부신(孚信)이 돼지와 물고기를 감동시키면 지극하지 않음이 없는 것이니, 이 때문에 길하다.〔豚躁魚冥, 物之難感者也. 孚信, 能感於豚魚, 則无不至矣, 所以吉也.〕"라고 주(註)하였다.

169 척강(陟降) : 선조의 영혼이 하늘과 땅으로 오르내린다는 뜻으로 《시경(詩經)》 〈문왕(文王)〉에 "문왕의 오르내림이 상제의 좌우에 있도다.〔文王陟降, 在帝左右.〕"라고 하였다.

170 양양(洋洋) : 《중용장구(中庸章句)》 16장에 "신의 기운 충만하여 위에 있는 듯하다.〔洋洋乎如在其上〕"에서 따온 말로, '양양(洋洋)'은 신의 기운이 유동(流動)하고 충만(充滿)하다는 뜻이다.

171 헌가(軒架) : 종(鍾)·경(磬)을 위주로 하는 대규모의 아악 편성으로, 대례(大禮)나 대제(大祭) 때 대(臺) 아래에서 연주한다.

172 도수(陶遂) : 제사를 지내고 화락한 마음으로 뒤를 따르는 모습이다. 《예기(禮記)》 〈제의(祭義)〉에 "제사를 마치고 난 뒤에는 도도수수하여 장차 다시 들어갈 것처럼 한다.〔及祭之後, 陶陶遂遂, 如將復入然.〕"라고 한 데서 나온 말이다.

173 휴휼(休恤) : 《서경(書經)》 〈소고(召誥)〉의 "왕께서 천명을 받은 것이 무궁한 아름다움이시나 또한 끝없는 근심입니다.〔惟王受命, 無疆惟休, 亦無疆惟恤.〕"라는 구절을 축약한 것으로, 즉위하여 나랏일에 대한 걱정이 많음을 말한 것이다.

174 즉위하여〔履端〕 거정(居正)의 정치를 펼침 : '즉위하여'의 원문은 이단(履端)인데, 천체(天體)

을 슬퍼하며 흠을 닦고 때를 씻어[175] 폐택(霈澤, 죄를 용서하는 은혜)의 유신(維新)[176]을 내려 기쁘게 하노라. 아! 가례(嘉禮)를 부로(父老)와 군민(軍民)과 더불어 즐기려고 준혜(駿惠)[177]의 송축을 밝게 포고하노니, 이로부터 춘대(春臺)가 강역을 교화하여 삼가 연이(燕詒, 자손을 위한 계책) 계획을 계승할 것이다. 그러므로 이에 교시(敎示)하노니, 의당 잘 알아야 할 것이다【대제학(大提學) 조인영(趙寅永)이 지어 바치다】.

〔장계〕

방금 접수한 본 부 판관(本府判官) 겸임(兼任) 중군(中軍) 박시회(朴蓍會)의 첩정 내용에, "반사문(頒賜文) 1통을 이달 초8일 유시(酉時, 오후 5시~ 오후 7시) 즈음 전옥시 주부(典獄寺主簿) 송익렬(宋益烈)이 가지고 왔기에 예문(禮文)에 의거하여 공손히 받아 반포하였습니다."라고 하였습니다. 이러한 연유를 치계합니다.

의 운행을 관측하여 역(曆)의 시초를 정하는 것, 혹은 정월 초1일을 가리키나, 전하여 임금의 즉위를 의미하기도 한다. 《춘추좌씨전(春秋左氏傳)》 문공(文公) 원년(元年) 소(疏). 체원(體元)은 체원거정(體元居正)의 준말로, 임금이 천지의 원기(元氣)를 근본으로 삼아 항상 정도(正道)에 입각해서 정치를 행하는 것을 뜻한다.

175 흠을 닦고 때를 씻어 : 허물을 닦고 때를 씻는다는 것은 작은 허물과 흠을 가진 사람을 포용한다는 말이다. 한유(韓愈)의 〈팔각시월 15야5일 밤 장공조(張功曹)에게 주다〔八月十五夜贈張功曹〕〉에 "좌천된 자들이 다시 복직되고 유배 받았던 자들이 돌아오며, 흠을 닦고 때를 씻어 조정을 깨끗이 하였네.〔遷者追回流者還, 滌瑕蕩垢淸朝班.〕"라고 하였다

176 유신(維新) : 구법(舊法)을 바꾸어 새로운 정치를 추진하는 것으로 《시경》에 "주나라가 비록 오래된 나라이나, 천명은 새롭다.〔周雖舊邦, 其命維新.〕"라고 하였다. 《시경(詩經)》 〈대아(大雅)·문왕(文王)〉.

177 준혜(駿惠) : 힘껏 따른다는 뜻으로, 《시경(詩經)》 〈유천지명(維天之命)〉에, "우리 문왕을 힘껏 따르리로다〔駿惠我文王.〕"라는 구절에서 나온 말이다.

1월 11일.

판관(判官)이 부임하는 일로 장계를 밀봉하여 아뢰었다.

〔장계〕

방금 접수한 본 부 판관(本府判官) 김한순(金漢淳)의 첩정 내용에, "병신년(丙申年) 12월 25일, 본직(本職)에 제수받아 이달 8일 조정에 사직 인사를 드리고 10일에 부임(赴任)하였습니다." 라고 하였습니다. 이러한 연유를 치계합니다.

1월 12일.

반사문(頒賜文)을 공경히 받고 일이 진행되는 상황을 밀봉하여 아뢰었다.

〔사문(赦文)〕

왕이 말하노라, 태묘(太廟 종묘(宗廟))는 훈화(勛華)[178]의 덕이 으뜸이어서 명인(明禋)[179]을 함께 올리고 경실(京室, 왕실)은 태임(太妊)과 태사(太姒)의 아름다운 덕음(德音)을 이어[180] 현책(顯冊)[181]에

---

178 훈화(勛華): 훈화는 요(堯) 임금과 순(舜) 임금을 가리킨다. 《서경(書經)》 〈요전(堯典)〉에서 요 임금을 '방훈(放勳)'이라 하였고, 〈순전(舜典)〉에서 순 임금을 '중화(重華)'라 하였다. 선대왕을 뜻하는 말로 쓰인다.

179 명인(明禋): 정성스럽고 공경하게 올리는 제향을 말한다. 《서경》 〈명인(明禋)〉에 "왕께서 사람을 보내와 은나라 사람들을 경계하시고 나에게 편안히 있으라고 명하시되 검은 기장과 울금(鬱金)으로 빚은 술 두 그릇으로 하시고, 말씀하기를 '밝게 공경하노니, 배수 계수하여 아름다이 향례(享禮)를 올린다.' 하였습니다.〔伻來毖殷, 乃命寧予, 以秬鬯二卣曰: 明禋, 拜手稽首, 休享〕"라는 대목에서 유래하였다.

180 태임(太妊)과……이어: 《시경(詩經)》 〈사제(思齊)〉에 "정숙하신 태임(太任)이 문왕(文王)의 어머니시니, 주강(周姜)을 사랑하여 주 왕실의 며느리가 되시더니, 태사(太姒)가 그 아름다운 덕음을 이어 수많은 아들을 두었네.〔思齊太任, 文王之母, 思媚周姜, 京室之婦, 太姒嗣徽音, 則百斯男.〕"라고 하였다.

181 현책(顯冊): 왕실의 예식을 거행할 때, 그 주된 내용을 기록한 책을 가리킨다. 예를 들면 왕대비 봉책이나 존호 등을 행할 때 그것을 기록한 책을 말한다.

함께 나아가니. 그 예법은 《국조고사(國朝故事)》이고, 이날은 정월(正月) 상순(上旬)이다. 아! 태모(太母)의 의범(懿範, 덕망있는 품위)과 높으신 공로는 참으로 전대(前代)의 성녀(聖女)와 철후(哲后, 명철한 왕후)보다 뛰어나시어 순조께서 면영(冕迎)[182]하신 날로부터 30년 간 빈조(蘋藻)[183]의 다스림을 널리 펴셨고 익고(翼考)[184]께서 돌아가신 날까지 억만년 과질(瓜瓞)[185]의 사업을 영원히 터잡으셨다. 백복(百福)의 시초를 따져보면 전궁(殿宮)에서 완유(惋愉)함을 우선으로 하셨고 만물의 생성을 바탕으로 하여 근검(勤儉)을 집안의 근본으로 하셨다. 그러나 바야흐로 현담(玄紞)[186]의 칭송을 받는 때에 갑자기 하늘이 재앙을 내리시어 구잠(緱岑)의 생학(笙鶴)[187]이 돌아오지 않았으니 백성들이 어찌하

---

182 면영(冕迎) : 면복(冕服)을 입고 친영례(親迎禮)를 행한다는 뜻으로, 임금의 혼례를 이르는 말.

183 빈조(蘋藻) : 선조의 제사를 경건히 지냄을 말한다. 《시경》〈채빈(采蘋)〉에 "이에 마름을 뜯기를 남쪽 물가에서 하고, 이에 마름을 뜯기를 저 흘러가는 도랑에서 하도다.〔于以采蘋, 南澗之濱, 于以采藻, 于彼行潦.〕"라고 하였다. 그 주에 "대부의 아내가 제사를 잘 받드니, 집안사람들이 그 일을 서술하여 찬미한 것이다.〔大夫妻能奉祭祀, 而其家人, 敍其事以美之也.〕"라고 하였다.

184 익고(翼考) : 익종(翼宗)으로 추존된 효명세자(孝明世子, 1809~1830)로, 헌종(憲宗)의 아버지이다. 1812년(순조12)에 왕세자에 책봉되고, 1827년부터 대리청정하여 형옥을 삼가고 정사에 힘썼으나 4년 만에 서거하였다. 아들 헌종이 즉위하자 왕으로 추존되고 시호를 돈문현무인의효명(敦文顯武仁懿孝明), 능호를 수릉(綏陵)이라 하였다.

185 과질(瓜瓞) : 자손들이 계속 뒤를 잇게 한다는 뜻이다. 과질(瓜瓞)은 오이 덩굴로, 왕실의 후손을 비유하는 말이다. 《시경(詩經)》〈면(綿)〉에 "면면히 이어진 오이 덩굴이여, 주나라에 사람들이 처음으로 산 것은, 저수와 칠수에 터전을 잡으면서부터이다.〔綿綿瓜瓞 民之初生 自土沮漆〕" 하였는데, 그 주에 "오이 덩굴이 처음에는 짧다가 뒤에는 퍼진다는 것으로, 주나라 왕실이 처음에 칠저(漆沮)에서 미약하게 살다가 문왕 때에 이르러 커진 것을 비유한 것이다." 하였다.

186 현담(玄紞) : 왕비의 관(冠) 앞뒤에 드리우는 검은 끈으로, 왕후(王后)의 근면 검소함을 뜻한다. 《국어(國語)》〈노어(魯語)〉 하(下)에 "왕후는 직접 검은 담(紞)을 짜고, 제후의 부인은 면류관을 매는 끈인 굉(紘)과 면류관 덮개인 연(綖)을 만든다.〔王后親織玄紞, 公侯之夫人加以紘綖.〕"라는 말이 보인다.

187 구잠(緱岑)의 생학(笙鶴) : 죽은 세자(世子)를 비유하는 말이다. 구잠은 구령(緱嶺) 또는 구지산(緱氏山)이라고도 불리고, 생학(笙鶴)은 신선이 타고 다닌다는 학(鶴)으로 주(周)나라 영왕(靈王)의 태자 진(晉)이 이곳에서 신선이 되어 학을 타고 하늘로 올라갔다는 고사(故事)

여 복이 없는가? 교산(喬山)의 활(弓)과 칼(劍)[188]은 좇을 수가 없으니 이치는 참으로 믿기가 어렵다. 그리하여 궁위(宮闈)께서 구면(裘冕)의 법도를 들어올리시니,[189] 참으로 종묘사직(宗廟社稷)이 철류(綴旒)[190]의 형세임을 안타까워하신다.

적유(翟褕)[191]께서는 애통한 교서를 내리시어 선군(先君)처럼 힘쓰도록 하였고 베로 된 면류관을 쓴 채 길러주신 은혜를 입으며 이 소자(小子)를 안쓰럽게 여겼도다. 백세 후의 성인을 기다려도 미혹되지 않을 도리[192]로 칠묘(七廟)[193]의 제도를 넓혔고, 백세(百世)의 문헌(文獻)을 정하여 열조(列祖)께서 편찬한 일을 계승하였다. 또, 백성들을 다친 사람 보듯 하여 동주(東州)의 세금을 덜어주고 남로(南路)의 직공(織貢)을 정지하고 북방(北方)의 곡식을 옮겨주셨다. 비록 발과 휘장을 내리고 깊은 곳에서 주관하시지만 상위(象魏)[194]에 해와 달의 밝음이 달려

를 인용한 말이다.

188 교산(喬山)의 활(弓)과 칼(劍): 교산(喬山)은 옛날에 황제(黃帝)를 장사 지낸 곳인데, 전하여 임금의 능을 가리킨다. 《사기(史記)》〈봉선서(封禪書)〉에 황제(黃帝)가 용을 타고 하늘로 올라가면서 활(弓)과 칼(劍)을 떨어뜨렸는데, 군신들이 그것을 안고 울었던 고사(故事)를 말하는 것으로 돌아가신 선왕(先王)을 몹시 사모함을 뜻한다.

189 구면(裘冕)의 법도: 대구(大裘)와 면관(冕冠). 교사(郊祀) 등의 대사(大事)가 있을 때 입는 천자(天子)의 성복(盛服)으로, 여기서는 순조의 비(妃)인 순원 왕후(純元王后) 김씨(金氏)가 수렴청정(垂簾聽政)한 것을 가리킨다.

190 철류(綴旒): 깃대의 반대쪽 위아래 두 끝에 불꽃처럼 댄 긴 오리로 보기에 금방 떨어질 것 같은 위험스러움을 비유하는 말이다.

191 적유(翟褕): 꿩을 수놓은 왕후의 옷으로, 왕후를 상징한다.

192 백세……도리: 《중용장구(中庸章句)》 제 28장에, 군자의 도는 "백세 후에 성인(聖人)을 기다려도 미혹되지 않는다.[百世以俟聖人而不惑]"라고 하였다. 이는 군자는 백세 후에 출현할 성인이라도 자신과 동일한 도를 말할 것이라고 확신한다는 뜻이다.

193 칠묘(七廟): 칠묘는 《예기》〈왕제(王制)〉에 "천자(天子)는 칠묘이니, 삼소(三昭), 삼목(三穆)과 태조(太祖)의 묘이다."라고 하였는데, 여기서는 종묘(宗廟)를 일컬은 것이다.

194 상위(象魏): 대궐의 문을 말한다. 상은 법(法)을 말하고, 위는 높다는 뜻인데, 옛날에 법조문을 대궐의 문 위에 내걸었기 때문에 이렇게 칭하는 것이다.

있고 멀고 가까운 곳에 두루 장막을 펼치시어 미물(微物)까지도 우로(雨露)의 은택[195]을 입었다. 동관(彤管)[196]의 기록은 땅보다 두꺼워서 사서(史書)에 전부 기록할 수 없을 정도이고 옥첩(玉牒)의 칭송은 하늘보다 자애로워 고찰할 만한 전거(典據)가 있도다.

또 생각건대 우리 대비(大妃)의 사미(思媚)[197]의 영예(榮譽)는 참으로 전(前) 영인(寧人)[198]의 조단(造端)[199]의 아름다움을 밝혔고, 장추궁(長秋宮)에서 아름다운 계획을 이어받아 부도(婦道)를 매우 삼가셨다. 미월(彌月, 산월(産月)이 참)에 순기(純祺)를 맞이하니 모의(母儀)를 더욱 융성히 하셨다. 예전의 슬픔에 새로운 애통함이 거듭되어 오늘날에 이르기까지 보호해 주심에 힘입고 자애로운 은혜는 엄격한 가르침을 겸하시어 한 가지 일도 부지런히 가르쳐 인도하지 않으신 것이 없으셨다. 선위(璇闈, 대비전(大妃殿))께서 삼조(三朝)의 기쁨을 계승하시니 항상 해주(海籌)

---

195 우로(雨露)의 은택: 초목(草木)이 하늘의 내리는 비와 이슬로 자라나므로 임금의 은혜를 우로(雨露) 라 한다.

196 동관(彤管): 고대에 후부인(后夫人)의 공과(功過)를 기록하던 여사(女史)의 붓으로, 적심(赤心)을 나타내기 위하여 붉은 대롱의 붓[彤管]을 썼다 하는데, 일반적으로 여인의 문묵(文墨)에 관한 일을 말할 때 쓰는 표현이다

197 사미(思媚): 시모에게 사랑받고 며느리가 그 덕을 이었다는 말이다. 《시경》 〈대아(大雅)·사제(思齊)〉에 "공경하신 태임이 문왕의 어머니신데, 시모인 주강께 사랑을 받으사, 경실의 며느리가 되셨더니, 태사가 그 아름다운 명성 이으시어 백인의 아들을 두셨도다.[思齊太任, 文王之母, 思媚周姜, 京室之婦, 太姒嗣徽音, 則百斯男.]"라고 하였다.

198 전(前) 영인(寧人): 《서경(書經)》 〈대고(大誥)〉에, "내 어찌 전 영인의 공을 마칠 것을 도모하지 않겠는가.[予曷其不于前寧人圖功攸終?]"라는 말을 인용한 것이다. 그 주에 "영인(寧人)은 무왕(武王)의 대신(大臣)이니, 당시에 무왕을 '영왕(寧王)'이라 하였고, 인하여 무왕의 대신을 '영인'이라 하였다."라고 하였는데, 전하여 '옛날에 문덕(文德)이 있던 사람'을 후세 사람들이 칭하는 말로 쓰이는데, 여기서는 순조를 말한다.

199 조단(造端): 《중용장구(中庸章句)》 제12장에 "군자의 도는 부부에서 단서가 시작된다.[君子之道、造端乎夫婦]" 한 데서 온 말로, 부부의 윤리는 인륜의 바탕이 된다는 말이다.

의 첨경(添慶)을 축원하였고, 반의(斑衣)[200]를 입고 천재(千載)의 봉양을 바치니 춘초(春草)의 보휘(報暉, 부모의 은공에 보답함)를 더욱 생각하였노라. 두 분을 묘(廟)에 올려 제향한 나머지 마땅히 양전(兩殿)[201]에 숭봉(崇奉, 높이 받듦)을 거행함이 있어야겠다. 의문(儀文, 의례에 관한 법도)은 남면(南面)[202]에 새롭게 빛나고 효심(孝心)은 선친을 현창(顯彰)하는 일이 우선이다. 동조(東朝)[203]에서 위호(位號)가 모두 이치에 맞다고 하시니 예는 예물을 갖춘 뒤에 이루어진다. '신헌(神憲)'과 '인수(仁粹)'의 순서를 따른 것은 대대로 덕을 구하기 위함이고, '경수(慶壽)'와 '융우(隆祐)'의 명호(名號)를 구분한 것은 고훈(古訓)을 법식으로 한 것이다. 아름다움을 드러내고 공렬(功烈)을 밝히는 것은 진실로 자식의 변변치 못한 작은 속뜻 사이에 있고 올바른 존호(尊號)를 정하는 것은 태상(太上)보다 높음이 없다. 이에 삼가 책보(冊寶)[204]를 받들어 명경대왕대비 전하(明敬大王大妃殿下)께 '문인(文仁)'이라는 존호를 가상(加上)하고, 왕대비 전하(王大妃殿下)께 '효유(孝裕)'라는 존호를 올리노라. 나라의 전례(典禮)를 위에 고하고 아래에 반포하

---

200 반의(斑衣): 춘추(春秋) 시대 초(楚)나라의 은사(隱士)인 노래자(老萊子)가 어버이를 기쁘게 해 드리기 위하여 입었다는 색동옷으로, 노친을 극진히 모시는 효자를 비유할 때 쓰는 표현이다. 《초학기(初學記)》 권17 인(引) 〈효자전(孝子傳)〉.

201 양전(兩殿): 대왕대비(大王大妃)인 순조(純祖)의 비 순원왕후(純元王后)와 왕대비(王大妃)인 익종(翼宗)의 비 신정왕후(神貞王后)를 말한다.

202 남면(南面): 남쪽으로 향하여 앉는 것. 즉 임금의 좌향(坐向)을 말한다. 《논어》 〈위령공(衛靈公)〉에 공자가 "무위로 다스린 이는 순 임금이실 것이다. 대저 무엇을 하셨으리오. 몸을 공손히 하고 바르게 남면하셨을 뿐이다.〔子曰, 無爲而治者, 其舜也與, 夫何爲哉, 恭己正南面而已矣.〕"라고 하였다.

203 동조(東朝): 태후(太后)와 대비(大妃)의 궁전을 이르는바, 한(漢) 나라 때에 황태후가 거처하던 장락궁(長樂宮)이 황제의 거처인 미앙궁(未央宮)의 동쪽에 있었던 데에서 유래되었다.

204 책보(冊寶): 왕이나 왕비의 존호를 올릴 때에 함께 올리던 옥책(玉冊)과, 추상 존호를 새긴 도장인 금보(金寶)를 아울러 이르는 말이다.

노니, 천운(天運)도 막힘이 사라지고 태평성세가 올 것이다. 문실(文室)[205]은 드러내고[顯] 무실(武室)[206]은 이어주니[承], 비록 빈 구름처럼 고요하게 모여들지라도 왕모(王母)의 복이자 수모(壽母)의 기쁨이니 영춘(靈春)[207]이 길이 머물기를 바라노라. 온 나라가 발돋움을 하고 바라보니 어찌 다만 욕례(縟禮)만 크게 꾸미겠는가? 뇌우(雷雨)가 풀어지니[208] 실로 자덕(慈德)이 널리 퍼진 것이다.

아! 길하고 상서로운 일이 모두 이르렀으니, 태평성대의 형상을 볼 수가 있다. 산천과 초목이 모두 자식처럼 길러주는 인자함을 입고 송백(松柏)과 강릉(岡陵)[209]도 거듭 보살펴 내려주는[申錫] 아름다움을 우러른다. 이에 교시(敎示)하니, 잘 알아

---

205 문실(武室) : 문실은 문왕을 제사하는 묘실(廟室)인 문세실(文世室)을 이른다. 주 나라는 목왕(穆王) 때에 이르러 문왕이 친속이 다하여 체천하게 되었으나 공이 있어 높일 만하므로 별도로 한 사당을 종묘의 서북쪽에 세우고 이것을 문세실이라 하였다.

206 무실(武室) : 무왕을 제사하는 묘실인 무세실(武世室)을 이른다. 주 나라 공왕(共王) 때에 이르러 무왕이 친속이 다하여 체천하게 되었으나 또한 공이 있어 높일 만하다 하여 별도로 한 사당을 종묘의 동북쪽에 세우고 이것을 무세실이라 하였다.

207 영춘(靈春) : 영춘(靈春)은 본래 영춘(靈椿)으로, 신령스러운 대춘(大椿) 나무라는 뜻인데, 장수를 상징한다. 《장자(莊子)》 〈소요유(逍遙遊)〉에 "태고에 대춘이 있었는데, 이 나무는 봄이 8천 년이요 가을이 8천 년이다."라고 하였다.

208 뇌우(雷雨)가 풀어지니 : 임금의 사면(赦免)이 내림을 뜻한다. 이는 《주역》 〈해괘(解卦) 상(象)〉의 "우레와 비가 일어남이 해(解)이니, 군자가 보고서 잘못을 저지른 자를 사면하고 죄 있는 자를 너그럽게 처리한다.[雷雨作解, 君子以, 赦過宥罪.]"라는 말에서 유래하였다. 해괘는 우레를 상징하는 진(震)과 비를 상징하는 감(坎)으로 이루어져 있으므로, '우레와 비가 일어남이 해'라고 말한 것이다.

209 송백(松柏)과 강릉(岡陵) : 《시경(詩經)》 〈소아(小雅) 천보(天保)〉에 나오는 말로, '송백'은 "소나무와 잣나무의 무성함과 같아 그대를 계승하지 않음이 없도다.[如松栢之茂, 無不爾或承.]"라는 데서 온 말이다. 송백처럼 묵은잎이 떨어지려 하면 새잎이 자라 무성한 것을 뜻한다. '강릉'은 "하늘이 그대를 보정(保定)하사 홍성하지 않음이 없는지라 산과 같고 언덕과 같으며 산마루와 같고 구릉과 같다.[天保定爾, 以莫不興, 如山如阜, 如岡如陵.]"라는 데서 온 말이다. 수복(壽福)이 산과 같이 크고 오래기를 축원하는 말이다. 여기에서 '강릉·송백'은 대왕대비와 왕대비의 만수무강(萬壽無疆)을 기원하는 의미로 쓰인 것으로 보인다..

야 할 것이다【대제학(大提學) 조인영(趙寅永)이 지어 바치다】.

〔장계〕

방금 접수한 본 부 판관(本府判官) 김한순(金漢淳)의 첩정 내용에, "반사문(頒賜文) 1통을 이달 15일 유시(酉時, 오후 5시~오후 7시) 즈음 수문장(守門將) 김원희(金遠喜)가 가지고 왔기에 예문(禮文)에 의거하여 공손히 받아 반포하였습니다."라고 하였습니다. 이러한 연유를 치계합니다.

1월 15일.

길을 떠나 과천(果川)에서 점심을 먹고 신각(申刻, 오후 3시~오후 5시)에 영(營)에 당도하였다. 화령전(華寧殿)과 현륭원(顯隆園)에 봉심하였는데 무탈한 일로 장계를 밀봉하여 아뢰고, 또 영(營)에 돌아온 일을 밀봉하여 아뢰었다.

〔장계〕

방금 접수한 화령전(華寧殿) 겸령(兼令) 김한순(金漢淳)의 첩정(牒呈) 내용에, "이달 15일 분향(焚香)하고 나서 바로 봉심하였는데 전내(殿內)의 모든 곳이 무탈하였습니다."라고 하였습니다. 동시에 받아 본 현륭원 참봉(參奉) 조병위(奉趙秉緯)의 첩정 내용에, "이달 15일 원상(園上)과 전내를 봉심하였는데 무탈하였습니다."라고 하였습니다. 이러한 연유를 치계합니다.

〔장계〕

신이 진하반(陳賀班) 진참(診參)의 일로 상경(上京)하였다가 당일 영(營)으로 돌아왔습니다. 이러한 연유를 치계합니다.

1월 20일.

화령전을 일차 봉심(日次奉審)하였다.

1월 25일.

화령전을 일차 봉심(日次奉審)하였다.

1월 27일.

외탕고(外帑庫)[210] 봉부동(封不動)[211]을 마감(磨勘)해 성책(成冊)하여 수정(修正)해 올려보내는 일로 장계를 밀봉하여 아뢰었다.

〔장계〕

외탕고 봉부동전(封不動錢)이 지난번에 10,886냥이 되었는데, 정유년(丁酉年) 세입 3,000냥을 마땅히 절목(節目)에 의거해 수량에 맞춰 봉입(奉入)하였습니다. 수성고전(修城庫錢)[212] 1,000냥은, 북둔(北屯)이 오래되어 진흙이 쌓이고 막혀 거의 언덕이 되어 지금 소준(疏濬, 파내어 소통하게 함)하지 않을 수 없어 필요한 물자와 인력을 수성고(修城庫)에서 취용하지 않을 수 없습니다. 그러나 비축해 둔 고전(庫錢)이 2,000냥뿐으로 입고한 후에 성책 수정하여 승정원(承政院)에 올려보냅니다. 이러한 연유를 치계합니다.

---

210 외탕고(外帑庫) : 지방에 있는 임금의 사재를 넣어 두는 곳간을 말한다.

211 봉부동(封不動) : 국가의 중대한 비상사태에 대비하기 위하여 은이나 포목 등을 별도로 저장하여 봉해 두고 쓰지 않는 것을 말한다. 비상시 이외에는 절대로 쓰지 않는 것이 규례이다.

212 수성고전(修城庫錢) : 조선 시대 성곽의 수리에 대비하여 곡물 등을 쌓아두는 창고를 수성고(修城庫)라고 하는데, 곡물대신 금전으로 받기도 하였다.

정유년丁酉年 1837년, 헌종憲宗 3년 2월

2월 1일.

먼동이 틀 무렵 객사(客舍)에 나아가 망궐례(望闕禮)를 행하는데, 중군(中軍)·영화 찰방(迎華察訪)·진위 현령(振威縣令) 박장암(朴長馣)이 나란히 입참(入參)하였다.

같은 날(2월 1일).

화령전(華寧殿) 춘대봉심(春大奉審) 후에 장계를 밀봉하여 아뢰었다.

〔장계(狀啓)〕

화령전 춘맹삭(春孟朔, 정월) 대봉심(大奉審)을 원래 정한 것이 지난달 15일인데, 신이 서울에서 돌아오지 못하여 부득이 거행하지 못해 이달 초1일 분향(焚香)하고 나서 바로 거행하였습니다. 겸령(兼令) 신(臣) 김한순(金漢淳)은 마침 상경하였기에 영화도 찰방(迎華道察訪) 오치건(吳致健)을 겸령(兼令)으로 임시 차출하여 겸위장(兼衛將) 신(臣) 박시회(朴蓍會)와 함께 봉심하였는데 전내(殿內) 모든 곳이 모두 무탈하였으며, 방금 접수한 현륭원(顯隆園) 영(令) 이민기(李民耆)의 첩정 내용에, "원상(園上)과 전내를 봉심하였는데 무탈하였습니다."라고 하였습니다. 이러한 연유를 치계합니다.

2월 3일.

병신년 하등(夏等) 상시사(賞試射)[213]를 동장대(東將臺)에 개장(開張)하

213 상시사(賞試射) : 각 군문(軍門)의 군병(軍兵)을 대상으로 대대적인 무예 시험을 치러, 성적이

고 시취(試取)하여 상을 내렸다.

2월 5일.

화령전을 일차 봉심(日次奉審)하였다.

2월 10일.

화령전을 일차 봉심하였다.

2월 13일.

본부 살옥 검안의 제사(題辭).

【공향(貢鄉)[214]의 피고(被告) 박삼봉(朴三奉)이 김동전(金東田)에게 악명을 뒤집어씌우고 스스로 목을 매어 죽은 일. 검관(檢官)은 진위 현령(振威縣令) 박장암(朴長馣)】

〔제사〕

시장(屍帳, 시체를 검안한 증명서)을 받아보았다.

검안을 자세히 살펴보니 스스로 목을 맨 흔적이 있고, 사증(詞證)[215]을 참고해도 구타를 당한 증험이 없다. 이에 이 옥사(獄事)의 실인(實因)은 다시 의심할 여지가 없으니 복검(覆檢)을 청하지 않은 것은 진실로 옥사의 체제를 얻은 것이다. 아직

우수한 자에게는 상을 주고 성적이 부진한 자에게는 벌번(罰番)을 내리는 제도이다.

214 공향(貢鄉): 1914년 3월 1일(1913년 12월 29일 공포 조선 총독부령 제111호)도의 위치, 관할 구역 그리고 부·군의 명칭, 위치, 관할 구역에 관한 개편을 대대적으로 단행하였고, 곧이어 한 달 후인 1914년 4월 1일(1914년 3월 13일 공포 조선 총독부 경기도령 제3호)에는 경기도 소재 면의 명칭과 구역의 통폐합을 통한 대대적인 개편이 이루어지면서 수원군의 향남면(鄉南面)으로 통폐합되었다. 현재 경기도 화성시 향남읍에 소재한다.

215 사증(詞證): 사건의 소송 당사자가 제출한 증거를 말한다.

장물(贓物)을 찾지 못하였는데 악명(惡名)을 뒤집어씌우고 사문(私門, 개인의 집이나 가문)에 앉혀놓고 결박하여 마구 때리니 이 어찌 어리석고 패악한 습성이 아니겠는가? 또, 무당을 불러다 저주하니 이 또한 요사스러움의 극치가 아닌가? 끝내 죽은 자로 하여금 횡역(橫逆, 무리한 처사)의 무멸(誣蔑)[216]에 고통받다가 차라리 갑자기 죽어 잠들기를 바라였으니〔無訛〕[217] 7척(尺)의 몸을 버린 것이 잠깐 사이에 불현듯 일어난 일이었다. 설령 죽음이 매를 친 것에서 연유한 것이 아니라 하더라도 몽둥이로 치고 칼로 벤 것과 어찌 다르겠는가? 검정(檢庭)에서 완강히 잡아떼며 망녕되게 아무런 상관이 없는 장사중(張士仲)이라는 자를 끌어들인 것 또한 간악하고 교활함이 모두 그에게 있는데 오히려 하찮고 자질구레한 것에 속한다고 하니, 동(同) 피고 박삼봉(朴三奉)을 먼저 낱낱이 고찰하고 한 차례 엄히 형신하여 공초(供招)[218]를 받아 첩보(牒報)하라. 요망한 저주로 사람을 속이는 일은 법으로 엄히 금하는 일일뿐더러 이 옥사의 근본 원인이 저〔渠〕가 아니면 누구겠는가? 관련된 백조이〔白召史〕[219]도 모두 엄히 형신하고 공초를 받아라. 김판흥(金判興)은 발미(跋尾)[220]에 "펄쩍뛰며 두려워하며 동요하였다."같은 말을

---

216 무멸(誣蔑) : 거짓을 꾸며내어 명예를 더럽히는 것을 말한다.

217 잠들기를 바라였으니〔無訛〕: 차라리 잠이 든 상태에서 영원히 깨어나지 않았으면 좋겠다는 표현으로, 《시경(詩經)》〈왕풍(王風)·토원(兔爰)〉에, "온갖 근심 모여드니, 차라리 잠이 들어 깨어나지 말았으면.〔逢此百罹, 尙寐無吪.〕"이라고 하였다.

218 공초(供招) : 죄인이 법관의 신문(訊問)에 따라 범죄 사실을 진술한 말. 공초(供招). 초사(招辭).

219 조이〔召史〕: 조선 시대에 평민 이상의 여성을 이름 대신 표시할 때 사용하던 대명사로 한자음은 '소사'이지만 이두로 '조이'로 읽는다. '과부'의 뜻을 나타내는 말로도 쓰였다.

220 발미(跋尾) : 발사(跋辭)라고도 하는데, 조사와 관련하여 장계의 뒤에 붙이는 건의서를 말한다.

보니 검정에서의 도리에 어긋나고 거만한 광경을 상상할 수 있다. 무엄함이 지극하니 시친(屍親)의 관용이 불가하다. 한 차례 엄히 형신하고 징려(懲勵)하여 풀어주어라.

동작(東作)이 다가오니 체수(滯囚)가 걱정이다. 각 인에게 응당 잘 묻되 모두 검소(檢所)에서 내보내고 다만 피고·관련된 자, 김판홍 등 3명만은 착가(着枷, 죄인의 목에 칼을 씌움)하여 본 부(本府) 감옥으로 압송하라. 장사중과 안만손(安萬孫)은 지금 다시 물을 단서가 없으니 아울러 체포를 철회하고 본 부 판관에서 문이(文移)하여 제사에 의거해 거행할 일이다. 검사를 행한 뒤에 시체는 봉표(封標)[221]하고 처분을 기다리는 것이 본디 바꿀 수 없는 규례이거늘, 지금 이 검장(檢狀) 가운데 조금도 언급하지 않은 것은 어찌된 곡절인가? 시체는 바로 내어주어 매장하게 하라. 항후(項喉)의 '후(喉)' 자는 '후(帿)' 자로 잘못 썼고, 붕중(硼中)의 '붕(硼)' 자는 '붕(繃)' 자로 잘못썼으며, 억륵(抑勒)의 '억(抑)' 자는 '억(臆)' 자로 잘못썼으니, 거행한 형리(刑吏)를 먼저 부과(附過)[222]하라.

2월 15일.

동이 틀 무렵 객사에 나아가 망궐례(望闕禮)를 행하는데 중군(中軍)·판관(判官)·영화 찰방(迎華察訪)이 아울러 참례(參禮)하였다.

---

221 봉표(封標): 산소 자리를 미리 정하여 봉분하고 표를 세워놓는 것을 이른다.

222 부과(附過): 관리나 군병의 공무상 과실이 있을 때에 곧바로 처벌하지 않고 관원 명부에 적어 두는 일이다. 6월과 12월의 도목 정사(都目政事) 때 고적(考績)하면서 이것을 참고하였으며, 표부과명(標付過名)의 준말이므로 '부과(付過)'로도 썼다.

같은 날(2월 15일).

화령전(華寧殿)에 분향(焚香)하고 봉심(奉審)한 뒤에 장계를 밀봉하여 아뢰었다.

〔장계〕

신(臣)이 금일 화령전에 분향하고 나서 봉심하였는데 전내(殿內) 모든 곳이 무탈하였으며, 방금 접수한 현륭원(顯隆園) 영(令) 이민기(李民耆)의 첩정 내용에, "금일 원상(園上)과 전내를 봉심하였는데 무탈하였습니다."라고 하였습니다. 이러한 연유를 치계합니다.

2월 20일.

화령전을 일차 봉심(日次奉審)하였다.

2월 25일.

화령전을 일차 봉심하였다.

2월 28일.

능(陵) · 원소(園所) · 국내(局內, 묘역의 경계)에 연례 보식(補植)의 일로 장계를 밀봉하여 아뢰었다.

〔장계〕

방금 접수한 건릉 참봉(健陵參奉) 조도림(趙道林)과 현륭원 참봉(顯隆園參奉) 조병위(趙秉緯)의 첩정을 보니, "국내(局內) 수목(樹木)이 드문드문한 곳에 연례 보식의 역사(役事)를 이달 25일에 시작하여 26일까지 마쳤습니다."라고 하였습니다. 이에 보식의 경계와 나무를 심은 그루 수를 후록(後錄)하여 치계합니다.

갑은 날(2월 28일).

본 영(本營)과 속오읍(屬五邑) 춘조 군병(春操軍兵)을 제언(堤堰) 수축(修築)[223]에 부역(赴役)하는 일로 장계를 밀봉하여 아뢰었다.

〔장계〕

전에 접수한 비변사(備邊司)의 관문(關門) 내용에,

"이번에 주상께서 계하하신 비변사의 계사(啓辭)에, '각 도의 춘조(春操, 춘계 군사 연습)를 여쭙는 장계가 지금 일제히 도착하였습니다. 힐융(詰戎)[224]의 정사(政事)를 오래도록 정지함은 비록 매우 걱정스럽지만, 이미 진휼을 설시(設施)한 여러 도에 다시 번거롭게 징조(徵調)[225] 할 수 없고, 나머지 4개 도에서는 비단 풍년과 흉년이 서로 섞였을 뿐만 아니라 또한 수송(輸送, 실어나름)의 수고로움이 있으므로 곤궁한 봄에 백성을 소요하게 함은 더욱더 생각해야 할 일입니다. 금년 봄에 팔도(八道)와 사도(四道)의 수륙(水陸) 여러 조련(操鍊) 및 순력(巡歷) 순점(巡點)을 아울러 정지하고, 공사(公私)로 진휼하는 읍 외에 관문과 진문의 취점(聚點)[226]을 주의하여 거행하게 하였습니다. 군오(軍伍)를 채우고 기계를 수선하는 것은 각별히 더 단속하고 신칙하여

---

223 수축(修築): 건물(建物)이나 방축, 다리 등을 수리(修理)하거나 고쳐 짓거나 쌓거나 하는 일을 말한다.

224 힐융(詰戎): 힐융치병(詰戎治兵)의 준말로, 전투에 필요한 무기와 그에 관한 일들을 잘 정돈한다는 뜻이다. 《서경(書經)》〈입정(立政)〉에 "너의 갑옷과 병기를 사전에 제대로 닦아 두어야 한다.〔其克詰爾戎兵〕"라고 하였다.

225 징조(徵調): 인원·물자로 징집하거나 징발하여 사용하거나 조달함을 말한다.

226 취점(聚點): 군사들을 불러모아 사열(査閱)하며 조련하는 일을 말한다.

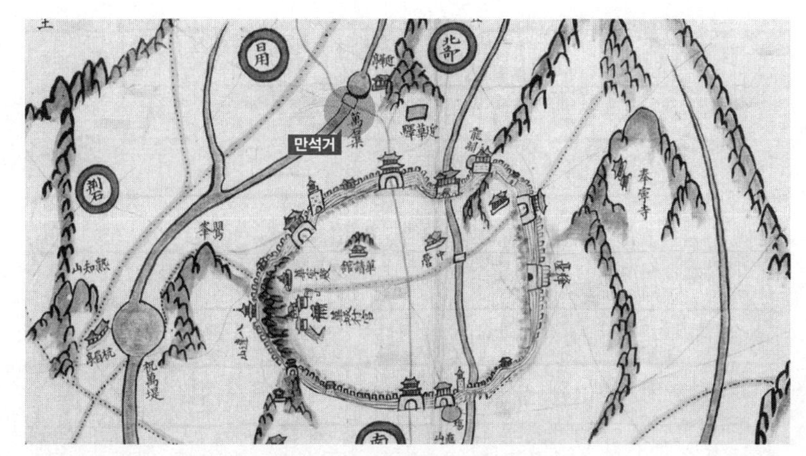

만석거《수원부지도(水原府地圖)》(서울대학교 규장각 한국학연구원)

감히 문구(文具)[227]로 보지 말게 하고, 제언(堤堰)이 있는 곳에 방축(防築)을 소준(疏濬)하는 일은 가까운 예에 따라 옮겨 점고(點考)[228]하여 일을 마쳐서 실제 효과가 있게 하며, 각 양(各樣) 도시(都試)는 아울러 설행하게 하되 관동(關東) 3진(鎭)의 춘등(春等) 도시는 도신(道臣)이 이미 물려서 행하기를 청하였으니 가을을 기다렸다가 합하여 설행하도록 분부하심이 어떻겠습니까?' 하니, '윤허한다'라고 전교하셨다. 전교의 뜻을 잘 받들어 시행하라"라는 관문이었습니다.

신이 본 영에 마병(馬兵)과 보병(步兵)을 예에 의거하여 취점하니 모두 궐액(闕額, 결원된 인원)이 없었으며, 보군(步軍)은 날짜를 배정하여 만석거(萬石渠)[229]를 소준하는 역사를 주었고, 속오

227 문구(文具): 그럴 듯이 꾸며서 법문(法文)만 갖추어져 있는 것을 말한다.

228 점고(點考): 명부(名簿)에 하나하나 점을 찍어가며 수효를 점검하는 일이다.

229 만석거(萬石渠): 지금 경기도 수원시 장안구 송죽동에 있는 조선 시대의 저수지로 1795년(정조 19) 정조 때 축조되었다. 정조는 수원성을 축성하면서 수원성을 중심으로 동서남북에 네 개의 호수를 파고 방죽을 축조하였는데, 북쪽에 판 것이 만석거이다.

군 군병도 관사에 의거하여 거행할 뜻을 전령하여 지위(知委) 하였습니다. 방금 접수한 안산 군수(安山郡守) 이준수(李俊秀), 시흥 현령(始興縣令) 이명원(李鳴遠), 용인 현령(龍仁縣令) 이종윤(李鍾允)이 보고한 내용을 보니, "본 현 군병을 제언 소착(疏鑿)의 역사에 이점하였습니다."라고 하였습니다. 진위 현령(振威縣令) 박장암(朴長馣)과 과천 현감(果川縣監) 정만교(鄭晩敎)가 보고한 내용을 보니 "별도로 제언을 수축한 곳이 없고, 의례 취점(聚點)하니 모두 궐오(闕伍)가 없었습니다."라고 하였습니다. 이러한 연유를 치계합니다.

같은 날(2월 28일).

서북(西北) 둔전(屯田)에 나가서 소착의 형편을 간심(看審, 자세히 살핌)하였다.

2월 29일.

건릉(健陵) 한식제향(寒食祭享)에 헌관(獻官)으로 김재삼(金在三) 대감이 내려왔다.

정유년丁酉年 1837년, 헌종憲宗 3년 3월

3월 1일.

화령전(華寧殿)에 분향(焚香)하고 봉심(奉審)한 뒤에 장계(狀啓)를 밀봉하여 아뢰었다.

〔장계(狀啓)〕

신(臣)이 금일에 화령전에 분향하고 나서 봉심하니 전내(殿內) 모든 곳이 무탈하였으며 방금 접수한 현륭원(顯隆園) 참봉 조병위(趙秉緯)의 첩정 내용에, "금일 원상(園上)·전내를 봉심하였는데 무탈하였습니다."라고 하였습니다. 이러한 연유를 치계합니다.

같은 날(3월 1일).

현륭원 한식제향에 헌관(獻官)으로 향축(香祝)을 모시고 원소(園所)에 나아갔다.

3월 2일.

현륭원 한식제향(寒食祭享)을 설행하고 나서 바로 장계를 밀봉하여 아뢰었다. 건릉 헌관(健陵獻官)이 부(府)에 들었다가 바로 출발하였다.

〔계본(啓本)〕

삼가 제향의 일로 아룁니다.

이달 초2일, 한식제향에 신이 헌관으로 진참하고 설행한 후 원상(園上)을 봉심하였는데 잡초와 잡목이 없었으며 사산

(四山) 내에도 함부로 범작(犯斫)하는 폐단이 없었습니다. 이에 제관(祭官)의 관직과 성명을 뒤에 개록합니다. 이러한 연유를 치계합니다.

같은 날(3월 2일).

능·원소(陵園所)에 춘대봉심(春大奉審) 후 장계를 밀봉하여 아뢰었다.

〔계본〕

삼가 봉심한 일을 아룁니다.

신이 이달 초2일, 건릉(健陵) 능상(陵上)·정자각(丁字閣)·비각(碑閣) 이하 모든 곳과 현륭원(顯隆園) 원상(園上)·정자각·비각 이하 탈이 있는 곳을 봉심한 후, 건릉·정자각에 탈이 있는 곳과 제기(祭器)·잡물(雜物)이 파손된 것을 뒤에 개록하였으니, 해조(該曹)로 하여금 빠르게 개수〔修改〕하게 할 일입니다.

현륭원 원상·정자각·비각 이하에 탈이 있는 곳은 예(例)에 의거하여 신의 영(營) 관천고(筦千庫)에서 편리에 따라 개수하였고 수목(樹木)은 화소(火巢)가 넓고 멀어 일일이 적간(摘奸)할 수 없으나 낱낱이 사정을 살펴 감히 범작(犯斫)하는 폐단이 없게 하는 일을 능원을 관리하는 곳에 각별히 신칙(申飭)하였습니다. 만년제(萬年堤) 동막이〔垌〕 안을 모두 간심하니, 모두 무탈하였으며 앵봉(鶯峰) 부석소(浮石所, 채석장(採石場))는 편비(褊裨, 부하(部下) 군관)를 보내어 적간하니, "봉표(封標) 내도 무탈합니다."라고 하였습니다. 이러한 연유를 치계합니다.

같은 날(3월 2일).

죽은 아이(亡兒)[230] 한덩이 육신에게는 딸 하나만 남아있었다.[231] 지난해 납월(臘月, 음력 12월)부터 회적증(蛔積症)[232]이 시작하여 끝내 창자가 부어올라 4개월 동안 침고(沈痼, 오랜 병환)하였는데 이날 원소(園所)에서 영(營)으로 돌아와 집에서 보내온 편지를 보니 지난 30일에 화거(化去)[233]하였다고 한다. 정리(情理)가 참혹하기 짝이 없는 것은 사람에게 똑같고 다름이 없으니 그 어미의 통곡소리가 끊어질 듯하였다고 한다. 곧바로 급히 습렴(襲斂)[234]하여 금천(金阡) 서조모(庶祖母, 할아버지의 후첩)의 묘 오른쪽에 묻게 하였다. 애통하고, 애통하다!

같은 날(3월 2일).

금릉(金陵)[235] 반이(搬移)가 이달 초6일에 있어 종자부(從子婦, 조카며느리)가 사우(祠宇)를 모시고 먼저 출발하였고 나는 친후(親候)[236]의 건강이 편치 않으시어 부득이 수행하지 못하였다. 이에 오리정(五里程)

---

230 죽은 아이(亡兒) : 서유구의 아들 서우보(徐宇輔, 1795~1827)를 말한다. 어머니는 여산 송씨(宋氏, 1769~1799)이며 자는 노경(魯卿), 호는 추담(秋潭)·옥란관(玉蘭觀)이다. 서유구가 벼슬에서 물러난 1806년부터 1823년에 회양부사로 관직에 복귀하기 전까지, 약 18년 동안 부친과 임원에서 함께 생활하며 농사짓고 물고기를 잡는 한편, 《임원경제지》의 원고 정리 및 교정을 맡았다. 요절했기 때문에 《임원경제지》 전 권을 교정할 수 없었지만, 서유구는 《임원경제지》 113권의 권두마다 "남(男) 우보(宇輔) 교(校)"라고 적어두었다. 시문집으로 《추담소고(秋潭小藁)》가 있다.

231 죽은 아이(亡兒)……있었다. : 서우보에게는 딸이 셋이 있었으나 모두 요절하였다. 마지막 남은 딸이 사망한 것이다.

232 회적증(蛔積症) : 배 안에 회충이 덩어리로 뭉쳐 때때로 움직이는 병이다.

233 화거(化去) : 다른 것으로 변(變)하여 간다는 뜻으로, '죽음'을 이르는 말이다.

234 습렴(襲斂) : 죽은 사람의 몸을 씻긴 뒤에 옷을 입히고 염포(殮布)로 묶는 일. 염습(殮襲)과 같다.

235 금릉(金陵) : 지금 경기도 장단군 금릉리. 서유구의 고향이자 집안의 묘역이 있는 곳이다.

236 친후(親候) : 주로 편지글에서, 부모의 기거나 건강 상태(狀態) 따위를 이르는 말이다.

에 나가서 공경히 전송하고 유뢰(有耒)[237]로 하여금 곧바로 모시고 가서 번리(樊里)[238]의 새 집에 머물러 묵게 하였다.

3월 4일.

춘모(春麰, 봄보리) 갈이를 모두 마친 일로 장계를 밀봉하여 아뢰었다.

〔장계〕

방금 접수한 본 부 판관(本府判官) 겸임(兼任) 중군(中軍) 박시회(朴蓍會)의 첩정 내용에, "경내(境內) 춘모는 지금 이미 갈이를 마쳤습니다."라고 하였습니다. 이러한 연유를 치계합니다.

같은 날(3월 4일).

북둔(北屯, 북쪽의 둔전) 소착(疏鑿)의 역사(役事)를 시작하였다.

북둔은 화성(華城)을 축성할 때에 설치한 것으로 임(壬, 임진년, 1832 순조 32)·계(癸, 계사년 1833, 순조33) 두 해에 큰 홍수로 모래가 덮여 막혀서 저장된 물이 얼마 없고 거의 뭍이 되었다. 금년 봄 군병의 취점을 방죽의 역사에 옮겨 점고(點考)하고 이날부터 소착의 역사를 시작하였다.

---

237 유뢰(有耒): 서형수(徐瀅修)의 측실에서 태어난 서유뢰(徐有耒)를 말한다.

238 번리(樊里): 서유구는 1837년 고향 금릉(金陵, 경기도 장단군 금릉리)에 있던 세간을 번계(樊溪, 지금의 서울 강북구 번동)로 옮기고 본격적인 농업 실험과 후학 양성을 시작하였다. 1838(헌종 3)년에는 사헌부 대사헌을 마지막으로 구황 규율과 관련한 〈비황3책(備荒三策)〉을 제출하고 1839년 76세의 나이로 관직을 은퇴했다. 서유구가 '번계'에 거처를 새로 마련하였던 가장 큰 이유는 《임원경제지》의 구체적 실현인 임원 경영의 꿈을 이루기 위해서였다. 서유구는 번계에서 시험 연구와 후학 지도에 전념하는 한편, 지난 30여 년간 지속해온 《임원경제지》의 완성에 집중하였다. 이 시기 서유구로부터 지도 받은 후학들은 대략 30여 명에 달하는데, 연암(燕巖) 박지원(朴趾源)의 손자이자 훗날 개화파의 거두로 평가받는 환재(瓛齋) 박규수(朴珪壽)가 대표적이다.

3월 5일.

화령전을 일차 봉심(日次奉審)하였다.

3월 8일.

판여(板輿)[239]를 모시고 출발하여 과천(果川)에서 점심을 먹고 신각(申刻, 오후 3시~오후 5시)에 필곡(筆谷)에서 도착하여 장계를 밀봉하여 아뢰었다.

〔장계〕

신(臣)이 묘당(堂稟)에 품의(稟議)할 일이 있어 당일 출발하여 상경하였습니다. 이러한 연유를 치계합니다.

3월 12일.

주상께서 친히 납징(納徵)[240]에 임하실 때에 진참(進參)하였다.

3월 13일.

주상께서 친히 고기(告期)[241]에 임하실 때에 진참하였다.

3월 15일.

화령전(華寧殿)과 현륭원(顯隆園)을 봉심하였는데 무탈한 일을 장계를 밀봉하여 아뢰었다.

---

239 판여(板輿): 노인용 가마를 뜻하는데, 주로 지방관으로 나가 늙은 부모를 모시는 것을 비유한다.

240 납징(納徵): 혼인 육례의 하나로, 신랑 집에서 신부 집에 빙재(聘財)를 보내어 혼약이 이루어진 증표로 삼는 예(禮)를 말한다.

241 고기(告期): 가례 때 왕실에서 혼인할 상대방의 집으로 혼인 날짜를 정해서 알리는 것을 말한다.

〔장계〕

방금 접수한 화령전 겸령(兼令) 김한순(金漢淳)의 첩정 내용에, "이달 15일 분향(焚香)하고 나서 바로 봉심하였는데 전내(殿內)의 모든 곳이 무탈하였습니다."라고 하였습니다. 동시에 받아 본 현륭원 영(令) 이민기(李民耆)의 첩정 내용에, "이달 15일 원상(園上)과 전내를 봉심하였는데 무탈하였습니다."라고 하였습니다. 이러한 연유를 치계합니다.

같은 날(3월 15일).

농형 장계(農形狀啟)를 밀봉하여 아뢰었다.

〔장계〕

방금 접수한 본 부 판관(本府判官) 김한순(金漢淳)의 첩정 내용에, "경내 농형은, 가을보리는 아래 습기 있는 밭〔下濕田〕에 일찍 경작한 것이 간혹 푸릇푸릇하고, 봄보리는 밭을 갈고 씨 뿌리는 것이 조금 늦어져 아직 싹을 틔우지 못하였고, 가래질을 이제야 시작하려고 합니다."라고 하였습니다. 이러한 연유를 치계합니다.

3월 17일.

월식(月蝕)이 진행되는 상황을 장계를 밀봉하여 아뢰었다.

〔장계〕

방금 접수한 본 부 판관 김한순의 첩정에, "전에 접수한 예조(禮曹)의 관문(關文)에 의거하여, 이달 17일 새벽에 바라보니, 월식이 있어 시각은 전례대로 구식하였습니다."라고 하였습니다. 식체(食體)

와 도형(圖形)은 보고한 바에 의거하여 후록하였습니다. 이러한 연유를 치계합니다.

3월 18일.

주상께서 친히 왕비 책봉에 임하실 때에 진참(進參)하였다.

같은 날(3월 18일).

가례 진하 전문(嘉禮陳賀箋文)을 밀봉하여 진상하였다.

〔전문(箋文)[242]〕

엎드려 생각건대 군주의 다스림이 건극(建極)[243]하여 정사는 수신제가(修身齊家)의 기반을 우러러 보고, 군자(君子)의 도(道)가 조단(造端)하여 마침내 주량(舟梁)[244]의 성대함을 목도(目睹)하니, 육의(六儀)[245]가 크게 길하고 양요(兩曜, 해와 달, 곧 임금과 왕후)가 매우 밝습니다. 공경히 생각건대 하늘이 낸 모습은 인륜

---

242 전문(箋文): 나라에 길·흉사(吉凶事)가 있을 때 신하가 임금에게, 임금이 그 어버이의 수하(壽賀)에 써 올리던 사륙체(四六體)의 글을 말한다.

243 건극(建極): 군주가 인륜(人倫)의 모범을 보여 백성들의 표준이 되는 것을 말한다. 《서경(書經)》 〈홍범(洪範)〉에서 천하를 다스리는 아홉 가지의 큰 요체인 홍범구주(洪範九疇)를 말하면서 그 다섯 번째로 "표준을 세우되 황극으로써 한다.〔建用皇極.〕"를 들고 있다.

244 주량(舟梁): 여러 척의 배를 연결하여 만든 배다리로, 친영(親迎) 또는 혼인의 경사를 비유하는 말이다. 주 문왕(周文王)이 태사(太姒)를 맞이하는 광경을 노래한 《시경(詩經)》 〈대아(大雅)·대명(大明)〉에, "큰 나라에서 따님을 두었으니, 하늘에 비길 여인이로다. 예(禮)로 그 상서로움을 정하시고 위수(渭水)에서 몸소 맞이하여 배를 만들어 다리를 놓으시니 그 빛이 드러나지 않겠는가!〔大邦有子 俔天之妹 文定厥祥 親迎于渭 造舟爲梁 不顯其光〕"라고 하였다.

245 육의(六儀): 《주례(周禮)》에 "보씨는 왕의 잘못을 간하고 국자를 도리로 기르는 일을 관장한다.……이에 육의로 가르치니 첫째는 제사(祭祀)의 용의(容儀), 둘째는 빈객(賓客)의 용의, 셋째는 조정(朝廷)의 용의, 넷째는 상기(喪紀)의 용의, 다섯째는 군려(軍旅)의 용의, 여섯째는 거마의 용의(車馬)이다.〔保氏掌諫王惡, 而養國子以道.……乃敎之六儀, 一曰祭祀之容, 二曰賓客之容, 三曰朝廷之容, 四曰喪紀之容, 五曰軍旅之容, 六曰車馬之容.〕" 한 데서 온 말로, 임금이 국가를 다스릴 때 행하는 여섯 가지 의례를 가리킨다. 《주례(周禮)》 〈지관사도(地官司徒)·보씨(保氏)〉.

을 위하여 크게 이어받았고, 준명(駿命)을 여시어 만년토록 아름다운 집안을 바로잡으셨으니 크나 큰 복이 이남(二南)의 시편(詩篇)[246]으로 널리 퍼집니다. 아름답도다! 하늘이 맺어준 경사이이며 실로 이것은 땅(坤)이 자리잡은 시작입니다. 엎드려 생각건대 2년 동안 거류(居留)[247]의 신하로서 촌심(寸心)이나마 보답을 도모하였으나, 자취는 규서(奎署, 규장각)에 몸이 담겨 있어 멀리 봉래산(蓬萊山) 오색 구름을 바라보고, 형편은 화봉(華封)[248]에 부합하니. 공경히 본지백세(本支百世)[249]를 축원합니다.

–이상은 대전(大殿)에 올리는 전문(箋文)

엎드려 생각건대 〈사제(思齊)〉[250]의 자화(慈化)가 널리 흡족하니 바야흐로 모의의 높음을 우러러 보고, 이연(貽燕)[251]의 가

---

246 이남(二南)의 시편(詩篇) : 이남(二南)은 《시경》 국풍(國風)의 〈주남(周南)〉과 〈소남(召南)〉을 가리킨다. 〈주남〉에 실린 〈관저(關雎)〉와 〈갈담(葛覃)〉 〈권이(卷耳)〉 등의 시편은 모두 왕후의 덕을 기린 내용이고, 〈소남〉에 실린 〈작소(鵲巢)〉와 〈소성(小星)〉 등은 왕후의 덕에 교화를 받은 제후국 부인들의 덕을 노래한 내용이므로, 이를 인용하여 중궁전의 덕을 찬양하였다.

247 거류(居留) : 유수(留守)를 말한다.

248 화봉(華封) : 화봉삼축(華封三祝)을 말한다. 화봉인(華封人)의 삼축(三祝)을 이르는 말로 임금의 덕을 송축하는 충심을 말한다. 요(堯)임금이 일찍이 화(華) 땅을 시찰할 적에 화 땅의 봉인(封人)이 아뢰기를, "아, 청컨대 성인(聖人)을 축복하노니, 성인께서는 수(壽)하고 부(富)하고 다남자(多男子)하소서"라고 한 데서 온 말이다. 《장자(莊子)》 〈천지(天地)〉.

249 본지백세(本支百世) : 《시경(詩經)》 〈대아(大雅)·문왕(文王)〉에 "문왕의 손자 백세토록 임금이 되게 하시고, 모든 주나라 선비들도 대대로 빛나게 하시었도다.〔文王孫子, 本支百世, 凡周之士, 不顯亦世.〕" 한 데서 온 말로, 즉 왕실이 융성함으로써 신하들 또한 광영(光榮)을 누리게 됨을 이른 말이다.

250 사제(思齊) : 《시경(詩經)》 〈대아(大雅)〉의 편명(篇名)인데, 주(周)나라 문왕(文王)의 거룩한 덕을 읊으면서 그 어머니인 태임(太任)과 그 비(妃)인 태사(太姒)의 덕을 찬미(讚美)한 것으로, "엄숙한 태임이 문왕의 어머니이시니, 주강에게 사랑을 받아 왕실의 며느리가 되시더니, 태사가 그 아름다운 명성을 이으시니, 아들이 백 명이나 되도다〔思齊太任, 文王之母, 思媚周姜, 京室之婦, 太姒似徽音, 則百斯男.〕"라고 한 것을 말한다.

251 이연(貽燕) : 관록(官祿)을 자손에게 유류(遺留)하는 것을 말한다.

모(嘉謨, 좋은 계책)가 크게 드리워져 곤위(壼位, 중궁의 자리)의 바르게 섬을 드디어 보나니 백량(百兩)[252]으로 모셔와 억조창생(億兆蒼生)이 서로 기뻐하였습니다. 공경히 생각건대 덕(德)은 희사(姬姒)[253]에 견줄만하고, 공(功)은 여요(女堯)를 넘어서니 4년간 구면(裘冕)의 치적(治績)[254]을 들어올려 태반(泰盤, 태산의 반석)의 큰 터를 다시 정하셨습니다. 육관(六官)이 적유(翟褕)[255]의 의식을 거행함을 우러러 보고 관진(觀津)[256]의 남은 경사를 기르셨으니, 이 책후(册后, 왕후의 책봉)의 날을 당하여 더욱 면록(緜籙, 끝없이 먼 미래)의 아름다움을 맞이합니다. 엎드려 생각건대 신은 북신(北辰)[257]을 에워싸고 있으나 이 남토(南土, 수원부 화영(華營))를 다

252 백량(百兩) : 1백 승(乘)과 같은 말로 혼인을 맺는 것을 뜻하는데, 제후(諸侯)의 딸이 제후에게 시집갈 때에 백 대의 수레〔百兩〕로 영접〔御之〕한다는 것을 말한다. 《시경(詩經)》 〈소남(召南) · 작소(鵲巢)〉에서, "까치 보금자리에 비둘기 옮겨 사네. 그녀가 시집옴에 1백 량의 수레로 맞이하네.〔維鵲有巢, 維鳩居之, 之子于歸, 百兩御之.〕"라고 한 데서 온 말이다.

253 희사(姬姒) : 주(周)나라 문왕(文王)의 비(妃)인 태사(太姒)를 말한다.

254 구면(裘冕)의 치적 : 순조(純祖)의 후비 순원왕후(純元王后) 김씨(金氏)의 수렴청정(垂簾聽政)을 말한다. 순조는 효명세자(孝明世子, 순조의 아들로 후일 익종으로 추존)가 22세로 요절하자 손자로 하여금 왕통을 잇게 하였고, 1834년(순조 34) 11월 순조가 승하하자 세손이었던 헌종이 8세로 즉위하게 되었다. 헌종이 너무 어린 나이에 즉위하였기 때문에 순조의 후비인 순원왕후(純元王后) 김씨의 수렴청정이 불가피하였고, 순원왕후는 대왕대비가 되어 수렴청정을 시작하였다. 순원왕후는 1837년(헌종 3) 3월 김조근(金祖根)의 딸을 헌종비로 맞아들였는데 이 효현왕후(孝顯王后)도 안동 김씨 문중이었다.

255 적유(翟褕) : 붉은 비단에 꿩의 깃으로 장식한 왕비의 옷으로 왕후를 상징한다.

256 관진(觀津) : 중국 청하(淸河)의 현(縣) 이름이다. 한(漢)나라 문제(文帝)의 비(妃)인 두 황후(竇皇后)의 친정이 이곳이었는데, 두 황후의 아버지가 죽었을 때 이곳에 장사 지낸 것에서 유래한다. 여기서는 효현왕후(孝顯王后) 김씨(金氏)의 부모 및 친족을 가리켜 말한 것이다.

257 북신(北辰) : 하늘의 북쪽 중심으로 천자가 거처하는 곳을 뜻한다. 《논어(論語)》 〈위정(爲政)〉 1장에 공자가 "정사를 하되 덕으로써 하는 것은 비유하건대 북극성이 제자리에 머물러 있으면 뭇 별들이 그것에 향하는 것과 같다.〔爲政以德, 譬如北辰, 居其所, 而衆星共之.〕"라고 한 데 나오는 말이다.

스리고 있어 부끄럽게도 한각(漢閣)[258]의 이열(邇列)[259]에서 육례(六禮)[260]의 의식을 기쁘게 우러러 보았습니다. 직분은 요(堯) 시대의 화봉(華封)과 같으니 삼축(三祝)의 정성이 더욱 간절합니다.

–이상은 대왕대비전(大王大妃殿)에 올리는 전문(箋文)

엎드려 생각한대 경실(京室, 왕실)이 사미(思媚)[261]의 아름다움을 널리 알리니 모후(母后)를 기려 기쁨을 이었고, 종팽(宗祊, 종사(宗祀))이 유곤(裕昆)[262]의 모훈(謨訓)을 펴니 중궁(中宮)을 책봉하여 자리를 바로하고 이에 욕례(縟禮)를 거행하니 잠신(簪紳)[263]이

---

258 한각(漢閣) : 한각은 분명치 않으나 화령전(華寧殿) 운한각(雲漢閣)으로 보인다. 운한각은 순조(純祖)가 선왕인 정조(正祖)의 지극한 효성과 유덕을 길이 받들기 위하여 수원에 세운 화령전(華寧殿)의 정전(正殿)으로 정조의 초상화를 모셨다. 운한각의 편액은 순조(純祖)의 친필이다.

259 이열(邇列) : 임금의 자리에서 가까운 반열을 말한다.

260 육례(六禮) : 혼례에 있어서의 여섯 가지 예식 절차로, 납채(納采), 문명(問名), 납길(納吉), 납징(納徵), 청기(請期), 친영(親迎)을 말한다.

261 사미(思媚) : 왕실의 며느리가 되어 왕대비의 아름다운 덕을 잘 계승함을 말한 것이다. 《시경》 〈사제(思齊)〉에 "엄숙한 태임(太任)이 문왕의 어머니시니 주강(周姜)에게 사랑을 받아 경실(京室)의 며느리가 되었네. 태사(太姒)가 그 아름다운 명성을 이으시니 아들이 백 명이나 되도다.〔思齊太任, 文王之母, 思媚周姜, 京室之婦, 太姒嗣徽音, 則百斯男.〕"라고 하였다.

262 유곤(裕昆) : 1765년(영조 41)에 임금이 당쟁(黨爭)의 폐단과 관련하여 특히 산림 세력을 당론의 온상이라고 공격하면서 후손들이 이를 경계하도록 지은 《어제엄제방유곤록(御題嚴堤防裕昆錄)》을 말하는데, 유곤은 《서경(書經)》 〈중훼지고(仲虺之誥)〉의 "의로 일을 바로잡고 예로 마음을 제어하여 후세에 넉넉하게 남겨 주어야 한다.〔以義制事, 以禮制心, 垂裕後昆.〕"라는 말에서 나온 것이다. 《영조실록(英祖實錄)》 40년 11월 30일 조에 "고금의 당론이 나라를 망치는 이유에 대해 두루 서술하고, 또 어진 자와 사특한 자가 진퇴하는 의의에 대해서 언급하였는데, 모두 100여 글자였다. 이는 대체로 신경(申暻)의 상소에 동조하려는 신하를 배척하면서 산림의 선비가 또 하나의 당을 이루고 있다고 여긴 나머지, 만약 이 근원을 통렬히 깨뜨리지 않으면 그 해가 홍수나 맹수보다 심하다고 여겼기 때문이다. 그러고는 이를 책자로 만들어 《엄제방유곤록(嚴堤防裕昆錄)》이라고 이름을 붙여 간행해서 사고(史庫)에 넣어 두라고 명하였다."라는 기사가 실려 있다.

263 잠신(簪紳) : 잠영(簪纓)과 같은 뜻. 고위 관원이 쓰는 쓰개〔冠〕의 꾸밈이란 뜻으로 높은 지위, 조정의 벼슬아치를 이르는 말이다.

발돋움하고 봅니다. 공경히 생각건대 원길(元吉)이 황상(黃裳)에 화합하고,[264] 칭송은 현담(玄紞)에 오르니 성인(聖人)을 아들로 삼아 항상 계우(啓佑)[265]의 방법을 모색하고, 그 명을 이어받아 널리 펴시니 희흡(熈洽)[266]의 경사를 더욱 가까이합니다. 지금 돌이켜보건대 오늘에 중곤(中壼) 책보(冊寶)[267]의 날을 맞이하니 우리 종묘사직(宗廟社稷)의 경록(景籙)의 날을 면면이 이으셨습니다. 엎드려 생각건대 신은 호부(虎符)[268]의 은혜를 입어 직책이 원열(鵷列, 조정의 반열(班列))을 따르나 외람되이 주행(周行)[269]에

---

264 원길(元吉)……화합하고 : 황색 치마는 존귀하고 길한 사물로서 내면의 덕을 비유하며, 적처(嫡妻)를 가리키기도 한다. 《주역》 〈곤괘(坤卦) · 육오(六五)〉에 "황색 치마이니 크게 길하리라.〔黃裳, 元吉.〕" 하였는데, 이는 여자로서 높은 신분에 있으면서 중도를 지키고 아래에 거처하면 크게 길하다는 뜻이다.

265 계우(啓佑) : 선왕(先王)의 뒤를 이어 백성을 계도(啓導)하고 보우하여 성세(盛世)를 여는 것이다. 주(周)나라 목왕(穆王)이 자신이 선왕들의 뒤를 계승했음을 말하면서 "크게 드러났도다, 문왕의 가르침이여. 크게 이었도다, 무왕의 공렬이여. 우리 후인들을 계도하고 보우하되 모두 바름으로써 하여 결함이 없도다.〔丕顯哉! 文王謨, 丕承哉! 武王烈, 啓佑我後人, 咸以正罔缺.〕" 하였다. 《서경(書經)》 〈군아(君牙)〉.

266 희흡(熈洽) : '중희루흡(重熙累洽)'의 줄임말. 대대로 현명한 임금이 나와 태평성대를 이어간다는 말이다. 한나라 반고(班固)의 〈동도부(東都賦)〉에 "영평(永平)의 때에는 거듭 빛나고 대대로 화합하였다.〔至於永平之際, 重熙而累洽.〕"라고 하였는데, 장선(張銑)의 주에 "'희(熙)'는 광명함이고 '흡(洽)'은 합함이다. 광무제가 이미 밝은데 명제가 이를 이었으므로 '중희루흡'이라고 말한 것이다.〔熙, 光明也. 洽, 合也, 言光武既明, 而明帝繼之, 故曰重熙累洽也.〕"라고 하였다. 《육신 주 문선(六臣註文選)》 권1.

267 책보(冊寶) : 임금이나 왕비의 존호(尊號)를 올릴 때 함께 올리던 옥책(玉冊)과 금보(金寶)의 총칭이다.

268 호부(虎符) : 군사를 발병(發兵)할 때 사용하던 병부(兵符). 한 면에는 '발병(發兵)'이라 쓰고, 다른 면에는 '모도(某道) 관찰사(觀察使)', 또는 '모도(某道) 수륙 절제사(水陸節制使)'라고 쓰고, 그 가운데를 쪼개어 우부(右符)는 그 책임자에게 주고, 좌부(左符)는 중앙의 상서사(常瑞司)에 두었다가, 임금이 발병할 때 이 좌부를 내려보내어 우부와 맞추어 본 뒤 동병(動兵)하였다.

269 주행(周行) : 주(周)나라 조정의 반열이라는 뜻으로 조정의 관리를 뜻한다. 당(唐)나라 왕유(王維)의 〈청시장위사표(請施莊爲寺表)〉에 "원성(元聖)이 중흥하시자 뭇 생령이 복을 받아서 신이 지극히 어리석음에도 주행(周行)을 채웠습니다.〔元聖中興, 羣生受福, 臣至庸朽, 得備周行.〕"라고 하였다.

끼어 풍승(楓陛)[270]을 바라보며 세 번을 외치고 노송(魯頌)의 노래[271]가 지함(芝函)[272]을 받들어 만수(萬壽)를 축원합니다.

–이상은 왕대비전(王大妃殿)에 올리는 전문(箋文)

엎드려 생각건대 곤(坤)[273]이 건(乾)[274]을 이으니 북극성(北極星)[275]의 짝이 되어 조단(造端)이 시작되고 달이 해와 짝을 지어 밝은 예가 곤위(壼位)의 자리를 높이니 적휘(翟翬)가 고운 빛깔을 휘날리고, 〈관저(關雎)〉[276]는 노래로 널리 퍼집니다. 공경히 생각건대 군자의 좋은 베필〔君子好逑〕[277]로 하늘에 비할 만한 여

---

270 풍승(楓陛):풍신(楓宸)이라고도 하며, 임금이 사는 궁궐을 말한다. 중국 한(漢) 나라는 왕이 거처하는 곳, 즉 신(宸)에 단풍나무를 심어 황제가 사는 황궁을 '풍신(楓宸)'이라고 하였고, 궁전의 섬돌에도 단풍나무를 즐겨 심어 궁궐을 '풍폐(楓陛)'라 부르기도 한다.

271 노송(魯頌)의 노래:《시경(詩經)》〈노송(魯頌)·비궁(閟宮)〉에, "노나라 임금이 즐기고 기뻐하시니, 착한 부인과 장수하시는 어머니가 계시도다.〔魯侯燕喜, 令妻壽母.〕"라고 하여 어머니에 대한 축수의 뜻이 담겨있다. 비궁은 원래 노 나라 사당의 이름인데, 이 시는 이 사당을 짓고 기념하여 읊은 것으로, 여기에 장수를 송축한 말이 많기 때문에 왕대비의 궁궐에 장수하시기를 축원하였음을 말한 것이다.

272 지함(芝函):인니(印泥)를 지니(芝泥)라 하므로, 지함(芝函)은 인이 찍힌 옥함을 말한다. 국서(國書)를 넣은 함이나 국왕의 글을 지칭하기도 한다.

273 곤(坤):《주역(周易)》에, "건(乾)은 강(剛)하니 남(男)이고, 곤(坤)은 유(柔)하니 여(女)이다. 그러므로 곤(坤)은 건(乾)을 짝한다."라고 하였다. 주역육십사괘(周易六十四卦)의 2번째에 위치하는 괘로 곤(坤, ☷)을 2개 겹쳐서 곤위지(坤爲地, ䷁)라 하고 순음(純陰)의 괘, 땅의 괘, 여자의 괘를 지칭한다.

274 건(乾):주역육십사괘(周易六十四卦) 중 수괘(首卦)이다. 건(乾, ☰)을 2개 겹쳐서 건위천(乾爲天, ䷀)이라 부르며 순양(純陽)의 괘, 하늘의 괘, 남자의 괘를 지칭한다.

275 북극성(北極星):원문의 극도(極道)는 북극성의 길, 북극성은 천자(임금)를 상징한다. 《논어》〈위정(爲政)〉에 "덕으로 다스리는 것을 비유하자면 북극성이 제자리에 있으면 뭇별이 북극성을 향하여 에워싸고 있는 것과 같다.〔爲政以德, 譬如北辰居其所, 而衆星共之.〕"라고 한 데서 유래한 말이다.

276 관저(關雎):《시경(詩經)》〈국풍(國風)·주남(周南)〉의 편명으로 후비(后妃)의 덕을 노래한 것인데, 부부의 도가 행해지면 천하가 다 아름답게 변화한다고 하였다.

277 군자의 좋은 베필〔君子好逑〕:《시경》〈국풍(國風) 주남(周南)〉〈관저(關雎)〉에, 주(周)나라 문왕(文王)과 후비(后妃)의 성덕(盛德)을 읊은 시인데, 전하여 임금의 금슬이 좋은 것을 뜻하는 말로 쓰인다. 그 시에 "구욱구욱 우는 물수리 하수의 모래섬에 있도다. 아름다운 아가씨 군자의 좋은 베필이로다.〔關關雎鳩, 在河之洲, 窈窕淑女, 君子好逑〕" 하였다.

인이 되셨습니다. 유화한 미덕은 이미 하늘에서 부여받아 일찍부터 들리는 바가 있고 충효(忠孝)는 본디 고가(古家)에서 전해오는 바가 있어 거동은 내칙(內則)에 합당하시니, 이 영위(迎渭)[278]의 날을 맞이하여 더욱 하늘이 내려주신 아름다움을 우러러봅니다. 엎드려 생각건대 신은 거류(居留, 유수(留守))의 직책을 맡고 있으나 정성은 신극(宸極, 궁궐)에 달려 있습니다. 팔역(八域)이 모두 경사스러워하며 찬란한 구름[279]의 의식을 흔쾌히 바라보며, 만수무강(萬壽無疆)하시어 본받건대 항상 달과 같으시길 축원합니다.

– 이상은 중궁전(中宮殿)에 드리는 전문(箋文)

엎드려 생각건대 자극(紫極, 임금의 어좌(御座))이 출진(出震)[280]의 다스림을 드러내니 억년(億年)의 준명(駿命)이 열리고 황상(黃裳)이 중곤(重坤)[281]의 형상에 화합하니 만세(萬世)의 홍기(鴻基, 대업의 터전)를 견고히 하였습니다. 이에 만물이 뛸 듯이 기뻐하고 육

---

278 영위(迎渭) : 왕이 왕비를 맞이하는 예를 가리킨다. 주(周)나라 문왕이 위수(渭水)에서 태사(太姒)를 비(妃)로 맞이하였는데, 《시경》 〈대아(大雅)·대명(大明)〉에 "문왕이 초년에 하늘이 배필을 내려 주시니, 흡수의 북쪽에 있으며 위수의 가에 있다.〔文王初載, 天作之合, 在洽之陽, 在渭之涘.〕" 하였으며, 이어서 "납폐(納幣)하는 예(禮)로 그 길함을 정하시고 위수에서 친히 맞이했다.〔文定厥祥, 親迎于渭.〕"라고 하였다.

279 찬란한 구름 : 순 임금이 우(禹)에게 선위(禪位)할 때 백관들이 함께 불렀다는 〈경운가(卿雲歌)〉에 "상서로운 구름 찬란함이여, 서로 얽혀 느리게 흘러가도다.〔卿雲爛兮, 糺縵縵兮.〕"라고 하여 태평 시대를 읊은 시이다.

280 출진(出震) : 출진(出震)은 《주역》 〈설괘전(說卦傳)〉에 "상제가 진에서 나온다.〔帝出乎震〕"라고 하였고, 《주역》의 팔괘(八卦) 가운데 진(震)의 괘위(卦位)가 동방에 응하는 것으로 동쪽에서 나온다는 뜻인데, 흔히 제왕이 등극하는 것을 뜻하는 말로 쓰인다. 여기서는 현종이 등극하여 정치를 폄을 나타낸다.

281 중곤(重坤) : 중곤은 중지곤(重地坤)이라 불리는 곤괘(坤卦)를 가리킨다. 곤괘는 여성을 상징하는 괘로 부인의 유순하고 순응함을 말한다.

례(六禮)가 모두 갖추어 졌습니다. 공경히 생각건대 순(舜) 임금을 이어 윤리을 살피고 문왕(文王)을 본보기로 삼아 자나깨나 생각하시니 대통(大統)은 조종(朝宗)을 계승하여 봉력(鳳曆)[282]은 멀리 이어지고 백복(百福)은 필배(匹配)의 근원이 되니 귀서(龜筮)[283]가 복종합니다. 이에 책비(册妃)의 날을 당하여 성축(聖祝)의 정성이 더욱 간절합니다. 엎드려 생각건대 신은 정성이 북궐(北闕, 임금이 사는 곳)에 매달려 있지만 직책이 남도(南都)에 매어 있어 거류(居留)의 벼슬이 부로(父老)와 함께 장단에 맞추어 춤추며 석주(錫疇)의 복[284]을 송축(頌祝)하며 자손(子孫)의 창성을 기원합니다.

–이상은 내각(內閣)에 드리는 전문(箋文)

3월 20일.

가례(嘉禮)를 거동할 때에 각반(閣班)[285]으로 배종(陪從)하였다가 환궁(還宮)한 뒤에 문안반(問安班)으로 진참(進參)하였다.

같은 날(3월 20일).

우택 장계(雨澤狀啟)를 밀봉하여 아뢰었다.

---

282 봉력(鳳曆): 즉 당나라 황제의 책력(冊曆)을 뜻하는 말로, 역수(曆數) 정삭(正朔)의 의미를 내포하고 있다. 여기서는 면면히 이어 온 왕실의 음덕(蔭德)이라는 뜻으로 쓰였다.

283 귀서(龜筮): 옛날에는 국가에서 중요한 일을 결정할 때에는 반드시 점을 쳤는데, 거북의 껍질로 점치는 것은 복(卜)이고, 시초(蓍草)로 점치는 것은 서(筮)이다. 《서경》 〈대우모(大禹謨)〉에 "귀신이 따라 순하여 거북점과 시초점이 화합하여 따른다.〔鬼神其依, 龜筮協從.〕"라는 구절에서 인용한 말이다.

284 석주(錫疇)의 복: 빛나는 세습. 중전을 맞이하여 자손이 번창하여 빛나는 세습이 대대손손 이어짐을 말한다.

285 각반(閣班): 규장각 관원들이 모여 있는 규장각이란 뜻이다.

〔장계〕

방금 접수한 본 부 판관(本府判官) 김한순(金漢淳)의 첩정에, "이달 18일 술시(戌時, 오후 7시~오후 9시) 즈음 비가 내리기 시작하여 때로는 흩뿌리고 때로는 주룩주룩 내리다가 때로는 그치기도 하여 20일 진시(辰時, 오전 7시~오전 9시)에 내린 것이 2려(犁)[286] 정도가 되어 영하의 측우기 수심이 3촌(寸) 3푼(分)이 되었습니다."라고 하였습니다. 가물었던 나머지에 단비가 흡족하게 내리니 농사일을 생각하면 진실로 기쁘고 다행스럽습니다. 이러한 연유를 치계합니다.

3월 21일.

주상께서 친히 진하(陳賀)에 임하실 때에 진참하고, 중궁전(中宮殿) 조현례(朝見禮)[287] 후에 문안반(問安班)으로 진참하였다.

3월 22일.

중궁전 조현례 후에 문안반으로 진참하였다.

3월 23일.

반사문(頒赦文)[288]을 공경히 받고 일이 진행되는 상황을 밀봉하여

---

286 려(犁) : 려는 우택(雨澤)의 관측 단위로 땅으로 스며든 빗물의 깊이를 땅을 파고 보습날의 길이를 이용하여 측정한 것을 말하는데 1려는 빗물이 땅에 스며드는 정도가 보습 날의 깊이만큼 내린 비를 말하고 강우량은 현재 단위로 환산하면 약 20mm로 추정된다고 한다.

287 조현례(朝見禮) : 조현례는 가례(嘉禮)를 행한 왕비, 세자빈, 세손빈 등이 왕대비전, 중궁전 등을 알현하는 의식을 말한다.

288 반사문(頒赦文) : 나라의 기쁜 일을 맞아 죄인를 사면(赦免)할 때 임금이 내리던 글을 말한다.

아뢰었다.

〔사문(赦文)〕

왕이 말하노라. 《주역(周易)》 64괘(卦)는 건원(乾元)[289]과 곤원(坤元)이 기초가 되고, 《시경(詩經)》 305편(篇)은 주남(周南)과 소남(召南)이 으뜸이 된다. 이러한 연고로 천덕(天德)은 배체(配體, 베필)를 정하는 것 보다 큰 것이 없고, 왕도(王道)는 반드시 집안을 바로잡는 것 보다 앞서는 것이 없으니, 큰 규범을 법식으로 준행하여 명훈(明訓)을 선양하노라. 길이 배필이 되는 사람을 만나는 것은 실로 교화의 근본이니, 만물이 있고 난 연후에 부부(夫婦)·부자(父子)·군신(君臣)의 인륜(人倫)이 그 차례를 얻을 수 있다.

두 집안이 합하여 천지(天地)와 종묘사직(宗廟社稷)의 주인이 되니 또한 중하지 아니한가? 규예(嬀汭)[290]를 본받아 우(虞) 조정의 수의(垂衣)의 다스림[291]을 밝히고, 흡수(洽水)[292]에서 합(合)

---

289 건원(乾元)과 곤원(坤元): 건원(乾元)은 하늘의 뜻을 대행하며 만물을 다스리는 위대한 존재라는 뜻으로, 보통 임금을 말한다. 《주역(周易)》 〈건괘(乾卦)·단(彖)〉에 "위대하다 건원(乾元)이여, 만물이 여기에서 비로소 나오나니, 이에 하늘의 일을 총괄하게 되었도다.〔大哉乾元! 萬物資始, 乃統天.〕"라는 말에서 유래한 것이다. 곤원(坤元)은 왕비(王妃)를 비유하여 쓰는 말로, 《주역》 〈건괘(乾卦)·단(彖)〉에 " 지극하다 곤원(坤元)이여, 만물이 의뢰하여 생겨나니, 이에 순히 하늘을 받든다.〔至哉坤元! 萬物資生, 乃順承天.〕"라고 보이며, 보통 왕비의 내조(內助)나 덕성을 가리킨다. 주자의 《본의(本義)》에 의하면, 원(元)은 크다는 뜻이고 시작한다는 뜻이다.

290 규예(嬀汭): 중국 산서성(山西省) 영제현(永濟縣)에 있는 규수(嬀水)인데, 전하여 순(舜) 임금의 두 왕비인 아황(娥皇)과 여영(女英)을 가리킨다. 《서경》 〈요전(堯典)〉에, "두 딸을 규예(嬀汭)로 내려보냈다.〔釐降二女于嬀汭〕" 하였고, 《사기(史記)》에, "순(舜)이 서민으로 있을 적에 요(堯) 임금이 두 딸을 아내로 주어 규예에 살게 했다."라고 한 데서 온 말이다.

291 수의(垂衣)의 다스림: 옷 소매를 드리우고 행하는 무위(無爲)의 정치로 교화하는 것을 말하는데, 성군(聖君)의 덕치(德治)를 가리킨다. 《주역(周易)》 〈계사전 하(繫辭傳下)〉에 "황제(黃帝)와 요순(堯舜) 제왕이 의상을 늘어뜨리고 편히 앉아 있었는데도 천하가 잘 다스려졌으니, 이는 천지 자연의 법도를 취했기 때문이었다.〔黃帝堯舜, 垂衣裳而天下治, 蓋取諸乾坤.〕"라는 말이 나온다.

292 흡수(洽水): 주(周)나라 문왕이 위수(渭水)에서 태사(太姒)를 비(妃)로 맞이하였는데, 《시경

을 지어 희(姬) 가문[293]의 면과(綿瓜)[294]의 아름다움을 이으니, 대개 이것은 백복(百福)의 근원이고 사덕(四德, 인의예지(仁義禮智) 4가지 덕)이 온전하며 육례(六禮)가 갖추어지고 구어(九御)[295]를 잘 관할하였다. 드디어 중월(中月)의 제도[296]를 마치고 바로 장추(長秋)의 의식을 속히 거행하니, 열조(列祖)께서 돌아보고 흠향(歆饗)하셨음은 진실로 계가(笄珈)[297]를 받든 데서 연유하였고, 양전(兩殿)에서 발돋움하여 기다림은 또한 형황(珩璜)[298]의 사음(嗣音, 훌륭한 덕을 이음)을 이었다. 천권(天眷, 임금의 은혜)에 서응(瑞應)[299]을 징험하고 중원(中垣)[300]은 후구(後句)의 자리를 빛내니 방전(邦典, 나라의 법령)을 가회(嘉會)에서 살펴 대장(大璋)[301]을 친영(親迎)의

詩經)》〈대아(大雅)·대명(大明)〉에 "문왕이 초년에 하늘이 배필을 내려 주시니, 흡수의 북쪽에 있으며 위수의 가에 있다.〔文王初載, 天作之合, 在洽之陽, 在渭之涘.〕"라고 한데서 왔다.

293 희(姬) 가문: 희가는 주(周)나라로, 주나라 왕실의 성이 희(姬)씨였기 때문에 이렇게 말하였다.

294 면과(綿瓜): 면면과질(綿綿瓜瓞)의 준말로, 오이 덩굴이 끝없이 뻗어나가 주렁주렁 열리는 것처럼 자손이 번창하여 국운이 융성해진 것을 뜻한다. 《시경(詩經)》〈면(綿)〉에 이르기를 "면면히 이어진 오이 덩굴이여! 주나라에 사람들이 처음으로 산 것은, 저수와 칠수에 터전을 잡으면서부터이다.〔綿綿瓜瓞! 民之初生, 自土沮漆.〕"라고 하였다.

295 구어(九御): 구어는 궁중 여관(女官)을 지칭한다. 여관을 9인 1조로 하여 9조, 즉 81명이 왕의 시중을 들게 한 데서 온 말이다. 《주례(周禮)》〈천관(天官)·내재(內宰)〉.

296 중월(中月)의 제도: 《의례(儀禮)》〈사우례(士虞禮)〉에 "1년이 지나 소상이 되면 '이 상사에 제물을 올립니다.'라고 하고, 또 1년이 지나 대상이 되면 '이 상사에 제물을 올립니다.'라고 하며, 중월에 담제를 지낸다.〔朞而小祥, 曰薦此常事, 又朞而大祥, 曰薦此祥事, 中月而禫.〕"라고 하였다. '중월(中月)'에 대해 정현(鄭玄)은 '간월(間月)'로 보아 한 달을 건너뛰어 담제를 지내는 것이라고 하였고, 왕숙(王肅)은 '월중(月中)'으로 보아 같은 달에 지내는 것이라고 하였다. 《통전(通典)》 권87 〈상제(喪制)·예변(禮變)〉.

297 계가(笄珈): 계잠(笄簪). 비녀와 머리꾸미개를 말하는데, 여자의 지위를 뜻하기도 한다.

298 형황(珩璜): 형황(珩璜)은 고대에 부인이 몸에 차는 옥패로 부인의 절도와 정숙함을 나타내며 오덕(五德)이 갖추어졌음을 비유하는 말이다.

299 서응(瑞應): 임금의 어진 정치에 하늘이 감응하여 나타나는 상서로운 징조를 이른다.

300 중원(中垣): 삼원(三垣)의 하나로 북천(北天)의 한 가운데에 위치하여 중궁(中宮)으로 불리며, 북극을 중추로 삼는다.

301 대장(大璋): 주나라 때 천자가 순수(巡狩)하다가 산천(山川)에 제사 지낼 적에 쓰는 장(璋)으로, 모양은 규찬(圭瓚)과 같으며, 크기는 9촌이다. 큰 산천에 제사 지낼 경우에는 대장을 쓰고, 그보다 조금 작은 산천에 제사 지낼 적에는 중장(中璋)을 쓴다. 이 외에도 변장(邊璋)이 있다.

글에 밝히노라.

왕비(王妃) 김씨(金氏)[302]는 명망 있는 집안에서 독실히 탄생하여 태모(太母, 임금의 조모(祖母))의 혈통에 속하고, 대대로 재상을 지낸〔鼎軸〕[303] 집안의 후손이다. 이무(伊巫)[304]의 충성을 모두 말미암았고 황조(皇祖)[305]의 주량(舟梁)[306]을 계승하여 우(禹) 임금이 도산씨(塗山氏)의 딸을 아내로 맞이하고, 탕(湯) 임금이 유신씨(有莘氏)의 딸을 아내로 맞이한[307] 복경(福慶)이 다하지 않았으니 하물며 의범(儀範)이 일찍 갖추어졌음에랴? 진실로 아름다운 명성이 일찍이 드러났고, 여인으로서 할 일〔織紝組紃〕[308]을 배우면서 10년 동안 완만(婉娩)[309]의 가르침을 들었다. 종고금

---

302 왕비(王妃) 김씨(金氏) : 헌종의 비 효현왕후(孝顯王后)를 말한다. 1828~1843. 성은 김씨(金氏)이며 본관은 안동(安東), 시호(謚號)는 효현(孝顯)이다. 아버지는 영돈녕부사(領敦寧府事) 영흥부원군(永興府院君) 김조근(金祖根)이다. 1828년(순조 28)에 태어나 1837년(헌종 3) 10세에 왕비에 책봉되었으며 4년 뒤 가례(嘉禮)를 올리고 왕후가 되었으나 왕후가 된 지 2년 후인 1843년(헌종 8) 16세의 나이로 소생 없이 요절하였다.

303 재상을 지낸〔鼎軸〕: 원문의 정축(鼎軸)의 정(鼎)은 종묘(宗廟)의 제례(祭禮)에 쓰이는 귀중한 도구이므로 나라의 중책을 맡은 재신(宰臣)에 비유하고, 축(軸)은 수레바퀴의 한가운데 있는 구멍에 끼우는 긴 나무 또는 쇠를 말하는데 역시 중요한 지위를 말한다. 따라서 정축은 일반적으로 재상을 지칭하는 말로 사용된다.

304 이무(伊巫) : 은(殷)나라 무함(巫咸)과 이윤(伊尹)을 말한다. 무함은 은(殷)나라 중종(中宗)의 어진 신하로, 무무(巫戊)라고도 하며, 이윤은 은나라의 탕왕(湯王)의 신하로 탕왕을 도와 천하를 통일하였다.

305 황조(皇祖) : 자기(自己)의 '돌아간 할아버지'를 높이어 이르는 말로 여기서는 순조(純祖)를 말한다.

306 주량(舟梁) : 여러 척의 배를 연결하여 만든 배다리로, 친영(親迎) 또는 혼인의 경사를 비유하는 말이다. 주 문왕(周文王)이 태사(太姒)를 맞이하는 광경을 노래한 《시경(詩經)》 〈대아(大雅)·대명(大明)〉에, "큰 나라에서 따님을 두었으니, 하늘에 비길 여인이로다. 예(禮)에 그 상서로움을 정하시고, 위수(渭水)에서 몸소 맞이하여 배를 만들어 다리를 놓으시니 그 빛이 드러나지 않겠는가.〔大邦有子, 俔天之妹, 文定厥祥, 親迎于渭, 造舟爲梁, 不顯其光.〕"라고 하였다.

307 우(禹) 임금이……맞이한 : 우(禹) 임금이 도산(塗山)의 여인을 아내로 맞이하고, 문왕(文王)이 신(莘) 땅의 여인인 태사(太似)를 아내로 맞이했던 데서 온 말이다.

308 여인으로서 할 일〔織紝組紃〕: 《예기(禮記)》 〈내칙〉에 "베를 짜고 실을 꼬며, 여자의 일을 배워, 의복을 마련한다.〔織紝組紃, 學女事, 以共衣服.〕"라고 하였다.

309 완만(婉娩) : 《예기》 〈내칙(內則)〉에 "여자 아이는 열 살이 되면 규문 밖에 나가지 아니하며,

슬(鐘鼓琴瑟)[310]은 육궁(六宮)[311]이 요조(窈窕)[312]의 장(章)을 칭송하고, 납폐(納幣)의 예로 길일을 정하니[313] 점치는 자가 길하다고 하였노라. 동조(東朝)[314]께서는 명철하시어 간택하심은 유화한 미덕에 있었고 선왕의 영령께서는 묵묵히 보우하셨다. 그 시초가 기반이 되어 본지(本支)가 백세토록 이어지고[315] 여러 사람에게 상고해 보니 경대부와 선비와 백성이었노라. 이에 연길(涓吉, 길일을 가림)을 정하여 크게 욕례(縟禮)를 거행하였다. 이미 금년 3월 18일 을미(乙未)에 책보(冊寶)를 주어 정위(正位)하고 나서 20일 정유(丁酉)에 대혼례(大婚禮)를 이루었나니 현담(玄紞)은 내명부를 다스리고 황상(黃裳)은 가운데에 있노라. 뭇 사람들이 발돋움하여 숙옹(肅雝)[316]함을 바라보니, "훌륭한 여

여스승으로부터 상냥한 말씨와 유순한 태도와 어른의 말을 듣고 순종하는 법을 가르침 받는다.〔女子十年不出, 姆教婉娩聽從.〕" 한 데서 온 말로, 곧 부덕(婦德)을 갖춤을 가리키는 말이다.

310 종고금슬(鐘鼓琴瑟):부부의 금슬이 좋음을 비유한 말이다. 《시경》〈주남(周南)·관저(關雎)〉에 "들쭉날쭉한 마름 나물을 좌우로 취하여 가리도다. 요조한 숙녀를 거문고와 비파로 친애하도다. 들쭉날쭉한 마름 나물을 좌우로 삶아 올리도다. 요조한 숙녀를 종과 북으로 즐겁게 하도다.〔參差荇菜, 左右采之. 窈窕淑女, 琴瑟友之. 參差荇菜, 左右芼之. 窈窕淑女, 鍾鼓樂之.〕" 라고 하였다.

311 육궁(六宮):황후(皇后)가 거처하는 정침(正寢) 하나와 연침(燕寢) 다섯을 합하여 이르는 말이다.

312 요조(窈窕):요조숙녀(窈窕淑女)를 말함. 《시경(詩經)》〈주남·관저〉에 나오는 말로 후비(后妃)의 덕(德)이 있는 숙녀(淑女)의 아름다움을 칭송하는 말이다.

313 납폐(納幣)의 예로 길일을 정하니:《시경》〈대아(大雅)·대명(大明)〉에 "납폐의 예(禮)로 그 길상(吉祥) 정하시고 위수(渭水)에서 맞아 오네. 배 만들어 다리 놓으니 그 영광 아니 드러나리.〔文定厥祥, 親迎于渭, 造舟爲梁, 不顯其光.〕"라고 하였다. 이 시는 주(周)나라 문왕이 태사(太姒)를 친영(親迎)한 일을 읊은 것이다.

314 동조(東朝):대비가 거처하는 궁궐을 말한다. 한(漢)나라 때 태후(太后)가 거처하던 궁궐인 장락궁(長樂宮)이 황제의 궁전인 미앙궁(未央宮)의 동쪽에 위치한 데서 후에 태후를 지칭하는 말로 쓰이게 되었다.

315 본지(本支)가 백세토록 이어지고:본손(本孫)과 지손(只孫)을 가리킨다. 《시경》〈대아·문왕(文王)〉에 "문왕의 자손들이여, 본손(本孫)과 지손(支孫)들이 백세토록 이어지리로다.〔文王孫子, 本支百世.〕"라는 말이 나온다.

316 숙옹(肅雝):효현왕후(孝顯王后) 혼례 모습의 화락하고 엄숙한 모습을 말한다. 《시경》〈소남

사(女士)를 내리셨네(釐爾女士).[317]"라고 하고, 자전(慈殿)의 가르침을 기쁘게 받드니, "그 집안 식구에게 마땅하다(宜其家人)."[318]라고 하였다. 비유하건대 마치 양의(兩儀)[319]가 교분하는 것처럼 이의리로 혼례를 거행하였다[合牢而合巹].[320] 이로부터 온 백성을 굽어살펴 길러주는데 그 근본은 헌견(獻繭)과 헌종(獻穜)[321]에 있어 적유(翟褕)가 처음 임하니, 넓고 깊은 덕은 땅과 짝을 이루고[322],

---

(召南)·하피농의(何彼穠矣)〉에 "어찌 엄숙하고 화락하지 않으리오. 왕희의 수레로다.[曷不肅雝, 王姬之車.]" 하였다. 왕희는 주(周)나라 왕실의 딸이다.

317 훌륭한 여사(女士)를 내리셨네[釐爾女士]:《시경》〈대아(大雅)·기취(旣醉)〉의 8장에 "그 따름은 무엇인가? 네게 훌륭한 여인[女士]을 줌이라. 네게 훌륭한 여인을 주고 자손을 따르게 하리라.[其僕維何? 釐爾女士, 釐爾女士, 從以孫子.]"라고 한 구절에서 인용한 것이다. 주희(朱熹)의 주(注)에 "여사는 여자 중에 선비의 행실이 있는 자이다." 하였다.

318 그 집안 식구에게 마땅하다[宜其家人].:《대학장구(大學章句)》 전(傳) 9장에 "《시경》에 이르기를 '복숭아꽃이 예쁘고 예쁨이여. 그 잎이 무성하구나. 이 아가씨의 시집감이여. 그 집안 식구에게 마땅하다.' 하였으니, 그 집안 식구에게 마땅한 뒤에 나라 사람들을 가르칠 수 있는 것이다.[詩云:桃之夭夭, 其葉蓁蓁. 之子于歸, 宜其家人. 宜其家人而后, 可以敎國人.]"라고 한 데서 보이는데, 여자가 시집가서 그 집안사람을 잘 화합하게 하는 것을 말한다.

319 양의(兩儀):음양(陰陽) 또는 천지(天地)를 가리킨다.《주역》〈계사 상(繫辭上)〉에, "역(易)에 태극(太極)이 있어 이것에서 양의(兩儀)가 생기고, 양의에서 사상이 생기고, 사상에서 팔괘(八卦)가 생긴다."라고 하였다.

320 혼례를 거행하였다[合牢而合巹]:원문의 합뢰(合牢)는 신랑·신부가 신방(新房)에 들기 전에 술잔을 나누고 음식을 먹던 의식을 말하고, 합근(合巹)은 혼례식을 올릴 적에 신랑과 신부가 서로 술잔을 주고받는 일을 말하는데, 모두 혼례를 치르는 절차이다.

321 헌견(獻繭)과 헌종(獻穜):친경(親耕)·친잠(親蠶)의 의식을 말한다. 친경과 친잠은 고대 중국에서부터 시작된 의식으로 조상 숭배 정신과 권농의 기능을 같이 겸하고 있는 통치자의 중요한 행사이다. 이를 옛 문헌을 중심으로 살펴보면,《예기》〈월령(月令)〉에 "누에를 친 후 후비가 누에고치를 바친다[獻繭]"는 기록이 있고,《주례(周禮)》〈지관(地官)·사도(司徒)〉에는 "왕후가 봄에 곡식의 종자를 바친다[獻穜]"는 기록이 있다.《친경친잠의궤(親耕親蠶儀軌)》〈친경의궤(親耕儀軌)〉 건륭 32년 정해(1767, 영조 43) 2월 장종(藏穜)·수견(受繭) 전교에 보면 "친경과 친잠을 거행하시고 나서 이제 헌종(獻穜)과 헌견(獻繭)의 의식을 행하여, 국가 교묘(郊廟)에 이바지하도록 대비하시어 예(禮)를 완수하시었고, 백성이 살아가는 의식(衣食)의 근본을 소중하게 여기시어 이를 받아 저장하시었습니다."라는 기록이 있는데 이를 보면 헌견과 헌종은 조상 숭배라는 의미도 있지만 그보다는 백성들에게 민생의 기초인 식량과 의복을 마련하도록 적극 권장하는 것에 더 주안하고 있음을 확인할 수 있다.

322 넓고……이루고:《중용(中庸)》 26장 〈고지성무식(故至誠無息)〉에 "넓고 두터움은 땅의 덕에 배합하고, 높고 밝음은 하늘의 덕에 배합한다.[博厚配地, 高明配天.]"라고 하였다.

봉륜(鳳綸)[323]이 멀리 미치니 혜택이 봄철과 같을 것이다. 아! 화기(和氣)가 궁위(宮闈)에 화락하고 환성은 구우(區宇, 천하)에 흘러 넘치니 지극히 고요하고 지극히 온화한 덕은 인지(麟趾)[324]처럼 저상(儲祥)[325]하여 일가(一家)와 일국(一國)의 인(仁)이 귀주(龜疇)의 복[326]을 내려 줄 것이다. 그래서 이에 교시(敎示)하노니 잘 알아서 시행하라【대제학(大提學) 조인영(趙寅永)이 지어 바치다】.

〔장계〕

방금 접수한 본 부 판관(本府判官) 겸임(兼任) 중군(中軍) 박시회(朴蓍會)의 첩정에, "반사문(頒賜文) 1통을 이달 22일 신시(申時, 오후 3시~오후 5시) 즈음, 수문장(守門將) 원석중(元錫中)이 가지고 왔기에 예문(禮文)에 의거하여 공손히 받아 반포하였습니다."라고 하였습니다. 이러한 연유를 치계합니다.

3월 26일.

농형 장계(農形狀啓)를 밀봉하여 아뢰었다.

---

323 봉륜(鳳綸) : 황제가 내리는 윤음(綸音)이나 조서(詔書)를 말한다.

324 인지(麟趾) : 《시경》의 편명으로, 주(周)나라 문왕(文王)의 후비의 덕이 자손과 종족들에게까지 미쳐서 잘 교화가 된 까닭에 시인이 〈인지지(麟之趾)〉 시를 지어 이를 칭송한 것인데, 후비의 덕을 뜻하는 말로 흔히 쓰인다.

325 저상(儲祥) : 상서(祥瑞)를 축적한다는 뜻으로 자식을 많이 두는 것거나 왕위를 이을 자식을 두는 것을 의미한다.

326 귀주(龜疇)의 복(福) : '귀주(龜疇)'는 홍범구주(洪範九疇)를 말한다. 하우씨(夏禹氏)가 치수(治水)할 때 낙수(洛水)에서 나온 신귀(神龜)의 등에서 귀주(龜疇)를 얻었는데, 그것이 《서경(書經)》 홍범구주의 근원이 되었다. 홍범구주의 오복(五福)은 수(壽)·부(富)·강녕(康寧)·유호덕(攸好德)·고종명(考終命)을 이른다.

〔장계〕

방금 접수한 본 부 판관(本府判官) 겸임(兼任) 중군(中軍) 박시회 (朴蓍會)의 첩정에, "경내(境內)의 농형은 금번 우택(雨澤) 후에 가을보리는 싹을 틔운 것은 곱절이나 무성해지려 하고, 봄보리 중에 일찍 경작한 것은 점차 푸른빛이 돕니다. 올벼는 부종(付種)과 주앙(注秧) 그리고 건파(乾播)를 바야흐로 시작하여 가래질(鍤役)은 이미 마쳤습니다."라고 하였습니다. 이러한 연유를 치계합니다.

3월 28일.

우택 장계(雨澤狀啟)를 밀봉하여 아뢰었다.

〔장계〕

방금 접수한 본 부 판관(本府判官) 겸임(兼任) 중군(中軍) 박시회 (朴蓍會)의 첩정에, "이달 27일 진시(辰時, 오전 7시~오전 9시) 즈음 비가 내리기 시작하여 때로는 흩뿌리고 때로는 주룩주룩 내리다가 같은 날 오시(午時, 오전 11시~오후 1시)에 내린 것이 1서(鋤)[327] 정도가 되어 영하(營下)의 측우기 수심이 7푼(分)이 되었습니다."라고 하였습니다. 이러한 연유를 치계합니다.

327 서(鋤) : 우택(雨澤)의 관측 단위로 땅으로 스며든 빗물의 깊이를 땅을 파고 호미날의 길이를 이용하여 측정한 것이다. 1서의 강우량은 현재 단위로 환산하면 약 6~8mm로 추정된다고 한다.

정유년丁酉年 1837년, 헌종憲宗 3년 4월

4월 1일.

화령전(華寧殿)과 현륭원(顯隆園)을 봉심하였는데 무탈한 일로 장계를 밀봉하여 아뢰었다.

〔장계(狀啓)〕

방금 접수한 화령전(華寧殿) 겸위장(兼衛將) 박시회(朴蓍會)의 첩정에, "이달 1일 분향한 뒤에 바로 봉심(奉審)하였는데 전내(殿內) 모든 곳이 무탈하였습니다."라고 하였습니다. 동시에 도착한 현륭원 참봉(顯隆園參奉) 조병위(趙秉緯)의 첩정 내용에, "이달 초1일 원상(園上)과 전내를 봉심하였는데 무탈하였습니다."라고 하였습니다. 이러한 연유를 치계합니다.

4월 2일.

번계(樊溪)에 나가 대택(大宅)[328] 사우(祠宇, 사당)에 배례(拜禮)하고 나서 자연경실(自然經室)[329]에 머물며 이틀을 묵고 돌아왔다.

4월 6일.

북둔(北屯)에 소착(疏鑿)의 역사(役事)를 마친 일로 보첩(報牒)을 접수하였다.

---

328 대택(大宅) : 큰집. 곧 따로 나가 살림하는 동생이나 그 자손들이 맏형의 집이나 그 종가를 이르는 말이다.

329 자연경실(自然經室) : 자연경실은 8천 권의 장서가 있는 서유구의 서재다. 풍석은 자연경실에서 책을 읽고 글을 썼으며, 그의 역작인 《임원경제지》를 보완하며 완성해갔다. '자연경'이란 종이와 먹으로 쓴 문장이 아니라, 자연의 소리와 무늬가 보여주는 경전을 의미한다. 이곳에서 '자연의 경전'을 배우겠다는 뜻으로 이름을 지은 것이다.(조창록, 《번계시고(樊溪詩稿)》, 자연경실, 19쪽, 2018).

여의교《화성성역의궤》, 서울대학교 규장각 한국학연구원

〔중군 보첩(中軍報牒)〕

북둔 소착의 역사가 초6일에 고준(告竣, 준공)하였습니다. 대개 그 형편은, 섬 서쪽은 본토(本土)가 노출되어 한눈에 봐도 평평하게 펴 놓은 것 같았고, 섬 동쪽의 지형은 조금 높아서 그 형세가 아래와 더불어 서로 차이가 있지만 새로 제방을 쌓으니 분명하게 두 개의 못(池)이 되어 하나의 못이 자연히 하나의 못의 형태를 갖추었습니다. 횡제(橫堤)[330]는 높고 낮고

330 횡제(橫堤) : 물의 흐름에 직각(直角)으로 가로막은 둑으로 홍수(洪水)의 흐름을 더디게 하여 그 밑의 주변(周邊) 논밭을 보호(保護)하는 역할을 한다.

트인 곳은 한결같이 이전에 보고한 바에 의거해 밑에 수두(水竇, 물이 빠지는 구멍) 2곳을 설치하였고, 하류(河柳, 버들)를 무성하게 심고 사초(莎草)를 하였습니다. 동쪽 가에 둘러진 제방은 산태기에 흙을 담아 쌓아서 그 경계를 정하여 감히 이전과 같은 모경(冒耕)[331]의 폐단이 없도록 하였습니다. 물길은 구지(舊址, 집터나 건물이 있던 자리)에 맡겨 큰 비에 부서지는 폐단이 없게 하였으며 여의교(如意橋)[332]는, 시렁 위의 구토(舊土, 흙)을 철거하니 석축(石築)을 가로 지르는 기둥이 부패하고 상하여 다만 훼손에 따라 보수하는 것이 불가하였습니다. 따라서 석제(石堤)를 다시 쌓고 새로운 목재를 대략 갖추어서 일제히 완축(完築)하여 무릇 둔역(屯役)에 관계되는 것은 지금 모두 차례차례 순서대로 마쳤습니다. 전후로 들어간 물력(物力)은 합이 2,416냥(兩) 2전(戔) 3푼(分)으로 성책하여 올려보냈습니다. 이러한 연유를 첩보(牒報)합니다.

〔장계〕

방금 접수한 본 부 판관(本府判官) 겸임(兼任) 중군(中軍) 박시회(朴蓍會) 첩정에, "경내(境內) 농형(農形)은, 가을보리는 간혹 싹이 자라나고 봄보리는 점차 무성해지고 있습니다. 올벼는 부종

331 모경(冒耕): 허락을 받지 않고 남의 땅에 몰래 농사짓는 것을 말한다.

332 여의교(如意橋): 1795년(정조 19)에 발생한 유례없는 가뭄으로 인해 화성 북쪽에 인공저수지인 만석거(萬石渠)를 만들고 남단에 부사(府使)와 유수(留守)들이 이곳에서 관인(官印)을 인수인계하는 교귀(交龜) 의식을 행했던 교귀정(交龜亭)을 지었는데, 이것을 1796년(정조 20) 원행 때 화성 사람들이 이곳에서 취화(翠華)를 맞이한다는 뜻으로 정조가 '영화정'으로 바꾸었다. 만석거 북쪽에는 여의교(如意橋)를 지었는데, 《화성성역의궤》를 통해 당시 위치를 알 수 있다.

(付種)을 이미 마쳤고, 늦벼는 주앙(注秧)하고 건파(乾播)하여 바야흐로 자라나고 있습니다."라고 하였습니다. 이러한 연유를 치계합니다.

4월 8일.

실록청(實錄廳)에 나아갔다.

4월 10일.

빈대(賓對)[333]로 진참하고 건릉(健陵)의 수개(修改)를 관천고(筦千庫)에서 거행할 일과 팔달문(八)[334] 앞 어로(御路, 임금의 거둥길)를 옛 길〔舊路〕로 돌려 수치(修治)하는 일을 연품(筵稟)하여 윤허를 받았다.

〔거조(擧條)[335]〕

"현륭원(顯隆園)을 천봉(遷奉)[336]한 뒤에 화소(火巢) 안의 민전(民田)을 값을 주고 사서 해마다 세입(歲入)을 관천고(筦千庫)에 저치(儲置)해 두고, 정자각(丁字閣) 이하를 보수하는 절차를 전적으로 주관하여 거행하라고 영식(令式)으로 드러내어 지금까지 행하였습니다. 그러나 건릉(健陵)의 수개(修改)는 오히려 다른

333 빈대(賓對) : 비변사(備邊司)의 도제조(都提調) 이하 당상관(堂上官)과 삼사의 각 1인이 매달 5·10·15·20·25·30일에 임금을 접견하여 정무를 논하던 차대(次對)의 다른 이름이다. 대신과 재상들의 회의체를 '빈청(賓廳)'이라고 하는데, 빈대는 '빈청 차대(賓廳次對)'의 줄임말이다.

334 팔달문(八達門) : 팔달문은 화성의 4대문 중 남쪽 문으로 남쪽에서 수원으로 진입하는 곳에 위치하고 있다. 정조대왕과 당대 국왕들이 현륭원을 가기 위해 이곳을 통과했다고 한다. 1794년(정조 18) 2월 28일 공사를 시작하여 9월 15일에 완공하였다. 팔달문은 모든 곳으로 통한다는 '사통팔달(四通八達)'에서 비롯한 이름이며 축성 당시 모습을 그대로 간직하고 있어 보물 제402호로 지정되었다.

335 거조(擧條) : 임금께 아뢰는 조항을 말한다.

336 천봉(遷奉) : 옮겨 모신다는 의미로, 묘소 또는 신주를 다른 곳으로 옮기는 것이다. 여기서는 신주를 다른 곳으로 옮겨 모시는 것을 가리킨다.

능침(陵寢)의 예에 따라 탁지(度支, 호조(戶曹))에서 거행하는데 매번 공역(功役)을 시작할 때 왕복하는 시일이 허비되어 끝내는 해고(該庫)에서 아침에 명령하여 저녁에 대비하는 것만 못합니다. 또 일국(一局) 안의 능원(陵園)은 예를 달리할 수 없으니 지금부터 제릉(齊陵)[337]과 후릉(厚陵)[338]의 수개는 개성부(開城府)에서 거행하고, 헌릉(獻陵)[339]의 수개는 광주부(廣州府)에서 거행하는 예에 따라 건릉을 수리하며, 도감(都監)을 설치하는 큰 역사(役事) 외에 소소하게 수리(修葺)하는 역사는 일체 해고(該庫)에서 거행한다면 사세(事勢)가 이미 편하고 정리(情理)에도 맞습니다. 그러나 사체(事體)가 막중하니 대신(大臣)에게 하문(下問)하여 처리하시는 것이 어떻겠습니까?"라고 하니, 대왕대비(大王大妃) 전에서 이르기를 "대신(大臣)의 뜻은 어떠한가?"라고 하였다. 우의정 박종훈(朴宗薰)이 말하기를 "관천고는 본래 원침(園寢)을 수개할 때에 소요되는 비용을 위한 것이나, 능원(陵園)을 설치함은 사체가 다름이 없어야 하고 또 끌어올 만한 선례가 이미 있으니, 화류(華留)[340]가 아뢴 대로 시행하심이 좋을 듯합니다."라고 하니, 대왕대비전에서 이르기를 "그리하라."라고 하였다.

또 아뢰기를, "본 부의 팔달문(八達門) 밖의 어로(御路)는 바

---

337 제릉(齊陵): 조선 태조의 정비(正妃)인 신의왕후(神懿王后) 한씨(韓氏)의 능이다. 경기도 개풍군 대련리에 위치해 있다.

338 후릉(厚陵): 조선 제2대 임금 정종(定宗)과 정안 왕후(定安王后)의 능을 말한다. 경기도 개풍군 홍교면 홍교리에 위치해 있다.

339 헌릉(獻陵): 태종(太宗)과 원경왕후(元敬王后) 민씨의 능이다. 서울특별시 서초구 내곡동에 있다.

340 화류(華留): 수원 유수 서유구(徐有榘)를 말한다.

화성전도《화성성역의궤》(서울대학교 규장각 한국학연구원)

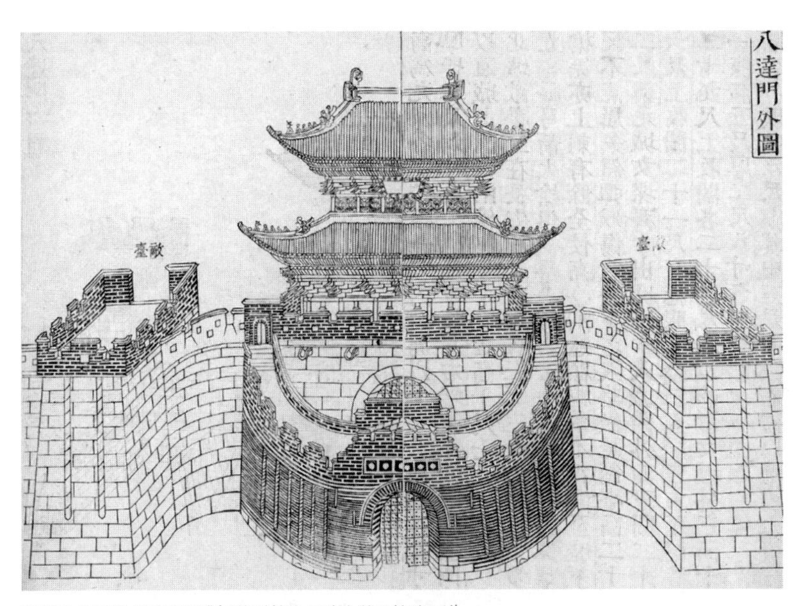

팔달문 외도《화성성역의궤》(서울대학교 규장각 한국학연구원)

로 기유년(己酉年, 정조13, 1789) 읍(邑)을 옮긴 처음에 척량(尺量)하여 설시(設始)한 것으로 상류천(上柳川)에서 벽산보(碧山洑)를 지나 하류천(下柳川)을 거쳐서 대황교(大皇橋)를 건설하였습니다. 을유 년간(乙酉年間, 순조25, 1825)에 벽산보에 남둔(南屯)을 설시하였을 때 동쪽으로 치우친 비탈진 언덕(陂坨) 위에 길을 옮기고 얼마 지나지 않아 남둔 수문(水門)에 탈이 있어서 처음에는 부득이 물을 저장하지 않았으나, 오가는 행인이 신작로(新作路)가 조금 돌아간다고 생각해 다시 옛길을 따라서 곁에 길을 만들었는데 금할 수 없었습니다. 지금까지 10여 년이 되어 대로(大路)가 되었으나, 신작로는 건너는 사람이 거의 드물어 풀들이 무성하여 봄가을로 길을 닦느라 민력(民力)이 그냥 허비됩니다. 지금 만약 옛길을 다시 통하게 하고 약간 더 수리하여 행행(幸行)[341] 때의 연로(輦路)를 준비하고, 신작로는 백성에게 경간(耕墾)을 허락하여 해마다 세입을 관천고에 준다면 사세가 매우 편할 것입니다. 대소민인(大小民人)이 한결같이 이것을 원하나, 당초에 길을 옮기는 것은 이미 장문(狀聞)하여 거행한 일이므로 감히 천단(擅斷) 할 수 없어 감히 이와 같이 우러러 여쭙니다."라고 하니, 대왕대비 전에서 답하시기를 "옛길(舊路)로 함이 옳다."라고 하셨다.

4월 11일.

실록청(實錄廳)에 나아갔다.

341 행행(幸行): 임금이 도성(都城) 밖으로 거둥하는 것으로, 능행(陵行)이나 원행(園行) 등을 말한다.

4월 12일.

실록청에 나아갔다.

4월 13일.

봉모당(奉謨堂)[342]에 전배(展拜)[343] 할 때에 진참하고 나서 규장각(奎章閣)에 나아가 연경당(演慶堂)[344]에 봉심하고 어진 표제(御眞標題)를 베껴썼다.

4월 15일.

주합루(宙合樓)[345]와 연경당에 봉심할 때 진참하였다.

같은 날(4월 15일).

화령전과 현륭원을 봉심하였는데 무탈한 일로 장계를 밀봉하여 아뢰었다.

---

342 봉모당(奉謨堂): 규장각(奎章閣)에 딸린 부속 건물의 하나로서 역대 왕의 어제(御製)·어필(御筆)·어화(御畫)·고명(顧命)·유고(遺誥)·밀교(密敎) 및 선원세보(璿源世譜)·보감(寶鑑)·장지(狀誌) 등을 보관하는 곳이다.《규장각지(奎章閣志)》 권1 〈건치(建置)·내각(內閣)〉.

343 전배(展拜): 종묘(宗廟), 사직(社稷), 전(殿), 궁(宮), 황단(皇壇), 문묘(文廟), 각 능침(陵寢) 등에 왕이 직접 나아가 배알(拜謁)하는 일이다.

344 연경당(演慶堂): '연경(演慶)'은 경사가 널리 퍼진다는 뜻이며 창덕궁 후원에 있다.《궁궐지(宮闕志)》에는 순조 28년에 총 120칸으로 건립하였다고 기록이 있고,《동국여지비고(東國輿地備考)》,《한경지략(漢京識略)》에는 순조 27년 건립하였다고 기록되어 있다. 연경당은 효명세자(孝明世子)가 순조와 순원왕후(純元王后)를 위한 잔치를 베풀고자 1827~1828년(순조 27~28)경 지은 효심이 담긴 집이다. 창건 직후 연경당에서는 효명세자가 신하를 접견하거나 진작례(進爵禮)를 거행하였다. 헌종(憲宗) 대 이후에는 익종(효명세자)의 어진과 모훈을 보관하는 곳으로 사용되다가 1857년(철종 8)에 터가 서늘하고 습하다는 이유로 익종의 초상화를 다른 곳으로 옮겨 한 동안 빈 집으로 남아 있었다. 그 후 고종 대에 이르러 외국 공사를 접견하고 연회를 베푸는 등 중요한 정치 공간으로 이용하였다.

345 주합루(宙合樓): 창덕궁 후원에 있다. 주합루는 1776년(정조 1)에 창건된 2층의 누각건물이다. 아래층에는 왕실 직속기관인 규장각(奎章閣)을, 위층에는 열람실 겸 누마루를 조성했다.

〔장계〕

방금 접수한 화령전(顯隆園) 겸위장(兼衛將) 박시회(朴蓍會)의 첩정에, "이달 15일, 분향하고 나서 바로 봉심하였는데, 전내(殿內) 모든 곳이 무탈하였습니다."라고 하였습니다. 동시에 접수한 현륭원 영(令) 이민기(李民耆)의 첩정 내용에, "이달 15일, 원상(園上)과 전내(殿內)를 봉심하였는데 무탈합니다."라고 하였습니다. 이러한 연유를 치계합니다.

4월 16일.

농형 장계(農形狀啓)를 밀봉하여 아뢰었다.

〔장계〕

방금 접수한 본 부 판관(本府判官) 김한순(金漢淳)의 첩정에, "이달 15일 사시(巳時, 오전 9시~오전 11시) 즈음 비가 내리기 시작하여 때로는 흩뿌리고 때로는 그치다가 같은 날 유시(酉時, 오후 5시~오후 7시)에 내린 것이 거의 1서(鋤) 정도가 되어 영하(營下)의 측우기(測雨器) 수심이 5푼(分)이 되었습니다. 농형(農形)은 가을보리는 간혹 배태(胚胎)하였고 봄보리는 점차 싹을 틔웠으며 올벼는 부종(付種)과 주앙(注秧)은 간간이 싹이 나왔으며 늦벼는 건파(乾播)를 이미 마쳤습니다."라고 하였습니다. 이러한 연유를 치계합니다.

4월 17일.

양묘(兩廟, 순종과 익종)의 영정(影幀)을 경모궁(景慕宮)[346]과 경우궁(景祐

346 경모궁(景慕宮) : 정조의 아버지 장헌세자(莊獻世子, 1735~1762)와 비(妃) 헌경왕후(獻敬王

宮)[347]으로 이봉(移奉)할 때[348] 배종(陪從)하고, 문안반(問安班)으로 진참하였다.

4월 19일.

경모궁에 거동하실 때 배종하고 환궁(還宮)한 뒤에 문안반으로 진참하였다.

4월 20일.

실록청(實錄廳)에 나아갔다.

4월 21일.

실록청에 나아갔다.

4월 22일.

진강(進講)[349]으로 입시(入侍)하였다.

后, 1735~1815)의 신주를 봉안한 사당을 이른다. 창덕궁(昌德宮) 안에 있다.

347 경우궁(景祐宮) : 순조의 생모인 수빈(綏嬪) 박씨(朴氏, 1770~1822)의 궁호(宮號)이다. 원호(園號)는 휘경원(徽慶園), 묘호(廟號)는 경우궁(景祐宮)이다.

348 양묘(兩廟)의……이봉(移奉)할 때 : 《조선왕조실록(朝鮮王朝實錄)》 〈헌종실록(憲宗實錄)〉 헌종(憲宗) 3년 4월 17일 기사(記寫)에 "월근문(月覲門)과 요금문(曜金門)에 나아가 순종 대왕(純宗大王)과 익종 대왕(翼宗大王)의 어진(御眞)을 주합루(宙合樓) 연경당(演慶堂)으로부터 경모궁(景慕宮) 망묘루(望廟樓)와 경우궁(景祐宮) 성일헌(誠一軒)으로 옮겨 봉안(奉安)할 때 친히 지송(祇送)을 행하였다.〔月覲門、曜金門, 純宗大王、翼宗大王御眞, 自宙合樓、演慶堂, 移奉于景慕宮、望廟樓、景祐宮、誠一軒時, 親行祇送。〕"라고 하였다.

349 진강(進講) : 당일 진강한 내용은 다음과 같다. 丁酉四月二十二日辰時, 上御熙政堂。進講入侍時, 提學徐有榘,……有榘讀自子曰雍也, 止雍之言然, 仍奏釋義。上讀新受音十遍, 命陳文義。有榘曰, 居敬二字, 最好體認, 敬者, 主一無適之謂也。卽以講學一事言之, 講此章則心不越乎他章, 講此節則念不外乎此節, 此所謂主一無適也。如是則不但聖學日就月將, 其於政令注措, 隨事沛然, 深留聖意焉。(《承政院日記》 〈憲宗〉 3年 4月 22日 己巳).

4월 23일.

실록청(實錄廳)에 나아갔다.

4월 24일.

실록청에 나아갔다.

같은 날(4월 24일).

서둔(西屯) 보축(補築)의 역사를 시작하였다는 보첩(報牒)이 도착하였다.

〔중군 보첩(中軍報牒)〕

서둔 제동(堤垌)이 준축(蹲縮, 땅이 내려앉아 줄어듦)된 곳을 보축하는 역사를 오늘 14일에 시작하였습니다. 이러한 연유를 치계합니다.

4월 25일.

태순(太淳)[350]의 친사(親事, 혼인)를 27일로 연길(涓吉)[351]하고 이날 삼가(三加)의 예(禮)[352]를 행하였다.

---

350 태순(太淳): 서유구의 아들 서우보(徐宇輔)의 양자로 들인 서태순(徐太淳, 1821~1868)으로 서유구의 손자이다.

351 연길(涓吉): 길한 날을 받는다는 뜻으로, 납폐와 사주단자를 받은 신부 측에서 혼례식 날짜를 받아서 신랑 측에 '연길장(涓吉狀)'이라는 회신을 보냈다.

352 삼가(三加)의 예(禮): 관례를 행할 때, 세 차례 관(冠)을 바꾸어 쓰는 절차가 있는데 이를 초가(初加)·재가(再加)·삼가(三加)라 한다. 초가(初加)에는 입자(笠子)에 단령(團領)·조아(絛兒), 재가(再加)에는 사모(紗帽)에 단령·각대(角帶), 삼가(三加)에는 복두(幞頭)에 공복(公服)을 입었다.

4월 26일.

진강(進講)[353]으로 입시(入侍) 하였다가 조정에서 퇴근한 후 농형장계(農形狀啟)를 밀봉하여 아뢰었다.

〔장계〕

방금 접수한 본 부 판관(本府判官) 김한순(金漢淳)의 첩정에, "경내 농형(農形)은, 가을보리는 이미 이삭이 모두 팼고 봄보리는 간혹 이삭이 팼습니다. 올벼는 부종(付種)과 주앙(注秧)은하여 이미 모두 싹을 틔웠으며 늦벼는 건파(乾播)하여 간혹을 틔었습니다."라고 하였습니다. 이러한 연유를 치계합니다.

같은 날(4월 26일).

저녁에 납폐(納幣)[354]의 예를 행하였다.

4월 27일.

친영(親迎)[355]의 의식을 행하고 초례(醮禮)[356]를 한 뒤, 신부(新婦)로

---

353 진강(進講) : 당일 진강한 내용은 다음과 같다. 丁酉四月二十六日辰時, 上御熙政堂。進講入侍時, 提學徐有榘,……有榘讀自季氏使閔子騫, 止賢哉回也, 仍奏釋義。上讀新受音十遍〈訖〉, 命陳文義。有榘曰, 臣於昨年九月, 退自講筵, 仍卽下去華城任所, 跨冬涉春, 久未出入講筵矣。日前始登前席, 恭聆前新受音玉音, 則首尾不少間斷, 轉折之際, 字字響亮, 諸臣所奏文義, 亦悉諦聽, 聖學之日就月將, 可以仰認, 退而相告, 攢頌蹈舞矣。今日則時時間斷, 此專由聖上臨文專精, 不如日昨講筵而然矣。昨筵所陳居敬二字, 最當深留聖意。敬者, 主一無適之謂, 如講此賢哉回也章, 則研究思索, 不越乎此章, 雖他經傳之文, 不可踰越思念, 此所謂主一無適也。如是則臨筵講讀, 自無間斷之時, 而漸次有滋味, 以至於欲罷不能之樂, 則聖學日躋於高明之域。伏願深加體念焉。上曰, 玉堂陳之。(《承政院日記》〈憲宗〉 3年 4月 26日 癸酉).

354 납폐(納幣) : 혼인 때 신랑 집에서 신부 집으로 보내는 예물. 흔히 푸른 비단과 붉은 비단으로 하고, 혼서(婚書)와 함께 넣어 신부 집에 보내는데 보통 밤에 하였다.

355 친영(親迎) : 혼례 때 신랑이 직접 신부의 집에 가서 신부를 맞아 교배례(交拜禮)를 행하는 일을 말한다. 혼사에 있어 육례(六禮)의 하나이다.

356 초례(醮禮) : 술을 따라 한 번만 주는 의식을 이른다. 관례나 계례에는 빈(賓)이 관례하는 자와 계례하는 자에게 술을 한 잔만 따라 주고 서로 술잔을 주고 받는 의식이 없는데, 혼례

하여금 사우(祠宇)를 공경히 뵙게하고 바로 다례(茶禮)를 행하였다. 지난 날을 어루만지며 오늘을 생각하니 슬픔이 기쁨보다 더하였다.

4월 28일.

진강(進講)[357]으로 입시(入侍)하였다.

4월 29일.

서둔(西屯) 보축(補築)에 역사가 끝났다는 보첩(報牒)이 도착하였다.

〔중군보첩〕

서둔(西屯) 제동(堤垌)의 준축된 곳을 보축하는 일이 금일 29일에 역사를 마쳤으며 사용된 물력은 607냥(兩) 1전(戔) 7푼(分)입니다. 이러한 연유를 치계합니다.

같은 날(4월 29일).

단오첩(端午帖)[358]을 지어 올렸다.

역시 이와 같이 하므로 시속에서는 혼례를 지칭하는 말로 쓰이기도 한다.

357 진강(進講): 당일 진강한 내용은 다음과 같다. 丁酉四月二十八日辰時, 上御熙政堂。進講入侍時, 提學徐有榘,……有榘讀自子曰孟之反, 止文質彬彬然後君子, 仍奏釋義。上讀新受音十遍訖, 命陳文義。有榘曰, 此以出不由戶, 喩人不可不由道, 甚言捨此無他路也。由道之方, 講學爲先, 所以講學之講字, 卽討論問難之謂也。音讀雖熟, 如無旨義之討論反復, 則未可謂講學。近來臨筵, 淵默太過, 新舊受音, 誦讀之外, 未嘗有文義之發問下詢者, 如是而聖學何以日就月將乎? 此後毋論文義深淺大小, 或有疑晦處, 這這下詢, 是臣區區之望也。上曰, 玉堂陳之。(《承政院日記》〈憲宗〉 3年 4月 28日 乙亥).

358 단오첩(端午帖): 단오(端午)날 임금을 가까이 모시는 신하들이 임금을 축하(祝賀)하기 위하여 궁전(宮殿)의 기둥에다 써서 붙이던 축시(祝詩)를 말한다.

〔오율(五律)[359]〕

구달(九闥, 구중궁궐)은 빛나고 드넓은데,

훈훈한 바람이 불어오니 전각이 서늘하구나.[360]

창포주(菖蒲酒)[361]는 맑은 기운 머금고 있고,

채장(綵仗)에는 상서로운 빛이 뜨네.

첩지에 새겨서 자휘(慈徽)를 널리 드날리고,

주즙(舟楫)[362]을 맞이하니 복록이 장대하네.

강릉(岡陵)[363]하시니 연희(燕喜)를 갖추고,

삼수(三壽)[364]의 송축(頌祝)이 도처에 충만하네.

---

359 오율(五律) : 절구(絶句)와 함께 근체시(近體詩)를 대표하는 형식으로서 오언율시(五言律詩)와 칠언율시(七言律詩)가 있다. 율시는 한 수(首), 즉 한 편의 작품이 모두 여덟 개의 구절로 이루어져 있는데, 처음 두 구절을 합쳐서 수련(首聯), 다음 두 구절은 함련(頷聯), 세 번째는 경련(頸聯), 마지막은 미련(尾聯)이라고 부른다. 오언율시는 당나라 초기에 형성된 것으로서 각 구절은 모두 다섯 글자로 되어 있으며, 줄여서 '오율(五律)'이라고도 부른다.

360 훈훈한……서늘하구나 : 당나라 문종(文宗)이 유공권(柳公權)과 여름날에 연구(聯句)를 짓는데, 이때 유공권이 "훈풍이 남쪽에서 불어오니 전각에 서늘함이 나도다.〔薰風自南來, 殿角生微凉.〕"라는 시구를 지었다. 훈풍은 성군(聖君)의 교화를 비유하는 말로, 순(舜) 임금이 오현금(五絃琴)을 처음으로 만들어 〈남풍가(南風歌)〉를 지어 불렀다. 전각(殿角)은 궁전의 모퉁이를 말한다.

361 창포주(菖蒲酒) : 창포주는 단오절에 마시면 사기(邪氣)와 독을 제거한다는 술로, 창포뿌리를 잘게 썰거나 가루를 내어 술에 담궈서 발효시킨 것이다. 혹은 창포꽃을 술에 띄워 마시기도 한다. 송 신종(宋神宗) 때 태자소보(太子少保)를 지낸 원강(元絳)이 지은 〈단오첩자(端午帖子)〉 시에 "창포꽃 술에 띄운 요 임금 술잔 푸르고, 갈대잎 실로 얽은 초나라 주악 향긋해.〔菖華泛酒堯樽綠 菰葉縈絲楚糉香〕"라고 하였다.

362 주즙(舟楫) : 원문의 주즙(舟楫)은 배와 노로, 은(殷)나라 부열(傅說)처럼 세상을 구제하는 재상과 대신을 비유한다. 《서경》 〈열명 상(說命上)〉에 "큰 냇물을 건널 때 너를 배의 노로 삼겠다.〔若濟巨川, 用汝作舟楫.〕"라고 하였다.

363 강릉(岡陵) : 임금의 만수무강을 이른다. 《시경》 〈천보(天保)〉에 임금의 장수를 기원하면서 "산과 같고 언덕과 같고 높은 산과 같고 큰 언덕과도 같으리라.〔如山如阜, 如岡如陵〕"라고 한 데서 나온 말이다.

364 삼수(三壽) : 세 가지의 장수(長壽). 즉 상수(上壽, 100세), 중수(中壽, 80세), 하수(下壽, 60세)의 총칭(總稱)이다.

〔칠절(七絶)[365]〕

붉은 석류 벌어지기 시작하고 푸른 버들 향기로운데,
고각(高閣)에는 옥루(玉漏, 물 시계) 소리 길고 희미하게 들려오네.
한 낮 단지(丹墀)[366]에서는 강지(講旨)를 널리 펴고,
유신(儒臣)들은 먼저 나아가 이남(二南)[367]의 글을 밝히네.

365 칠절(七絶) : 한시(漢詩)에서 한 구가 칠언(七言)으로 된 절구(絶句)로 모두 4구로 이루어진다. 절구는 율시(律詩)와 같이 근체시(近體詩)를 대표하는 형식으로 오언절구(五言絶句)와 칠언절구(七言絶句)가가 있다. 오언·칠언 다같이 기(起)·승(承)·전(轉)·결(結) 4수로 이루어진다. 절구의 작법은 기승전결(起承轉結)의 방법이 절대적인데 첫 구인 기(起)는 비흥(比興), 또는 서사(敍事)·사경(寫景)으로 서두를 내고, 둘째 구인 승(承)에서는 처음 구를 이어받아야 한다. 셋째 구는 전(轉)으로 영활(靈活)과 운치가 있어야 하며 넷째 구인 결(結)에서는 전구를 수습하여 끝내야 한다. 시의 경구(警句)는 3·4구에 있으므로 의상과 형상을 결합하여 정경(情景)이 어우러져야만 절구라고 이를 수 있다.

366 단지(丹墀) : 옛날에 궁궐의 섬돌을 붉게 칠한 것을 말하는데, 여기에서 유래하여 임금이 거처하는 궁궐을 뜻한다.

367 이남(二南) : 《시경(詩經)》의 편명(篇名)인 〈주남(周南)〉과 〈소남(召南)〉으로, 모두 성군(聖君)이었던 문왕(文王)의 교화를 노래하였다.

정유년丁酉年 1837년, 헌종憲宗 3년 5월

5월 1일.

화령전(華寧殿)과 현륭원(顯隆園)을 봉심(奉審)하였는데 무탈한 일로 장계를 밀봉하여 아뢰었다.

〔장계(狀啓)〕

방금 접수한 화령전(華寧殿) 겸령(兼令) 김한순(金漢淳)의 첩징(牒呈)에, "이달 1일 분향(焚香)한 뒤에 바로 봉심하였는데 전내(殿內) 곳곳이 무탈하였습니다."라고 하였습니다. 동시에 도착한 현륭원 참봉(顯隆園參奉) 조병위(趙秉緯)의 첩정 내용에, "이달 초1일 원상(園上)과 전내에 봉심하였는데 무탈하였습니다."라고 하였습니다. 이러한 연유를 치계합니다.

5월 2일.

길을 떠나 과천(果川)에서 점심을 먹고 영화정(迎華亭)에 도착하여 북둔(北屯) 소착(疏鑿)의 형편을 살핀 다음 미각(未刻, 오후 1시~오후 3시)에 영(營)으로 돌아와 장계를 밀봉하여 아뢰었다.

〔장계〕

신(臣)이 묘당(廟堂)에 품의(稟議)할 일이 있어 상경(上京)하였다가 당일 영으로 돌아왔습니다. 이러한 연유를 치계합니다.

5월 3일.

우택 장계(雨澤狀啟)를 밀봉하여 아뢰었다.

〔장계〕

방금 접수한 본 부 판관(本府判官) 김한순(金漢淳)의 첩정에, "이달 초2일 술시(戌時, 오후 7시~오후 9시) 즈음 비가 내리기 시작하여 때로는 주룩주룩 내리다가 때로는 흩뿌려 당일 축시(丑時, 오전 1시~오전 3시)에 내린 것이 겨우 먼지를 적실 정도입니다." 라고 하였습니다. 신의 영(營)에 측우기 수심이 4푼(分)이 되어 가물었던 나머지에 단비가 시작되어 촉촉하게 적시더니 얼마 되지 않아 곧바로 개이니 연이어 패연(沛然)히 내릴 것을 간절하게 옹축(顒祝)합니다. 이러한 연유를 치계합니다.

같은 날(5월 3일).

건릉(健陵) 단오제향(端午祭享)에 헌관(獻官)으로 홍희근(洪羲瑾)[368] 대감이 내려왔다.

5월 4일.

현륭원 단오제향(端午祭享)에 헌관(獻官)으로 향축(香祝)을 모시고 원소(園所)에 나아갔다.

5월 5일.

제향(祭享)을 설행(設行)하고 나서 바로 장계를 밀봉하여 아뢰고,

---

368 홍희근(洪羲瑾) : 1767~1845. 본관은 풍산(豊山). 자는 경회(景懷), 호는 만와(晩窩)이다. 홍중구(洪重耉)의 증손으로, 할아버지는 홍헌보(洪獻輔)이고, 아버지는 판관 홍이호(洪彛浩)이며, 어머니는 이종익(李宗翼)의 딸이다. 1801년(순조 1) 진사를 거쳐, 1809년 별시문과에 갑과로 급제하여 대사간·호조참판·관찰사를 역임하였다. 1817년(순조 17) 동지사(冬至使)의 서장관(書狀官)으로, 1829년(순조 29)에는 부사로 두 차례 청나라에 다녀왔다.

건릉 헌관(健陵獻官)으로 입부(入府)하였다가 바로 출발하였다.

〔계본(啓本)〕

삼가 제향의 일로 아룁니다.

이달 초5일, 현륭원 단오제향(端午祭享)에 신이 헌관(獻官)으로 진참(進參)하고 설행한 후 원상(園上)을 봉심하였는데 잡초와 잡목이 없었으며 사산(四山) 내에도 함부로 범작(犯斫)하는 폐단이 없었습니다. 이에 제관(祭官)의 직함과 성명을 뒤에 개록하였습니다. 이러한 연유를 치계합니다.

같은 날(5월 5일).

화령전을 일차 봉심(日次奉審)하였다.

5월 7일.

서둔(西屯)에 나가 보축(補築)의 형편을 살펴보고 나서 항미정(杭眉亭)[369]에 앉아 중군(中軍)과 더불어 잠시동안 이야기를 나누었다.

5월 8일.

농형 장계(農形狀啟)를 밀봉하여 아뢰었다.

〔장계〕

방금 접수한 본 부 판관(本府判官) 김한순(金漢淳)의 첩정에, "이달 초7일 신시(申時, 오후 3시~오후 5시) 즈음에 갑작스럽게 내

369 항미정(杭眉亭) : 수원 서호(西湖)의 남동쪽에 있는 정자이다. 서호는 1799년(정조 23) 농업용 관개수원으로 조성한 인공 호수 중 하나로, 화성(華城)의 서쪽에 있는 호수이다. 정자의 이름은 '항주(杭州)의 미목(眉目)'이라는 소동파의 시(詩)에서 따왔다고 한다.

린 비가 겨우 1서(鋤) 정도가 되었습니다. 농형(農形)은 가을보리는 곡식이 알을 맺었고 봄보리는 이미 이삭이 모두 팼으며 올벼는 부종(付種)하여 초벌 김매기 시작하려 하고, 늦벼는 건파하여 푸른 빛을 띄는데 가물었던 나머지에 갑자스럽게 지나가는 비에 촉촉하게 적셔 곧 부종과 함께 주앙(注秧)을 하였으나 간간이 마른 곳도 많이 있습니다."라고 하였습니다. 신의 영(營)에 측우기 수심이 6푼(分)이 되었다고 하니 모내기철이 이미 이르렀는데 가뭄이 자못 길어지고 금번에 내린 비는 옥초(沃焦)[370]와 다름이 없어 백성의 일을 생각하면 더욱 걱정스럽습니다. 이러한 연유를 치계합니다.

5월 9일.

준천(濬川)[371]의 역사가 이날부터 시작되어 나가 자세히 살펴보았다.

5월 10일.

화령전(華寧殿)에 일차 봉심(日次奉審)하였다.

---

370 옥초(沃焦) : 동남쪽 바다에 있다는 거대한 뜨거운 돌산이다. 《장자소(莊子疏)》에 "옥초는 푸른 바다 동쪽에 있는데, 바위 하나의 둘레가 4만 리이고 두께가 4만 리이며 바닷물을 빨아들여 다 증발시키기 때문에 옥초산이라고 이름지었다.〔沃焦在碧海之東, 一石方圓四萬里, 厚四萬里, 海水注者, 無不焦盡, 故名沃焦山.〕"라고 하였는데, 여기서는 이번에 바닷물이 옥초에 흡수되어 말라버리 듯 내린 비가 거의 없음을 말한다.

371 준천(濬川) : 하천을 준설(浚渫)하여 물이 잘 빠지게 하는 것을 말한다. 《서경》〈순전(舜典)〉에 "12주(州)를 처음으로 만들고, 12주의 고산(高山)을 진산(鎭山)으로 봉표(封表)하고, 그 주의 하천 바닥을 깊이 파서 물이 잘 내려가게 하였다.〔肇十有二州, 封十有二山, 濬川.〕"라는 말이 나온다.

같은 날(5월 10일).

대왕대비전(大王大妃殿)에 탄신 전문(誕辰箋文)을 밀봉하여 발송하였다.

〔전문(箋文)〕

엎드려 생각건대 이 천추(千秋)[372]에 귀주(龜疇)의 복(福)을 크게 받아 때는 5월에 홍류(虹流)의 기약이 비로소 돌아오니 궁위(宮闈)에 경사가 넘치고 조야(朝野)가 모두 기뻐합니다. 공경히 생각건대 모후 태임(太任)의 덕(德)에 견줄만하고, 여요(女堯)의 자태를 넘어서니 음공(陰功)이 보익(保翼)의 근실함을 드리웁니다. 팔역(八域)에 교화가 두루 미치니 성인의 짝이 되어 요조(窈窕)의 칭송[373]에 오르고 이남(二南)의 첫머리에 시작〔造端〕하여 탄미(誕彌)[374]의 날을 당해 송도(頌禱)의 정성이 간절합니다. 엎드려 생각건대 신(臣)은 한결같이 공북(拱北)에 전념(專念)하오나 두 해째 동교(東郊)를 다스리고〔釐東〕 있어 이렇게 화봉삼축(華封三祝)하니 정성은 호배(虎拜)에 절실하고 숭산(嵩山)에서 만세를 외치며[375] 변오(抃鰲, 환호의 예)에 예를 대강 다합니다.

---

372 천추(千秋): 중국의 황후나 황태자의 생일을 가리키는 말로 여기서는 대왕대비 김씨의 생일을 가리킨다.

373 요조(窈窕)의 칭송: 《시경》 〈관저(關雎)〉에 "요조숙녀는 군자의 좋은 짝이로다.〔窈窕淑女, 君子好逑〕"라고 한 것을 가리킨다. 군자인 문왕(文王)이 요조숙녀(窈窕淑女)인 태사(太姒)를 배필로 맞이하여 그 덕화(德化)가 천하에 베풀어짐을 노래한 것을 말한다.

374 탄미(誕彌): 탄생한 날을 말한다. 《시경(詩經)》 〈대아(大雅) 생민(生民)에 "달이 꽉 차서〔誕彌厥月〕 마치 염소처럼 쉽게 해산하였다."는 말에서 유래한다.

375 숭산(嵩山)에서 만세를 외치며: 한(漢)나라 무제(武帝)가 숭산(嵩山)에 올라가 제사를 지낼 때 곳곳에서 만세 소리가 들렸다는 고사(故事)에서 나온 말로서, 백성들이 임금을 찬양하여 만세를 부르며 즐거워함을 말한다.

5월 14일.

추조(秋曹, 형조(刑曹))의 관문에 따라 본 부(本府)는 녹계(錄啓)[376] 죄인이 없어 심리할 일이 없기에 장계를 밀봉하여 아뢰었다.

〔장계〕

방금 접수한 추조(秋曹)의 관문 내용에,

"이번에 계하하신 이달 5월 12일에 대신(大臣)과 비국당상(備局堂上)[377]을 인견하여 입시(入侍)하였을 때에 대왕대비전에서 전하여 말씀하시길, '경외 심리(京外審理)는 즉시 거행할 일을 분부한다.'라고 전교하셨다. 본 부에서 아직 녹계하지 못한 죄인은 친히 잡아들여 조사하고 즉시 치계(馳啟)하여 한편으로는 성의(盛意)를 백성에게 널리 알리고 한편으로는 답답한 마음을 풀어헤치고〔疏鬱〕과 신원을 회복하게〔伸枉〕 할 것이다." 라고 하였습니다. 본부에는 애초에 녹계 죄인이 없어 심리할 만한 자가 없어 이러한 연유를 치계합니다.

〔감결(甘結)〕

위 감결에 이달 12일 대왕대비전에서 전하여 말씀하시길, "기우제(祈雨祭)는 불복일(不卜日)[378]하여 급히 설행할 것을 분부한다."라고 하명하셨다. 지금 오랜 가뭄이 혹독한데 비가 내릴 조짐이 막연하여 백성의 일을 생각하니 몹시 애타고 걱정

---

376 녹계(錄啓) : 죄인(罪人)의 수금(囚禁)과 판결(判決)에 관한 사항을 기록하여 정기적으로 상주(上奏)하는 일을 말한다.

377 비국당상(備局堂上) : 조선 시대 비변사(備邊司)의 통정대부(通政大夫) 이상의 당상관(堂上官)을 일컫는 말이다.

378 불복일(不卜日) : 혼인이나 장례를 지낼 때 급히 지내느라고 날을 가려받지 않는 것을 말한다.

스럽다. 본 부 경내의 영험한 곳에 기우제를 불복일하여 이번 15일에 정성으로 설행할 것이다. 제품(祭品)과 제기(祭器)를 정결하게 하고 제관(祭官)과 집사(執事)의 재목(齋沐, 목욕재계) 등은 각별히 유념하여 거행할 것이며 일을 마친 뒤에는 제물과 제기의 수·제관의 직함과 성명을 즉시 치보(馳報)하여 계문(啓聞)하라.

같은 날(5월14일).

기우제를 설행하는 일로 판관에게 감결(甘結)을 발송하였다.

5월 15일.

동이 틀 무렵 객사(客舍)에 나아가 망궐례(望闕禮)를 행하는데 중군(中軍)과 판관(判官)이 진참하였다.

같은 날(5월 15일).

화령전(華寧殿) 하대봉심(夏大奉審) 후에 장계를 밀봉하여 아뢰었다.

〔장계〕

화령전 하맹삭(夏孟朔, 음력 4월) 대봉심이 원래 정해진 것은 지난달 15일로 마땅히 당일 거행해야 할 일이나 신(臣)이 서울에서 아직 돌아오지 못해 부득이 거행하지 못했습니다. 그래서 이달 15일 분향한 뒤에 겸령(兼令) 신(臣) 김한순(金漢淳)과 겸위장(兼衛將) 신(臣) 박시회(朴蓍會)와 더불어 함께 봉심하니 전내 모든 곳이 무탈하였으며, 방금 접수한 현륭원 영(令) 이민기(李民耆)의 첩정에, "금일 원상(園上)과 전내(殿內)를 봉심하였는데 무탈하였습니다."라고 하였습니다. 이러한 연유를 치계합니다.

같은 날(5월 15일).

초도(初度) 기우제(祈雨祭)를 설행한 일로 장계를 밀봉하여 아뢰고 별군관(別軍官) 도시(都試)를 설행할 계획으로 또 아뢰었다.

〔장계〕

이달 12일 대신(大臣)과 비국당상(備局堂上)을 인견하여 입시(入侍)하였을 때에 대왕대비전에서 전하여 말씀하시길, "기우제(祈雨祭)는 불복일(不卜日)하여 설행할 것을 전교한다."라고 말씀하였습니다. 본 부의 농형(農形)은 가뭄으로 인한 걱정의 연유를 이미 치계하였으나 지난 날 갑작스럽게 지나는 비는 옥초(沃焦)와 다름없었고 그 뒤 7~8일간 한결같이 가물어 물의 원천은 끊겨버리고 못자리는 거북이 등처럼 갈라져 눈앞에 펼쳐진 민정(民情)을 생각하면 몹시 애타고 걱정스럽습니다. 이에 본 부 판관(本府判官) 김한순(金漢淳)에게 지위(知委)하여 기우제를 불복일하여 15일 사단(社壇)에 정성으로 설행한 후 제관(祭官)의 직함과 성명을 뒤에 개록(開錄)하였습니다. 재도(再度) 기우제를 2일의 간격을 두고 이번 18일에 부내(府內) 광교산(光敎山)[379]에서 설행할

---

379 광교산(光敎山) : 경기도 용인시 수지구 고기동·신봉동과 수원시 장안구 상광교동에 걸쳐 있는 산이다. 《택리지(擇里志)》에는 "광교산으로부터 북쪽으로 관악산(冠岳山)이 되고 똑바로 서쪽으로 수리산(修理山)이 되어서 서해로 들어간다"고 기록되어 있다. 《대동지지》에는 "현(縣) 북쪽 20리에 있는데 서봉사(瑞峯寺)가 있다"고 기록되어 있으며, 용인군《지도읍지》에는 "서봉산(瑞峯山)"으로 기록되어 있다. 본래 광악산(光嶽山)이었는데 928년 왕건이 후백제의 견훤을 평정하고 광악산 행궁에 머물면서 군사들을 위로하고 있을 때 산 정상에서 광채가 솟아오르는 것을 보고 이 산은 부처가 가르침을 내리는 산이라 하여 산 이름을 광교(光敎)라 하였다는 전설이 있다.

계획입니다. 이러한 연유를 치계합니다.

〔장계〕

신의 영에 별군관(別軍官)을 선발하는 이번 춘하등(春夏等) 도시(都試)를 이달 16일로 날을 정해 설행(設行)할 계획입니다. 이러한 연유를 치계합니다.

5월 17일.

별군관 도시를 설행하는 일로 장계를 밀봉하여 아뢰었다.

〔장계〕

신(臣)의 영에 별군관 도시를 이달 16일 설행하는 연유를 이미 치계하였거니와, 신이 당일 종사관(從事官) 김한순(金漢淳)과 중군(中軍) 박시회(朴著會)와 함께 개장(開場)하여 시취(試取)한 후 거수인(居首人, 1등)의 성명과 나이, 아버지의 이름과 화살수〔矢數〕 및 월천(越薦)[380] 연조와 추천인〔薦主人〕의 직책과 성명을 아래 개록(開錄)하였습니다. 이러한 연유를 치계합니다【좌열별군관(左列別軍官) 최홍원(崔弘元)은 각종 기예〔各技〕의 합(合)이 10시(矢) 2푼(分)】.

5월 18일.

재도(再度) 기우제(祈雨祭)를 설행한 일로 장계를 밀봉하여 아뢰었다.

---

380 월천(越薦) : 선천(宣薦) 또는 다른 관직에 대한 천거를 통과하는 경우에 쓰이는 말이다.

사직단《화성성역의궤》(서울대학교 규장각 한국학연구원)

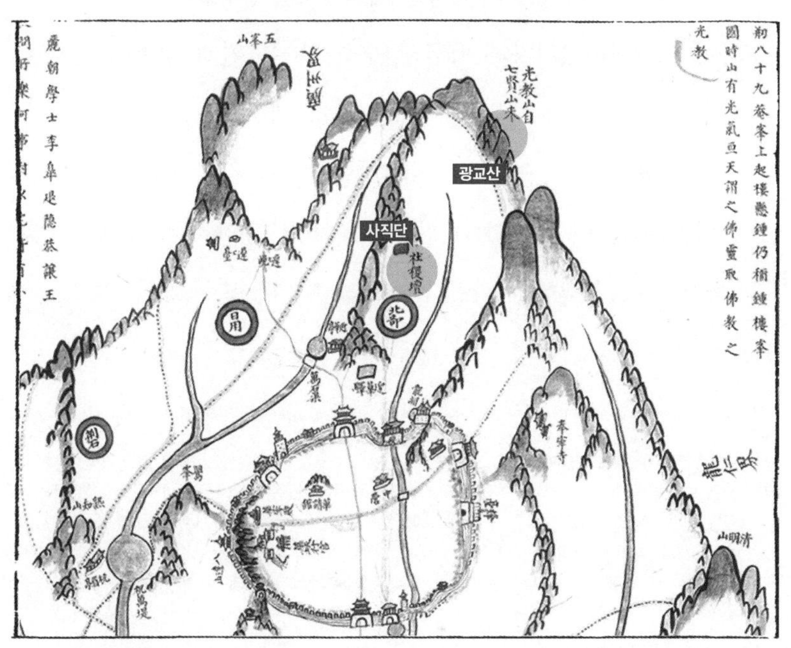

광교산과 사직단《수원부지도》(서울대학교 규장각 한국학연구원)

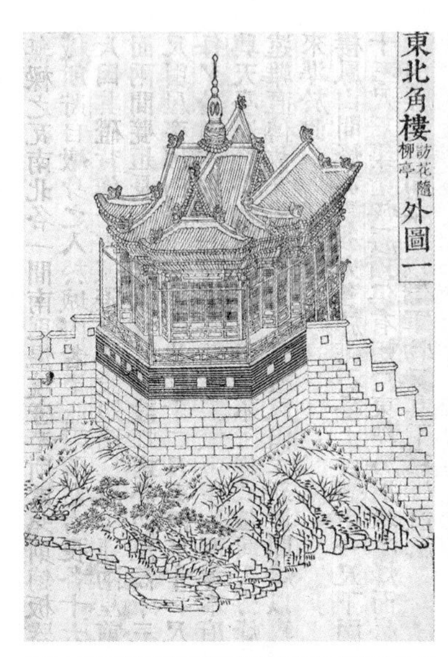

방화수류정《화성성역의궤》(서울대학교 규장각 한국학연구원)

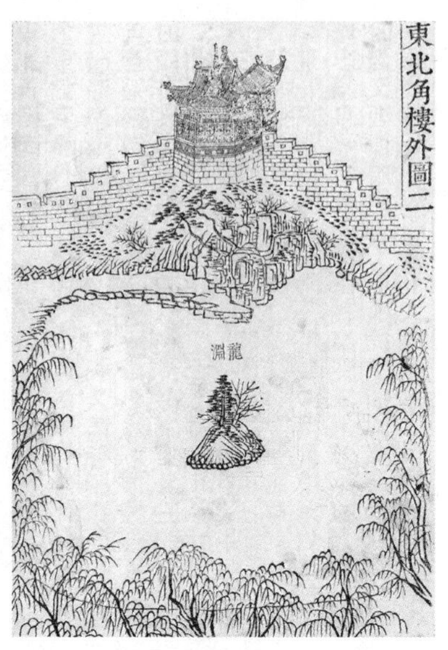

용연《화성성역의궤》(서울대학교 규장각 한국학연구원)

〔장계〕

본 부(本府) 재도 기우제를 이번 18일 설행할 계획의 연유를 이미 치계하였거니와 방금 접수한 본 부 판관(本府判官) 김한순(金漢淳)의 첩정에, "당일 광교산(光敎山)에서 정성으로 설행였습니다."라고 하였습니다. 이에 제관(祭官)의 직함과 성명을 뒤에 개록하였으며 삼도(三度) 기우제를 이번 21일 부내(府內) 용연(龍淵)[381]에서 설행할 계획입니다. 이러한 연유를 치계합니다.

---

381 용연(龍淵) : 용연은 화성의 북쪽 성밖에 있는 연못으로 1796년(정조 20)에 조성되었다. 화성의 동북각루(東北角樓) 방화수류정(訪花隨柳亭) 밖에 있는 못을 말한다. 《정조실록》 18년 1월 15일 기사에 "용연 기슭은 앞면이 석벽(石壁)으로 되어 있고 아래에는 작은 소(沼)가 있는데, 그 물은 광교산(光敎山)에서 흘러나와 석벽 아래에 이르러 물이 돌아 흐르고, 이곳에서 휘돌아 나와 북쪽으로부터 남쪽으로 읍치(邑治)를 경과하는데, 기슭을 따라 가다가 꺾이는 곳에 장차 다리를 걸쳐 놓고 성을 쌓아 수문(水門)을 만들려는 것이다."라고 하였다. 《화성성역의궤》에는 용연이 반달처럼 생겼고, 용두 바위는 물고기를 잡는 조대(釣臺)로 쓸 만하다고 기록되어 있다. 용연의 물이 넘치면 서쪽의 출수구를 통해 수원천으로 흘러 나간다.

같은 날(5월 18일).

농형 장계(農形狀啓)를 밀봉하여 아뢰었다.

〔장계〕

방금 접수한 본 부 판관(本府判官) 김한순(金漢淳)의 첩정에, "경내(境內) 농형은 가을보리는 누렇게 변하고 봄보리는 곡식이 알을 맺었으나 뇌한(惱旱)과 뇌풍(惱風)으로 간간이 백삽병〔白颯〕에 걸린 것이 많습니다. 올벼는 부종(付種)하였고 늦벼는 건파(乾播)하여 초벌 김매기가 바야흐로 한창이지만 또한 가뭄이 오래되어 흙이 말라 왕왕 중도에 그만두고 있습니다. 수근(水根)이 있는 동답(洞沓)은 간간이 모내기를 많이 하였으나 점차 시들어 누렇게 되고 있으며 수근이 부족한 곳은 곳곳이 물이 말라버려 번경(翻耕, 땅을 갈아 뒤엎음)할 방법이 없습니다."라고 하였습니다. 모내기를 할 절기가 점차 늦어지고 한차례 비가 쏟아질 것이 걱정이니 눈 앞에 백성의 일을 생각하면 도리어 더욱 황망하고 걱정스럽습니다. 이 사이 비가 패연(沛然)이 쏟아지기를 간절히 옹축(顒祝)합니다. 이러한 연유를 치계합니다.

같은 날(5월 18일).

준천소(濬川所)[382] 및 서장대(西將臺)[383]에 나가 부역하는 곳을 자세

382 준천소(濬川所) : 준천(濬川)은 하천을 준설(浚渫)하여 물이 잘 빠지게 하는 것을 말하며 준천소는 이 일을 담당하던 임시 관청을 말한다.

383 서장대(西將臺) : 장대란 성곽 일대를 한눈에 바라보며 화성에 주둔했던 장용외영 군사들을 지휘하던 지휘소이다. 화성에는 서장대(西將臺)와 동장대(東將臺) 두 곳이 있다. 서장대는 팔달산 정상에 있으며 '화성장대(華城將臺)'란 편액은 정조가 친히 쓴 것이다. 정조는 1795년(정조 19) 윤2월 12일 현륭원(융릉) 참배를 마치고 서장대에 올라 성을 수비하고 공격하는

히 살펴보았다.

5월 19일.

본 부의 환향(還餉) 및 5개 읍에 소재하는 남한 산성(南漢山城) 향조(餉租)를 가분(加分)[384]하는 일로 장계를 밀봉하여 아뢰었다.

〔장계〕

방금 접수한 본 부 판관(本府判官) 김한순(金漢淳)의 첩정에, "회부(會付)[385]한 환향이 본래 넉넉하지 못하여 비록 평년일지라도 매번 가분을 청하였습니다. 그러나 금년은 거듭 흉년이 든 나머지 정봉(停捧)[386]이 이미 많고 춘궁(春窮) 이래로 환호(還戶)가 몇 곱절이 되니 하물며 금년 양맥(兩麥, 보리와 밀)은 흉작을 면치 못하여 농사철에 민정(民情)을 생각하면 도리어 더욱 민망합니다. 비록 대략으로 분급(分給)하였으나 계속해서 환향을 분배할 수는 없으니, 창고에 남아 있는 것 중에 조(租, 벼) 2,510석(石), 쌀 1,065석, 콩〔太〕 1,528석을 특별히 가분을 청합니다."라고 하였습니다.

연이어 접수한 속읍(屬邑) 안산 군수(安山郡守) 이준수(李俊秀)·용인 현령(龍仁縣令) 이종윤(李鍾允)·진위 현령(振威縣令) 박장암(朴長馣)·시흥 현령(始興縣令) 이명원(李鳴遠)·과천 현감(果川縣監) 정

주간훈련과 야간훈련을 직접 지휘하였다.

384 가분(加分) : 환곡의 운용에 있어, 분급하지 않고 창고에 남겨 두는〔留〕 양과 분급하는〔分〕 양에 대한 규정을 초과하여 분급하는 것을 가리킨다. 미리 허락을 얻어서 행하면 불법이 되지 않으나 허락없이 행하면 불법적인 행위가 되었다.

385 회부(會付) : 금전이나 곡물을 회계 장부에 회록(會錄)하고 해당 관아에 넘겨주는 것을 말한다.

386 정봉(停捧) : 환곡(還穀)이나 신미포(身米布), 노공(奴貢) 등을 바로 걷지 않고 그 납부를 다음 해 추수 때까지로 기한을 물려주는 것을 말한다.

서장대《정조대왕능행도》 8폭 병풍 중 〈서장대성조도(西將臺城操圖)〉(국립고궁박물관) 정조가 화성의 서장대에 행차해 군사훈련을 실시하는 장면을 그린 것이다. 서장대 아래쪽으로 행궁이 있고, 팔달문(八達門, 남문)과 장안문(長安門, 북문)이 있다.

만교(鄭晩敎)가 아뢰기를, "읍환(邑還)이 매우 적어 차례대로 배순(排巡)할 길이 없고 눈 앞의 사세를 생각하면 매우 애타고 걱정스럽습니다. 본 부에서 소관하는 남한산성의 향조를 창고에 남아 있는 것 중에서 안산에 200석, 용인에 1,000석, 진위에 1,600석, 시흥에 590석, 과천에 557석을 전례에 의거하여 가분하는 일로 보고합니다."라고 하였습니다. 환향의 법의(法意)가 매우 엄중하지만 백성의 재난과 식량의 어려움이 진실로 읍에서 보고함이 이와 같으니 지금 만약 경법(經法)만을 지키느라 변통(變通)을 생각하지 않는다면 백성을 긍휼히 여기고 도와주는 길이 아니므로 이에 감히 사실을 들어 등문(登聞)합니다.

본 부에 창고에 남아 있는 환향 중에서 벼와 쌀과 콩 도합 5,103석과 5개 읍에 소재한 향조 중에서 3,947석을 특별히 가분토록 묘당(廟堂)으로 하여금 품지(稟旨)하여 분부하게 하소서.

같은 날(5월 19일).

현릉원(顯隆園) 기신제향(忌晨祭享)에 봉심 각신(奉審閣臣)으로 김흥근(金興根)[387] 대감이 입부(入府)하여 곧장 장남헌(壯南軒)에 가서 잠시 이야

387 김흥근(金興根):1796~1870. 조선 후기의 문신이다. 본관은 안동(安東). 자는 기경(起卿), 호는 유관(游觀). 김달행(金達行)의 증손으로, 할아버지는 김이경(金履慶)이고, 아버지는 이조참판 김명순(金明淳)이며, 어머니는 신광온(申光蘊)의 딸이다. 형은 좌의정 김홍근(金弘根)이다. 1825년(순조 25) 알성 문과에 병과로 급제하여 검열·대교(待敎)·겸보덕(兼輔德)·이조참의·전라도관찰사 등을 역임하고, 1837년(헌종 3)에 동지부사로 동지정사와 함께 청나라에 다녀왔다. 그 뒤, 이조참판·규장각직제학·홍문관부제학·평안도관찰사 등을 거쳐, 1841년에 형조판서가 되었다. 이어 대사헌·한성부판윤 및 공조·호조·예조의 판서와 규장각제학·이

기를 나누었다.

5월 20일.

화령전을 일차 봉심(日次奉審)하였다.

같은 날(5월 20일).

현륭원 제향(祭享)에 헌관(獻官)으로 향축(香祝)을 모시고 원소(園所)에 나아갔다.

5월 21일.

제향을 설행하고 나서 바로 장계를 밀봉하여 아뢰었다.

〔계본〕

삼가 제향(祭享)의 일로 아룁니다.

이달 21일, 현륭원 기신제향(忌晨祭享)에 신이 헌관(獻官)으로 진참(進參)하고 설행한 후 원상(園上)을 봉심하였는데 잡초와 잡목이 없었으며 사산(四山) 내에도 함부로 범작(犯斫) 하는 폐단이 없었습니다. 이에 제관(祭官)의 직함과 성명을 뒤에 개록하였습니다. 이러한 연유를 치계합니다.

같은 날(5월 21일).

아침에 가서 봉심 각신(奉審閣臣)을 뵙고 바로 작별을 고하였다.

조판서 등을 역임하고, 1846년에 좌참찬이 되었다. 안동 김씨 세도를 등에 업고 방자한 행동을 많이 하여 광양(光陽)으로 유배되었으나, 뒤에 영의정이 되었다. 지실록사(知實錄事)로 《철종실록》을 편찬하였다.

같은 날(5월 21일).

3도(三度) 기우제를 설행한 일로 장계를 밀봉하여 아뢰었다.

〔장계〕

본 부(本府) 3도(三度) 기우제를 이번 21일에 설행할 계획의 연유를 이미 치계하였거니와, 신과 더불어 판관(判官)이 모두 현륭원 기신제향에 상치(相值)되어 부득불 거행하지 못하고 영화도 찰방(迎華道察訪) 오치건(吳致健)으로 하여금 부내(府內) 용연(龍淵)에서 정성스럽게 설행하게 하였습니다. 이에 제관의 직함과 성명을 뒤에 개록하였으며 4도(四度) 기우제를 이번 24일 부내(府內) 팔달산(八達山)[388]에서 설행할 계획입니다. 이러한 연유를 치계합니다.

같은 날(5월 21일).

사도(四度) 기우제를 몸소 행할 일로 판관에게 감결(甘結)을 발송하였다.

〔감결〕

이번 24일, 네 번째 기우제를 행하는데 영문(營門)이 몸소 팔달산(八達山)에서 행할 것이니 제물(祭物)과 제품(祭品)을 가능

388 팔달산(八達山) : 경기도 수원시 중심에 있는 산으로, 《동국여지지(東國輿地誌)》에 "팔달산은 부(府, 옛 읍치로 지금의 화성시 화산동)에서 북쪽으로 17리 정도, 고조동(高祖洞, 현재의 고등동 옛 지명으로 추정) 뒤에 있다. 산은 비록 높고 크지 않지만, 들판 가운데 솟아 있어 사방을 볼 수 있다. 그래서 팔달산이라 한다."라고 기록되어 있다. 또 《수원군읍지(水原郡邑誌)》에는 고려 말에 팔달산을 탑산(塔山)으로 불렀으나 태조 이성계와 고려 후기 학자 이고(李皐)와의 일화를 소개하며 태조 이성계가 이 산을 '사통팔달(四通八達)한 산'이라고 하여 팔달산이라고 이름을 지었다는 이야기가 기록되어 있다. 팔달산에는 화성 성곽의 절반 정도가 능선을 따라 축성되어 있다.

한 힘써 정밀하게 갖추고 시중드는 종(下隸)의 의복도 깨끗히 세탁하게 하라. 제단(祭壇)과 도로도 각별히 잘 수리하여 털끝만큼이라도 정성스럽지 않음이 없게할 것이다.

같은 날(5월 21일).

서장대(西將臺) 및 서포루(西舖樓)[389]와 화양루(華陽樓)[390]를 수개(修改)하는 역사를 이날에 이르러 고흘(告訖)[391]하였다【3곳에 들어간 물력(物力)의 합은 127냥(兩) 7전(錢)이 되었다】.

5월 22일.

환향(還餉) 가분(加分) 준획(準劃)의 일로 주관(籌關)[392]이 도착하였다.

〔주관(籌關)〕

"지금 수원 유수 서유구(徐有榘)의 장계를 보니, '회부(會付)한 환향이 원래 넉넉지 않아서 배순(排巡, 차례로 안배함)을 계속 이어가기 어렵습니다. 게다가 지금 양맥(兩麥)이 흉작을 면

389 서포루(西舖樓) : 서포루는 화성의 5개 포루(砲樓) 중 서북각루와 서장대 사이에 위치하고 있으며 1796년(정조 20) 5월 30일 완공되었다. 포루는 성벽의 일부를 바깥으로 튀어나오게 만든 치성 위에 3층의 내부를 비워두고 그 안에서 화포공격을 할 수 있도록 만든 시설물이다.

치성

390 화양루(華陽樓) : 서남각루(西南角樓)라고도 한다. 각루는 성곽의 비교적 높은 위치에 세워져 주변을 감시하고 휴식을 취할 수 있으며 비상시 각 방면의 군사지휘소 역할을 하는 곳이다. 서남각루는 화성의 4개 각루 중 팔달산 남쪽 능선에 설치한 용도(甬道)의 남쪽 끝에 세워졌다. 1796년(정조 20) 4월 16일 공사를 시작하여 7월 20일 완성하였다. 편액에는 화양루(華陽樓)라고 쓰여져 있는데 '화'자는 화성을 뜻하고 '양'자는 산의 남쪽을 뜻하는 것이다.

391 고흘(告訖) : 일을 마치거나 어떤 일이 완성되었음을 알리는 것을 말한다.

392 주관(籌關) : 주사(籌司). 즉, 비변사의 관문(關文)을 말한다.

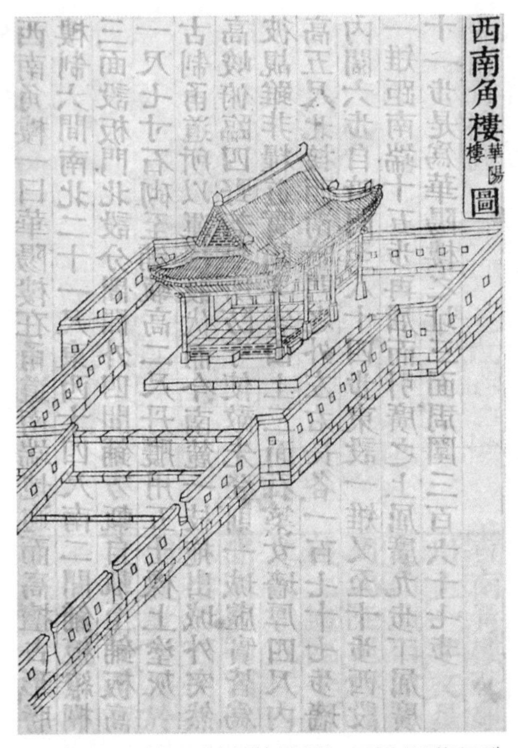

화양루(화성역의제)《화성성역의궤》(서울대학교 규장각 한국학연구원)

치 못하여 농사철에 민정(民情)이 더욱 황급하니, 본 부의 환향 조(租)·미(米)·태(太) 도합 5,103석과 속읍(屬邑)의 향곡 조(租) 3,947석을 특별히 가분을 허락하도록 묘당(廟堂)으로 하여금 품지(稟旨)하여 분부하게 하소서.'라고 하였습니다. 분류(分留)의 법의(法意)는 비록 매우 가볍지 않으나 원래의 환곡이 넉넉하지 않아서 농사지을 양식을 잇기 어려우니 흉년이 든 나머지 민정(民情)을 응당 유념해야 할 바가 있고, 청한 수효(數爻)도 가까운 예에 비하여 너무 지나치게 많지는 않으니, 장계에서 청한 대로 가분하도록 허락하는 것이 어떻겠습니까?라고 하니, '윤허한다'라고 전교하셨다. 전교의 뜻을 잘 받들어 시행하라."

5월 23일.

기우제(祈雨祭) 축문(祝文)을 지어 향(香)을 가지고 팔달산(八達山)에 나아갔다.

〔축문(祝文)〕

아아! 무슨 허물인가, 경기(邦畿)의 백성들이여.

해마다 갖춘 것이 없어 작은 독이 텅 비니 큰 병의 수치이며[393]

베틀의 북(杼柚)이 모두 텅 비니 마을에서 울음소리 들리네.

그래도 지금 이렇게 바라옵건대 궁(窮)함이 변하여 형통하면 좋으련만

어찌 항양(亢陽, 극심한 가뭄)이 문득 초경(初庚, 초복(初伏)에 임박하였는가!

냇물은 끊어져 메마르고 흙은 쩍쩍 갈라져 붉은빛이 되니

선비들은 거리에서 탄식하고 농부들은 밭 갈기를 거두었네.

타들어가는 듯한 걱정스러운 마음 숙취처럼 괴로워하여

사직(社稷)에 나아가 교사(郊祀)에 제사드려 이 희생(犧牲)을 바치는데

처량한 바람과 내리쬐는 해는 내 말을 듣지 않고 조용하만 하구나.

나는 이땅에서 벼슬을 하고 신(神)은 이 성(城)을 주관하시니

---

393 작은……수치이며:《시경》〈소아(小雅)·육아(蓼莪)〉에 "작은 병이 텅 빔은, 큰 병의 수치로다.〔甁之罄矣, 維罍之恥.〕"라고 한 데서 온 말인데, 그 집전(集傳)에 의하면 "작은 병이 큰 병에 의뢰하고 큰 병이 작은 병에 의뢰하는 것은 마치 부모와 자식이 서로 의지하여 목숨을 부지하는 것과 같다. 그러므로 작은 병이 텅 빔이 큰 병의 수치가 되는 것은 마치 부모가 살 곳을 얻지 못한 것이 바로 자식의 책임인 것과 같은 것이다.〔甁資於罍而罍資甁, 猶父母與子相依爲命也. 故甁罄矣, 乃罍之恥, 猶父母不得其所, 乃子之責.〕"라고 하였다. 여기서는 부모를 제대로 봉양하지 못하고 있음을 탄식하여 한 말이다.

백성들의 신음, 신(神)께서는 나의 황겁한 마음을 애통하게 여겨주소서.

저 높고 험준한 산에 올라 자성(粢盛)[394]을 정결히 하여

영령을 편히 모시고〔以妥以侑〕 제물(祭物)을 권하여[395] 다시 명응(冥應)을 비니

단비를 서서히 몰아와[396] 뭉게구름 일어나 촉촉하게 비가 내리리라.

임숙(荏菽)[397]을 기름지게 하고 도갱(稻秔)[398]은 싹을 틔워

천 년 만 년 집집마다 곡식이 가득하기를 기원하노라.

어찌 감사하고 보답하지 않겠는가! 신께서는 크나큰 광명(光明)을 내리소서.

같은 날(5월 24일).

4도(四度) 기우제를 설행한 일로, 장계를 밀봉하여 아뢰었다.

〔장계〕

본 부(本府) 4도 기우제를 이번 24일에 설행할 계획의 연유

---

394 자성(粢盛): 고대에 제사를 지낼 때 그릇에 담아 올리던 곡물을 말하는데, 조선 시대 종묘 제사 때에도 보(簠)와 궤(簋) 등의 제기에 곡물을 담아 올렸다. 《춘추좌씨전》 두예(杜預)의 주에 "서직(黍稷)을 자(粢)라 하고, 그릇에 담긴 것을 성(盛)이라 한다."라고 하였다.

395 영령을……권하여: 원문의 '以妥以侑'는 편안히 모시고 권한다는 말이다. 《시경(詩經)》 〈소아(小雅)·초자(楚茨)〉에 "술과 밥을 장만하여 올리고 제사를 올리며 편히 모시고 권하여 큰 복을 크게 하도다.〔以爲酒食, 以饗以祀, 以妥以侑, 以介景福.〕"라고 하였다.

396 단비를 서서히 몰아와: 원문의 '기기(祁祁)'는 단비가 서서히 내린다는 의미이다. 《시경》 〈소아(小雅)·대전(大田)〉에 "뭉게뭉게 구름이 일어, 천천히 단비를 몰아와서, 우리 공전에 흠뻑 내리고, 마침내 우리 사전에도 미치었네.〔有渰萋萋, 興雨祁祁, 雨我公田, 遂及我私.〕"라는 구절이 있는데, 여기서 유래한 말이다.

397 임숙(荏菽): 들깨와 콩. 밭에서 나는 모든 곡식을 말한다.

398 도갱(稻秔): 벼와 메벼. 논에서 나는 모든 곡식을 말한다.

를 이미 치계하였거니와, 신이 당일 팔달산(八達山)에서 정성스럽게 설행한 후 이에 제관의 직함과 성명을 뒤에 개록하였습니다. 5도(五度) 기우제를 이번 27일 부내 축만제(祝萬堤)[399]에서 설행할 계획입니다. 이러한 연유를 치계합니다.

같은 날(5월 24일).

동장대(東將臺) 수개(修改)의 역사를 시작하였다.

5월 25일.

화령전을 일차 봉심(日次奉審)하였다.

5월 26일.

우택 장계(雨澤狀啟)를 밀봉하여 아뢰었다.

〔장계〕

방금 접수한 본 부 판관(本府判官) 김한순(金漢淳)의 첩정에, "이달 26일 사시(巳時, 오전 9시~오전 11시) 즈음 비가 내리기 시작하여 때로는 보슬보슬 내리다가 때로는 주룩주룩 쏟아져 당일 오시(午時, 오전 11시~오후 1시)까지 내린 것이 흡족하게 내려 1려(犁)가 되었습니다."라고 하였습니다. 신의 영(營)에 측우기 수심이 1촌(寸) 5푼(分)이 되어 애타게 기다리던 나머지에 단비

399 축만제(祝萬堤) : 조선후기 화성의 서쪽 여기산 아래 축조한 저수지로 1799년(정조 23) 수원성을 쌓을 때 일련의 사업으로 내탕금 3만 냥을 들여 축조하였다. 축만제의 규모는 문헌상 제방의 길이가 1,246척(尺), 높이 8척, 두께 7.5척, 수심 7척, 수문 2개로 되어 있다. 축만제는 천년만년 만석의 생산을 축원한다는 뜻을 가지고 있으며, 화성 서쪽에 있어 일명 서호로 불리고 있다.

가 시작되어 진실로 천만다행입니다. 지금 보니 뭉게구름이 빽빽하게 퍼져있고 보슬보슬 내리다가 주룩주룩 내려 그치지 않았으나 심한 가뭄으로 흙이 말라버려 흙을 적시고 물을 대기에는 아직 흡족하지 않습니다. 이에 5도(五度) 기우제를 목욕재개하고 정성으로 빌어 흡족한 비를 얻게되기를 기약합니다. 이에 비가 시작된 형지(形止)를 먼저 치계합니다.

같은 날(5월 26일).

기우제(祈雨祭) 축문(祝文)을 지어 향(香)을 가지고 축만제(祝萬堤)에 나아갔다.

〔축문〕

제(堤)의 이름을 '축만(祝萬)'으로 하였으니 무엇을 기원하는 것인가!

만(萬)이며 억(億)이며 천억[萬億及秭][400]의 벼〔禾〕와 삼〔麻〕, 늦벼와 올벼〔穜稑〕라네.

오직 이 제(堤)의 공역은 협흡(協洽)[401]에 있는데

물이 넘실넘실 천(千)이랑 하나의 수문〔一閘〕으로 마디가 되었네.

---

400 만(萬)이며 억(億)이며 천억〔萬億及秭〕: 원문의 萬億及秭은 《시경》〈주송(周頌)·풍년(豐年)〉에, "또한 높은 곳집이 만이며 억이며 천억이거늘〔亦有高廩, 萬億及秭〕." 이라고 하였다.

401 협흡(協洽): 협흡(協洽)은 고간지(古干支)의 지지(地支)에서 "미(未)"에 해당하는데, 축만제가 축조된 1799년(정조 23)의 일을 말한다.

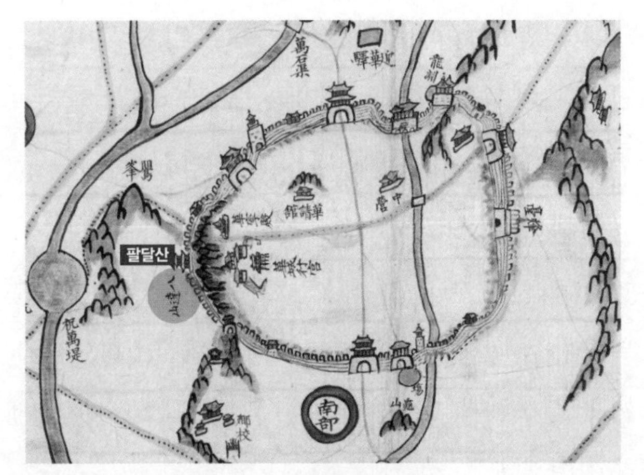

팔달산《수원부지도》(서울대학교 규장각 한국학연구원)

들녘은 대유(大有)[402]라고 말하고 도랑은 만석(萬石)[403]이라 부르니

아! 잊을런가, 선왕께서 내려주신 것.

유노(遺老)[404]의 격양가(擊壤歌)[405] 이제 삼기(三紀)[406]가 흘렀구나.

어찌 이 교만한 태양은 쇳덩이를 녹일 정도로 내리쬐어

---

402 들녘은 대유(大有) : 화성 북쪽 만석거와 축만제(祝萬堤) 사이에 조성했던 대규모의 둔전(屯田)인 대유평(大有坪)을 말한다. 대유(大有)는 풍년을 말하는바, 풍년이 들면 사관이 대유년(大有年)이라고 기록했던 데서 온 말이다.《영조실록(英祖實錄)》 38년 11월 9일 기사에 "호남 안집사의 장계를 보니, 곤궁한 백성들의 정상을 눈으로 직접 보는 것 같구나. 팔도에 풍년이 들면 사관은 의당 대유년이라 쓰는 것인데, 삼남 지방이 이 지경이라, 밤낮으로 마음이 타는구나.〔見湖南安集使狀啓, 窮民之狀, 如目覩矣. 八路豐登, 則史官當書大有年, 而三南如此, 日夕焦心矣.〕"라고 하였다.

403 도랑은 만석(萬石) : 만석거(萬石渠)를 가리킨다. 1795년(정조 19)에 발생한 유례없는 가뭄으로 인해 화성 북쪽에 만든 인공 저수지이다. 이 때문에 북지(北池)라고도 불린다.

404 유노(遺老) : 여러 대(代)를 중요한 지위에 있으면서 나라와 운명을 같이 하는 나이 많은 신하를 이른다.

405 격양가(擊壤歌) : 옛날 중국(中國) 요임금(堯) 때 늙은 농부(農夫)가 땅을 치면서 천하(天下)가 태평(太平)한 것을 노래한 데서 온 말로 태평(太平)한 세월을 즐기는 노래를 말한다.

406 삼기(三紀) : 옛날 중국(中國)에서 일기(一紀)를 12년으로 하였다. 여기서 삼기(三紀)는 36년이 되었음을 말한다.

저 강역(疆域)[407]을 바라보니 동상에 걸린 듯 갈라터졌네.

밭 가운데 돋아난 싹은 메말라 구부러진 듯 하고

봄을 지나 더위를 맞이하니 혹한 더위가 불꽃이 일듯하네.

신(神)께서는 이 방죽을 주관하시고 악독(嶽瀆)[408]을 두루 다스리시는데

백성이 다 죽게 생겼으니[409] 신도 부끄러워 하리라.

어제 잔잔하게 비가 내리니 마치 옥초산(沃焦山)[410]에 내린 것과 같았으나

이내 방타(滂沱)[411]하여 신의 은혜 여기에 다 하였다.

우사(雨師)[412]와 풍백(風伯)[413]이 음기(陰氣)를 몰고 나타나

일 척(尺)의 비가 쏟아져 진흙탕이 되고 3일 동안 장맛비가 내리면

---

407 강역(疆域) : 원문의 '원습(原隰)'은 높고 평평한 지대와 낮고 습한 지대. 즉 강역(疆域) 전체를 말한다.

408 악독(嶽瀆) : 악독은 큰 산[岳]과 큰 물[瀆]을 말하는 것으로 중국에서는 예부터 동악(東岳)에 태산(泰山), 남악에 형산(衡山), 서악에 화산(華山), 북악에 항산(恒山), 중앙에 숭산(崇山)을 오악(五岳)이라 하여 국가에서 융숭한 예절로 제사지내고 사면의 바다도 4독(四瀆)이라 하여 역시 융숭하게 제사 지낸다.

409 다 죽게 생겼으니 : 원문의 '근지(近止)'는 대명근지(大命近止), 즉 가뭄으로 인해 죽음의 운명이 가까이 다가왔다는 뜻이다. 《시경》 〈대아(大雅) · 운한(雲漢)〉에 "죽음이 가까운지라, 우러러 볼 곳 돌아볼 곳이 없노라.[大命近止 靡瞻靡顧]"라는 구절이 있는데, 여기서 유래한 말이다.

410 옥초산(沃焦山) : 동남쪽 바다에 있다는 전설상의 거대한 뜨거운 돌산이다. 바닷물이 이곳으로 흘러들어 즉시 말라 버리기 때문에 해류가 항상 동남쪽으로 흐르고 바닷물이 넘치지 않는다고 한다.

411 방타(滂沱) : 비가 새차게 쏟아지는 것을 말한다.

412 우사(雨師) : 비를 관장하는 신(神)이다. 《주례(周禮)》 〈대종백(大宗伯)〉에, "희생(犧牲)을 쌓아 놓은 섶 위에 올려놓고 태워서 사중(司中) · 사명(司命) · 풍사(飌師) · 우사(雨師)에게 제사를 지낸다."라고 하였다.

413 풍백(風伯) : 바람을 주관하는 풍신(風神)을 말한다. 자(字)는 비렴(飛廉)인데 폭풍을 일으킨다. 〈이소(離騷)〉에 "먼저 망서(望舒)로 하여금 앞에서 달리게 하고 뒤에 비렴으로 하여금 나누어 맡게 한다.[前望舒使前驅兮, 後飛廉使分屬]"라고 하였다.

물을 대어 이 남쪽 나라에 은택을 주어

서직(黍稷, 모든 곡식)이 들판에 우거짐이 억 년 만 년 흘러가게 하소서.

고명사의(顧名思義)[414]하시어 그 직분을 병들게 하지 마시고

우리 금신(衿紳)[415]이 찾아와 빌고 찾노니

이 명응(冥應) 울리시어 바라건대 하룻밤 사이를 지나지 마소서.

5월 27일.

5도(五度) 기우제를 설행한 일로 장계를 밀봉하여 아뢰었다.

〔장계〕

본 부 5도(五度) 기우제를 이번 27일에 설행한다는 계획의 연유를 이미 치계하였거니와, 신이 당일 축만제(祝萬堤)에서 정성스럽게 설행한 후 제관의 직함과 성명을 뒤에 개록하였습니다. 방금 접수한 본 부 판관(本府判官) 김한순(金漢淳)의 첩정에, "어제 오시(午時, 오전 11시~오후 1시)에 1려(犁)의 비가 내린 뒤에 때로는 보슬보슬 내리다가 때로는 세차게 쏟아져 당일 묘시(卯時, 오전 5시~ 오전 7시)에 1려(犁) 남짓의 비가 내렸습니다."라고 하였습니다. 신의 영(營)에 측우기 수심이 1촌(寸) 5푼(分)이 되어 전후(前後)의 통계가 도합 3촌(寸)이 되었습니다. 지금 뭉게구름

---

414 고명사의(顧名思義) : 이름을 보며 뜻을 생각한다는 말이다. 사람의 이름을 지을 때에는 글자 하나하나에 좋은 뜻을 담아서 짓는데, 이름의 주인이 자신의 이름을 돌아보고 그 뜻을 생각하며 살아간다는 의미이다.

415 금신(衿紳) : 금신(衿紳)은 대개 유자(儒者)의 옷을 입고 띠를 드리운 선비를 말하는데, 여기서는 군주로부터 벼슬을 받아 그 벼슬에 맞는 관복(官服)을 갖추어 입은 것을 표현한 말이다.

이 사방에서 모여 비가 내릴 듯한 기운이 짙으니 6도(度) 기우제는 이어지는 강우량의 많고 적음과 각 면(各面) 농사 형편이 어떠한 지 다시 살펴보고 정지할 지 곧바로 설행할 지를 차례로 등문(登聞)할 생각입니다. 이러한 연유를 치계합니다.

같은 날(5월 27일).

농사 일을 서로 권면(勸勉)하는 방법을 각 면에 신칙(申飭)하는 뜻으로 판관에게 감결을 발송하였다.

〔**감결**(甘結)〕

이상의 감결은 작금(昨今)에 내린 우택(雨澤)이 높고 낮은 전답에 두루 흡족하다고 할 수 없지만 낮은 전답에는 물을 끌어다 모를 옮겨 심고, 높은 전답은 흙덩이를 부수어 씨를 뿌리고 작물을 심도록 할 것이니 이는 마땅히 불에 타고 물에 빠진 위태로운 자를 구하는 것처럼 시각을 다투는 일이다. 이때 서로 돕고 권면하는 절의(節義)는 십분 유의하지 않을 수 없으니 당일 내에 각 면에 전령(傳令)하고 임장(任掌)[416]에게 신칙하여 천맥(阡陌)을 두루 다니며 착실하게 권독(勸督)하게 하라. 소가 없는 자는 소를 빌려주고 양식이 없는 자에게는 힘을 빌려주어 기한이 다 한 때에 맞춰 공효를 아뢰어 한 국자의 물도 놓치지 말게 하라. 수일 내에 적간할 사람을 나누어 보낼 계획이니 한 두둑 한 언덕이라도 옮겨 심을 만한 곳이

---

416 임장(任掌): 이임(里任) 또는 동임(洞任), 그리고 이를 보조하는 장무(掌務)를 함께 부르는 말이다. 이임은 관청의 요청에 응하여 그 마을의 대소사를 관장하는 사람이다.

있는데 옮겨 심지 않거나 씨를 뿌릴 수 있는데 씨를 뿌리지 않은 곳이 있다면 마땅히 해당 면의 이임(里任)은 결단코 '영을 어기고 게을리 행동한 벌(違令慢蹇之罰)'로 다스릴 것이다. 이러한 뜻을 말을 만들어 엄히 신칙하니 일이 되어 가는 형편 또한 즉시 첩보(牒報)하라.

갈은 날(5월 27일).

동장대(東將臺) 수개(修改)의 역사를 마쳤다【들어간 물력(物力)은 32냥(兩) 9전(戔) 8푼(分)이다】.

5월 29일.

며칠 전 쟁기질 할 정도로 내린 비가 끝내 흡족하지 못하고 금일 아침 짙은 안개가 흩어져 자못 개일 조짐이 있었다. 근심과 민망함이 더욱 깊어 장차 다시 규벽(圭璧)[417]을 바치고자 하였는데 오후부터 비가 부슬부슬 내리기 시작하여 늦게부터는 세차게 내리니 통쾌하고 갈망(渴望)이 조금 풀려 민정(民情)과 공사(公私)의 다행스러움이 무엇으로도 말할 수 없었다.

5월 30일.

우택과 농형 장계를 밀봉하여 아뢰었다.

417 규벽(圭璧) : 규벽(珪璧)과 같으며, 제사 지낼 때 예물로 바치는 옥이다. 《시경》〈운한(雲漢)〉에 "규벽도 다 썼는데 왜 호소를 들어주시지 않나.[圭璧旣卒, 寧莫我聽]"라는 구절이 있다.

〔장계〕

이달 27일에 3촌(寸)의 비가 내린 연유를 이미 치계하였거니와 방금 접수한 본 부 판관(本府判官) 김한순(金漢淳)의 첩정에, "이후 비가 부슬부슬 내리다가 혹은 그치고, 잠깐 흐렸다가 잠깐 해가 났습니다. 그러다 29일 오시(午時, 오전 11시~오후 1시) 즈음 다시 비가 내리기 시작하여 곧바로 주룩주룩 쏟아지니 당일 묘시(卯時, 오전 5시~오전 7시)까지 개천이 흘러넘치고, 멈추지 않고 비가 세차가 내려 아직 개일 기미가 없습니다."라고 하였으며 신의 영에 측우기 수심이 5촌 8푼이 되었습니다.

각 면의 농형(農形)은 비교(裨校)를 나누어 보내어 살펴보게 하니, "가을보리가 알이 맺혀 누렇게 익은 것은 이미 수확(登場)을 다하였고, 봄보리는 간간이 베어냈습니다. 올벼는 부종(付種)하여 두 벌 김매기를 시작하려하고, 늦벼는 건파(乾播)하여 초벌 김매기가 바야흐로 한창입니다. 두 차례 촉촉하게 내린 이후 모두 패연히 싹이 돋아났으며 그루갈이 할 콩과 팥은 지금 밭을 갈고 씨를 뿌렸습니다. 이앙은 낮은 논에 이미 모를 옮겨 심은 것은 한결같이 무성하고, 높고 마른 곳에 아직 옮겨 심지 못한 것은 차례로 옮겨 심을 예정입니다."라고 하였습니다. 일전에 쟁기질 할 정도로 내린 비가 흡족하지 못하여 간절히 옹축(顒祝)하였는데 단비(甘霈)가 끊임없이 내려 높고 낮은 곳을 막론하고 논밭에 물을 대기에 부족함이 없으니 백성의 일을 생각하면 진실로 다행입니다. 그러나 지금 모내기 시기가 원만(晼晩, 시기가 늦음)하여 추택(趨澤)이 시급하다고 하니 서로 권면하고 서로 돕는 방책을 판관에게 감결(甘結)

을 보내 신칙하였으며 기우제는 정지하였습니다. 이러한 연유를 치계합니다.

정유년丁酉年 1837년, 헌종憲宗 3년 6월

6월 1일.

동이 틀 무렵 객사(客舍)에 나아가 망궐례(望闕禮)를 행하는데 중군(中軍)과 판관(判官)이 진참하였다.

같은 날(6월 1일).

화령전(華寧殿)에 분향(焚香)하고 봉심(奉審)한 후에 장계(狀啓)를 밀봉하여 아뢰었다.

〔장계(狀啓)〕

신이 금일(今日), 화령전에 분향하고 나서 봉심하였는데 전내(殿內) 모든 곳이 무탈하였습니다. 방금 접수한 현륭원(顯隆園) 영(令) 이민기(李民耆)의 첩정에, "금일 원상(園上)과 전내를 봉심하였는데 무탈하였습니다."라고 하였습니다. 이러한 연유를 치계합니다.

6월 3일.

우택 장계(雨澤狀啟)를 밀봉하여 아뢰었다.

〔장계〕

지난달 30일 묘시(卯時, 오전 5시~오전 7시)에 5촌(寸) 8푼(分)의 비가 내린 연유를 이미 치계하였거니와 연이어 접수한 본 부 판관 김한순(金漢淳)의 첩정에, "이후 비가 부슬부슬 내리다가 혹은 주룩주룩 쏟아져 이달 초 2일 유시(酉時, 오후 5시~오후 7시)까지 내린 것이 서(鋤)와 려(犁)를 논하지 않고 크고 작은 개천에 물이 넘실거리지 않음이 없었습니다."라고 하였습니다. 이에 신의 영에 측우기(測雨器) 수심이 다시 8촌 8푼이 되어 전후로 통계가 합이 1척(尺) 4촌(寸) 6푼이 되었으며 초3일 묘시(卯時) 즈음에 바로 날이 활짝 개었다고 합니다. 이러한 연유를 치계합니다.

6월 5일.

화령전을 일차 봉심(日次奉審)하였다.

같은 날(6월 5일).

각 면에 농사를 권장하는 뜻으로 판관(判官)에게 감결(甘結)을 발송하였다.

〔감결〕

위 감결은 농상(農桑, 농사일과 누에치는 일)을 권장하는 것으로 영문(營門)에서 매일같이 고심하는 바이다. 봄을 지나 여름을 거치며 우택(雨澤)이 인색하여 물을 대어 심은 모〔秧〕는 소연(蕭然)히 말라버렸고, 밭에 경작하는 것은 자기(鎡基)[418]가 들어가지 않아 달이 넘도록 애를 태워 간과 폐가 타들어 갔는데 다행히 그믐과 초순 사이에 1척(尺)이 넘는 비가 넉넉하게 내려 높고 낮은 지대의 밭 할 것 없이 두루 흡족하지 않은 곳이 없으니 백성의 일을 생각하면 어찌 만 가지 행복을 이길 수

418 자기(鎡基) : 《맹자(孟子)》 〈공손추 상(公孫丑上)〉에 "제(齊)나라 사람의 말에 이르기를 '비록 지혜가 있으나 세력을 타는 것만 못하며, 비록 자기가 있으나 때를 기다리는 것만 못하다.'라고 하였으니, 지금 때는 그렇게 하기가 쉽다.〔齊人有言曰 : "雖有知(智)慧, 不如乘勢, 雖有鎡基, 不如待時" 今時則易然也.〕"라고 보이는데, 《집주(集註)》에 "'자기(鎡基)'는 농기구이다.〔鎡基, 田器也.〕"라고 하였다.

있겠는가! 모내기 철이 차만(差晩)[419]하여 추택(趨澤)이 시급하니 서로 권면하고 도와주는 방책을 일각도 헛되이 할 수 없는데 과연 일전의 감사(甘辭, 감결의 내용)에 의거하여 특별히 신칙하였는가? 처음에 편비(褊裨)를 나누어 보내어 면(面) 마다 적간하게 하고자 하였으나 관인들이 수 일간 외촌(外村)에 머무는 것이 폐를 끼칠 우려가 적지 않은 탓에 잠시 정지하지만 이러한 신칙을 결코 한 장의 전령으로 할 수 없어 전례를 갖춰어 지위(知委)하였다가 그칠 뿐이다. 각 창(倉)의 감색(監色)[420]은 모맥(牟麥, 보리) 환상(還上)[421]을 봉납(捧納)하여 각 면의 각 해창(該倉) 소속에 출거(出去, 출부(出付))하고 각 면의 권농 감색(勸農監色)을 차정(差定)하여 모맥 환상 전까지 각별히 동칙(董飭)하여 소가 없으면 소를 빌려주고 식량이 부족하면 식량을 도와서 파속(把束)[422]이라도 옮겨 심지 못하는 우려가 없게하라. 그중 혹시라도 병에 걸려 농사를 그만둔 자가 있으면 해당 고을의 두두인(頭頭人)[423]에게 각별히 칙유(飭諭)하여 힘을 합쳐 이앙하게 하고 추수할 때를 기다려 품삯을 받게 할 것이며, 이앙을 모두 마쳤다는 문서가 이달 보름 안에 인차(鱗次)[424]로 보고해

---

419 차만(差晩) : 기준이 되는 때보다 조금 늦음을 말한다.

420 감색(監色) : 간색(看色)이라고도 하며, 감관(監官)과 색리(色吏)를 합칭한 말이다. 감관(監官)은 궁가(宮家)와 관청에서 돈이나 곡식을 보관하여 지키며 출납을 맡아보는 관직이고, 색리(色吏)는 담당 아전(衙前)이란 뜻으로 감영(監營) 혹은 군아(軍衙) 등의 아전을 일컫는 말이다.

421 환상(還上) : 환자(還子)라고도 하는데, 각 고을의 사창(社倉)에서 춘궁기에 백성에게 꾸어주었던 곡식을 가을에 가서 받아들이는 일이다.

422 파속(把束) : 전답의 결세(結稅) 단위인 줌[把]과 뭇[束]을 말한다.

423 두두인(頭頭人) : 우두머리라는 뜻으로 정식 관직이나 직급은 아니지만 일정 직역이나 업무를 맡았던 책임자를 말한다.

424 인차(鱗次) : 비늘이 잇닿은 것처럼 차례(次例)로 잇닿아 오는 것을 말한다.

오면 농무(農務)를 조금 쉴 때를 틈 타 비로소 나누어 보내 적간할 계획이다. 한 두둑 한 언덕이라도 만일 묵히고 개간하지 않은 곳이 있거나 애매하게 이미 이앙을 마쳤다고 보고하는 자가 있으면 해면(該面)의 감색은 엄히 형벌하고 태거(汰去)[425]하여 결단코 너그럽게 용서하지 않을 것이니, 이와 같은 뜻으로 엄히 밝혀 말을 만들어 지위하라.

6월 6일.

길을 떠나 시흥(始興)에서 점심을 먹고 신각(申刻, 오후 3시~오후 5시)에 필곡(筆谷)에 당도하여 장계를 밀봉하여 아뢰었다.

〔장계〕

신이 묘당(廟堂)에 품의(稟議)할 일이 있어 당일 길을 떠나 상경(上京)하였습니다. 이러한 연유를 치계합니다.

6월 8일.

실록청(實錄廳)에 나아갔다.

6월 9일.

실록청에 나아갔다.

---

425 태거(汰去) : 죄과가 있거나 필요하지 않은 관원, 또는 구실아치 등을 가려내어 쫓아 내는 일을 말한다.

6월 10일.

진강(進講)[426]으로 입시(入侍)하였다.

같은 날(6월 10일).

우택(雨澤)과 농형(農形) 장계를 밀봉하여 아뢰었다.

〔장계〕

방금 접수한 본 부 판관(本府判官) 김한순(金漢淳)의 첩정에, "이달 초8일 신시(申時, 오후 3시~오후 5시) 즈음 비가 내리기 시작하여 때로는 보슬보슬 내리다가 때로는 주룩주룩 내리다가 때로는 그쳐 초9일 인시(寅時, 오전 3시~오전 5시)까지 내린 것이 거의 1서(鋤)가 되어 영하(營下)의 측우기 수심이 4푼이 되었습니다. 경내(境內) 농형은 봄보리는 자라 베어 수확하였고 올벼는 부종하여 두 벌 김매기가 한창이며 늦벼는 건파하여 초벌 김매기를 시작하려고 합니다. 높은 곳 메마른 땅에 아직 이앙하지 못한 것은 이제 바야흐로 옮겨 심으려하고 그루갈이한 콩과 팥은 한창 밭을 갈고 씨를 뿌리고 있습니다."라고 하였습니다. 이러한 연유를 치계합니다.

6월 12일.

실록청에 나아갔다.

426 진강(進講): 당일 진강한 내용은 다음과 같다. 丁酉六月初十日辰時, 上御熙政堂。進講入侍時, 右議政朴宗薰, 提學徐有榘,……有榘讀自子欲居九夷, 至何有於我哉, 仍奏釋義, 上讀新受音十遍訖, 命陳文義。有榘曰, 別無所奏之義矣。上曰, 玉堂陳之。(《承政院日記》〈憲宗〉 3年 6月 10日 丙辰).

같은 날(6월 12일).

본 영(本營)의 춘하등 포폄(春夏等褒貶)을 봉진(奉進)함에 있어 과천 현감(果川縣監) 정만교(鄭晩教)는 상피(相避)하여 부득이 성적을 상고(詳考)하지 못하는 일로 별도로 아뢰었다.

〔포폄등제(褒貶等第)〕

○ 화령전(華寧殿) 겸령(兼令) 김한순(金漢淳)

: 공경하고 근면하게 수행함, 상.

○ 겸위장(兼衛將) 박시회(朴蓍會)

: 성심을 다하여 지킴, 상.

○ 겸수문장(兼守門將) 김원호(金遠浩)

: 봉직(奉職)에 있어 각별히 근면함, 상.

○ 겸문수장(兼守門將) 김원호(金遠浩)

: 자물쇠를 지키는 일에 근면함, 상.

○ 판관(判官) 김한순(金漢淳)

: 일념으로 나라에 보답하고, 일마다 힘을 다함, 상.

○ 중군(中軍) 박시회(朴蓍會)

: 간략하나 해이(解弛)해지지 않고, 꼼꼼하게 잘 짜나 시각을 넘기지 않는다, 상.

○ 종사관(從事官) 김한순(金漢淳)

: 이치(吏治, 지방관의 치적(治績))와 융정(戎政)이 서로 필요로 하고 서로 도움, 상.

○ 검률(檢律) 변학수(卞學秀)

: 율례(律例)가 자못 숙달함, 상.

○ 별전사 파총(別前司把摠振) 진위 현령(振威縣令) 박장암(朴長馣)

: 최과(催科, 조세의 수납을 재촉함)에 마땅히 근면함, 상.

○ 별좌사 파총(別左司把摠) 용인 현령(龍仁縣令) 이종윤(李鍾允)

: 초정(初政)[427]을 수거(修擧)[428]함, 상.

○ 별중사 파총(別中司把摠) 김노학(金魯學)

: 어쩌면 한결같이 침굴(沈屈)[429]하지 않은가, 상.

○ 별우사 파총(別右司把摠) 안산 군수(安山郡守) 이준수(李俊秀)

: 군민(軍民)에게 원망하지 않음, 상.

○ 협수겸 파총(協守兼把摠) 시흥 현령(始興縣令) 이명원(李鳴遠)

: 날로 더욱 명예를 드날림, 상.

○ 척후장(斥堠將) 영화도 찰방(迎華道察訪) 오치건(吳致健)

: 재능이 도타운 자목(字牧)[430], 상.

○ 독성 겸파총(禿城兼把摠) 박시회(朴蓍會)

: 조적(糶糴)이 정밀하고 균등함, 상.

○ 둔아병 파총(屯牙兵把摠) 평신진 첨사(平薪鎭僉使) 박윤묵(朴允默)

: 세납(稅納)에 허물이 없음, 상.

〔장계〕

신(臣)의 영에 속하는 별오사파총(別五司把摠) 중 별후사파총(別後司把摠) 과천 현감(果川縣監) 정만교(鄭晩敎)는 신과 더불어 구

---

427 초정(初政): 임금이 처음으로 정사(政事)에 임하여 신하들에게 정치의 도리를 묻는 것. 《시경(詩經)》〈방락(訪落)〉에 "내 초정(初政)에 물어서 밝은 선왕(先王)을 따르려 한다."라고 한 데에서 나온 말이다. 여기서는 처음으로 지방관에 부임하여 일을 수행함을 말한다.

428 수거(修擧): 잘 다스려서 좋은 성과를 올림을 말한다.

429 침굴(沈屈): 아주 보잘것 없이 구차하게 됨을 이른다.

430 자목(字牧): 고을 백성을 사랑으로 다스리는 수령이나 목민관을 말한다.

생(舅甥)의 친족이 되기에 포폄(褒貶) 때에 부득이 함께 마감(磨勘)하지 못한 뜻을 전에 이미 별계(別啓)로 진문(陳聞)하였습니다. 그리고 금번 춘하등 포폄(春夏等褒貶)의 일도 부득이 관례에 따라 마감하지 못하였습니다. 이러한 연유를 치계합니다.

6월 13일.
실록청(實錄廳)에 나아갔다.

6월 14일.
우택 장계를 밀봉하여 아뢰었다.

〔장계〕

이달 초9일 인시(寅時, 오전 3시~오전 5시)에 4푼(分)의 비가 내린 연유를 이미 치계하였거니와 방금 접수한 본 부 판관(本府判官) 김한순(金漢淳)의 첩정에, "이후 흐리다가 혹은 맑았다하며 간혹 주룩주룩 쏟아지다가 13일 묘시(卯時, 오전 5시~오전 7시)까지 내린 것이 다시 1려(犁)가 되었습니다. 뭉게구름이 풀어지지 않고 오히려 개일 뜻이 없으며 영하(營下)의 측우기 수심이 1촌(寸) 5푼(分)이 되었습니다."라고 하였습니다. 이러한 연유를 치계합니다.

같은 날(6월 14일).
실록청에 나아갔다.

6월 15일.

실록청에 나아갔다.

같은 날(6월 15일).

화령전(華寧殿)을 봉심(奉審)하였는데 무탈한 일로 장계(狀啓)를 밀봉하여 아뢰었다.

〔장계〕

방금 접수한 화령전(華寧殿) 겸령(兼令) 김한순(金漢淳)의 첩정에, "이달 15일 분향한 뒤에 바로 봉심하였는데 전내(殿內) 모든 곳이 무탈하였습니다."라고 하였습니다. 동시에 도착한 현륭원 영(顯隆園令) 이민기(李民耆)의 첩정 내용에, "이달 15일 원상(園上)과 전내를 봉심하였는데 무탈하였습니다."라고 하였습니다. 이러한 연유를 치계합니다.

6월 16일.

실록청에 나아갔다.

6월 20일.

농형 장계(農形狀啟)를 밀봉하여 아뢰었다.

〔장계〕

방금 접수한 본 부 판관(本府判官) 김한순(金漢淳)의 첩정에, "경내 농형은, 올벼는 부종하여 두 벌 김매기를 이미 마쳤고 늦벼는 건파하여 두벌 김매기가 한창입니다. 일찍 이앙한 것은 초벌 김매기를 시작하였고, 늦게 이앙한 것은 지금 모내기를 마쳤으며 그루갈이 한 콩과 팥은 밭 갈고 씨 뿌리기를 거의 마쳤습니다."라고 하였습니다. 이러한 연유를 치계합니다.

같은 날(6월 20일).

실록청(實錄廳)에 나아갔다.

6월 21일.

실록청에 나아갔다.

6월 22일.

실록청에 나아갔다.

6월 24일.

실록청에 나아갔다.

6월 25일.

실록청에 나아갔다.

6월 26일.

실록청에 나아갔다.

6월 27일.

실록청에 나아갔다.

6월 28일.

실록청에 나아갔다.

6월 29일.

실록청에 나아갔다.

정유년丁酉年 1837년, 헌종憲宗 3년 7월

7월 1일.

화령전(華寧殿)을 봉심(奉審)하였는데 무탈한 일로 장계(狀啓)를 밀봉하여 아뢰었다.

〔장계(狀啓)〕

방금 접수한 화령전(華寧殿) 겸령(兼令) 김한순(金漢淳)의 첩정에, "이달 초1일 분향한 뒤에 바로 봉심하였는데 전내(殿內) 곳곳이 무탈하였습니다."라고 하였습니다. 동시에 도착한 현륭원 참봉(顯隆園參奉) 조병위(趙秉緯)의 첩정 내용에, "이달 초1일 원상(園上)과 전내에 봉심하였는데 무탈하였습니다."라고 하였습니다. 이러한 연유를 치계합니다.

같은날(7월 1일).

농형 장계(農形狀啟)를 밀봉하여 아뢰고 번계(樊溪)에 나아갔다.

〔장계〕

방금 접수한 본 부 판관(本府判官) 김한순(金漢淳)의 첩정에, "경내(境內) 농형은 올벼는 부종하여 세 벌 김매기가 한창이고 늦벼는 건파하여 두 벌 김매기를 이미 마쳤습니다. 이앙한 모는 초벌 김매기를 이미 마쳤고, 그루갈이 한 콩과 팥은 싹이 돋아나고 있습니다."라고 하였습니다. 이러한 연유를 치계합니다.

7월 6일.

번계(樊溪)에서 필곡(筆谷)으로 돌아왔다.

7월 7일.

서질(庶侄, 서자인 조카)의 혼사가 지나갔다.

7월 11일.

우택(雨澤)과 농형(農形) 장계를 밀봉하여 아뢰고 나서 바로 실록청(實錄廳)에 나아갔다.

〔장계〕

방금 접수한 본 부 판관(本府判官) 김한순(金漢淳)의 첩정에, "이달 초9일 오시(午時, 오전 11시~오후 1시) 즈음 비가 내리기 시작하여 때로는 보슬보슬 내리다가 때로는 주룩주룩 내려 초10일 묘시(卯時, 오전 5시~오전 7시)까지 내린 것이 거의 2려(犁)가 되어 영하(營下)의 측우기 수심이 2촌 4푼이 되었습니다. 경내 농형은, 올벼는 부종하여 한창 배태(胚胎)하였고 늦벼는 건파하여 세 벌 김매기를 이미 마쳤습니다. 그루갈이 한 콩과 팥은 호미질이 한창 입니다."라고 하였습니다. 이러한 연유를 치계합니다.

7월 12일.

실록청에 나아갔다.

7월 13일.

대전 탄신(大殿誕辰) 진하 전문(陳賀箋文)[431]을 한 차례 기영(畿營, 경기

431 진하전문(陳賀箋文) : 나라에 길흉의 일이 있을 때 신하가 임금께 써 올리던 사륙체(四六體)

감영)에 봉송(封送)하고 나서 바로 실록청(實錄廳)에 나아갔다.

〔전문(箋文)〕

엎드려 생각건대 만 억년 끝이 없이 천지(川至)의 복록(福祿)[432]을 크게 받으시어 오백 년의 운기(運氣)로 성인이 탄생하시니[433] 마침내 홍류(虹流)의 기약이 돌아왔습니다. 경사(慶事)는 환구(寰區, 천지(天地))에 넘치고 기쁨은 똑같이 도변(蹈抃)[434]합니다. 공경히 생각건대 하늘이 내려주신 큰 복을 타고 나시어 날로 성공(聖工)을 새롭게 하시고 총명예지(聰明叡智)하신 자태는 백 왕(百王) 중 으뜸으로 탁월하시며 중화위육(中和位育)[435]의 교화는 동산에 모인 여러 무리들을 잘 교육하셨습니다. 이에 드디어 주상전하의 탄신일(千秋之節)이 돌아옴을 당하여 더욱 백 복(百福)이 성대하게 이름을 우러러봅니다.

엎드려 생각건대 신은 자취는 화봉(華封)에 걸려있지만 정성으로 간절히 숭호(嵩呼)를 외치며 경루(瓊樓)[436]를 가까이 모시

의 글을 말한다.

432 천지(川至)의 복록(福祿) : 복이 냇물에 흐르듯이 더해간다는 뜻인데, 《시경(詩經)》 〈소아(小雅)·천보(天保)〉에, "높은 산과도 같고 대지와 같으며 산등성이 같고 언덕과도 같으며 강물이 흘러오듯 불어나는 복 한이 없구나(如山如阜, 如岡如陵, 如川之方至, 以莫不增.)"란 구절이 있다.

433 임금의 탄일(誕日)을 축복하는 뜻으로 한 말이다. 갈연(葛衍)의 〈성절도량소(聖節道場疏)〉에, "오백 년 만에 성인이 탄생하니, 하늘이 갑관의 상서를 내렸도다.〔五百年而有作, 天開甲觀之祥.〕" 하였다.

434 도변(蹈抃) : 발을 구르고 손뼉을 치며 기뻐함을 말한다.

435 중화위육(中和位育) : 천지의 기운이 화평하고 만물의 생육이 원만하게 됨을 말한다. 《중용장구(中庸章句)》 제1장에 "중(中)이란 천하의 위대한 근본이요 화(和)란 천하에 두루 통하는 도리이다. 중과 화를 완전히 실현하면 하늘과 땅이 제자리를 잡게 되고 만물이 제대로 성장한다.〔中也者, 天下之大本也, 和也者, 天下之達道也, 致中和, 天地位焉, 萬物育焉.〕"라고 하였다.

436 경루(瓊樓) : 경루(瓊樓)는 경루옥우(瓊樓玉宇)의 준말로, 신화 속에 나오는 월궁(月宮) 속의 누각 즉, 궁궐을 말한다. 송나라 신종(神宗) 때 소식(蘇軾)이 귀양 가 있으면서 〈수조사(水調詞)〉를 지었는데, 그 가사에 "다만 임금이 계신 궁궐 높은 곳이 추위를 이기지 못할까 염려

고 외람되이 호배(虎拜)하는 대열에 요함(瑤函)을 공손히 바치며 정성을 변오(抃鰲, 환호의 예)에 대강 다하였습니다. 신은 천성(天聖)을 우러르는 간절한 마음 가눌 길 없습니다.

7월 14일.

실록청에 나아갔다.

7월 15일.

대전 탄신 진하 전문을 규장각(奎章閣)에 한 차례 봉진(奉進)하고 나서 바로 실록청에 나아갔다.

〔전문〕

엎드려 생각건대 선극(琁極)[437]은 아름다운 복이 넘쳐 태형(泰亨, 크게 형통함)의 운을 크게 열고, 금감(金鑑)[438]은 송축(頌祝)을 올리고 진숙(震夙)[439]의 기약이 다시 돌아오니 8천 년을 봄으로 삼아[440] 5백 년에 성군(聖君)을 낳으셨습니다. 공경히 생각건대 큰

되네.〔只恐瓊樓玉宇, 高處不勝寒.〕"라고 했다. 이 노래가 전파되자, 신종이 듣고는 "소식이 끝까지 임금을 사랑하는구나."라고 하면서, 죄를 감하여 귀양지를 옮겨 주었다. 《송사(宋史)》 권338 〈소식열전(蘇軾列傳)〉.

437 선극(琁極) : 북두(北斗)의 추기(樞機)를 말하며, 일반적으로 임금을 일컫는다.

438 금감(金鑑) : 《천추금감록(千秋金鑑錄)》의 준말이다. 당 현종(唐玄宗)의 생일인 천추절(千秋節)에 다른 사람들은 관례에 따라 모두 귀한 거울〔寶鑑〕을 바쳤으나, 홀로 장구영(張九齡)은 정치에 거울이 될 만한 전대(前代)의 사적(事跡)을 엮어서 《천추금감록(千秋金鑑錄)》이라 하여 올렸다.

439 진숙(震夙) : 진(震)은 임신(妊娠)을 의미하고, 숙(夙)은 엄숙함을 의미하는 것으로, 진숙은 아들을 낳는 어머니가 산월(産月)을 당하여 측실(側室)에 거처할 때를 말한다. 《시경(詩經)》 〈대아(大雅)·생민(生民)〉에 "강원(姜嫄)이 주(周)나라 시조 후직(后稷)을 낳을 때 재진 재숙(載震載夙)하였다."라고 노래하였다.

440 8천 년을 봄으로 삼아 : 《장자(莊子)》 〈소요유(逍遙遊)〉에 "초나라 남쪽에 명령(冥靈)이라는 나무가 있는데 5백 년을 봄으로 삼고 5백 년을 가을로 삼으며, 상고 시대에 대춘(大椿)이라는 나무가 있었는데 8천 년을 봄으로 삼고 8천 년을 가을로 삼는다.〔楚之南有冥靈者, 以五百歲爲春, 五百歲爲秋, 上古有大椿者, 以八千歲爲春, 以八千歲爲秋.〕"라는 말이 나온다.

명을 계승하시고 연모(燕謀)[441]를 공경히 이으셨으며 삼주(三晝)[442]에 진념(軫念)하시어 충심(衷心)을 물어 살피셨습니다. 학문은 날로 나아감에 힘쓰시고 양전(兩殿)은 이유(怡愉)[443]의 기쁨으로 반드시니 효성은 출천(出天)[444]에 빛나십니다. 이에 북추(北樞)[445] 전요(電繞)[446]의 날이 돌아오니 남극(南極)[447] 성요(星曜)[448]의 상서로움을 더욱 우러릅니다. 엎드려 생각건대 신은 송구스럽게도 화봉(華封)의 직임에 있으나 정성은 규경(葵傾)[449]에 간절하니 크나큰 은혜 가슴 속 깊이 새기고 비록 연애(涓埃, 물방울과 티끌)의 진찰(塵刹)[450]을 갚지 못했으나 성절(聖節, 임금의 생일)을 맞이하여 그나마 송백(松柏)과 강릉(岡陵)을 헌축(獻祝)합니다. 신은 천성(天聖)을 우러르는 간절한 마음 가눌 길 없습니다.

---

441 연모(燕謀) : 자손(子孫)을 위한 좋은 계획을 말한다.

442 삼주(三晝) : 《주역(周易)》 〈진괘(晉卦)〉에 "낮 동안에 세 번 접견한다.[晝日三接]" 한 것에서 나온 말로 하루 사이에 임금과 신하가 조강(朝講)·주강(晝講)·석강(夕講)을 통해 세 번 접견함을 말한다.

443 이유(怡愉) : 기쁘고 즐거운 기색으로, 부모를 모시는 것이다. 당(唐)나라 한유(韓愈)의 〈원화성덕시(元和聖德詩)〉에 "기쁘고 즐거운 기색으로 태황후를 받들었다.[怡怡愉愉, 奉太皇后.]" 하였다

444 출천(出天) : 출천(出天)은 출천지효(出天之孝)을 나타내는 말로, 타고난 효성을 말한다.

445 북추(北樞) : 북극성, 즉 임금의 자리를 뜻한다.

446 전요(電繞) : 임금의 탄생일을 가리킨다. 《사기정의(史記正義)》 권1 〈오제본기(五帝本紀)〉에 "황제의 어머니인 부보(附寶)가 기(祁)의 들판에 갔을 적에, 번개가 크게 쳐서 북두칠성의 첫째 별을 휘감는 것[大電繞北斗樞星]을 보고는 감응하여 잉태한 뒤, 24개월 후에 수구(壽丘)에서 황제를 낳았다."라고 한 말에서 유래하였다.

447 남극(南極) : 남극(南極)은 남극노인성(南極老人星)으로, 남쪽 하늘에만 보이는 밝은 별인데, 옛날에는 이 별이 수명을 주관한다고 여겼기 때문에 수성(壽星)이라고도 불렀다.

448 성요(星曜) : 별을 보고 점치는 것을 말한다.

449 규경(葵傾) : 해바라기가 늘 해를 향해 핀다는 뜻으로, 임금에게 충성을 바치고자 하는 정성을 뜻한다. 《삼국지(三國志)》 권19 위서(魏書) 진사왕식전(陳思王植傳)에 이르기를, "해바라기가 꽃잎을 해를 향하여 기울이는 것과 같으니, 태양이 비록 해바라기를 위해 빛을 돌리지는 않으나, 해바라기가 해를 향하는 것은 정성인 것입니다." 하였다.

450 진찰(塵刹) : 진찰은 '진진찰찰(塵塵刹刹)'의 준말로, 불교에서 우주의 삼라만상이나 이 세상을 의미하기도 하는데 여기서는 티끌같이 하찮은 자신의 작은 재주를 의미하는 것으로 보인다.

같은 날(7월 15일).

화령전(華寧殿)과 현륭원(顯隆園)을 봉심(奉審)하였는데 무탈한 일로 장계(狀啓)를 밀봉하여 아뢰었다.

〔장계〕

방금 접수한 화령전(華寧殿) 겸령(兼令) 김한순(金漢淳)의 첩정에, "이달 15일 분향한 뒤에 바로 봉심하였는데 전내(殿內) 곳곳이 무탈하였습니다."라고 하였습니다. 동시에 도착한 현륭원 참봉(顯隆園參奉) 조병위(趙秉緯)의 첩정 내용에, "이달 15일 원상(園上)과 전내를 봉심하였는데 무탈하였습니다."라고 하였습니다. 이러한 연유를 치계합니다.

7월 16일.

우택 장계(雨澤狀啟)를 밀봉하여 아뢰었다.

〔장계〕

방금 접수한 본 부 판관(本府判官) 김한순(金漢淳)의 첩정에, "이달 14일 술시(戌時, 오후 7시~오후 9시) 즈음 비가 내리기 시작하여 때로는 주룩주룩 내리다가 때로는 흩뿌려 15일 묘시(卯時, 오전 5시~오전 7시)까지 내린 것이 기쁘게도 2서(鋤)가 되어 영하(營下)의 측우기 수심이 9푼이 되었습니다."라고 하였습니다. 이러한 연유를 치계합니다.

7월 18일.

대전 탄신(大殿誕辰)에 문안반(問安班)으로 진참하였다.

7월 19일.

실록청(實錄廳)에 나아갔다.

같은 날(7월 19일).

우택으로 장계 밀봉하여 아뢰었다.

〔장계〕

이달 15일 묘시(卯時, 오전 5시~오전 7시)에 9푼(分)의 비가 내린 연유를 이미 치계하였거니와, 방금 접수한 본 부 판관(本府判官) 김한순(金漢淳)의 첩정에, "이후 흐리다가 혹은 맑았다하며 간혹 흩뿌리다가 혹은 주룩주룩 쏟아져 18일 묘시(卯時)까지 내린 것이 거의 3려(犁)가 되어 영하(營下) 측우기 수심이 3촌 7푼이 되었습니다."라고 하였습니다. 이러한 연유를 치계합니다.

7월 20일.

실록청(實錄廳)에 나아갔다.

7월 21일.

열성 지장(列聖誌狀)[451]에 속인(續印)의 역사(役事)가 있어 감인 각신(監印閣臣)으로 수점(受點, 임금의 재가를 받음)하고 이날 회동(會同)하여 내각(內閣)에 나아갔다가 바로 실록청에 나아갔다.

451 열성 지장(列聖誌狀):《열성지장통기(列聖誌狀通紀)》를 가리킨다. 조선 태조의 4대 선조인 목조(穆祖)·익조(翼祖)·도조(度祖)·환조(桓祖)로부터 영조(英祖)의 원비(元妃)인 정성왕후(貞聖王后)에 이르기까지 각 인물의 행실·행장(行狀)·지문(誌文)·신도비명(神道碑銘)·표석음기(表石陰記)·책문(冊文)·악장(樂章)·제문(祭文)·선위(禪位)·교서(敎書)·교명문(敎命文)·반교문(頒敎文) 등을 모아 엮은 책이다.

7월 22일.

농형 장계(農形狀啓)를 밀봉하여 아뢰었다.

〔장계〕

방금 접수한 본 부 판관(本府判官) 김한순(金漢淳)의 첩정에, "경내 농형(農形)은 올벼는 부종하여 한창 이삭이 패고 늦벼는 건파하여 간혹 배태(胚胎)하였습니다. 이앙은 세 벌 김매기를 이미 마쳤고, 그루갈이 한 콩과 팥은 호미질을 이미 마쳤습니다."라고 하였습니다. 이러한 연유를 치계합니다.

7월 25일.

실록청(實錄廳)에 나아갔다가 오후에 내각(內閣)에 나아가 지장(誌狀, 지문(誌文)과 행장(行狀))을 교준(校準)하였다.

7월 26일.

실록청에 나아갔다.

7월 28일.

우택(雨澤) 장계를 밀봉하여 아뢰었다.

〔장계〕

방금 접수한 본 부 판관(本府判官) 김한순(金漢淳)의 첩정에, "이달 25일 해시(亥時, 밤 9시~밤 11시) 즈음 비가 시작되어 때로는 흩뿌리고 때로는 주룩주룩 쏟아져 27일 묘시(卯時, 오전 5시~오전 7시)까지 내린 것이 서와 려(鋤犁)[452]를 논하지 않고 크고 작은 개천에 물이 넘실거리지 않음이 없었으며 영하(營下)의 측우기 수심이 7촌 7푼이 되었습니다."라고 하였습니다. 모든 곡식이 이삭이 패는 사이 1척(尺)에 가까운 비가 내려 씨앗을 뿌리는 걱정이 없지 않다고 하기에 각 면에 농형(農形)은 태락(汰落)의 유무를 낱낱이 조사하여 보고할 것을 판관에게 신칙하였습니다. 이러한 연유를 치계합니다.

7월 29일.

우택(雨澤)과 축만제(祝萬堤) 서수문(西水門)이 궤결(潰決)된 일로 장계를 밀봉하여 아뢰고 나서 바로 실록청에 나아갔다.

〔장계〕

이달 27일 묘시(卯時, 오전 5시~오전 7시)에 7촌(寸) 7푼(分)의 비가 내린 연유를 이미 치계하였거니와, 방금 접수한 본 부 판관(本府判官) 김한순(金漢淳)의 첩정에, "이후 연이어 주룩주룩 비가 쏟아져 영하(營下)의 측우기(測雨器) 수심이 다시 1촌 2푼을 더하여 전후 통계가 8촌 9푼이 되었으며, 28일 인시(寅時, 오전 3시~오전 5시) 즈음 비로소 활짝 개였습니다.

1척에 가까운 비가 일시에 갑자기 쏟아져 축만제 서수문 양 변(兩邊) 안쪽이 불어난 물에 밀려 침식되어 점차 깎여 무너져도 막을 길이 없었으며 수문(水門) 좌우에 궤결(潰決)된 동막이가 열 뼘(把) 가량 되었습니다. 그러나 동막이 아랫 부분에 전답은 수문(水門) 아래 물길이 본래부터 깊고 넓어 비록 궤결

452 서(鋤)와 려(犁) : 호미와 보습을 말한다. 우택(雨澤)의 관측 단위로 서(鋤)는 땅으로 스며든 빗물의 깊이를 땅을 파고 호미날의 길이를 이용하여 측정한 것이고 려(犁)는 빗물의 깊이를 땅을 파고 보습날의 길이를 이용하여 측정한 것을 말한다.

된 뒤라고 하더라도 물이 옛 물길을 따라 곧바로 내려가 제방 아래 전답의 침손(浸損)과 태복(汰覆)이 퍽 심하지는 않았습니다."라고 하였습니다. 판관과 중군에게 감결을 보내 지위(知委)하여 궤결된 제방의 동막이를 속히 보축(補築)하여 지금에 미쳐 못에 물을 저축할 수 있게하라고 하였습니다. 이러한 연유를 치계합니다.

7월 30일.

실록청에 나아갔다.

정유년丁酉年 1837년, 헌종憲宗 3년 8월

8월 1일.

실록청(實錄廳)에 나아갔다.

같은 날(8월 1일).

화령전(華寧殿)과 현륭원(顯隆園)을 봉심(奉審)하였는데 무탈한 일로 장계(狀啓)를 밀봉하여 아뢰었다.

〔장계(狀啓)〕

방금 접수한 화령전(華寧殿) 겸령(兼令) 김한순(金漢淳)의 첩정(牒呈)에, "이달 15일 분향(焚香)한 뒤에 바로 봉심하였는데 전내(殿內) 곳곳이 무탈하였습니다."라고 하였습니다. 동시에 도착한 현륭원 영(顯隆園令) 이민기(李民耆)의 첩정 내용에, "이달 초1일 원상(園上)과 전내를 봉심하였는데 무탈하였습니다."라고 하였습니다. 이러한 연유를 치계합니다.

8월 2일.

농형 장계(農形狀啟)를 밀봉하여 아뢰고 나서 바로 실록청(實錄廳)에 나아갔다.

〔장계〕

방금 접수한 본 부 판관(本府判官) 김한순(金漢淳)의 첩정에, "일전에 큰 비가 내린 후 하천가 낮은 지대의 전답은 약간 침손(侵損)된 것이 없지 않습니다. 그러나 날이 활짝 개인 후 각 곡(各穀)이 곧바로 소성(蘇醒)하였으며 올벼는 부종하여 누런빛을 띠고 늦벼는 건파하여 이삭이 팼습니다. 이앙(移秧)은 배태(胚胎)하였고 그루갈이 한 콩과 팥은 꽃이 피었습니다."라고 하였습니다. 이러한 연유를 치계합니다.

8월 3일.

제주목(濟州牧) 세공마(歲貢馬)[453] 가운데 10필을 정식(定式)에 의거하여 집류(執留)한 일로 장계를 밀봉하여 아뢰고 나서 바로 실록청에 나아갔다.

〔장계〕

신의 영에 별효사(別驍士)[454]가 받은 말(馬)이 나이가 다 해 죽게 되어 사복시(司僕寺)[455]가 회계(回啓)[456]한 정식(定式)에 의거하여 지금 온 제주목 세공마 중 10필을 집류하였습니다. 동(同) 마필(馬匹)의 수효(數爻)와 화모색(禾毛色, 털과 이의 빛깔)을 성책하여 해시(該寺, 사복시)에 수송(修送)하였습니다. 이러한 연유를 치계합니다.

8월 4일.

내각(內閣)에 나아가 지장(誌狀)을 교준(校準)하고 나서 바로 실록청

---

453 세공마(歲貢馬): 연말에 각 목장(牧場)에서 공상하는 말이다.

454 별효사(別驍士): 1793년(정조 17)에 수원에 설치한 총리영(摠理營)에 딸린 군사이다. 인원은 2백 명이다. 매년 봄가을에 활쏘기 시험을 보여 뽑았으며, 이 중에서 몰기(沒技)한 자에게는 전시에 직부하는 특전을 준다.

455 사복시(司僕寺): 태조 원년에 창설한 것으로 임금의 여마(輿馬)와 구목(廐牧)에 관한 일을 맡아보는 관청이다.

456 회계(回啓): 임금의 하문(下門)에 대하여 심의(審議)하여 보고를 하던 일을 말한다. 회달(回達)이라고도 한다.

에 나아갔다.

8월 5일.

실록청에 나아갔다.

8월 6일.

실록청에 나아갔다.

같은 날(8월 6일).

축만제(祝萬堤)의 궤결(潰決)된 곳에 보축(處補)의 역사(役事)를 시작하였다는 일로 보첩(報牒)이 도착하였다.

〔중군 보첩(中軍報牒)〕

축만제 서수문(西水門)의 궤결된 곳에 보축의 역사를 이달 초6일 시작하였습니다. 이러한 연유를 치계합니다.

8월 7일.

열성 지장(列聖誌狀)에 개인(開印)[457]하는 일로 내각(內閣)에 나아갔다.

8월 9일.

추석(秋夕) 향역(享役)이 가까워져 영(營)으로 돌아가야 하기 때문에 어제는 내각(內閣)에 나아가지 못했다. 여러 동료들이 식가(式暇)[458]

457 개인(開印) : 관부(官府)의 인신(印信)을 열어 문안(文案)에 찍는 일을 말한다.

458 식가(式暇) : 관원(官員)에게 주는 규정된 휴가(休暇)를 말한다.

나 병고(病故) 때문에 어제 정원(政院)에 나아간 관리가 없어 자교(慈教, 자전(慈殿)의 하교)께서 거듭 하명하여 곡절을 알리게 했다. 나는 공적인 업무로 영(營)에 돌아왔기에 비록 까닭이 없이 나아가지 않은 것이 아니지만 황송한 자취에 여러 동료들과 더불어 다름없이 내각에 달려 나갔다가 늦게 사차(私次)에 돌아왔다. 자교의 하명에 따라 어제 내각에 나아가지 않은 각신의 하인에게 병조(兵曹)로 하여금 곤장(棍杖)을 치라고 명하였다. 황축(惶蹙)[459]하고 진박(震剝)[460]하여 여러 동료들과 함께 왕복하며 황공한 심정을 연명(聯名)하여 꾸짖음을 청하는 것이 어떠한 지 상의하였다. 밤이 깊은 후에 갑자기 처분을 내리시어 명(命)을 환수(還收)하라고 하셨다.

8월 10일.

내각에 나아가 감인(監印)하였다.

8월 11일.

향역(享役)이 가까워짐으로 인해 부득불 길을 떠나 과천(果川)에서 점심을 먹고 신각(申刻, 오후 3시~오후 5시)에 영(營)으로 돌아와 장계를 밀봉하여 아뢰었다.

---

459 황축(惶蹙) : 황공(惶恐)하여 몸을 움추림을 뜻한다.

460 진박(震剝) : 진박(震剝)은 진괘(震卦, ䷲)와 박괘(剝卦, ䷖)를 가리키는데, 모두 좋지 못한 일을 의미한다. 《주역(周易)》 〈진괘(震卦)〉에 "연거푸 오는 우레가 진괘이니, 군자가 이를 보고서 두려워하며 덕을 닦고 반성한다.〔洊雷震, 君子以, 恐懼修省.〕"라고 하였다. 또 〈박괘(剝卦)·육사(六四)〉에 "상을 깎아 살갗에 이름이니 흉하다.〔剝牀以膚, 凶.〕"라고 하였다. 가슴이 떨리고 매우 두려운 상황을 가리킨다.

〔장계〕

신(臣)이 묘당(廟堂)에 품의(稟議)할 일이 있어 상경(上京)하였다가 당일 영으로 돌아왔습니다. 이러한 연유를 치계합니다.

8월 12일.

축만제(祝萬堤)에 나가 보축(補築)의 형편을 살펴보았다.

8월 13일.

농형 장계(農形狀啓)를 밀봉하여 아뢰었다.

〔장계〕

방금 접수한 본 부 판관(本府判官) 김한순(金漢淳)의 첩정에, "경내(境內) 농형은, 올벼는 한창 베어 수확하는 중이고 늦벼는 건파하여 일찍 이앙한 것은 이미 모두 싹이 팼고 늦게 이앙한 것은 간간이 싹이 팼으며 그루갈이 한 콩과 팥은 열매를 맺었습니다."라고 하였습니다. 이러한 연유를 치계합니다.

같은 날(8월 13일).

건릉(健陵) 추석제향에 헌관(獻官)[461]으로 이노집(李魯集)[462] 대감이 내려왔다.

---

461 헌관(獻官) : 나라에서 제사지낼 때 임시로 임명하여 술잔을 올리는 관원을 말한다.

462 이노집(李魯集) : 1773~1841. 조선 후기 문신으로 자는 치성(穉成)이다. 본관은 덕수(德水)이고, 거주지는 여주(驪州)이다. 1807년(순조 7) 정시 문과에 병과 2위로 급제한 뒤, 1816년(순조 16) 중시 문과에 장원으로 급제하였다. 관직은 사간원대사간(司諫院大司諫)·성균관대사성(成均館大司成)·사헌부대사헌(司憲府大司憲)·예방승지(禮房承旨) 등을 두루 역임하였다.

8월 14일.

현륭원(顯隆園) 추석제향에 헌관으로 향축(香祝)을 모시고 원소(園所)에 나아갔다.

8월 15일.

제향(祭享)을 설행하고 난 뒤 장계를 밀봉하여 아뢰웠다. 건릉 헌관(健陵獻官) 이 입부(入府)하였다가 곧 출발하였다.

〔계본(啓本)〕

삼가 제향(祭享)의 일로 아룁니다.

이달 15일, 현륭원 추석제향(秋夕祭享)에 신이 헌관으로 진참(進參)하고 설행한 뒤에 원상(園上)을 봉심하였는데 잡초와 잡목이 없었으며 사산(四山) 내에도 함부로 범작(犯斫)하는 폐단이 없었습니다. 이에 제관(祭官)의 직함과 성명을 뒤에 개록하였습니다. 이러한 연유를 치계합니다.

같은 날(8월 15일).

동이 틀 무렵 객사(客舍)에 나아가 망궐례(望闕禮)를 행하는데 판관(判官)과 중군(中軍)이 진참하였다.

같은 날(8월 15일).

능·원소(陵園所) 추대봉심(秋大奉審) 후 장계를 밀봉하여 아뢰었다.

〔계본〕

삼가 봉심(奉審)한 일을 아룁니다.

신이 이달 15일, 건릉(健陵) 능상(陵上)·정자각(丁字閣)·비각(碑

閣) 이하 모든 곳과 현륭원 원상·정자각·비각 이하 탈이 있는 곳에 봉심한 후, 탈이 있는 곳과 제기(祭器)·잡물(雜物)이 파손된 것을 삼가 연석(筵席)에서 아뢰어 새로운 정식(定式)에 의거하여 신의 영(營) 관천고(筦千庫)에서 편리에 따라 개수하였습니다. 수목(樹木)은 화소(火巢)가 넓고 멀어 일일이 적간(摘奸)할 수 없으나 날날이 사정을 살펴 감히 범작(犯斫)하는 폐단이 없도록 능원을 관리하는 곳에 각별히 신칙(申飭)하였습니다. 만년제(萬年堤) 동막이 안을 모두 간심(看審)하니 모두 무탈하였으며, 앵봉(鸎峰) 부석소(浮石所)는 편비(褊裨)를 보내어 적간하니, "봉표(封標) 내도 무탈합니다."라고 하였습니다. 이러한 연유를 치계합니다.

같은 날(8월 15일).

화령전 추대봉심(秋大奉審) 후에 장계를 밀봉하여 아뢰었다.

〔장계〕

화령전 추맹삭(秋孟朔, 음력 7월) 대봉심을 원래 정한 것이 지난 15일인데, 마땅히 거행해야 하오나 신이 서울에서 아직 돌아오지 못하여 부득이 거행하지 못했습니다. 이달 15일 분향(焚香)한 후에 겸령(兼令) 신(臣) 김한순(金漢淳)과 겸위장(兼衛將) 신(臣) 박시회(朴蓍會)와 더불어 함께 봉심하였는데 전내 모든 곳이 모두 무탈하였습니다. 이러한 연유를 치계합니다.

8월 19일.

축만제 역소(役所)에 나가 패장(牌將)[463]과 역부(役夫)에게 궤향(饋餉, 음식을 먹여 위로함)하였다.

8월 20일.

화령전에 일차 봉심(日次奉審)하였다.

8월 21일.

영(營)에서 길을 떠나 시흥(始興)에서 점심을 먹고 신각(申刻, 오후 3시~오후 5시)에 필곡(筆谷)에 도착하여 장계를 밀봉하여 아뢰었다.

〔장계〕

신이 묘당(廟堂)에 품의(稟議)할 일이 있어 당일 길을 떠나 상경(上京)하였습니다. 이러한 연유를 치계합니다.

8월 23일.

내각(內閣)에 나가 감인(監印)[464]하고 나서 바로 실록청(實錄廳)에 나아갔다.

8월 24일.

농형 장계(農形狀啓)를 밀봉하고 나서 바로 실록청에 나아갔다.

---

463 패장(牌將) : 관청이나 일터에서 일꾼을 거느리는 사람이다.

464 감인(監印) : 공문(公文)을 시행할 때에 감인관(監印官)이 그 사목(事目) 내에 착오가 없는 지 살핀 후에 도장을 찍던 일을 말한다.

〔장계〕

방금 접수한 본 부 판관(本府判官) 김한순(金漢淳)의 첩정에, "경내 농형은, 올벼는 베어 수확을 이미 마쳤고 늦벼는 건파(乾播)하여 일찍 이앙한 것은 모두 누런빛을 띠고 늦게 이앙한 것은 이미 싹이 다 팼으며 그루갈이 한 콩과 팥은 열매를 맺었습니다."라고 하였습니다. 이러한 연유를 치계합니다.

8월 26일.

실록청에 나아갔다.

8월 27일.

열성 지장(列聖誌狀)에 인간(印刊)을 마치고 이날 인정전(仁政殿)[465]에 책을 바치러 나아갔을 때 진참하고 나서 바로 실록청에 나아갔다.

8월 28일.

내사(內賜) 열성 지장(列聖誌狀) 1건을 공경히 받았다.

전교(傳敎)에 이르길, "열성 지장(列聖誌狀)을 봉모당(奉謨堂)에 3건, 주합루(宙合樓)·내각(內閣)·외규장각(外奎章閣)·5곳의 사고(史庫)·서고(西庫)·홍문관(弘文館)·장서각(藏書閣)에 각 1건씩 봉안하라. 봉조하(奉朝賀)[466] 남공철(南公轍), 영부사(領府事) 이상황(李相璜), 판부사(判府事) 심상

465 인정전(仁政殿) : 창덕궁의 정전(正殿)이다. 조하(朝賀) 등 각종 의식을 치르는 공간으로 주로 쓰이고, 실제 정무는 편전(便殿)인 희정당(熙政堂) 등에서 보았다.

466 봉조하(奉朝賀) : 종2품 이상의 관원이 사임한 뒤에 특별히 주던 벼슬로, 종신토록 봉록을 받으며 조하(朝賀)와 기타 의식이 있을 때만 대궐에 나가 참여하였다.

규(沈象奎), 우의정(右議政) 박종훈(朴宗薰), 제학(提學) 조인영(趙寅永), 원임 제학(原任提學) 정원용(鄭元容), 제학(提學) 서유구(徐有榘), 원임 직제학(原任直提學) 김로(金鏴), 검교 직제학(檢校直提學) 서희순(徐熹淳), 원임 직제학(原任直提學) 정기선(鄭基善)과 박기수(朴綺壽), 직제학(直提學) 박영원(朴永元), 원임 직각(原任直閣) 서준보(徐俊輔)·이광문(李光文)·이가우(李嘉愚)·김매순(金邁淳)·이경재(李景在)·김정집(金鼎集)·오취선(吳取善), 검교 직각(檢校直閣) 이공익(李公翼), 직각(直閣) 정최조(鄭宬朝), 원임 대교(原任待敎) 이헌위(李憲瑋)·김정희(金正喜)·김영순(金英淳), 검교 대교(檢校待敎) 김홍근(金興根)·조두순(趙斗淳)·김학성(金學性)·김수근(金洙根), 대교(待敎) 김영근(金英根), 행 도승지(行都承旨) 김도희(金道喜), 좌부승지(左副承旨) 이인고(李寅皐), 우부승지(右副承旨) 윤치정(尹致定), 동부승지(同副承旨) 송응룡(宋應龍), 주서(注書) 윤교성(尹敎成)·유치영(俞致榮), 별겸 춘추(別兼春秋) 신석우(申錫愚), 검열(檢閱) 조석우(曺錫雨), 응교(應敎) 이시원(李是遠), 부응교(副應敎) 서원순(徐元淳), 교리(校理) 이서(李㥠)와 임백경(任百經), 부교리(副校理) 이노확(李魯確)과 조운승(曺雲承), 수찬(修撰) 남헌교(南獻敎)와 김재근(金在根), 부수찬(副修撰) 박내화(朴來華)에게 각각 1건씩 사급(賜給)하라."라고 하셨다.

8월 29일.

대전(大殿)·중궁전(中宮殿)·태묘(太廟)에 전알(展謁)하고 경모궁(景慕宮)과 경우궁(景祐宮)을 전배 할 때 배종(陪從)하였다. 궁으로 돌아온 다음 문안반(問安班)으로 진참하였다.

8월 30일.

열성 지장(列聖誌狀)을 감동(監董)한 각신(閣臣)으로 내하 표피(內下豹皮) 1령(令)을 공경히 받았다.

전교(傳敎)에 이르길, "열성 지장을 감동한 각신 이하의 별단(別單)을 기록하여 들이라."라고 하셨다. 다시 전교에 이르길, "제학(提學) 조인영(趙寅永)과 서유구(徐有榘), 검교 직제학(檢校直提學) 서희순(徐熹淳)에게 각 내하 표피(內下豹皮) 1령(令)씩을 사급(賜給)하라. 직제학(直提學) 박영원(朴永元), 검교 대교(檢校待敎) 김흥근(金興根)과 조두순(趙斗淳)에게 각 내하 호피(內下虎皮) 1령씩을 사급하라. 검교 직각(檢校直閣) 이공익(李公翼), 직각(直閣) 정최조(鄭最朝), 검교 대교(檢校待敎) 김학성(金學性)과 김수근(金洙根), 대교(待敎) 김영근(金英根)에게 내하 녹피(內下鹿皮) 각 1령씩을 사급하라. 검서관(檢書官) 안계량(安季良)·김봉서(金鳳敍)·김기순(金箕淳)·강진(姜溍)에게 각 내하 후궁(內下帿弓) 1장씩을 사급하라. 원역(員役) 등은 모두 해조(該曹)로 하여금 후하게 분등(分等)하여 시상(施賞)을 하되 창준(唱準)[467]·계사(計士)[468]·사자관(寫字官)[469]·공장(工匠) 등은 본각(本閣)에서 전례를 참고하여 해조(該曹)로 하여금 후하게 분등하여 시상하고 진상할 때 원역(員役) 등은 해조(該曹)로 하여금 분등하여 시상하라."라고 하셨다.

467 창준(唱準): 소리를 내어 읽어 가며 대조하는 일이다. 또는 교서관(校書館) 잡직(雜職) 중에서 원고를 창독(唱讀)하며 교정(校訂)하는 일을 담당하는 사람을 '창준' 또는 '사준(司準)'이라고 하였다.

468 계사(計士): 하급 관원의 하나로, 회계, 공물이나 자재 수납 등 계산이 필요한 업무를 맡았다.

469 사자관(寫字官): 승문원(承文院)·규장각(奎章閣)의 벼슬. 주로 문서(文書)를 정사(精寫)하는 일을 맡아보았다.

정유년丁酉年 1837년, 헌종憲宗 3년 9월

9월 1일.

화령전(華寧殿)과 현륭원(顯隆園)에 봉심(奉審)하였는데 무탈한 일로 장계(狀啓)를 밀봉하여 아뢰었다.

〔장계(狀啓)〕

방금 접수한 화령전 겸위장(兼衛將) 박시회(朴蓍會)의 첩정(牒呈)에, "이달 초1일 분향(焚香)한 뒤에 바로 봉심하였는데 전내(殿內) 곳곳이 무탈하였습니다."라고 하였습니다. 동시에 도착한 현륭원 참봉(顯隆園參奉) 이극성(李克聲)의 첩정 내용에, "이달 초1일 원상(園上)과 전내를 봉심하였는데 무탈하였습니다."라고 하였습니다. 이러한 연유를 치계합니다.

9월 3일.

실록청(實錄廳)에 나아갔다.

9월 4일.

실록청에 나아갔다.

9월 5일.

농형 장계(農形狀啓)를 밀봉하고 나서 바로 실록청에 나아갔다.

〔장계〕

방금 접수한 본 부 판관(本府判官) 김한순(金漢淳)의 첩정에 "경내(境內) 농형은, 늦벼는 건파(乾播)하여 일찍 이앙(移秧)한 것은 간혹 베어 수확을 이미 마쳤고 늦게 이앙한 것은 이미 누런빛을 띄며, 그루갈이 한 콩과 팥도 누런빛을 띄었습니다. 지난달 17일 영풍(獰風, 모진 바람)이 크게 불어 본 부(本府)의 바닷가에 잇닿은 각 면에는 해일(海溢)의 근심이 많은 탓에 장리(將吏)를 나누어 보내어 그들로 하여금 적간(摘奸)하게 하니, 송동(松洞)·오정(梧井)·광덕(廣德)·가사(佳士)·현암(玄巖)·포내(浦內)·장안(長安)·우정(雨正)·압정(鴨汀)·초장(草長)·청룡(靑龍)·숙성(宿城)·종덕(宗德)·수북(水北)·오타(五朶)등 15개 면은 모두 바다에 인접한 면(面)으로 피해를 입은 논이 90여 결(結)이 되었습니다."라고 하였습니다. 해일의 상황은 비록 정묘(丁卯, 1807년, 순조 7)와 을미(乙未, 1835년, 헌종 원년) 양 년에 대단히 손상을 입은 것에는 미치지 못하지만 이처럼 각 곡(各穀)이 무르익는 시절에 바닷가 후미진 지역의 농가가 이 같은 흉년을 만나니 진실로 긍민(矜悶)함이 간절하기에 곳곳을 좇아다니며 자세히 조사하고 사실에 따라 급재(給災)[470] 하였습니다. 언답(堰畓)[471]이 무너진 곳은 해리(該里)로 하여금 힘을 합해 수축(修築)하여 영원히 묵정밭이 되는 땅에 이르는 일이 없도록 각별히 본 부 판관에게 신칙(申飭)하였습니다. 이러한 연유를 치계합니다.

---

470 급재(給災): 재해를 입은 농지(農地)에 대하여 피해 정도에 따라 일정한 비율로 세금을 면제하거나 경감해 주는 일을 말한다.

471 언답(堰畓): 바닷가에 제방을 쌓고 만든 논이나, 저수지의 물을 빼고 이를 논으로 바꾼 것을 언답 또는 언전(堰田)이라고 한다.

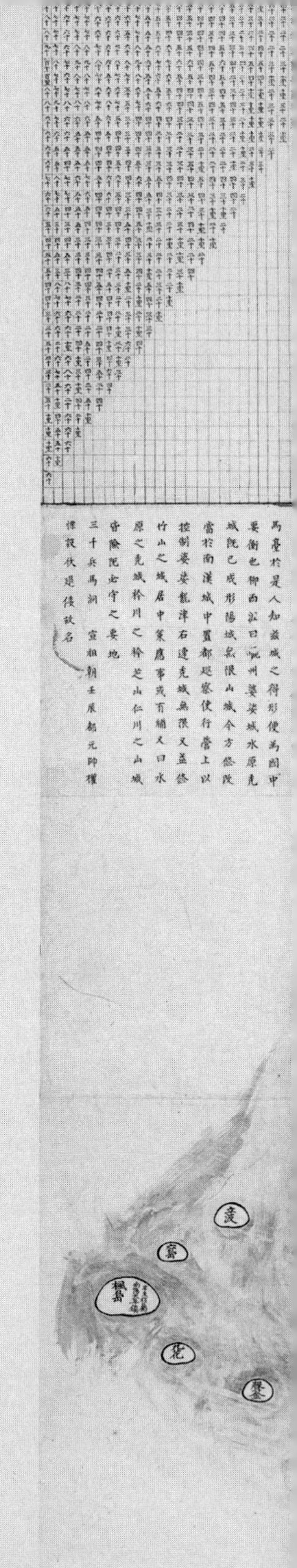

《수원부지도(水原府地圖)》(서울대학교 규장각 한국학연구원)

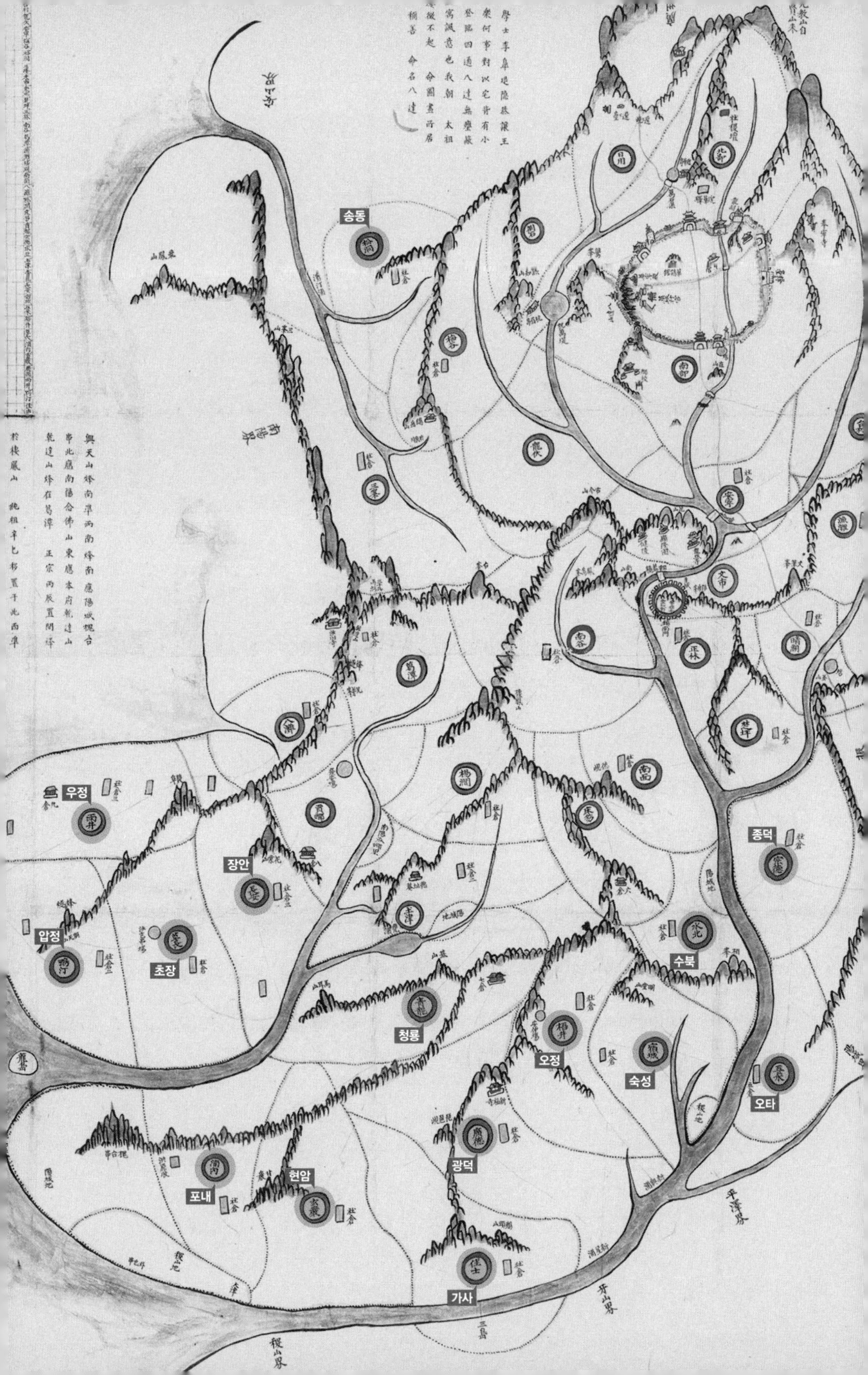

송동
우정
장안
압정
초장
종덕
수북
청룡
오정
숙성
오타
광덕
포내
현암
가사
平澤界
牙山界
稷山界

9월 6일.

실록청(實錄廳)에 나아갔다.

9월 7일.

실록청에 나아갔다.

9월 8일.

실록청에 나아갔다.

9월 9일.

풍순(豊淳)[472]이 번리(樊里)에서 황교(黃橋)의 새로 정한 집으로 세간을 싣고 이사하였다. 이날 동대문 밖에 나가 사우(祠宇)를 모시고 와 봉안(奉安)하여 다례를 행하였다.

9월 10일.

실록청에 나아갔다.

같은 날(9월 10일).

본 부(本府)에서 구관(句管)하는 각 도의 모곡(耗穀)이 부족한 것과 탕채급대미(蕩債給代米, 빚을 탕감하기 위해 급대할 쌀)를 획급(劃給)하는 일로 주사(籌司) 관문(關文)이 도착하였다.

472 풍순(豊淳) : 서풍순(徐豊淳, 1816~1857)을 말한다. 서유구의 형인 서유본의 손자로 서유본의 아들 서민보(徐民輔, 1783~1805)의 양자로 들어왔다.

〔관문〕

비변사(備邊司)에서 상고할 일.

"이번에 계하하신 비변사의 계사에, '수원(水原)에서 구관하는 각 도의 곡시 견축조(見縮條)는 금년 모미(耗米) 1,225석 영(零)과 탕채급대미(蕩債給代米) 600석을 해부(該府)에서 아뢰어 급대하기를 청하였습니다. 지방(支放)[473]의 부족한 모(耗)를 다른 것에서 대신 획급함은 연례가 되다시피 하였으니, 영남(嶺南)에 있는 본 사(本司) 구관 각종 명색의 곡식 회록모(會錄耗)[474] 및 가분모(加分耗)[475] 중에서 절미(折米)[476]하여 획급하여 가져다 쓰게 하는 것이 어떻겠습니까?'하니, 답하시기를 '윤허한다.'라고 전교하셨다. 전교의 내용을 받들어 살펴서 시행하라."

9월 12일.

대전(大殿)께서 인정전(仁政殿)에 나아가 영칙(迎勅)[477]하실 때에 종승(從陞)하였다가 내전(內殿)으로 돌아오신 뒤에 문안반(問安班)으로 진참하였다.

---

473 지방(支放) : 관아의 일꾼이나 병영(兵營)의 군사에게 늠료(廩料)를 지급하는 일이나 그 늠료를 말한다.

474 회록모(會錄耗) : 세금이나 기타 공물을 징수할 때, 자연적으로 감소되는 것을 보충하기 위해 1할을 더 거두고 그것을 따로 계상(計上)하여 보관하던 쌀을 말한다.

475 가분모(加分耗) : 환곡의 운용에 있어, 분급하지 않고 창고에 남겨 두는 양과 분급하는 양에 대한 규정을 초과하여 분급하는 쌀을 가리킨다. 중앙의 승인 하에 유고곡(留庫穀)의 일부를 분급(分給)하는 것으로, 심하게 흉년든 경우와 같은 특별한 상황에서 각 지방에서 가지고 있는 환곡의 원래 정해져 있는 유고곡의 비율을 줄이고 분급곡(分給穀)의 비율을 늘리기도 한다. (문용식, 《조선 후기 진정과 환곡 운영》, 경인문화사, 2001).

476 절미(折米) : 환곡을 받아들일 때 축날 것을 예상하고 한 섬에 몇 되씩 더 받아들이는 쌀을 말한다.

477 영칙(迎勅) : 중국 황제의 칙서를 갖고 오는 사신을 영접하는 것을 말한다.

9월 14일.

반사문(頒赦文)을 공경히 받고 일이 진행되는 상황을 밀봉하여 아뢰었다.

〔사문(赦文)〕

왕이 말하노라. 대혼(大昏)[478]은 백복(百福)의 근원을 영접하여 황상(黃裳)[479]이 길함과 합당하고 중국 조정[中朝]은 구장의 복〔九章之服〕[480]을 반포하니 단위(丹闈, 천자가 있는 궁궐)에 소봉(疏封)하였다. 이에 널리 포고하여 기쁨을 함께하는 뜻을 보이노라. 생각건대 묘궁(眇躬)[481]이 외람되이 홍서(鴻緖)[482]를 계승하여 어진 배필을 얻어 이렇게 적유(翟褕)[483]를 맞이하여 열조(列祖)께서 후대를 일깨워 주시는 기반을 계승하였다. 왕도는 부부(夫婦)에서 시작되니 태모(太母)께서 좋은 아내를 맞이하라[迎相][484]는 명을 받들었고, 천덕(天德)이 건곤(乾坤, 임금과 왕비)에 합

---

478 대혼(大昏):천자와 제후의 결혼을 가리킨다. 《예기》〈애공문(哀公問)〉의 "예를 강습하는 방법으로 경(敬)이 크고, 경의 지극함으로는 대혼(大婚)이 크다.〔所以治禮, 敬為大, 敬之至矣, 大昏為大.〕"라고 한 데서 나온 말이다.

479 황상(黃裳):《주역(周易)》 곤괘(坤卦) 육오(六五)의 효사(爻辭)에 나오는 말로 황후(皇后)의 정위(正位)를 말함. 곧 왕후를 가리키는 말로 쓰였다.

480 구장의 복〔九章之服〕:황제(皇帝)나 임금이 입는 아홉 가지 그림을 그린 복장(服章)으로 천자의 면복에 용(龍)·산(山)·화충(華蟲)·화(火)·종이(宗彛)·조(藻)·분미(粉米)·보(黼)·불(黻)의 그림을 수놓았다. 《주례(周禮)》〈춘관(春官)·사복(司服)〉.

481 묘궁(眇躬):'묘궁(眇躬)'은 작고 하찮은 몸이라는 뜻으로, 주로 임금이 자신을 낮추어 쓰는 표현이다.

482 홍서(鴻緖):임금이 국가를 통치하는 대업을 말한다.

483 적유(翟褕):꿩을 수놓은 왕후의 옷으로, 왕후를 상징한다.

484 좋은 아내를 맞이하라〔迎相〕':원문의 '영상〔迎相〕'은 《의례(儀禮)》〈사혼례(士婚禮)〉에 아버지가 친영(親迎)하러 가는 아들에게 술을 따라 주는 초례(醮禮)를 행하면서 "어서 가서 네 짝을 맞이하여 우리 집안 제사를 이어받도록 하라.〔往迎爾相, 承我宗事.〕"라고 명한 말에서 나온 것이다.

작하니 육궁(六宮)[485]의 아름다운 칭송이 드날렸다. 형패(珩珮, 장식으로 차는 옥)를 치고 가르침을 지키면서, 칠묘(七廟)[486]에 명인(明禋)[487]하고 빈번(蘋蘩)[488]을 정성껏 바쳐 주가(周家) 이남(二南)의 아름다움을 밝히었다. 한몸과 같은〔齊體〕[489] 여극(儷極)[490]을 사랑하여 한실(漢室) 장추궁(長秋宮)의 제도(制度)를 본받아 예물을 갖추어 정명(正名)[491]을 마땅히 하였도다. 이에 특사〔專价〕가 진주사(陳奏使)[492]의 행렬로 사뢰 황지(皇旨, 황제의 분부)가 허준(許準)하는 전례를 계획하여 동방의 나라〔青邱〕가 집양(執壤)[493]하는 예를 베풀어 원하는 것이 있으면 반드시 따르라는 자정(紫庭, 중국 황실)의 사책(錫册)의 은혜를 맞이하니 참으로 마음이 쓰러

---

485 육궁(六宮) : 고대에 천자의 황후는 정침(正寢)에 거처하였고, 3부인(夫人)과 9빈(嬪)과 27세부(世婦)와 81어처(御妻)는 5개의 연침(燕寢)에 나누어 거처하였다. 육궁은 이 여섯 처소를 말하며, 이 처소에 거처하는 천자의 비빈(妃嬪)들을 총체적으로 가리킨다.

486 칠묘(七廟) : 《예기》 〈왕제(王制)〉에 "천자(天子)는 칠묘이니, 삼소(三昭), 삼목(三穆)과 태조(太祖)의 묘이다."라고 하였는데, 여기서는 종묘(宗廟)를 일컬은 것이다.

487 명인(明禋) : 정성스럽고 공경하게 올리는 제향을 말한다.

488 빈번(蘋蘩) : 네가래와 산흰쑥 즉, 변변치 않은 제물(祭物)을 일컫는다. 《춘추좌씨전(春秋左氏傳)》 은공(隱公) 3년에 "진실로 확실한 신의만 있다면…빈번(蘋蘩)과 온조(蘊藻) 같은 변변치 못한 야채와 나물이라도…귀신에게 음식으로 올릴 수가 있고, 왕공에게도 바칠 수가 있는 것이다.〔苟有明信,…蘋蘩蘊藻之菜,…可薦於鬼神, 可羞於王公.〕"라는 말이 나온다.

489 한몸과 같은〔齊體〕 : 원문의 제체(齊體)는 몸을 나란히 한다는 말로, 일체(一體) 즉 부부(夫婦)를 지칭한다. 반고(班固)의 《백호통(白虎通)》 〈가취(嫁娶)〉에 "처(妻)라는 것은 나란함〔齊〕이니, 남편과 몸을 나란히 하는 것인바, 천자로부터 서인에 이르기까지 그 의의가 똑같다.〔妻者, 齊也, 與夫齊體, 自天子下至庶人, 其義一也.〕"고 하였다. 《예기(禮記)》 〈내칙(內則)〉의 두주(頭註)에는 부인이 남편과 서로 필적하다라고 하였다.

490 여극(儷極) : 지존(至尊)의 배우자라는 뜻으로, 왕비(王妃)를 이르는 말.

491 정명(正名) : 명칭이나 명분을 바르게 하여 명실상부(名實相符)하게 한다는 뜻이다. 자로(子路)가 공자에게 위(衛)나라에서 정사를 펼치게 된다면 가장 먼저 무엇을 할 것이냐고 물었을 때, 공자가 "반드시 명분을 바르게 할 것이다.〔必也, 正名乎.〕"라고 하였다. 《논어(論語)》 〈자로(子路)〉.

492 진주사(陳奏使) : 조선 시대 중국에 통고할 일이 있을 때 임시로 보내는 사신을 말한다.

493 집양(執壤) : 토산물(土産物)을 천자에게 조공(朝貢)하는 일이다. 《서경》 〈강왕지고(康王之誥)〉에 "감히 토산물을 가져다 바치옵니다.〔敢執壤奠〕" 한 데서 온 말이다.

져 부르짖지 않을 수 있겠는가.

이 즈음 함명(銜命)의 사신이 겨우 돌아와 엄연(儼然)하게 선고(宣誥)하는 칙서(勅書)가 빠르게 임하여 성사(星槎)[494]가 석목(析木)[495]의 궤도로 치달리니 은혜가 나타나 함께 기뻐하며 궤총(繢總)으로 주헌(珠軒, 아름다운 궁궐)의 꾸밈을 갖추매 은혜가 문채 나는 반포를 감돌았다. 지니(啓芝)[496]를 여니 준명(駿命)이 하늘에 일어나고 낭함(琅函)[497]을 받드니 용광(龍光)[498]이 땅에 비친다. 곤위(壼位)가 새로 임함을 기뻐하여 욕의(縟儀)는 이미 면영(冕迎)[499]에 이루어지고 황령(皇靈, 황제의 영혼)이 널리 퍼지는 은혜를 입어 현호(顯號)가 새유(璽諭, 옥새(玉璽)를 찍은 유지(諭旨))에 마침내 바루어지니 기쁨이 온 나라에 넘치고 하례는 왕실에 오른다. 금(琴)과 슬(瑟)이 화합하여 소리를 내니 육례(六禮)의 식희(飾喜)[500]가

494 성사(星槎) : 은하수에 왕래하는 뗏목을 뜻하는 말로, 사신이 타는 배 즉, 사신의 행차를 가리키는 말로 주로 쓰인다. 중국 한나라 때 어떤 사람이 해저(海渚)에서 뗏목[槎]을 타고 은하수에 이르렀다가 견우와 직녀를 만났다는 전설이 진(晉)나라 장화(張華)가 지은 《박물지(博物志)》에 보인다. 《형초세시기(荊楚歲時記)》에는 한나라 무제(武帝)가 장건(張騫)으로 하여금 대하(大夏)에 사신으로 가서 황하(黃河)의 근원을 찾게 하였는데, 장건이 뗏목을 타고 가다가 견우와 직녀를 만났다는 기록이 보인다. 이로 인해 사행(使行)을 성사(星槎)로 칭하게 되었다.

495 석목(析木) : 별자리 이름이다. 이십팔수 중 기(箕), 두(斗)에 해당하고, 황도십이궁(黃道十二宮) 중 인마궁(人馬宮)에 해당하며, 십이지(十二支)의 인(寅)에 해당한다. 옛날 중국에서는 국가의 위치를 별들의 방위에 따라 배분하여 불렀는데, 우리나라와 중국 북경이 여기에 속한다 하여 이 지역을 석목지위(析木之位)라 불렀다. 《진서(晉書)》 권11 〈천문지 상(天文志 上)〉.

496 지니(芝泥) : 지니(芝泥)는 지금의 인주를 말한 것인데 즉 검인(檢印)하였다는 말이다.

497 낭함(琅函) : 중국 황제가 조서(詔書)를 내렸다는 말이다. 원문의 '낭함(琅函)'은 옥으로 만든 함으로 귀중한 글이나 서적을 보관하는 것인데, 전하여 훌륭한 글이나 서적을 뜻한다.

498 용광(龍光) : 총광(寵光)과 같은 말로 황제가 내려 주는 은총을 뜻한다.

499 면영(冕迎) : 면복(冕服)을 입고 친영례(親迎禮)를 행한다는 뜻으로, 임금의 혼례를 이르는 말이다.

500 식희(飾喜) : 음악을 가리킨다. 《예기(禮記)》 〈악기(樂記)〉의 "음악은 선왕이 기쁨을 드러내는 방법이었으며, 군대와 부월은 선왕이 노여움을 드러내는 방법이었다.[夫樂者, 先王之所以飾喜也, 軍旅鈇鉞者, 先王所以飾怒也.]"라는 말에서 유래한 것이다.

바르게 속하였고 뇌우(雷雨)[501]가 풀어주는 은택〔解澤〕으로 마땅히 온 나라에 담은(覃恩)[502]이 미치게 하리라.

이달 12일 새벽, 이전에 지은 죄로 모반(謀反)과 대역모반(大逆謀叛) 죄, 자손이 조부모나 부모를 계획적으로 죽였거나 구타하고 욕한 죄, 처첩(妻妾)이 남편을 계획적으로 죽인 죄, 노비(奴婢)가 주인을 계획적으로 죽인 죄, 고의로 사람을 죽인 죄, 온갖 저주〔魘魅蠱毒〕[503]로 사람에게 해독을 끼친 죄 등 국가와 강상(綱常)에 관계된 죄, 장오(贓汚)[504]·강도와 절도죄, 잡범(雜犯)으로서 죽을 만한 죄를 제외하고는 도류(徒流)[505] 이하 부처(付處)[506], 안치(安置)[507], 충군(充軍)[508]에 해당하는 죄는 배소(配

---

501 뇌우(雷雨) : 임금이 은택을 내리는 것을 뜻하는 말로, 《주역》 〈해괘(解卦)·상(象)〉에 이르기를 "뇌우가 일어남이 해(解)이니 군자가 이를 보고서 허물이 있는 자를 사면하고 죄가 있는 자를 용서한다.〔雷雨作, 解, 君子以赦過宥罪.〕" 한 데서 나온 말이다.

502 담은(覃恩) : 은택(恩澤)을 널리 베푸는 것이다. 옛날에 조정에 경사가 있을 때, 임금이 신하에게 내리는 봉증(封贈)·상사(賞賜)·사면(赦免) 등을 통틀어 담은이라고 하였다.

503 온갖 저주〔魘魅蠱毒〕 : 원문의 '고독(蠱毒)'은 남을 저주하는 데 쓰는 벌레로, 온갖 벌레를 그릇에 담아 두면 서로 잡아먹고 최후까지 남는 것이 있는데, 그것이 귀신처럼 생겼고 사람에게 화(禍)를 입힌다. 염매(魘魅)는 사술(邪術)로 저주하여 꿈따위에 무서운 형상이 보이게 하여 죽이는 것. 이 죄를 처벌하는 법규는 《대명률(大明律)》 〈형률(刑律)·조축고독살인(造畜蠱毒殺人)〉에 보인다.

504 장오(贓汚) : 벼슬아치가 부정하게 뇌물을 받거나 관유물을 사사로이 취하고, 직권이나 부정한 방법으로 재물을 취득한 것을 말한다.

505 도류(徒流) : 도형(徒刑)과 유형(流刑). 도형은 비교적 중한 죄를 범한 자를 관가에 소속시켜 노역(勞役)에 종사하게 하는 형벌이고, 유형은 더욱 중한 죄를 범한 자를 먼 곳에 보내어 고향에 오지 못하게 하는 형벌인데, 도형·유형에는 장형(杖刑)을 병과(倂科)한다.

506 부처(付處) : 중도부처(中途付處)의 준말로, 유배(流配)에 처한 죄인에게 그 정상을 너그럽게 참작하여 배소(配所)로 가는 도중에 한 곳을 정하여 지내게 하는 처벌이다.

507 안치(安置) : 유배형(流配刑)의 하나로 보통 귀양은 귀양간 땅에서 다시 구속을 받지 않았으나, 이는 귀양 간 곳에서 일정한 장소에 한하여 거주를 제한하는 것이며, 대개 왕족이나 높은 벼슬을 한 사람에게만 적용하였다.

508 충군(充軍) : 조선 시대에 죄를 범한 자를 군역에 복무하도록 한 형벌. 신분의 고하와 범죄의 경중에 따라 충군에 차등이 있었는데, 대개 정군(正軍)으로서의 군역이 아니고 고된 천역(賤役)인 수군(水軍)이나 국경수비대 등에 충당되었다.

所, 귀양지)에 도착했건 도착하지 않았건, 범행 사실이 밝혀졌건 밝혀지지 않았건, 판결을 받았건 받지 않았건 간에 모두 용서하라. 감히 이 사면 교서 이전의 사건을 가지고 서로 고발하거나 말하는 자에게는 그 죄로써 죄줄 것이니 관직에 있는 자에게는 각각 한 자급(資級)[509]씩 가자(加資)하되 자궁(資窮)[510]에 해당될 경우에는 대가(代加)[511]하라. 아! 음교(陰敎)를 굉연(紘綖)[512]에 넓히시어 초원(初元)[513]의 다스림을 극진히 도와 나라의 기반이 과질(瓜瓞)[514]에 굳건히 하여 본지백세(本支百世)[515]의 복〔祺〕이 넘쳐 흐를 것이다. 이에 교시(敎示)하니 의당 잘 알아야 할 것이다.

---

509 한 자급(資級) : 조선 시대 때 벼슬에 따른 품위(品位)의 등급. 정(正)·종(從)·각 품(品)마다 상(上)·하(下) 두 자급이 있었으므로 총 36자급이 있었다.

510 자궁(資窮) : 품계가 당하(堂下) 정3품 하계(下階)인 통훈대부(通訓大夫)까지 다 올라간 것을 말한다. 당하관은 품계로는 자궁이 되고 관직으로는 준직(準職)을 거쳐야 당상관으로 가자(加資)되어 정3품 상계(上階)인 통정대부(通政大夫)에 오를 수 있었다.

511 대가(代加) : 품계(品階)를 올려 줄 사람을 대신하여 그 아들·사위·동생·조카들에게 대신 그 품계를 올려 주던 일을 말한다.

512 굉연(紘綖) : 면류관을 장식하는 끈을 말하는데, 귀현(貴顯)한 집안의 부녀가 근검의 미덕을 갖춘 전고로 쓰인다. 노(魯)나라 공보 문백(公父文伯)이 퇴근하여 어머니 경강(敬姜)을 뵈니 열심히 방적(紡績)을 하고 있었다. 문백이 "우리 집 주모(主母)께서도 길쌈을 하신단 말입니까." 하니, 경강이 탄식하며 "옛날에 왕후도 몸소 현담(玄紞)을 짰고, 공후(公侯)의 부인은 굉연(紘綖)을 더 만들고, 경(卿)의 내자(內子)는 대대(大帶)를 만들고, 대부의 명부(命婦)는 제복(祭服)을 완성하고, 열사(列士)의 처(妻)는 조복(朝服)을 더 만들고, 서사(庶士) 이하가 각각 그 남편의 옷을 지어 입혔다." 하였다. 《국어(國語)》 〈노어(魯語)〉 하(下).

513 초원(初元) : 임금이 즉위한 초년으로, 옛날 황제들이 원년(元年)을 바꾼 데서 온 말이다.

514 과질(瓜瓞) : 오이 덩굴이다. 《시경(詩經)》 〈대아(大雅)·면(綿)〉에, "얽히고 얽힌 과질이여〔綿綿瓜瓞〕."라 하고, 그 주에, 오이덩굴이 처음에는 번성하므로, 주(周) 나라의 왕실이 처음에는 약했다가 나중에 커진 것을 비유하였다. 여기서는 왕실의 번성함을 말한 것이다.

515 본지백세(本支百世) : 종실이 영원히 현영(顯榮)한다는 뜻으로, 《시경》 〈대아(大雅)·문왕(文王)〉에 "문왕의 자손들이여, 본손(本孫)과 지손(支孫)들이 백세토록 이어지리로다.〔文王孫子本支百世〕"라는 말이 나온다.

〔장계〕

방금 접수한 본 부 판관(本府判官) 김한순(金漢淳)의 첩정 내용에, "반사문 1건을 이달 초8일 유시(酉時, 오후 5시~오후 7시) 즈음, 무겸(武兼)[516] 고경혁(高慶赫)이 가지고 왔기에 예문에 의거하여 공손히 받아 반포하였습니다."라고 하였습니다. 이러한 연유를 치계합니다.

9월 15일.

화령전(華寧殿)과 현륭원(顯隆園)을 봉심(奉審)하였는데 무탈한 일로 장계(狀啓)를 밀봉하여 아뢴 후 번계(樊溪)로 나가 자연경실(自然經室)에 머물렀다.

〔장계〕

방금 접수한 화령전 겸령(兼令) 김한순(金漢淳)의 첩정에, "이달 15일 분향한 뒤에 바로 봉심하였는데 전내(殿內) 곳곳이 무탈하였습니다."라고 하였습니다. 동시에 도착한 현륭원 참봉(顯隆園參奉) 이극성(李克聲)의 첩정 내용에, "이달 초1일 원상(園上)과 전내를 봉심하였는데 무탈하였습니다."라고 하였습니다. 이러한 연유를 치계합니다.

9월 16일.

저녁에 필곡(筆谷)에 돌아왔다.

---

516 무겸(武兼) : 무신 겸 선전관(武臣兼宣傳官)의 약칭으로, 무관이 선전관을 겸직(兼職)한 것을 말한다.

9월 18일.

길을 떠나 과천(果川)에서 점심을 먹고 신각(申刻, 오후 3시~오후 5시)에 영(營)에 도착하여 장계를 밀봉하여 아뢰었다.

〔장계〕

신(臣)이 묘당(廟堂)에 품의(稟議)할 일이 있어 상경(上京)하였다가 당일 영에 돌아왔습니다. 이러한 연유를 치계합니다.

9월 19일.

서리가 내려〔霜降〕 장계를 밀봉하여 아뢰었다.

〔장계〕

방금 접수한 본 부 판관(本府判官) 김한순(金漢淳)의 첩정에, "이달 18일 새벽에 서리가 내렸습니다."라고 하였습니다. 이러한 연유를 치계합니다.

같은날(9월 19일).

외탕고(外帑庫) 봉부동(封不動)[517] 10,000냥을 양남(兩南, 호남(湖南)과 영남(嶺南))에 작곡(作穀)[518]하는 일로 비국(備局, 비변사)에 보고하였다.

〔보첩〕

본 부(本府) 외탕고 봉부동이 지금 장부에 기록된 것은 12,800여 냥이 됩니다. 전수(典守)하는 방도로는 돈〔錢〕이 곡식

---

517 봉부동(封不動) : 국가의 중대한 비상사태에 대비하기 위하여 은이나 포목 등을 별도로 저장하여 봉해 두고 쓰지 않는 것을 말한다. 비상시 이외에는 절대로 쓰지 않는 것이 규례이다.

518 작곡(作穀) : 포목, 기타 곡물 이외의 품목으로 징수하는 대동세 등을 곡물로 바꾸어 거두는 것을 말한다.

만 못할 뿐 아니라 양남과 양서(兩西, 황해도와 평안도)는 모두 본부가 구관(句管)[519]하는 곡식이니 지금 만약 외탕전(外帑錢) 중에 10,000냥을 상정가(詳定價)로 외도(外道)에서 작곡(作穀)하면 절미(折米) 3,300여 석을 얻을 수 있다고 합니다. 또, 모곡 위에 모곡을 더하여 해마다 자식(滋殖)[520]하면 탕고에 세입전이 3,000냥이 되고, 이것을 차츰 봉장(封樁)[521]하여 4년이 차면 합이 12,000냥이 됩니다. 위의 범례 의하여 10,000냥을 제출(除出)[522]하여 작곡(作穀)하면 10년을 넘지 않아 수만여 석을 얻을 수 있습니다. 이를 이른바 보관 된 돈꾸러미가 천만이어도 수량(銖兩)[523]이 제때에 들어오는 것만 못하다는 것입니다. 이것은 다만 본 부(本府)에만 크게 보익(補益)할 뿐만 아니라 이렇게 곡식이 날로 줄어드는 때를 당하여 수만 석의 작곡(作穀)이 외도(外道)에 있으면 한 치(寸)를 얻더라도 한 치가 한 치가 되는 해(害)가 아닌 바, 비변사에서 일의 형편을 참량(參量)하여 영남과 호남 중에 각 1,650석씩 분배하여 작곡(作穀)하고, 화성 외탕곡(華城外帑穀) 명분으로 내년부터 다른 예에 근거하

---

519 구관(句管) : 한 지역 또는 한 가지 사무를 맡아 다스리는 것. 담당(擔當) · 담임(擔任) · 관장(管掌)의 뜻이다.

520 자식(滋殖) : 재산(財産)이나 가축(家畜) 따위를 불려 늘리는 것을 말한다.

521 봉장(封樁) : 송대(宋代)에 시행한 재정(財政) 제도의 하나로 연말에 남은 예산을 모두 쓰지 않고 봉해 두었다가 급한 용도에 대비하도록 한 것이다. 《송사기사본말(宋史紀事本末)》 〈태조건륭이래제정(太祖建隆以來諸政)〉에, "3년 8월에 봉장고(封樁庫)를 설치하였다. 태조가 형(荊) · 호(湖) · 서촉(西蜀)을 평정하고 나서 재화를 수습하여 별도로 내고(內庫)를 만들어 저장해 놓고 이를 봉장(封樁)으로 호칭하였다. 연말에 쓰고 남은 재화를 모두 그곳에 보관해 두었다가 군사의 식량이나 흉년의 구휼에 대비하였다."라고 하였다.

522 제출(除出) : 일정한 수량이나 수효에서 일부를 덜어 내는 것이다.

523 수량(銖兩) : 매우 작은 무게 단위로, 1근의 1/16이 1냥(兩)이고, 1냥의 1/24이 1수(銖)이다.

여 염산(斂散)[524]하여 연말에 원 획곡(元劃穀)을 마감할 때 취모(取耗)[525]하고 일체 본 부(本府)에서 마감(磨勘) 해야 합니다. 비록 흉년이 되더라도 절대 혼입(混入)하지 말고 정감(停減)[526]의 뜻을 정식(定式)으로 엄히 밝히어 영구히 준행할 일로 관문(關文)을 띄워 지위(知委)하십시오.

9월 20일.

화령전을 일차 봉심(日次奉審)하였다.

같은 날(9월 20일).

화령전 감제 각신(監祭閣臣)[527]으로 김학성(金學性)[528] 영감(令監)이 내려왔다.

9월 21일.

향을 받들고 전내(殿內) 재실(齋室)에 나아갔다.

---

524 염산(斂散): 염적(斂糴)과 산조(散糶). 곧 빈민을 구제하기 위한 정책의 한 가지. 염적은 쌀값이 쌀 때에 관(官)에서 이를 사들이는 일이며, 산조는 쌀값이 폭등할 때에 정부가 싼 값으로 파는 일이다.

525 취모(取耗): 취모십일(取耗什一)로, 환자(還子)의 모곡(耗穀)을 보충하기 위하여 빌린 곡물의 10분의 1을 이식(利息)으로 받는 일을 말한다.

526 정감(停減): 흉년이 들어 백성이 조세(租稅)를 제대로 내기 어려울 때 나라에서 그 정도에 따라 징수하지 않거나 감하여 주는 일을 말한다.

527 감제 각신(監祭閣臣): 제사 지내는 여러 가지 의절을 감독하는 각신을 말한다.

528 김학성(金學性): 1807~1875. 조선 후기의 문신. 1828년(순조 28) 사마시(司馬試)를 거쳐, 이듬해 정시문과에 병과로 급제하였다. 순조·헌종·철종 때 여러 관직을 역임하고, 흥선대원군이 집권한 뒤에도 계속 중용되었으며, 고종 즉위 후에도 여러 요직을 두루 역임하였다.

9월 22일.

제향(祭享)을 설행한 후 장계를 밀봉하여 아뢰었다. 감제 각신이 길을 떠나 상경하였다.

〔계본〕

삼가 제향의 일을 아룁니다.

이달 22일, 화령전 탄신제향을 행하는데, 신이 헌관(獻官)으로 진참하여 설행한 후 제 관직(諸官職)의 성명을 뒤에 개록(開錄)하였습니다. 이러한 연유를 치계합니다.

같은 날(9월 22일).

감역(監役, 서유교(徐有喬))이 송장백(宋莊伯)[529] 영감과 함께 내려왔다.

9월 25일.

화령전을 일차 봉심(日次奉審)하였다.

같은 날(9월 25일).

축만제(祝萬堤) 역소(役所)에 나가 패장(牌將)과 인부(役夫)들에게 음식을 대접하였다.

529 송장백(宋莊伯) : 송지양(宋持養, 1782~1860)을 말한다. 송지양은 자(字)가 장백(莊伯) 또는 호연(浩然)이며 호(號)는 낭산(郎山)이다. 좌승지 설촌(雪村) 송시철(宋時喆)의 후손으로, 할아버지는 송익해(宋翼海)이며, 아버지는 통덕랑(通德郎) 송위재(宋偉載)이다. 어머니는 이조판서 서명응(徐命膺)의 딸이고, 동생은 송지행(宋持行)이다. 1810년(순조 10) 식년 진사시에 합격하였고, 1825년(순조 25) 알성 문과 병과로 급제하여 승정원 가주서에 등용되어 지평(持平)·정언(正言)·수찬(修撰)·교리(校理) 등을 지냈다. 이후 대사간(大司諫)·대사성(大司成)·이조 참판(吏曹參判) 등을 지냈다.

9월 26일.

도시(都試)를 설행할 계획의 일로 장계를 밀봉하여 아뢰었다.

〔장계〕

신의 영에 별효사(別驍士)와 열교(列校)를 뽑는 금년 춘등(春等)과 추등(秋等) 양등(兩等) 도시를 이달 27일 설행할 계획입니다. 이러한 연유를 치계합니다.

같은 날(9월 26일).

축만제 역사(役事)를 마쳤다는 보첩(報牒)이 도착하였다.

〔중군 보첩(中軍報牒)〕

축만제의 궤결(潰缺)된 곳을 이달 26일에 이르러 역사를 마쳤고, 들어간 물력(物力)은 4,857냥 2전 2푼이 됩니다. 이러한 연유를 치계합니다.

9월 27일.

연분 장계(年分狀啓)[530]를 밀봉하여 아뢰었다.

〔장계〕

본 부(本府) 농사(穡事)의 진행 상황은 전후로 장문으로 진달하였거니와 본부의 지형(地形)은 해안이 들을 타고 넘어 척로(斥鹵, 염분이 많은 땅)가 많고 비옥한 토양은 심히 적어 한번 가물거나 큰 물결이 치면 재생(災眚, 자연 재해)이 심한데다가 금년

530 연분 장계(年分狀啓): 각 지방관이 한 해 농사의 추수 상황을 종합적으로 정리하여 조정에 보고한 장계(狀啓)를 말한다.

은 봄과 여름에 무척 가물어 원습(原隰)[531]이 마치 타는 듯하니 규벽(圭璧)[532]을 누차 바쳤으나 백성들의 마음은 황급(遑急)하였습니다. 그러나 다행히도 5월 그믐 사이에 단비가 내리기 시작하여 높고 낮은 지대에 두루 흡족하게 내렸으나 시기가 하지(夏至)를 이미 지나 이앙(移秧)하는 절기가 늦어버렸습니다. 이에 못으로 달려나감이 구각(晷刻)을 다투니 감칙 판관(甘飭判官)이 다방(多方)에 서로 권상(勸相)하여 기한에 맞춰 차례로 이삽(移揷)하게 하였으나 앙모(秧苗, 모의 싹)가 이미 쇠어버려 인력이 미치지 못하였습니다. 게다가 여기(厲氣, 돌림병의 기운)가 불같이 일어나 농사를 그만두는 자가 많고 이앙의 공력을 겨우 마쳤는데 때에 맞춰 비가 내리지 않으니 일찍 심은 것은 준축(蹲縮, 땅이 내려앉아 줄어듦) 되어 점점 말라가고, 늦게 심은 것은 쓸쓸한 색을 띠며 자라나지 못하였습니다. 또한 건잠(愆蠶, 누에의 전염병)이 별안간 불같이 일어나 나무 줄기와 잎에 손상이 많았는데 중경(中庚)[533] 이후에 이르러 축축히 적실 정도의 비가 때에 맞게 내려 그나마 소성(蘇醒)하기를 기대하였습니다. 그러나 한 척 가까이가 되는 폭우가 내리더니 이삭이 패는 사이에 수일간 처풍(凄風, 차가운 바람)이 불고 이삭이 맺은 이후

---

531 원습(原隰) : 높고 평평한 지대와 낮고 습한 지대. 즉 강역(疆域) 전체를 말한다.

532 규벽(圭璧) : 흉년이 들었을 때 신(神)에게 예(禮)로 바치는 옥(玉)이다. 《시경》〈운한(雲漢)〉에 "왕께서 말씀하셨다. '아, 지금 사람에게 무슨 죄가 있습니까. 하늘이 환란을 내리사 기근이 거듭 이르기에, 신에게 제사를 거행하지 않음이 없으며, 이 희생을 아끼지 아니하여 규벽을 이미 모두 올렸는데도, 어찌하여 내 말을 들어주지 아니하십니까.'〔王曰於乎! 何辜今之人? 天降喪亂, 饑饉薦臻, 靡神不擧, 靡愛斯牲, 圭璧旣卒, 寧莫我聽?〕"라고 하였다.

533 중경(中庚) : 중복(中伏)을 달리 이르는 말. 초복이 하지(夏至) 뒤 셋째 경일(庚日)에, 중복이 넷째 경일에, 말복이 입추 뒤 경일에 들기 때문에, 삼복을 삼경이라 한 데서 이르는 말이다.

에 갖가지 재해가 있어 이미 기분(幾分)[534]이 감소하였습니다. 연해(沿海)의 각 면은 8월 보름 사이 풍조(風潮, 바람에 따라 흐르는 조수)가 범람(汎濫)하여 물에 잠기는(沈墊) 걱정이 이 사이에 많이 있었으나 다행히 가을 기후가 자못 적당하고 서리 소식(霜信)이 잠시 물러가 소위 준축(蹲縮) 된 것은 간간이 곁줄기가 싹트고 소색(蕭索)한 것도 반 정도는 쌀이 들었습니다. 그러나 타작할 때에 과립(顆粒)이 영성(零星)[535]하여 처음의 예상과 크게 어긋나 모두 다 실임(失稔, 농사가 흉년이 됨)이라고 하지만 밭에 파종한 각종의 곡식은 파운(播耘)에 잘못된 것이 없어 좋지 않음이 없으니 이것이 온 경내(境內) 농형(農形)의 대략입니다.

검전(檢田)[536]과 표재(俵災)[537]는 그 관계가 매우 중하여 터럭만큼의 차이라도 남약(濫約, 넘치고 부족함)은 모두 죄가 되는데 하물며 금년에는 명(名)과 실(實)이 어그러지니 더욱 십분 살피고 삼가야 하기에 각별히 판관에게 신칙하여 장리(將吏)를 나누어 보내 차례대로 장소에 맞게 정리(爬櫛)하라고 하였습니다. 이에 지금 옮겨 심지 못한 모(今未移)·늦게 옮겨 심은 모(晩移)·병충해를 입어 손상된 것(蟲損) 등은 458결(結) 37부(負) 3속(束)이 되고, 해일(海溢)은 94결 99부가 되며 아울러 유래(流來)한 구초불(舊初不)[538]은 424결 20부 9속이 되어 통계 977결 57

---

534 기분(幾分): 어떠한 수효(數爻)나 분량(分量)이나 정도(程度)가 어느 정도 인지 묻는 말이다.

535 영성(零星): 영쇄(零碎)와 같은 말로서 정수(整數)를 이루지 못한 것을 이른다.

536 검전(檢田): 수령, 경차관, 도사 등이 농사의 풍흉(豐凶)을 살펴 전지(田地)의 수확 정도를 실제 조사하는 일을 말한다.

537 표재(俵災): 재해를 입은 논밭에 대하여 그 비율에 따라 조세의 감면을 할당하는 것을 말한다.

538 구초불(舊初不): 여러 해 전부터 경작하지 아니하고 묵혀둔 논밭을 말한다.

부 2속이 됩니다. 그러나 여러 지부(地部)가 획하(劃下)한 것과 비교해 보면 15결이 부족한 962결 57부 2속이 된다고 합니다. 지금 만약 엄하고 두려운 마음을 부질없이 품어 사실대로 진술하지 않고 재민(災民)에게 혹시라도 백골징포(白骨徵布)[539]의 원통함에 이르게 한다면 우리 성상께서 백성을 다친 사람이나 어린아이를 돌보고 보호하듯 하는 성덕(盛德)의 지극한 뜻을 저버리는 것이니 감히 외람됨을 피하지 않고 사실에 근거하여 등문(登聞)하니 위 항목의 부족한 재결(災結) 962결 57부 2속을 특별히 가획(加劃)함을 허락하여 주신다면 신은 삼가 마땅히 도말(塗抹)하여 분표(分俵)하겠습니다.

바로 엎드려 생각건대 환향(還餉)의 법의(法意)가 엄중할 뿐만 아니니 내년의 농량(農糧, 농사 짓는 동안 먹을 양식)은 대개 민정(民政)과 관계되는 것으로 금년에 마땅히 수봉(收捧)해야 할 조항은 기한에 맞추어 준봉(準捧)[540]하고 을미년(乙未年, 헌종1, 1835) 정퇴(停退)할 조항은 오로지 해변가 각 면에 있는데 태반(太半)이 유망(流亡)하고 있어 부질없이 헛된 장부만 있으니 진실로 일일이 좇아 독촉하고자 한다면 장차 이웃 마을에 징출(徵出)[541]하는 형세가 되고 새로운 것과 옛것을 함께 독촉하게 되니, 이렇게 하면 백성과 곡식 모두를 잃게 되는 염려가 될까

---

539 백골징포(白骨徵布) : 조선 후기 삼정문란의 한 사례인 군정(軍政)의 폐해로 죽은 사람을 군적(軍籍)에 올려 놓고 강제로 세금을 거둬들인 폐해이다. 군정이란 군사 전반에 걸친 광의적인 면보다 군역(軍役), 즉 병역(兵役)을 주로 한 군적과 군포(軍布)에 관한 행정을 말한다.

540 준봉(準捧) : 원 수량대로 맞추어 거두어들이는 것을 말한다.

541 징출(徵出) : 조세(租稅)나 빚 등을 갚지 않는 경우, 친척이나 관련이 있는 사람에게 물어내도록 하는 것을 말한다.

격정입니다. 동(同) 정퇴(停退)한 각 곡 6,977석은 내년까지 잉정(仍停)[542]을 허락하여 백성들의 힘을 조금이나 덜어주게 하며 추노(推奴)[543]와 징채(徵債)[544]도 백성을 근심하게 하는 단서와 관계되니 일체 방지하여 편의에 합당하도록 아울러 묘당(廟堂)으로 하여금 품지(稟旨)하여 분부(分付)하게 하소서.

9월 28일.

양남(兩南)에 자곡하는 일로 비변사의 회관(回關)이 도착하여 양도(兩道)에 문이(文移)하였다.

〔주관(籌關)〕

이번에 계하하신 이번 9월 25일에 약방(藥房)이 입진하고 대신(大臣)과 비국 당상(備局堂上)을 인견(引見)[545]하여 입시(入侍)하였을 때에 우의정(右議政) 박종훈(朴宗薰)[546]이 아뢰기를, "수원 유수(水原留守) 서유구(徐有榘)가 본 사(本司)에 보고한 사연을 보니, '외탕고(外帑庫) 장부에 있는 전(錢)은 12,800여 냥입니다. 전수(典守) 하는 방도로는 돈이 곡식만 못하므로 10,000냥을

542 잉정(仍停):세금이나 환곡 따위의 체납을 한 해 연기하여 주었다가 이듬해에도 다시 연기하여 주는 일을 말한다.

543 추노(推奴):도망간 노비(奴婢)를 추쇄(推刷)하던 일을 말한다.

544 징채(徵債):채금(債金)을 징수하는 것을 말한다.

545 인견(引見):임금이 의식을 갖추고 영의정·좌의정·우의정 따위의 관리를 비정기적으로 만나보던 일을 말한다.

546 박종훈(朴宗薰):1773~1841. 자는 순가(舜可). 호는 두계(荳溪). 시호는 문정(文貞)이다. 1798년(정조 22) 사마시(司馬試)에 합격하고, 1802년(순조 2) 정시 문과에 병과로 급제, 홍문관 정자(弘文館正字), 예문관 대교(藝文館待敎), 홍문관의 부교리(副校理)·응교(應敎), 의정부 사인(議政府舍人) 등을 거쳐 1807년 통정대부(通政大夫)에 오르고, 승지·대사성을 역임하였다. 1834년 순조가 죽자 그 행장(行狀)을 지었고, 1837년 실록청총재관으로서《순조실록》편찬에 참여하였다. 좌의정에 올랐으나 풍양조씨 세도의 압력으로 사직, 판중추부사가 되었다. 저서로는《사례찬요》·편서로는《반남박씨세보》가 있다.

덜어빼내어 상정(詳定)으로 외도(外道)에서 작곡(作穀)하면 절미(折米) 3,300여 석을 얻어 모(耗)를 가져다 회록(會錄)할 수 있습니다. 본 고(本庫)의 세입(歲入) 3,000냥은 4년에 의당 12,000냥이 되므로 위의 범례에 따라 덜어내어 첨작(添作)하면 10년이 되지 않아 수만여 석을 얻을 수 있고, 본 부에도 크게 도움이 있을 것 입니다. 우선 현재의 10,000냥으로 영남(嶺南)과 호남(湖南)에 분배하여 화성 외탕곡(華城外帑穀)으로 이름을 지어서 내년부터 염산(斂散)하여 모(耗)를 가져와 원래 획급한 곡식과 함께 본 부에서 마감(磨勘)하여, 비록 흉년이 되더라도 정감(停減)[547]에 들어가게 하지 말도록 영구히 준행해야 하겠습니다.'라고 하였습니다. 첨환(添還, 환자를 보충함)은 비록 어렵고도 신중한 일에 속하나 양남(兩南)에 이미 본 부에서 구관(句管)하는 곡식이 있으니, 지금 이 수를 양도(兩道)에 분배하면 수도 많지 않고 본 부에서의 봉장(封樁)[548]의 정사에도 참으로 도움이 적지 않습니다. 이에 보고한 대로 시행하는 것이 어떻겠습니까? 하니, 대왕대비전(大王大妃殿)에서 '아뢴대로 하라.'라고 전교하셨다. 전교의 내용을 받들어 살펴서 시행하라."라고 하셨다.

양남 지방은 각 1,660석 10두(斗)를 본 부의 길거(拮据)를 기다렸다가 즉시 작곡(作穀)한 뒤에 착의(着意)하여 염산하고 모

547 정감(停減) : 흉년이 들어 백성이 조세(租稅)를 제대로 내기 어려울 때 나라에서 그 정도에 따라 징수하지 않거나 감하여 주는 일을 말한다.

548 봉장(封樁) : 재보(財寶)를 저장해둔다는 의미이다. 중국 송대(宋代)에 있었던 일종의 재정제도(財政制度)로서, 비상시에 대처하기 위하여 봉장고(封樁庫)라는 창고를 두고 재보를 저장하였다.

(耗)를 가져다 회록(會錄)[549]하여 비록 흉년이 되더라도 절대 정퇴(停退)와 탕감(蕩減)을 하지 말라는 뜻으로 방금 관문(關文)을 띄우니, 동(同) 전(錢) 각 5,000냥도 또한 편의에 따라 하송(下送)하니 혹시라도 늦어짐이 없도록 하라.

〔이문(移文)〕

방금 접수한 비변사(備邊司) 관문(關內)에 운운(云云)【위에 보인다】한 바, "지금 이 작곡(作穀)은 실제 탕화(帑貨, 내탕고(內帑庫)에 들어있는 재화)를 전수(典守)하는 방책이니 그 소관(所關)의 중함은 다른 것과 더불어 자별(自別)합니다. 염산하여 취모(取耗)하는 절기에 귀 도에서는 마땅히 십분 착의해야 하거니와 귀도(貴道) 작곡조(作穀條) 5,000냥의 일은 마땅히 지금 내려보내야 할 것이나 비단 수송(輸送)의 폐단이 있을 뿐만 아니니, 지금 이미 폐영(弊營)에 작전하여 가져온 모곡(耗穀)이 있으니 그 중에서 상환(相換)하여 제치(除置)한 다음 바로 원곡(元穀)으로 만들면 실로 양 영(兩營)이 모두 편리하게 되는 방책입니다. 폐영이 금년 가져온 모곡 중에서 1,666석 10두의 곡식은 각 읍에서 구별하여 그대로 두고 화성 외탕곡(華城外帑穀)의 명색으로 내년부터 진분(盡分)하여 취모(取耗)하고 원곡에 보태어 주되 폐영의 구관곡은 회안(會案)을 작성하여 가지고 올 때 별도로 명색을 세워 함께 마감할 것이며 일이 진행되는 상황을

549 회록(會錄) : 지방의 모곡(耗穀) 일부를 조정에 보고하여 회계장부인 회안(會案)에 등록하던 일을 가리키는데, 회록된 물품은 지방에 있다고 하더라도 국가 재정의 일부가 된다.

먼저 회이(回移)하여 훗날 증빙이 되도록 하는 것이 마땅한 일입니다."

9월 29일.

도시(都試)를 시취(試取)한 일로 장계를 밀봉하여 아뢰었다.

〔장계〕

신(臣)의 영(營)에 별효사(別驍士) 및 열교(列校)를 금년 춘추(春秋) 양등 도시(兩等都試)로 이달 27일에 설행한 연유를 이미 치계하였거니와, 신이 당일에 종사관(從事官) 김한순(金漢淳)과 중군(中軍) 박시회(朴蓍會)와 함께 개장(開場)하였습니다. 29일까지 연속하여 시취한 뒤에 양등(兩等) 거수인(居首人)의 성명·나이·아버지의 성명·주소·화살 수를 후록(後錄)하여 치계(馳啓)하오니 곧장 전시(殿試)에 응하도록 하는 일[550]을 해조(該曹)로 하여금 품의하여 처리하게 하소서.

춘등(春等)에서 2등을 차지한 자는 우열 별효사(右列別驍士) 한량(閑良) 김성종(金聲鍾)이고, 3등을 차지한 자는 좌열 별효사(左列別驍士) 한량 정용석(鄭龍錫)입니다. 열교(列校) 중에서 2등을 차지한 자는 기패관(旗牌官) 한량 김인상(金仁祥)이며, 3등을 차지한 자는 별무사(別武士) 한량 홍수민(洪秀民)입니다.

추등(秋等)에서 2등을 차지한 자는 좌열 별효사(左列別驍士) 한량 김성종(金聲鍾)이고, 3등을 차지한 자는 우열 별효사(右列

550 곧장……하는 일 : 이 말은 직부전시(直赴殿試)를 번역한 것인데, 예비 시험인 초시와 본 시험인 복시를 면제하고 곧장 순위만 결정하는 최종 시험에 응하게 하는 것이다.

別驍士) 한량 이덕량(李德良)입니다. 열교 중에서 2등을 차지한 자는 수첩 군관(守堞軍官) 한량 최동신(崔東臣)이며, 3등을 차지한 자는 기패관(旗牌官) 한량 김인상(金仁祥)입니다. 아울러 신의 영에서 전례대로 시상(施賞)하였습니다. 이러한 연유를 치계합니다【춘등에 좌열별효사(左列別驍士) 한량(閑良) 이수업(李守業)은, 나이 23세, 아버지는 태득(泰得)이며, 일용면(日用面)에 살고 있습니다. 철전(鐵箭) 1시(一矢)는 108보(步), 2시(二矢)는 107보, 3시(三矢)는 108보였으며, 유엽전(柳葉箭)은 과녁에 1회 명중, 1회 변중(邊中)하였습니다. 편전(片箭)은 과녁에 1회 명중하였고, 편추(鞭芻)는 2회 명중하여 합이 8시(矢) 2푼(分)입니다. 열교(列校) 수첩 군관(守堞軍官) 한량(閑良) 강주성(姜周成)은, 나이 33세, 아버지는 득범(得範)이며, 청호면(晴湖面)에 살고 있습니다. 철전(鐵箭) 1시(一矢)는 106보(步), 2시(二矢)는 108보, 3시(三矢)는 108보였으며, 유엽전(柳葉箭)은 1회 변중, 편전(片箭)은 2회 변중, 편추(鞭芻)는 2회 명중, 조총(鳥銃)은 2회 변중하여 합이 10시(矢)입니다.

추등에 우열별효사(右列別驍士) 한량(閑良) 조원진(曺源振)은, 나이 31세, 아버지는 전 오위장(前五衛將) 윤항(允恒)이며 매곡면(梅谷面)에 살고 있습니다. 철전(鐵箭) 1시(一矢)는 124보(步), 2시(二矢)는 124보, 3시(三矢)는 122보였으며, 유엽전(柳葉箭)은 과녁에 1회 명중, 1회 변중, 편전(片箭)은 1회 명중, 기추(騎芻)는 2회 명중, 편추(鞭芻) 2회 명중하여 합이 10시(矢) 2푼(分)입니다. 열교(列校) 수첩 군관(守堞軍貫) 한량(閑良) 이세환(李世煥)은, 나이 32세, 아버지는 덕문(德文)이며 안녕면(安寧面)에 살고 있습니다. 철전(鐵箭) 1시(一矢)는 108보(步), 2시(二矢)는 108보, 3시(三矢)는

113보였으며, 유엽전(柳葉箭)은 과녁에 1회 명중, 2회 변중, 기추(騎蒭)는 2회 명중, 편추(鞭蒭)는 1회 명중하여 합이 10시(矢) 1푼(分)입니다】.

정유년丁酉年 1837년, 헌종憲宗 3년 10월

10월 1일.

동이 틀 무렵 객사에 나아가 망궐례(望闕禮)를 행하는데 판관(判官)과 중군(中軍)이 진참(進參)하였다.

같은 날(10월 1일).

화령전(華寧殿)에 분향(焚香)하고 봉심(奉審)한 후 장계(狀啓)를 밀봉하여 아뢰었다.

〔장계(狀啓)〕

신(臣)이 금일에 화령전에 분향하고 나서 봉심하였는데 전내(殿內) 모든 곳이 무탈하였습니다. 방금 접수한 현륭원(顯隆園) 영(令) 이민기(李民耆)의 첩정(牒呈)에, "금일 원상(園上)과 전내를 봉심하였는데 무탈하였습니다."라고 하였습니다. 이러한 연유를 치계합니다.

같은 날(10월 1일).

감역[監役, 서유교]이 송장백(宋莊伯) 영감(令監)과 더불어 함께 출발하여 올라갔다.

10월 5일.

화령전을 일차 봉심(日次奉審)하였다.

10월 6일.

영(營)에서 길을 떠나 과천(果川)에서 점심을 먹고 유시(酉時, 오후 5시~오후 7시)에 필곡(筆谷)에 도착하여 장계를 밀봉하여 아뢰었다.

〔장계〕

신이 묘당(廟堂)에 품의(稟議)할 일이 있어 당일 출발하여 상경(上京)하였습니다. 이러한 연유를 치계합니다.

10월 8일.

진강(進講)[551]으로 입시(入侍)하였다가 바로 실록청(實錄廳)에 나아갔다.

10월 10일.

건릉(乾陵)과 현륭원(顯隆園)에 연례 보식(補植, 보충하여 심음)하는 일로 장계(狀啓)를 밀봉하여 아뢰었다.

〔장계〕

방금 접수한 건릉 영(健陵令) 김성구(金性求)와 현륭원 영(顯隆園令) 이민기(李民耆)의 첩정에, "국내(局內) 수목(樹木)이 드문드문한 곳에 연례 보식하는 역사(役事)를 이달 초6일 시작하여 초7일에 마쳤습니다."라고 하였습니다. 보식(補植)한 경계와 심은

551 진강(進講) : 당일 진강한 내용은 다음과 같다. 丁酉十月初八日辰時, 上御熙政堂。進講入侍時, 提學徐有榘,……有榘讀自升車, 止三嗅而作, 仍讀奏釋義。上讀新受音十遍, 命陳文義。有榘曰, 鄕黨一篇, 專記聖人飮食衣服起居之節, 故先儒以此篇, 爲聖人養生之書。蓋以飮食言之, 不時不食, 失飪不食, 不得其醬不食, 非爲其滋味之適口也, 特以有害於脾胃而不欲苟食也。以衣服言之, 必有寢衣之必字, 不可泛看, 必者, 造次顚沛, 必於是之謂也。雖有忙急之事, 未嘗和衣而寢, 雖於盛暑之中, 亦不脫衾而寢之謂也。外此食不語寢不言等語, 無往非聖人節宣調葆之道, 先儒之謂以養生法者此也。方今悠悠萬事, 豈有出於保護聖躬四字乎? 以此一篇, 常留香案之前, 常常顧諟留念, 千萬伏望。上曰, 玉堂陳之。(《承政院日記》〈憲宗〉3年 10月 8日 壬子).

나무의 그루 수〔株數〕를 후록(後錄)하여 치계(馳啟)합니다.

10월 11일.

번계(樊溪)에 나아갔다.

10월 14일.

번계에서 필곡(筆谷)으로 돌아왔다.

10월 15일.

화령전(華寧殿)과 현륭원(顯隆園)을 봉심(奉審)하였는데 무탈한 일로 장계를 밀봉하여 아뢰었다.

〔장계〕

방금 접수한 화령전 영(華寧殿令) 김한순(金漢淳)의 첩정에, "이달 15일 분향한 뒤에 바로 봉심하였는데 전내(殿內) 곳곳이 무탈하였습니다."라고 하였습니다. 동시에 도착한 현륭원 영(顯隆園令) 이민기(李民耆)의 첩정 내용에, "이달 15일 원상(園上)과 전내를 봉심하였는데 무탈하였습니다."라고 하였습니다. 이러한 연유를 치계합니다.

10월 20일.

진강[552]으로 입시하고 나서 바로 실록청에 나아갔다.

---

552 진강:당일 진강한 내용은 다음과 같다. 丁酉十月二十日辰時, 上御熙政堂。進講入侍時, 提學徐有榘……有榘讀自柴也愚, 止色莊者乎, 仍奏釋義訖。上讀新受音十遍訖, 命陳文義。有榘曰, 此章論諸弟子氣質之偏淸, 聖人因其質而導之, 隨而化之, 如時雨之化, 宋臣呂祖謙性甚偏, 每食不

10월 24일.

진강[553]으로 입시하고 나서 바로 실록청에 나아갔다.

같은 날(10월 24일).

북둔(北屯) 축만제(祝萬堤) 모든 곳에 역사(役事)를 마친 상황과 감동(監董) 이하에게 상을 청하는 일로 장계를 밀봉하여 아뢰었다.

〔장계〕

본 부(本府) 북둔을 소준(疏濬)한 연유를 전에 이미 치계(馳啓)하였거니와 3월부터 역사(役事)를 시작해 각별히 비교(裨校)를 택정하여 각 업무를 파정(派定)하고, 진흙이 쌓여 뭍이 된 지 오래 된 것은 깊이 파내기를 기약하고 동막이와 방죽의 점차 태락(汰落, 떨어져 나감)에 이르게 된 것은 힘써 완벽히 쌓게 하였습니다.

여의교(如意橋)는 가뭄과 홍수에 가둬둔 물이 새어나오는 출입구 좌우(左右) 석축(石築)이 태반(太半)이 동퇴(動退)[554]하여 함께 개축(改築)하였습니다. 동변(東邊)에 물이 들어오는 곳은 해(年)가 오래되어 찌꺼기와 진흙이 쌓여 백성들이 혹 모경(冒耕)

合口味, 卽碎其器, 事多類此, 及讀語而改其偏, 朱子稱之曰, 變化氣質, 莫如論語, 今我殿下日講是書, 伏望聖學之日就月將, 自此始也。上曰, 玉堂陳之。雲承曰, 曾子性質魯鈍, 而於魯鈍中得力, 卒傳聖道者, 無他, 精誠篤摯工夫透徹之效也, 殿下聖姿聰明, 其於工夫上, 苟得誠篤透徹, 則作聖之道, 當易於曾子矣。必於此等處, 體驗加勉, 區區之望也。(《承政院日記)》〈憲宗〉 3年 10月 20日 甲子).

553 진강 : 당일 진강한 내용은 다음과 같다. 丁酉十月二十四日辰時, 上御熙政堂。進講入侍時, 提學徐有棨,……有棨讀自子路·冉有·公西華, 止以俟君子, 仍奏釋義訖。上讀新受音十遍訖, 命陳文義。有棨曰, 此下章浴乎沂風乎舞雩, 程子曰, 可以見堯·舜氣像, 所當講究者, 而此章則別無裒衍仰奏矣。(《承政院日記)》〈憲宗〉 3年 10月 24日 戊辰).

554 동퇴(動退) : 연결된 곳이 벌어져 물러난 것을 말한다.

을 하게 되면 척량(尺量)하여 개척(開拓)[555]을 하기 때문에 간략하게 새로운 제방을 쌓아 한결같이 처음의 경계를 설시(設始)하여 회복하였습니다. 성 안의 개천은 화홍문(華虹門)[556]으로부터 남쪽 수문까지 모래가 흐르고 진흙이 쌓여 거의 도로와 같은 높이가 되니 한결같이 큰 비를 만나면 물이 넘치고 동서(東西)로 범람하여 근처의 민가가 매번 잠기는 우환이 있었습니다. 이에 이번에 소준(疏濬)하지 않을 수 없어 모래와 돌을 개착(開鑿)하고 제언과 언덕을 보축하였습니다.

축만제 서편(西偏)의 수문이 궤결(潰決)된 형편은 이미 등문(登聞)하였거니와, 여러 북둔과 비교하면 정축(渟滀)[557]이 다섯 곱절이 많아 관개(灌漑)의 이로움이 부(府)에서 최고입니다. 그러나 수문이 궤결된 날은 저장해 둔 물 전체가 화살이 달리듯 일시에 흘러나가니 만약 빨리 개축하여 삼동(三冬)의 비와 눈으로 내리는 물을 웅덩이에 모아두지 않으면 제언 아래로 수십 리에 걸쳐 수놓은 듯 펼쳐진 밭두둑에 다시 물을 끌어다 벼를 길러줄 곳이 없습니다. 이에 빨리 고정(雇丁, 사서 쓰는 장정)에게 역사(役事)를 동칙하고 물길〔水竇〕의 설치는 오로지 벽돌〔甎石〕만 사용하되 전과 같이 하거나〔仍舊貫〕[558] 새로운 재료를

555 개척(開拓) : 거친 땅을 일구어 논, 밭을 만드는 일을 말한다.

556 화홍문(華虹門) : 수원성곽 내의 북쪽 수문이다. 일명 '북수문(北水門)'이라고 하며, 아래에 수문이 있고 그 위에 문루가 있다. 수원시내를 남북으로 흐르는 광교천(光敎川)이 여름에 자주 범람하여 1796년(정조 20) 성곽을 신축하면서 준설하고 남북에 각각 수문을 만들었는데, 그 중 상류에 해당하는 북쪽 수문이다

557 정축(渟滀) : 물이 흐르지 않고 흥건하게 괴어 있는 곳을 말한다.

558 전과 같이 하거나〔仍舊貫〕 : 원문의 '仍舊貫'은 예전의 관행에 따르는 것이 좋음을 뜻하는 말로, 《논어(論語)》 〈선진(先進)〉에, "노(魯) 나라 사람이 장부(長府)라는 창고를 만들자, 민자건(閔子騫)이 말하기를, '예전대로 그대로 둠이 어떻겠는가? 하필 고쳐 지어야 하는가?'"라고

취하여 가로로 펼쳐 차례로 잘 세웠습니다. 수갑(水閘)[559]은 완성이 되었고 축토(築土)는 모래로 덮어 제언(堤堰)의 형태를 복완(復完)하였습니다. 이렇게 쉼없이 동칙(董飭)하여 이제 겨우 준공(竣工)이 되었음을 아룁니다.

동·서장대와 화양루(華陽樓) 그리고 서포루(西鋪樓)에 간간이 무너진 곳도 일일이 보수하여 크고 작은 공역(工役)이 대강 7달에 걸쳐 이제야 비로소 차례로 끝마쳤습니다. 각 처에 수축(修築)한 파수(把數)[560]의 상황을 낱낱이 구별하여 아래와 같이 자세히 적었으며 차등의 공역에 감동(監董)한 자와 이 직분 안에 관계되는 일을 어찌 수상(酬賞)의 말로 할 수 있겠습니까마는 이전부터 본 부에서 매번 공역(工役)이 있을 때마다 크고 작은 것을 논하지 않고 언제나 상 줄 것을 청하는 것이 문득 성례(成例)가 되었습니다. 또한 금번 각 항에 수축한 역처(役處)가 비단 하나가 아니라 공역이 심히 크니 격려하고 권장하는 방도에 있어 수록(收錄)의 은전(恩典)에 부합하게 하시오되 일이 간은(干恩, 은혜를 청함)에 관계되니 신이 감히 마음대로 할 수 없어 삼가 전례를 상고해 아울러 후록하여 해조(該曹)로 하여금 전례에 비추어 품처(稟處)하게 하였습니다.

각 항에 들어간 물력은 신의 영에 수성고(修城庫)와 저치고(儲置庫)에서 분배하여 취용(取用)하였으며 이를 성책(成冊)하여 비변사에 올려보냈습니다. 이러한 연유를 치계합니다.

한 데서 왔다.

559 수갑(水閘) : 물문. 물의 흐름을 막거나 유량을 조절하기 위하여 설치한 문(門)을 말한다.

560 파수(把數) : 두 팔을 펴서 벌린 길이인 발의 수를 말한다. 1파(把)는 10척(尺)이다.

【후(後)】 북둔(北屯) 제언(堤堰) 내의 소착(疏鑿) 및 제언·동막이(垌) 보축(補築)과 북쪽 제언의 보축의 길이는 220파(把), 넓이는 7파입니다. 동쪽 제언 신축(新築)의 길이는 280파, 넓이는 4파이고 여의교(如意橋) 20간(間)은 좌우 석축(石築)을 개건(改建)하였고 높이는 4척, 넓이는 10척입니다.

○ 축만제(祝萬堤)의 수문(水門) 개건과 체동(體垌) 개축의 수문 석주(石柱)는 높이가 15척(尺) 5촌(寸)이고, 좌우 석축은 길이가 28척, 높이가 5척입니다. 전석(磚石)으로 고쳐 길이는 28척 넓이는 3척, 체동(體垌)을 고쳐 길이는 35파 넓이는 20파, 높이는 7파입니다.

○ 성내(城內) 하천 제언(川堤)은 좌우 보축한 것이 길이는 630파, 넓이는 20파이며 두주방천(斗周防川) 50간, 동장대(東將臺)와 서장대(西將臺) 및 화양루(華陽樓)와 서포루(西鋪樓)를 간간이 보수하였습니다.

○ 도청 감동(都廳監董) 비교(裨校) 이하 공장(工匠) 등 성명 차례

각소 도청(各所都廳) 수원부 중군(水原府中軍) 박시회(朴蓍會)

북둔 감동(北屯監董) 전 군수(前郡守) 조현옥(趙玄鈺)

별간역(別看役) 전오위장(前五衛將) 김치하(金致夏)

도비장(都裨將) 교련관(教練官) 절충(折衝) 차성민(車聖民)

간역(看役) 패장(牌將) 교련관(教鍊官) 부사과(副司果) 임성룡(林聖龍)

교련관(教鍊官) 부사과(副司果) 이기배(李基培)

별무사(別武士) 부사과(副司果) 김성혁(金星赫)

○ 축만제 감동(祝萬堤監董) 전무겸(前武兼) 유면근(柳勉根)

별간역(別看役) 전 주부(前主簿) 변학수(卞學秀)

도패장(都牌將) 교련관(敎鍊官) 절충(折衝) 이문배(李文培)

간역 패장(看役牌將) 교련관(敎鍊官) 부사과(副司果) 김중관(金重寬)

교련관(敎鍊官) 부사과(副司果) 한경조(韓慶祖)

기패관(旗牌官) 절충(折衝) 김백려(金百麗)

○준천 감동(濬川監董) 전 찰방(前察訪) 박사응(朴師膺)

별간역(別看役) 교련관(敎鍊官) 부사과(副司果) 박준석(朴駿碩)

간역 패장(看役牌將)기패관(旗牌官) 가선(嘉善) 지계은(池繼殷)

교련관(敎鍊官) 부사과(副司果) 이기평(李基平)

○동·서장대 별간역(東·西將臺別看役) 자헌(資憲) 문세준(文世駿)

도패장(都牌將) 전 검사(前僉使) 가의(嘉義) 신정익(申廷翼)

간역 패장(看役牌將) 별효사(別驍士) 부사과(副司果) 이광윤(李光潤)

각소 도책(各所都策) 응 서리(應書吏) 나동승(羅東升)

간역 서리(看役書吏) 박민풍(朴民豊)·차윤홍(車允弘)·박완영(朴完英)·한도석(韓道錫)

석수변수(石手邊手) 양만동(梁萬同) 등 13명

야장변수(冶匠邊手) 김칠손(金七孫) 등 4명

목수변수(木手邊手) 백유손(白有孫) 등 7명】

10월 25일.

본 영(本營) 및 속오읍(屬五邑) 군병 관문(軍兵官門) 취점(聚點)을 제언(堤堰) 수축(修築)에 이부(移付)하는 일로 장계를 밀봉하여 아뢰었다.

〔장계〕

전에 접수한 비변사의 관문 내용에, "이번에 주상께서 계하하신 비변사의 계사에, '각 도 추조(秋操, 추계 군사 연습)를 여쭙는 장계가 지금 일제히 도착하였습니다. 나라를 다스리는 일의 중한 바는 힐융(詰戎)[561]보다 더 한 것이 없지만 여러 해 조련(操鍊)을 정지하는 것이 항식(恒式)이 되다시피 한 것은 뜻하지 않은 사태에 대비함〔陰雨之備〕에 있어 실로 소홀〔疏虞〕한 것에 관계되니, 한 번 고쳐서 바르게 하는 것을 그만 둘 수 없습니다. 다만 생각하건대, 사도(四道)에서 진휼(賑恤)을 설행하고 양남(兩南)에서는 전달하여 수송하는 노고를 더하고, 서로(西路)[562]는 비록 소강(少康)[563]이라고는 하나 지금 사객(使客)[564]이 끊임없이 이어져 공억(供億)[565]하기에 바쁘며, 기읍(畿邑)의 사세도 또한 다를 것이 없습니다. 이러한 때에 징발함은 의론에 도달하기 어려우니, 금년 가을 팔도(八道)와 삼도(三都)의 수륙(水陸) 여러 조련과 순력(巡歷)과 순점(巡點)을 아울러 우선 정지하고 관문(官門)과 진문(鎭門)의 취점(聚點)에 이르러서는 군오(軍伍)를 채우고 기계를 수리하기를 거듭 분명히 약속하여 감히 문구(文具)로 여기지 말게 하여 신칙한 효과가 있게 하며, 제언이 있는 곳은 이점(移點)하여 일을 마치게 하고 각 양 도시

561 힐융(詰戎): 힐융치병(詰戎治兵)의 준말로, 전투에 필요한 무기와 그에 관한 일들을 잘 정돈한다는 뜻이다.《서경(書經)》〈입정(立政)〉에 "너의 갑옷과 병기를 사전에 제대로 닦아 두어야 한다.〔其克詰爾戎兵〕"라고 하였다.

562 서로(西路): 평안도와 황해도, 즉 관서(關西)와 해서(海西)를 통틀어 이르는 말이다.

563 소강(少康): 조금 안정된 세상이라는 말이다. 요순(堯舜) 시대를 가장 태평한 시대라는 뜻에서 대동(大同)의 시대라고 하고, 우(禹)·탕(湯)·문왕(文王)·무왕(武王)·성왕(成王)·주공(周公)의 시대를 대동 시대보다는 못해도 조금 다스려진 세상이라 하여 소강 시대라고 한다는 말이《예기》〈예운(禮運)〉에 나온다.

564 사객(使客): 연로(沿路)의 수령이 해당 지역을 지나는 봉명사신(奉命使臣)을 가리켜 부르는 말. 출장 중인 국내 관원 뿐 아니라 외국 사신까지도 모두 해당된다.

565 공억(供億): 결핍된 것은 공급하여 안정되게 하는 것을 말한다.

(都試)와 복심(覆審)과 고강(考講)은 예에 따라 거행하고 정퇴(停退)하였던 도시(都試)는 일체 합하여 설행하라고 분부하심이 어떻겠습니까?'라고 하니 답하시기를 '윤허한다'라고 전교(傳敎)하셨다. 전교의 뜻을 잘 받들어 시행하라."라는 관문이었습니다.

신의 영에 마병(馬兵)과 보병(步兵)을 예에 의거하여 취점하니 모두 궐액(闕額, 결원된 인원)이 없었으며, 보군(步軍)은 각 처 제언을 소착(疏鑿)하는 역사에 이점(移點)하였고 속오읍(屬五邑) 군병도 관사(關辭)에 의거하여 거행할 뜻을 전령(傳令)하여 지위(知委)하였습니다. 방금 접수한 안산 군수(安山郡守) 이준수(李俊秀), 용인 현령(龍仁縣令) 이종윤(李鍾允), 진위 현령(振威縣令) 박장암(朴長馣), 시흥 현령(始興縣令) 이명원(李鳴遠)이 보고한 내용을 보니, "4개 읍의 군병을 제언 소착의 역사에 이점하였습니다."라고 하였습니다. 또, 과천 현감(果川縣監) 정만교(鄭晩教)가 보고한 내용을 보니, "본 현의 군병은 예에 의거하여 취점하니 모두 궐오(闕伍)가 없었습니다."라고 하였습니다. 이러한 연유를 치계합니다.

10월 28일.

진강(進講)[566]으로 입시(入侍)하고 나서 바로 실록청(實錄廳)에 나아갔다.

566 진강(進講) : 당일 진강한 내용은 다음과 같다. 丁酉十月二十八日辰時, 上御熙政堂。進講入侍時, 提學徐有榘,……有榘讀自司馬牛問仁, 止何患乎無兄弟也, 仍奏釋義訖。上讀新受音十遍訖, 命陳文義。有榘曰, 顔淵 · 仲弓 · 司馬牛三弟子問仁同, 而夫子各隨諸弟造詣淺深而答之, 然聖人之言, 徹上徹下, 卽此答司馬牛一段而言之, 其言也訒, 卽心常存而事不苟之致, 則仁之全體大用, 不外乎是矣。雖以講學言之, 方講此段時, 心存乎此段, 不知有他段, 然後思索專一, 心無外馳之患,

같은 날(10월 28일).

재결(災結)[567]의 가획(加劃)과 구환(舊還)[568]의 잉정(仍停)[569]을 지난 장청(狀請, 계본(啓本)을 올려 주청함)에 의거해 맞추어 내려주는 일로 장계를 밀봉하여 아뢰었다.

〔장계〕

신이 본 부(本府)의 연분 장본(年分狀本)에 농형(農形)과 민정(民情)을 진달(陳達)하고 재결의 가획과 환향(還餉)의 잉정을 우러러 청하였는데, 삼가 비변사에서 복계(覆啓)[570]한 행회(行會)[571]를 보면 재결 감표(減俵, 납부 포대를 감면함)가 462결에 이르렀고, 을미년(乙未年, 헌종1, 1835)에 정퇴한 환향은 쌀로 쳐서 거두어 들였는데, 검방(檢放)이 마땅치 않아 정적(停糴)을 남용하여 자못 뒷날의 폐단을 끼쳤습니다. 신이 비록 귀 먹고 용렬하지만 어찌 감히 전혀 알지 못하면서 전자의 사실에 의거하여 사실이 어쩔 수 없음에서 나왔음을 우러러 청하겠습니까? 금년 색사(穡事)는 재해가 없는 곳이 없었다고 할 수 있는데 혹심한 가뭄으로 인하여 이앙의 시기를 놓치고 겸하여 여기(厲氣, 돌림병

而聖學日進高明, 此等處, 深留聖意焉。《承政院日記》〈憲宗〉 3年 10月 28日 壬申).

567 재결(災結) : 가뭄이나 홍수 등으로 흉년에 들었을 때, 농사를 제대로 짓지 못하여 세금을 줄이거나 면제해 주는 토지를 말한다.

568 구환(舊還) : 흉년이 들면 그해 거두어야 하는 환곡을 거두지 않고 다음 해에 거두게 하는데, 이를 '정퇴(停退)'라고 하였고, 이때에도 거두지 못하면 구환이라고 하였다.

569 잉정(仍停) : 세금이나 환곡 따위의 체납을 한 해 연기하여 주었다가 이듬해에도 다시 연기하여 주는 일을 말한다.

570 복계(覆啓) : 회계(回啓)와 같은 뜻이다. 왕에게 보고된 어떤 사안에 대해 왕이 바로 처리하지 않고 담당 관사의 의견을 듣고자 사안을 내려보내면, 담당 관사에서 의견을 정하여 왕에게 직접 또는 초기(草記) 등으로 아뢰는 행위이다.

571 행회(行會) : 정부(政府)의 지시·명령을 각 관사의 장(長)이 그 부하에게 알리고 구체적인 실행 방법을 논정(論定)하기 위한 모임을 말한다.

의 기운)가 바야흐로 불같이 일어나 민력(民力)이 대부분 궁핍하였습니다. 그러다 문득 호미질을 한 후에 애석하게도 건잠(愆蠶, 누에의 전염병)이 돌고 방자한 기운과 폭우, 처풍(凄風)이 한결같이 농작물을 해쳤습니다. 심지어 해일(海溢)에 각 면이 두루 침수 피해를 입는 근심이 있었으나 다행히 가을 기후가 자못 적당하여 약간 소성(蘇醒)하였는데 결국 성취는 크게 실망하는 것이었습니다. 들(野)에 있는 것은 거두어들였으나 도달함이 없어 타작(登場)은 종세(種稅, 종자와 세금)도 부족하고, 오직 밭 곡식만은 조금 잘 되었으나 부득이 겸황(歉荒)[572] 으로 돌아갔으니 시장 가격이 바야흐로 가을에 크게 올라 민정(民情)은 궁절(窮節)[573] 과 다를 바가 없습니다.

이번 해의 형편과 백성의 형세으로 보면 신구 재결(新舊災結)이 천수(千數) 미만으로 평년의 비총(比摠)[574] 으로 헤아려보면 터럭만큼의 남상(濫觴)[575] 도 없습니다. 그러나 지금 515결로 획하한 표재(俵災)[576] 는 구초불(舊初不) 424결 영(零)의 유래(流來) 재탈(災頉)과 해일 재탈 94결 영으로 이미 등문(登聞)한 것과 비교해 보면 오히려 수가 부족하니 지금 재결은 다시 파(把)와 속

572 겸황(歉荒) : 흉년이 들어 농작물 수확이 형편 없음을 말한다.

573 궁절(窮節) : 묵은 곡식(穀食)은 다 떨어지고 새 곡식(穀食)은 아직 익지 않아 궁핍(窮乏)스러운 절기(節氣)를 말한다.

574 비총(比摠) : 매년 가을에 호조(戶曹)에서 그해의 기후와 작황을 참고하고 상당년(相當年)과 비교 상량하여 세액(稅額)을 결정한 총액을 말한다. 연분(年分)을 정하는 방법의 하나로 급재(給災) 절차를 취한 다음에 세액을 결정하였다.

575 남상(濫觴) : 술잔에 겨우 넘칠 정도(程度)의 작은 물이라는 뜻으로, 큰 강물도 그 근원(根源)은 술잔이 넘칠 정도(程度)의 작은 물에서 시작(始作)한다는 뜻이나 모든 사물(事物)이나 일의 시초(始初), 근원(根源)을 일컫는다.

576 표재(俵災) : 흉년에 조세를 감면해주는 일을 말한다.

(束)[577]의 표급(俵給)이 없습니다. 게다가 여기에 실농(失農)한 백성들로 하여금 다시 백징(白徵)의 원통함을 더한다면 진휼의 도를 우러러 본받는 바가 아닙니다. 을미년(乙未年)에 정퇴한 환향 각 곡에 이르러서는, 이 해는 해일이 수 십년에 처음 있던 재난으로 해안가 20여 면(面)이 창상(滄桑, 상전벽해(桑田碧海))처럼 변하여 제언 동막이와 밭두둑이 곳에 따라 궤결되고 어전(漁箭)[578]과 염분(鹽盆)[579]이 모두 큰 물에 떠내려가거나 무너져 해안가 포구에 사는 백성들은 실농(失農)을 하고 손해를 보니 유망(流亡)하는 자들이 속출하여 10집에 8~9집은 텅 비어 일체 공납을 징봉(徵捧)할 길이 없습니다. 결국 이 분수의 정퇴를 거행함이 있었으나 작년 가을 일은 또 흉년을 면치 못하여 묵었거나 폐지된 것은 개간하지 못하였고 흩어진 사람들은 모으지 못하여 민정의 사세가 전과 다를 바 없어 사실에 의거해 진문(陳聞)하여 특별히 잉정(仍停)의 은혜를 입었습니다.

금년의 색사(穡事)는 다시 위에 진달한 바와 같아 해일로 이전과 같은 재해를 입어 이 해변가의 면(面)은 당년 신환(新還, 새 환곡)은 신포(身布)[580]와 더불어 징봉(徵捧)하기 어려운 근심이 있는데 하물며 여기 이미 유망하여 구환의 징수를 지목할 곳이 없는 것은 장차 어디에 봉납을 책임지우겠습니까? 진실로 일일이 추독(追督)하고자 하면 사세가 이웃이나 친족에

577 파((把)와 속(束) : 전답의 결세(結稅) 단위인 줌[把]과 뭇[束].

578 어전(漁箭) : 물고기를 잡기 위하여 물 속에 나무를 세워 고기를 끌어들이는 나무울. 어살이라고도 한다.

579 염분(鹽盆) : 바닷물을 졸여서 소금을 만들 때에 쓰는 큰 가마를 이른다.

580 신포(身布) : 평민이 병역을 부담하지 않는 대신 그 대가로 나라에 바치는 포목을 말한다.

게 징봉하지 않을 수 없는데 소위 이웃과 친족도 모두 빈사(濱死, 거의 죽게 됨)와 하담(荷擔)[581]의 부류이니 한번 이 명령을 들으면 늑대를 만난 듯 돌아보며 사방으로 흩어질 것입니다. 이렇게 되면 구환은 물론이거니와 아울러 금년에 받아먹은 환곡도 모두 과세를 징수할 곳을 지목할 수 없으니, 이는 사세의 선명함을 실로 의심할 것이 없습니다. 이에 복주(覆奏) 계하(啓下)한 뒤에 다시 번거롭게 하기를 일삼을 수 있겠습니까마는 매우 외람된 일임을 알면서도 백성의 목숨에 관계된 일이라 이에 우매함을 무릅쓰고 부득불 거듭 호소하니 재결의 가획(加劃)과 구환의 잉정(仍停)을 아울러 지난 장청(狀請)에 의거하여 맞추어 내려주는 일을 묘당(廟堂)으로 하여금 품지(稟旨)하여 분부(分付)하게 하소서.

같은 날(10월 28일).

과만(瓜滿)[582]의 일로 비변사(備邊司)에 보고하고 이조(吏曹)에 문이(文移)하였다.

〔보첩(報牒)〕

상고하실 일.

지난 병신년(丙申年) 정월(正月) 12일, 정사에서 본직(本職) 유

581 하담(荷擔) : 짐을 어깨에 걸어 등에 지는 사람들로 유망하거나 힘들게 먹고 사는 사람들을 이른다.

582 과만(瓜滿) : 관리의 임기를 과기(瓜期)라고 하고 임기가 찬 것을 과만(瓜滿)이라 한다. 제(齊)나라 양공(襄公)이 연칭(連稱)과 관지보(管至父)를 규구(葵丘)로 보내어 지키게 하였는데, 외가 익을 때 보내면서 "내년에 외가 익을 때 교대시켜 주겠다."라고 약속한 고사에서 나온 말이다. 《춘추좌씨전(春秋左氏傳)》 장공(莊公) 8년

수(留守)에 제수(除授)되어 같은 달 26일 사조(辭朝)[583]하고 27일 화영(華營)에 도착하였으며, 금년 12월에 24개월의 기한에 이르게 됩니다. 이러한 연유를 치계합니다.

583 사조(辭朝) : 관직(官職)에 새로 임명(任命)된 사람이 부임(赴任)하기에 앞서 임금에게 하직(下直) 인사(人事)를 드리던 일을 말한다.

정유년丁酉年 1837년, 헌종憲宗 3년 11월

11월 1일.

진강(進講)[584]으로 입시(入侍)하고 나서 바로 실록청(實錄廳)에 나아갔다.

같은 날(11월 1일).

화령전(華寧殿)과 현륭원(顯隆園)을 봉심(奉審)하였는데 무탈한 일로 장계(狀啓)를 밀봉하여 아뢰었다.

〔장계(狀啓)〕

방금 접수한 화령전 겸위장(兼衛將) 박시회(朴蓍會)의 첩정(牒呈)에, "이달 초1일 분향(焚香)한 뒤에 바로 봉심하였는데 전내(殿內) 곳곳이 무탈하였습니다."라고 하였습니다. 동시에 도착한 현륭원 참봉(顯隆園參奉) 이극성(李克聲)의 첩정 내용에, "이달 초1일 원상(園上)과 전내를 봉심하였는데 무탈하였습니다."라고 하였습니다. 이러한 연유를 치계합니다.

11월 4일.

진강[585]으로 입시하고 나서 바로 실록청에 나아갔다.

---

584 진강(進講) : 당일 진강한 내용은 다음과 같다. 丁酉十一月初一日辰時, 上御熙政堂。進講入侍時, 提學徐有榘,……有榘讀自子張問崇德辨惑, 止雖有粟吾得而食諸, 仍奏釋義訖。上讀新受音十遍訖, 命陳文義。有榘曰, 臣聞之四五年前書筵開講時宮官之言矣。殿下論伯夷·叔齊讓國事曰, 伯夷讓國, 從父之命, 誠是當然底道理, 而至於叔齊, 讓國非矣。此是前聖所未發之義理, 伊時承聆之宮官, 退傳令旨, 孰不欽誦攢仰乎? 于今多年, 望學之益臻高明, 可以仰揣, 而近來講筵, 過於淵默, 絶無文義間發難反復之事, 豈或以講筵體貌, 與書筵不同? 而不但進講與法講有異, 雖朝晝夕法講, 文義討論, 愈多愈好, 繼自今逐章發難, 以盡講劘之義焉。(《承政院日記》〈憲宗〉 3年 11月 1日 乙亥).

585 진강 : 당일 진강한 내용은 다음과 같다. 丁酉十一月初四日辰時, 上御熙政堂。進講入侍時, 提學

같은 날(11월 4일).

재결(災結)[586]의 가획(加劃)과 구환(舊還)의 잉정(仍停)의 일로 주사(籌司)에서 복계(覆啓)[587]한 관문(關文)이 도착하였다.

〔주관(籌關)〕

상고할 일.

"이번에 주상께서 계하하신 비변사의 계사에, '지난번 수원 유수(水原留守) 서유구(徐有榘)의 재실 장계(災實狀啓)로 인하여 더 청원한 것〔加請災〕 500결(結)을 획급(劃給)하고, 을미년(乙未年, 헌종1, 1835)에 정퇴(停退)한 환향(還餉)을 절반에 한하여 수봉(收捧)하라고 복계하여 행회(行會)하였습니다. 지금 당해 유수의 장계를 보니 한 해 농사의 형편과 백성의 형세를 다시 아뢰고, 이어서 견감재(見減災) 462결(結) 57부(負) 2속(束)을 청하니 특별히 준획(準劃)을 허락하고 을미년의 환향 역시 전수(全數) 잉정을 허락하는 일을 묘당(廟堂)에서 품지(稟旨)하여 분부하기를 청

徐有榘,……有榘讀自子張問士, 止在家必聞, 仍奏釋義。上讀新受音十遍訖, 命陳文義, 有榘曰, 日前講筵, 以疑義下詢之意仰陳, 而未蒙開納矣。大抵講之爲義, 卽討論反覆之謂耳。若或誦讀而止, 則此所謂口耳之學, 而不可謂之講矣。雖文義之末, 拈出下問, 則以臣等膚淺之識, 固不足以仰契聖衷, 而反覆討論之際, 自然相觸發而有萬分一開發聖聰之道矣。昔在肅廟朝, 講心經時, 儒臣故文簡公臣金昌協奏云, 近來臨筵, 淵默太過, 絶無發難下問之事, 臣等不勝悶鬱云云。且引朱子讀書無疑, 卽學者大病之語曰, 苟無文義講討, 則雖日開講筵, 毫無進益於聖學云云。肅廟卽賜開納, 繙閱前日自止, 發問疑難處, 反復數三番而不止。伊時儒臣, 退而漫錄, 上下酬酢, 至今載在農巖集中, 大聖人翕受之量, 孰不欽誦攢歎乎? 今日講筵, 上下酬酢, 左右史自當書之記注矣, 臣等亦當退而私自劄錄矣。毋論今日自止, 與前日已講處, 拈出疑晦處下詢, 則其於繼述之盛, 進修之道, 豈不有光簡策乎? (《承政院日記》〈憲宗〉 3年 11月 4日 戊寅).

586 재결(災結): 가뭄이나 홍수 등으로 흉년에 들었을 때, 농사를 제대로 짓지 못하여 세금을 줄이거나 면제해 주는 토지를 말한다.

587 복계(覆啓): 왕이 각종계사(啓辭)·장계(狀啓)·상소(上疏)·상언(上言) 등을 담당 관사로 계하(啓下)하였을 때 담당 관사에서 해당 사안의 처리에 대한 의견을 아뢰는 행위를 말한다. 회계(回啓)라고도 한다. 이에 대해 윤허 받게 되면 실행할 부서나 지방으로 공문을 보내 알리거나 분부하였다.

하였습니다. 재(災)의 획급은 처음에 일찍이 재량(裁量)하지 않은 적이 없지만 더 청함이 또 이와 같으니, 어찌 안배하여 나눠줄 것이 부족하다고 하여 백징(白徵)의 우려가 있을 수 있겠습니까? 차라리 나라에서 잃는다는 뜻으로 특별히 200결을 더 획급하소서. 을미년에 정퇴한 것은 민정(民情)을 낱낱이 들었는데 이 같은 간곡함이 여기에 이르렀으니, 또한 잉정을 허락하시어 백성의 힘을 펴게 하는 것이 어떻겠습니까?'라고 하니, '아뢴대로 하라.'라고 전교하셨다. 전교의 내용을 받들어 살펴서 시행하라."

11월 7일.

진강[588]으로 입시하고 나서 바로 실록청에 나아갔다.

11월 11일.

진강[589]으로 입시하고 나서 바로 실록청에 나아갔다.

11월 13일.

인릉(仁陵)[590] 기신제향(忌辰祭享)에 문안반(問安班)으로 진참하였다.

---

588 진강 : 당일 진강한 내용은 다음과 같다. 丁酉十一月初七日辰時, 上御熙政堂。進講入侍時, 提學徐有榘,……有榘讀自子路問政, 止人其舍諸, 仍奏釋義訖。上讀新受音十遍訖, 命陳文義。有榘曰, 訓語所陳之外, 別無更達矣。(《承政院日記》〈憲宗〉 3年 11月 7日 辛巳).

589 진강 : 당일 진강한 내용은 다음과 같다. 丁酉十一月十一日辰時, 上御熙政堂。進講入侍時, 提學徐有榘,……有榘讀自子適衛, 止誠哉是言也, 仍奏釋義訖。上讀新受音十遍訖, 命陳文義。有榘曰, 俄因釋義, 已陳達矣。(《承政院日記》〈憲宗〉 3年 11月 11日 乙酉).

590 인릉(仁陵) : 순조 및 그의 비(妃) 순원 왕후(純元王后)의 능을 말한다.

11월 14일.

서울에서 길을 떠나 과천(果川)에서 점심을 먹고 신각(申刻, 오후 3시~오후 5시)에 영(營)에 머물러 묵은 일로 장계를 밀봉하여 아뢰었다.

〔장계〕

신이 묘당(廟堂)에 품의(稟議)할 일이 있어 상경(上京)하였다가 당일 영으로 돌아왔습니다. 이러한 연유를 치계합니다.

11월 15일.

먼 동이 틀 무렵 객사(客舍)에 나아가 망궐례(望闕禮)를 행하는데, 판관(判官)과 중군(中軍)이 진참하였다.

같은 날(11월 15일).

화령전(華寧殿) 동맹삭(冬孟朔) 대봉심(大奉審) 후에 장계를 밀봉하여 아뢰었다.

〔장계〕

화령전 동맹삭 대봉심을 원래 정한 것이 지난달 15일로 마땅히 거행해야 하오나, 신이 서울에서 돌아오지 못해 부득이 거행하지 못하여 이달 15일 분향하고 나서 겸령(兼令) 신(臣) 김한순(金漢淳)과 겸위장(兼衛將) 신(臣) 박시회(朴蓍會)와 더불어 함께 봉심하였는데 전내(殿內) 모든 곳이 모두 무탈하였습니다. 방금 접수한 현륭원(顯隆園) 영(令) 이민기(李民耆)의 첩정 내용에, "원상(園上)과 전내를 봉심하였는데 무탈하였습니다."라고 하였습니다. 이러한 연유를 치계합니다.

11월 20일.

화령전을 일차 봉심(日次奉審)하였다.

같은 날(11월 20일).

동지 전문(冬至箋文)을 밀봉하여 아뢰었다.

〔전문(箋文)〕

엎드려 생각건대 자극(紫極)[591]께서 건원(乾元)[592]의 덕을 체득(體得)하시어 교화가 인대(引對)하실 때 밝고, 황종(黃鍾)[593]이 복형(復亨)[594]의 날에 화합하니 칭송이 아세(亞歲)[595]에 오르고 해는 남륙(南陸)[596]으로 가며 별은 북신(北宸)을 향해 옵니다. 공경히 생각건대 홍도(鴻圖, 나라의 큰 계책)를 빛나게 이으시고 준명(駿命)을 크게 품으시어 학업은 날로 나아가 힘쓰시니 탕반(湯盤)[597]

591 자극(紫極) : 황제의 궁궐이다. 천제(天帝)는 자색(紫色)의 궁궐에 거처한다 하여 궁궐을 자미궁(紫微宮), 자궁(紫宮), 자달(紫闥) 등으로 표시하기 때문에 붙여진 이름이다.

592 건원(乾元) : 임금의 넓고 큰 덕을 이름. 《주역(周易)》 〈건괘(乾卦)〉에 "위대하다. 건원(乾元)이여! 만물의 생명이 시작되니, 하늘을 다스렸다."라고 하였는데, 공영달(孔穎達)의 소(疏)에 말하기를, "건(乾)은 괘(卦)의 이름이고, 원(元)은 건덕(乾德)의 첫째이다."라고 하였고, 주희(朱熹)의 본의(本義)에 말하기를, "건원은 천덕(天德)의 큰 시작이다."라고 하였는데, 후세에 건원으로 천자(天子)의 큰 덕을 형용하였다.

593 황종(黃鍾) : 11월 동짓달을 가리킨다. 양기가 황천 아래 모이기 때문에 황종(黃鍾)이라 하였다고 한다. 또 동지에 해당하는 율(律)이 황종(黃鍾)인데, 황종의 관(管) 길이가 가장 길기 때문에 이렇게 말하였다.

594 복형(復亨) : 일양(一陽)이 시생(始生)하는 복괘(復卦)의 형통한 경지를 뜻한다. 《주역》 〈복괘(復卦) 단(彖)〉에 "복(復)이 형통함은 강이 돌아오기 때문이다.〔復亨, 剛反.〕"라는 말에서 나온 것이다.

595 아세(亞歲) : 아세(亞歲)는 설날에 버금간다는 의미로 동지의 다른 이름이다. 이장(履長) 역시 동지(冬至)를 말한다.

596 남륙(南陸) : 남방의 토지라는 말이다. 《후한서(後漢書)》 〈율력지 하(律曆志下)〉에 "태양이 북륙으로 운행하면 겨울이라 하고, 서륙은 봄이라 하고, 남륙은 여름이라 하고, 동륙은 가을이라 한다.〔日行北陸謂之冬 西陸謂之春 南陸謂之夏 東陸謂之秋〕"라고 하였다.

597 탕반(湯盤) : 상(商)나라 탕왕(湯王)이 목욕하던 탕조(湯槽)인데, 탕왕이 여기에 "진실로 어느 날에 새로워졌거든 나날이 새롭게 하고 또 날로 새롭게 하라.〔苟日新, 日日新, 又日新.〕"라는

을 새겨 공교함에 나아가고, 도광(道光)을 본받아 순(舜) 임금의 선기옥형(璿璣玉衡)[598]으로 정사를 가지런히 하셨습니다. 이에 이장(履長, 동지)의 절기를 당하여 태평의 아름다움을 맞이합니다.

엎드려 생각건대 정성으로 간절히 숭호(嵩呼)를 외치나 직분은 화봉(華封)에 매어있습니다. 가회(葭灰)가 율(律)에 응하고[599] 다행히 첨선(添綫)[600]의 기약의 때를 만나 규침(葵忱)[601]이 태양을 향해 기우니 헌말(獻襪)[602]의 정성에 그나마 예를 다합니다.

–이상은 대전(大殿)에 드리는 전문.

명문(銘文)을 새겨 평생의 경계로 삼았다.《대학장구(大學章句)》 전(傳) 2장(章)

598 선기옥형(璿璣玉衡):《서경》〈순전(舜典)〉에 "선기와 옥형을 살펴 칠정을 고르게 하였다.〔在璿璣玉衡, 以齊七政.〕"라고 하였다. 선기옥형(璿璣玉衡)은 하늘의 도수를 측정하는 기구이다. 천문(天文)을 살펴서 백성이 때를 잃지 않게 하도록 다스린다는 뜻이다.

599 가회(葭灰)가 율(律)에 응하고:동짓달이 되었으므로 이렇게 말한 것이다. '가회(葭灰)'는 갈대 속의 엷은 막(膜)을 태운 재로, 고대에 이 갈대 재를 십이율관(十二律管)에에 넣어 절후를 측정하는 데 사용하였다. 황종(黃鐘), 대주(大簇), 고선(姑洗), 유빈(蕤賓), 이측(夷則), 무역(無射), 대려(大呂), 협종(夾鐘), 중려(仲呂), 임종(林鐘), 남려(南呂), 응종(應鐘)의 십이율려(十二律呂)가 1년 열두 달에 짝하여, 황종은 11월 동지, 대주는 정월, 고선은 3월, 유빈은 5월, 이측은 7월, 무역은 9월, 대려는 12월, 협종은 2월, 중려는 4월, 임종은 6월, 남려는 8월, 응종은 10월에 각각 배속(配屬)되었는데, 후기(候氣)의 법칙에 의하면, 방 하나를 삼중(三重)으로 밀폐하고 방 안에 나무 탁자 12개를 각각 방위에 따라 안쪽은 낮고 바깥쪽은 높게 비치한 다음, 위 12개의 율관을 12개의 탁자 위에 각각 안치하고 갈대 재를 각 율관의 내단(內端)에 채워 놓고 절기(節氣)를 기다려 살피노라면, 매양 한 절기가 이를 때마다 해당 율관의 재가 날아 움직이게 됨을 말한다. 예컨대, 11월 동지에는 황종율관의 재가 날아 움직이고, 12월에는 대주율관의 재가 날아 움직이게 되는 등의 법칙에서 온 말이다. 여기서는 11월 동지가 되자, 황종율관 밑에서 갈대 재를 불어 날리어 일양(一陽)이 처음 생기게 된 것을 말한 것이다.

600 첨선(添綫):동지를 의미한다. 중국 진(晉)·위(魏) 때에 궁중에서 해그림자를 재면서 동지가 지난 뒤에는 매일 붉은 실을 조금씩 늘려 갔던 데에서 유래한다.

601 규침(葵忱):규침은 신하가 임금을 위하는 충정을 해바라기 꽃이 태양을 향하는 데에 비유한 말이다.《도화선(桃花扇)》〈무병(撫兵)〉에 "나의 일편단심이 해바라기가 해를 향하는 것과 같은 줄 뉘 알랴." 하였다.

602 헌말(獻襪):옛날에 장지(長至, 동지)를 밟는다는 뜻에서 동지일(冬至日)이면 시부모에게 버선을 지어 올리는 풍속이 있었던 데서 온 말인데, 위 나라 조식(曹植)의 하동지표(賀冬至表)에 의하면 "버선 일곱 켤레를 바치며 아울러 말송을 드린다.〔獻襪七緉, 并爲襪頌〕"라고 하였다.

엎드려 생각건대 선위(璇闈)에 경사가 넘치니 큰 복(純禧)이 동조(東朝)[603]를 송축(頌祝)하고 옥촉(玉燭)[604]이 조원(調元)[605]하니 숙경(淑景, 맑은 햇빛)이 남지(南至)[606]를 맞이합니다. 달은 자월(子月)[607]을 세워 하늘이 그 쓰임을 펴십니다. 공경히 생각건대 주(周)나라의 태임(太姙)에 필적하시고 송나라 여요(女堯)[608]를 앞지르셨습니다. 자천(慈天)께서 두루 보살펴주시니 음교(陰敎)가 팔은(八垠, 천지 사방)에 두루 미치고, 서휘(瑞暉, 상서로운 빛)가 더욱 커지니 경하(慶賀)가 바야흐로 만세에 오릅니다. 이에 아세(亞歲)를 당하여 일선(一線)[609]의 날을 더하고 보주(寶籌, 임금의 춘추)를 더욱 우러러보니 오순(五旬, 쉰 살)의 아름다움에 오르셨습니다.

엎드려 생각건대 신(臣)의 직책이 분사(分司)[610]에 매어있으나

---

603 동조(東朝) : 태후(太后)와 대비(大妃)의 궁전을 이르는바, 한(漢) 나라 때에 황태후가 거처하던 장락궁(長樂宮)이 황제의 거처인 미앙궁(未央宮)의 동쪽에 있었던 데에서 유래되었다. 여기서는 순조의 비(妃)인 순원왕후(純元王后) 김씨를 말한다.

604 옥촉(玉燭) : 옥촉은 사시(四時)의 기운이 화창한 것으로, 《이아(爾雅)》 〈석천(釋天)〉에 "사시의 기운이 화창한 것을 일러 옥촉이라 한다."라고 보이며, 조원은 천지의 기운이 고른 것으로, 옥촉의 조원은 태평성대를 표현하는 말이다.

605 조원(調元) : 음양의 기운을 고르게 하는 것을 말한다.

606 남지(南至) : 남지는 태양이 남쪽에 이른다는 뜻으로, 동지의 별칭이다. 태양이 남쪽에 이른다는 것은 곧 하지 이후로는 태양의 궤도가 북에서 남으로 가고, 동지 이후로는 또 남에서 북으로 가기 때문에 동지일(冬至日)을 일남지(日南至)라 칭하는 데서 온 말이다. 《춘추좌씨전》 희공(僖公) 5년에 "태양이 남에 이르렀다.〔日南至〕"라는 말이 나오는데, 두예(杜預)의 주(註)에 "동짓날에는 태양이 남쪽 끝에 있게 된다.〔冬至之日, 日南極〕"라고 하였다.

607 건자(建子) : 자월(子月, 음력 11월)을 세수(歲首)로 한 주 나라의 정월(正月)을 말한다.

608 여요(女堯) : 중국 송(宋)나라 영종(英宗)의 비(妃)이며 철종(哲宗)의 모후(母后)인 선인 태후를 말한다. 철종이 어려서 섭정(攝政)하면서 왕안석(王安石)을 물리치고 사마광(司馬光)을 등용하여 원우(元祐)의 치(治)를 이루었으므로, '여중 요순(女中堯舜)'이라고 세상 사람들에게 칭송받았다.

609 일선(一線) : 일선은 동지(冬至) 후에 해가 매일 일선 정도씩 길어지는 것을 이르는데, 두보(杜甫)의 《두소릉집(杜少陵集)》 〈지일견흥시(至日遣興詩)〉에 "나날이 시름이 일선을 따라서 길어지누나〔日日愁隨一線長〕" 한 데서 온 말이다.

610 분사(分司) : 분사는 중앙 관아의 임무를 나누어 맡기 위해 별도로 설치한 관아를 말하는데, 여기에서는 서유구가 수원 유수를 맡고 있음을 말한 것이다.

정성은 자궐(慈闕, 대왕대비전)에 깊어 책력을 반포하는 좋은 기회에 비록 원반(鵷班)[611]에 참여하지 못하지만 헌말(獻襪)의 작은 정성을 드리며 삼가 공경히 연하(燕賀)를 바칩니다.

–이상은 대왕대비전(大王大妃殿)에 올리는 전문.

엎드려 생각건대 구주(九疇)[612]에 오복(五福)을 펴 베푸니[613] 하늘이 동방(東方)을 보우하여 천문 만호(千門萬戶)를 차례대로 열어 날이 남지(南至)에 이르렀습니다. 드높은 천상에는 서기(瑞氣)가 어리고 온 세상에는 환호의 소리가 퍼집니다. 공경히 생각건대 성공(聖工)을 본래부터 큰 덕을 타고나셨고 홍업(洪業)을 쌓아 억만년 끝없는 시민(時敏)[614]하시어 신(神)의 공력으로 백성을 때에 맞추어 기르니[615] 천 년에 한 번 만나는 운을 다투어 우러러 봅니다. 이에 수선(繡線)을 더하는 날[616]을 당하여

---

611 원반(鵷班):원(鵷, 원추새)은 차례대로 날아다니는 새이므로 조정 관원의 반열을 원반(鵷班)이라 한다.

612 구주(九疇):《서경》〈홍범(洪範)〉의 구주(九疇)를 가리키는 말로, 천하를 다스리는 아홉 가지 대법(大法)이다. 곧 오행(五行), 오사(五事), 팔정(八政), 오기(五紀), 황극(皇極), 삼덕(三德), 계의(稽疑), 서징(庶徵), 오복(五福)이다.

613 구주(九疇)에……베푸니:《서경》〈홍범〉에 "황극(皇極)은 임금이 정치의 표준을 세우는 것이니, 다섯 가지 복을 거두어 모아 백성들에게 베풀어 주면 백성들 역시 그 표준을 준수하여 황극을 지켜 줄 것이다.〔皇極, 皇建其有極, 斂時五福, 用敷錫厥庶民, 惟時厥庶民, 于汝極, 錫汝保極.〕"라는 말이 있다.

614 시민(時敏):공부에 힘쓰거나 민첩하게 일을 처리함을 이르는 말이다.《서경(書經)》〈열명 하(說命下)〉에 보이는 말로, "배움은 뜻을 겸손하게 해야 하니, 힘써서 때로 민첩하게 하면 그 닦여짐이 올 것이니, 독실하게 믿어 이것을 생각하면 도가 그 몸에 쌓일 것이다.〔惟學, 遜志, 務時敏, 厥修乃來 允懷于玆, 道積于厥躬.〕"라고 하였다. 채침(蔡沈)의 집전(集傳)에서는 '시민'을 '어느 때고 민첩하지 않음이 없는 것〔無時而不敏〕'이라고 하였다.

615 백성을 때에 맞추어 기르니:임금이 천시(天時)에 맞춰 백성을 잘 다스림을 말한 것이다.《주역(周易)》〈무망괘(无妄卦) 상(象)〉에 "선왕이 이괘를 보고 천시에 맞춰 만물을 기른다.〔先王以, 茂對時, 育萬物.〕" 하였다.

616 수선(繡線)을 더하는 날:《세시기(歲時記)》에 "진(晉)나라·위(魏)나라 때에 궁중에서 붉은

조화로운 옥촉(玉燭)의 아름다움을 크게 밝힙니다.

엎드려 생각건대 시절이 크게 돌아오는 즈음에 직분은 화봉(華封)에 매여 있어 단극(丹極)[617]에서 오색 구름을 바라보니 어찌 대궐을 그리워하는 정성을 금하겠습니까? 푸른 숭산(嵩山)[618]에서 천세(千歲)를 외치고 축강(祝岡)[619]의 정성에 그나마 예를 다합니다.

– 이상은 내각(內閣)에 올리는 전문

11월 24일.

현륭원(顯隆園) 동지 제향(冬至祭享)에 헌관으로 향축(香祝)을 모시고 원소(園所)에 나아갔다.

실로 해그림자를 쟀는데, 동지 뒤로 날마다 실이 한 가닥 더 길어졌다."라고 하였고, 또 《명황잡록(明皇雜錄)》에 "당(唐)나라 궁중에서 궁녀들이 하루에 수놓은 양을 가지고 해의 길이를 가늠했는데, 동지 뒤에 평소보다 날마다 한 올의 수를 더 놓게 되었다고 하여 첨선(添線)은 낮의 길이가 길어지는 것에 따라 수를 놓을 때 선이 조금씩 더해져 늘어나는 것을 뜻한다. 이 때문에 동지 이틀 뒤의 소지(小至)를 읊은 두보의 시에 "수놓는 오색 무늬 옷감에는 가는 실이 더 늘어나고, 갈대의 재 채운 여섯 관에는 날리는 재가 들썩거리네.〔刺繡五紋添弱線, 吹葭六琯動飛灰〕"라는 표현이 나온다.

617 단극(丹極) : 단극(丹極)은 대궐의 기둥과 서까래 등에 붉은색을 칠했던 데서 온 말로 조정을 말한다.

618 숭산(嵩山) : 한(漢)나라 무제(武帝)가 숭산(崇山)에 올라 제사를 지낼 때에 산에서 만세(萬歲) 소리가 세 번 나는 것을 들었다는 데서 유래하였다. 《한서(漢書)》 권6 〈무제본기(武帝本紀)〉.

619 축강(祝岡) : 임금의 복록(福祿)이 성대하기를 축원하는 것. 《시경(詩經)》 〈소아(小雅) 천보(天保)〉에 "하늘이 왕을 보호하고 안정시켜 흥하게 하지 않음이 없는지라, 산 같으며 부(阜) 같으며 강(岡) 같으며 능(陵) 같으며, 냇물이 한창 불어남과 같이 증가되지 않음이 없도다〔天保定爾, 以莫不興, 如山如阜, 如岡如陵, 如川之方至, 以莫不增.〕"라고 하였다.

11월 25일.

제향(祭享)을 설행(設行)하고 난 뒤 장계를 밀봉하여 아뢰고 바로 영으로 돌아와 망하례(望賀禮)[620]를 행하였다.

〔장계〕

삼가 제향(祭享)의 일로 아룁니다.

이달 25일, 현륭원 동지 제향(冬至祭享)에 신이 헌관(獻官)으로 진참(進參)하고 설행한 뒤에 원상(園上)을 봉심하였는데 잡초와 잡목이 없었으며 사산(四山) 내에도 함부로 범작(犯斫)하는 폐단이 없었습니다. 이에 제관(祭官)의 직함과 성명을 뒤에 개록(開錄)하였습니다. 이러한 연유를 치계합니다.

같은 날(11월 25일).

화령전을 일차 봉심(日次奉審)하였다.

11월 26일.

영에서 길을 떠나 과천(果川)에서 점심을 먹고 신각(申刻, 오후 3시~오후 5시)에 필곡(筆谷)에 도착하여 장계를 밀봉하여 아뢰었다.

〔장계〕

신(臣)이 묘당(廟堂)에 품의(稟議)할 일이 있어 당일 출발하여 상경(上京)하였습니다. 이러한 연유를 치계합니다.

620 망하례(望賀禮) : 경절(慶節)에 외방(外方)에 나가 있는 신하가 대궐편을 바라보고 거행하는 예식(禮式)을 말한다.

11월 28일.

실록청에 나아갔다.

정유년丁酉年 1837년, 헌종憲宗 3년 12월

12월 1일.

진강(進講)[621]으로 입시(入侍)하고 나서 바로 실록청(實錄廳)에 나아갔다.

○ 과만(瓜滿, 벼슬의 임기가 참)을 보고한 지 3개월이 지나, 이날 이기연(李紀淵)[622] 대감이 수원 유수에 제수되었다.

같은 날(12월 1일).

화령전(華寧殿)과 현륭원(顯隆園)을 봉심(奉審)하였는데 무탈한 일로 장계(狀啓)를 밀봉하여 아뢰었다.

〔장계〕

방금 접수한 화령전(華寧殿) 겸령(兼令) 김한순(金漢淳)의 첩정(牒呈)에, 모든 곳이 "이달 초1일 분향(焚香)한 뒤에 바로 봉심하였는데 전내(殿內) 모든 곳이 무탈하였습니다."라고 하였습니다. 동시에 도착한 현륭원 참봉(顯隆園參奉) 이극성(李克聲)의 첩정 내용에, "이달 초1일 원상(園上)과 전내를 봉심하였는데 무탈하였습니다."라고 하였습니다. 이러한 연유를 치계합니다.

---

621 진강(進講):《승정원일기》에는 당일 진강에 서유구의 이름이 빠져있다.

622 이기연(李紀淵):1783~1858. 조선 후기의 문신. 본관 전주(全州). 자 경국(京國). 호 해곡(海谷). 1805년(순조 5) 별시문과에 병과로 급제하였다. 대사헌, 이조판서 등을 지냈으며, 평안도관찰사로서 공무(公務)를 폐기한 죄로 삭직되기도 하였다. 벼슬이 봉조하(奉朝賀)에 이르렀다. 1837년(헌종 3) 12월 1일 부터 1838년 11월 3일 심능악(沈能岳)으로 교체될 까지 약 11개월 동안 재임하였다. 備邊司薦望, 以李紀淵爲水原留守。○兪星煥啓曰, 水原留守李紀淵, 當爲下批矣。政官牌招開政, 何如? 傳曰, 待明朝牌招。(《承政院日記》 2349冊 憲宗 3年 12月 1日).

12월 2일.

실록청에 나아갔다.

○ 지경연사(知經筵事)[623]에 수의(首擬)[624]로 몽점(蒙點)[625]되었다.[626]

12월 5일.

진강[627]으로 입시하였다.

12월 6일.

왕대비전(王大妃殿) 탄신(誕辰)에 문안반(問安班)으로 진참(進參)하였다.

같은 날(12월 6일).

화령전 겸 수문장(兼守門將)을 차하(差下, 벼슬을 임명하는 것)하는 일로 장계를 밀봉하여 아뢰었다.

〔장계〕

화령전 겸 수문장 김원호(金遠浩)가 과체(瓜遞)[628]하여 신의 영

---

623 지경연사(知經筵事) : 조선 시대 경연청(經筵廳)의 정2품(正二品) 벼슬이다.

624 수의(首擬) : 수망(首望)으로 주의(注擬)함. 관원을 임명하거나 시호(諡號)·능호(陵號)·전호(殿號) 등을 정할 때에 합당하다고 생각되는 것을 임금에게 주의하는데, 가장 합당하게 여겨 첫머리에 적은 것을 수망, 그 다음을 차망(次望), 그 다음을 말망(末望)이라 한다. 임금이 이 세 망 중에서 뜻에 맞는 데에 낙점(落點)하여 결정한다.

625 몽점(蒙點) : 삼망(三望) 가운데서 임금의 낙점(落點)을 입어 선임(選任)된 것을 말한다.

626 지경연사(知經筵事)……되었다 : 吏批, 判書申在植, 參判洪學淵進, 參議林翰鎭牌招不進, 同副承旨兪星煥進。以李憲瑋爲大司憲, 徐有榘爲知經筵, 李魯集爲同經筵, 朴岐壽爲同成均, 金履載爲典牲提調, 尹致容爲司饔僉正, 金玉龍爲昭寧園守奉官。奉常奉事單李羲俊, 水原留守單李紀淵, 兼華寧殿提調單李紀淵。(《承政院日記》 2349冊 憲宗 3年 12月 2日).

627 진강 : 당일 진강한 내용은 다음과 같다. 丁酉十二月初五日辰時, 上御熙政堂。進講入侍時, 左議政朴宗薰, 提學徐有榘,……有榘讀自子路曰桓公, 止被髮左衽矣一遍, 仍奏釋義。上讀新受音十遍訖, 命陳文義。有榘曰, 自止內, 別無可奏之處矣。(《承政院日記》 〈憲宗〉 3年 12月 5日 戊申).

628 과체(瓜遞) : 임기가 차서 벼슬이 갈림을 말한다.

에 초관(哨官)[629] 손치영(孫致榮)으로 대신 차하(差下)하니 해조(該曹)로 하여금 정식(定式)에 의거하여 단부(單付)[630]로 계하(啓下)하소서.

12월 7일.

선원전(璿源殿)[631]에서 구본(舊本) 영정(影幀)을 모셔올 때 동문(東門)에 나가 공경히 맞이하였다.

12월 9일.

검장(檢狀)에 제사(題辭)하였다.

【본부(本府) 영화역(迎華驛)[632]에 사는 김순강(金順江)이 연가(烟價)[633]

---

629 초관(哨官):군영에 딸린 위관(尉官)의 하나로 한 초(哨)를 거느리는 장교를 말한다.

630 단부(單付):단망(單望)으로 관직에 임명함. 한 관직의 후보자를 추천하는 데는 삼망(三望) 곧 세 사람의 후보자를 천거하는 것이 상례이지만, 이를 갖추지 못하면 단망으로 천거하기도 하였다.

631 선원전(璿源殿):당시 선원전은 태조(太祖), 세조(世祖), 원종(元宗), 숙종(肅宗)의 수용(睟容)을 봉안한 전(殿)인데, 지금은 영조(英祖), 정조(正祖), 순조(純祖), 문조(文祖 익종(翼宗)), 헌종(憲宗), 철종(哲宗), 고종(高宗), 순종(純宗)의 수용도 함께 봉안되어 있다.

632 영화역(迎華驛):한양에서 삼남으로 통하는 길목에 자리 잡은 화성은 한양으로 이르는 대로와 화성 내부를 관통하는 십자가로를 정비함으로써 18세기의 대도시로 성장하는 기반을 마련하였다. 화성이 만들어지는 와중에도 화성 부근에는 이렇다 할 역참(驛站)이 형성되어 있지 않아, 화성으로 이르는 길은 쉽지 않았는데, 정조 20년(1796)에 양재도역(良才道驛)을 장안문 바깥 길 동쪽 1리쯤 되는 곳으로 옮기고 영화역(迎華驛)으로 명명하였다. 《화성성역의궤(華城城役儀軌)》 부편 1에 보면, "영화역은 장안문 바깥 길 동쪽으로 1리쯤에 있다. 병진년(1796) 가을 화성으로 오는 길에 역참이 없고 북문 바깥은 사람 사는 집이 드문드문하여 막고 호위하는 형세에 결함이 있었다. 그래서 경기 양재도(良才道)의 역을 이곳으로 옮겨 처음 설치하고 우선 역에 속한 말과 집을 이사시켰다. 그래서 역관의 건물을 세우고 역의 이름을 영화로 바꾸도록 명하였다. 특히 찰방에게는 가족을 데리고 임지로 부임하도록 허락하였으니 대개 격식 밖의 특전이었다. 관사는 정당 및 삼문이 있는데 모두 남향이며 아울러 안쪽 관아와 바깥 건물은 모두52칸이다."라고 하였다.(경기문화재단역, 《화성성역의궤국역증보판 하》 부록 p.676).

633 연가(烟價):연가(烟價)는 밥값을 말한다. 《목민심서(牧民心書)》 〈호전(戶典)〉 6조의 제5조 평부(平賦) 하(下)에 "대체로 연읍 수령은 마땅히 부임 초에 갯마을마다 방(榜)을 내걸어 타이르고, 엄격히 금지사항을 설정하여 그들이 먹는 연가(烟價) 【연가는 곧 밥값이다】 외에는 털끝만치라도 함부로 침탈하지 못하게 하고, 별도로 염탐하여 그 금령을 범한 자를 다스린

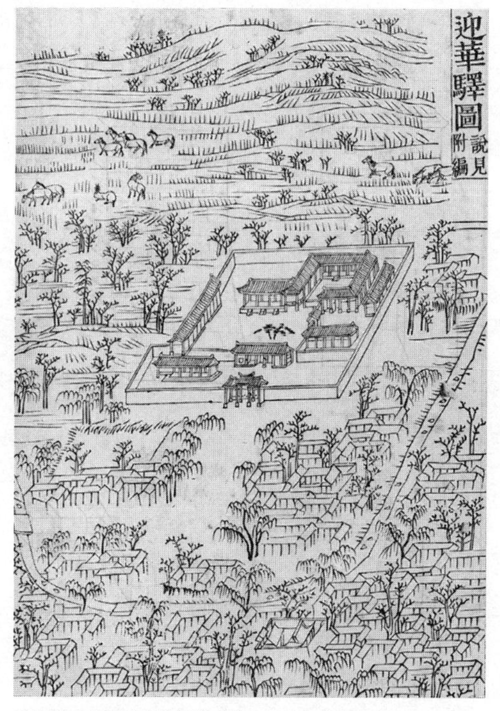

영화역《화성성역의궤》(서울대학교 규장각 한국학연구원)

를 주지 않은 일로 남문 밖의 점주 안덕신(安德信)에게 핍박을 당하였고 추후에 결국 김계득(金癸得)에게 구타를 당하여 죽게된 일.

초검관(初檢官)은 용인 현령(龍仁縣令) 이종윤(李鍾允), 복검관(覆檢官)은 진위 현령(振威縣令) 박장암(朴長馣)】

〔검제(檢題)〕

시장(屍帳, 시체를 검안한 증명서)을 받아보았다.

애초에 소란을 일으킨 자는 안덕신(安德信)이고, 끝내 고발을 당한 자도 안덕신인데, 행검(行檢)을 한 후에 김계득(金癸得)

다면 아마도 상인들이 모두 즐거이 그 지역으로 드나들기를 원할 것이다.〔凡沿邑守令, 宜於上官之初, 榜諭浦村,嚴嚴設禁, 其所食煙價之外, 一毫不得橫侵【煙價卽飯價】, 別蹊廉訪, 治其犯者, 庶乎商旅悅, 而願出於其境矣.〕"라고 하여 연가(烟價)를 밥값이라고 하였다.

이라는 이름이 비로소 범연히 의론에 나와 옥사(獄事)의 실체가 저오(牴牾, 사리에 어긋남)함을 깨닫게 되니 이것이야 말로 대체로 검험(檢驗)[634]의 도리이다. 비록 여러 사람이 구타하고 소란을 피워 상처가 비단 한 곳이 아니더라도 실인(實因)을 판단하여 결정하는 데는 반드시 요해처(要害處)가 있기 마련이니 이것이 바꿀 수 없는 가장 근본이 되는 법칙이다. 안덕신이 먼저 손을 댔으나 뺨을 때리고 소매를 잡아끈 것에 불과하니 치명적인 근본 원인라고 말할 수 없고, 김계득이 비록 쫓아 들어가 조력(助力)한 것이라고는 하지만 갈비뼈와 등마루가 얼마나 긴요한 부위인데 한 번 차면 치명적일 수 있고 두 번 차면 강건한 자라 하여도 반항(支吾)하기 어려우니 하물며 저 병들고 쇠잔한 자에 있어서랴. 예전부터 애자(睚眦)[635]의 원망이 없었고 당장에 비난의 다툼도 없었는데 간여할 처지가 아님에도 마음대로 분노하여 피륭(疲癃)[636]한 자에게 독하게 하였으니 이 원앙각(鴛鴦脚)으로 지리소(支離疏)를 발로 차 넘어뜨리는 것[637]

---

634 검험(檢驗) : 사람이 죽었을 때 사인(死因)을 밝혀내기 위해 담당 관원이 시체를 검시(檢屍)하고 검안서(檢案書)를 작성하던 일을 말한다.

635 애자(睚眦) : 흘겨 보는 눈초리, 곧 극히 작은 원망을 말한다.

636 피륭(疲癃) : 병들어 파리하고 노쇠(老衰)한 사람을 말한다.

637 원앙각(鴛鴦脚)으로……넘어뜨리는 것 : 원앙각(鴛鴦脚)은 자세히 알 수 없으나 박지원(朴趾源)《열하일기(熱河日記)》〈혹정필담(鵠汀筆談)〉에 보면 "그야말로 원앙각(鴛鴦脚)으로써 지리소(支離疏)를 차 버렸습니다."라는 내용 아래 원앙각을 "우리나라 속담에, 약한 놈을 업신여겨 무슨 물건을 빼앗는 것을 '어린아이 눈물 묻은 떡'이라 하고, 또 '난장이 턱 차기'라고도 한다. 내가 오는 길에 통관(通官) 쌍림(雙林)의 무리는 사람이 남과 싸우는 것을 보고 꾸짖을 적에, 원앙각(鴛鴦脚)이 어쩌고저쩌고 하는 것을 들었는데, 우리나라의 '난장이 턱 차기'라는 말과 같고 글귀가 묘하기에, 이때에 중국 발음으로 이 말을 써 보았더니, 입이 둔해서 발음이 잘 되지 않아 혹정은 무슨 말인지 못 알아 들었다. 할 수 없이 나는 이것을 종이에 써서 보였더니, 혹정은 크게 웃으면서 이런 조롱을 한 것이다."라는 내용이 보인다. 지리소(支離疏)는 꼽추와 같은 불구자를 말한다. 《장자(莊子)》〈인간세(人間世)〉에 "지리소라는 자는 턱이 배꼽 근처까지 깊숙이 내려가 있고, 어깨는 정수리보다 높으며, 상투의 끝은 하

과 같아 그 정상(情狀)을 헤아려보면 말이 되지 않고, 그 자취를 따져보면 광약(狂藥)[638]이 시킨 것이다. 비록 죽이고자 하는 마음으로 살인을 행한 것은 아니라고 하더라도 증인의 공초(供招)에는 마구 찼다고 하였고 검장(檢帳)에는 초검(初檢)과 복검(覆檢)이 딱 들어맞으니 이 옥사의 정범(正犯)은 그가 아니고 누구겠는가! 동(同) 김계득의 몸을 먼저 낱낱이 고찰하고 한 차례 엄히 형신하여 공초를 받아 첩보(牒報)하라. 안득신은 혀를 차며 꾸짖으면서 불러서 주어도 야박한 풍습이라 할 수 있는데 치고 때리며 끌어당겨 쫓아내었으니 너무 심하지 않은가? 3문전(文錢)의 채무 변재로 인하여 시작한 것이 7척의 몸을 운명(殞命)하게 하였으니 화(禍)의 처음이자 재앙의 빌미가 되었다.

하나의 옥사에 범인이 둘이 될 수 없어 비록 원범(元犯, 주범)으로 돌릴 수 없다고 하더라도 대수롭지 않게 간범(干犯)[639]으로 논할 수 없으니 일체 엄히 형신하여 공초를 받되 두 죄수를 근례(近例)에 의거하여 용인(龍仁)의 옥(獄)으로 옮겨 가두고

늘을 가리키고 얼굴은 하늘을 향해 들려 있으며 넓적다리의 뼈가 옆구리까지 올라와 있었다.〔支離疏者, 頤隱於臍, 肩高於頂, 會撮指天, 五管在上, 兩髀爲脇.〕"라고 하였다. 위의 내용으로 미루어 볼 때 지리소와 같은 불구자나 약한 사람을 업신여기고 함부로 대하는 것을 말하는 것으로 보인다.

638 광약(狂藥) : 사람을 미치게 하는 약이라는 뜻으로 술의 별칭이다. 송(宋)나라 범질(范質)이 재상으로 있을 적에 품계를 올려달라는 조카 범고(范杲)의 청탁을 받고 경계의 뜻을 담아 시를 지어 주었는데, 그중에 "너는 술을 즐기지 말거라. 술은 사람을 미치게 하는 광약(狂藥)이지 먹을 수 있는 음식이 아니니, 근후(謹厚)한 성품을 바꾸어 흉험(凶險)한 사람으로 만든다.〔勿嗜酒 狂藥非佳味 能移謹厚性 化爲凶險類〕"라는 말이 있다. 《소학(小學)》 제5 〈가언(嘉言)〉.

639 간범(干犯) : 남의 범죄에 연관이 있음을 의미한다.

과천 현감(果川縣監)을 동추관(同推官)[640]으로 차정(差定)하니 날을 정해 회좌(會坐)[641]하여 거행하라. 시체는 내어주어 묻게하고 수감된 여러 죄수들은 지금 다시 물을 단서가 없으니 아울러 풀어주라는 뜻을 지방관(地方官)과 초검관(初檢官)에게 매이(枚移, 공문을 보냄)하여 시행하라.

12월 10일.

진강(進講)[642]으로 입시(入侍)하였다.

12월 11일.

전생 제조(典牲提調)[643]에 수의(首擬) 몽점(蒙點) 되었다.

12월 12일.

남문(南門) 밖에 나가 새로운 유수〔이기연〕와 교귀(交龜)[644]하고 나서

---

640 동추관(同推官):지방의 사형수에 대해서는 관찰사가 그 고을 수령에게 차사원(差使員)을 보내 함께 추문하도록 되어 있는데, 차사원은 주추관(主推官)이 되고, 수령은 동추관(同推官)이 된다.

641 회좌(會坐):회좌(會坐)는 법정이나 관청에서 공사(公事)를 처리하기 위해 관원들이 자리를 정하고 벌여 앉는 것을 말한다.

642 진강:당일 진강한 내용은 다음과 같다. 丁酉十二月初十日辰時, 上御熙政堂。進講入侍時, 右議政李止淵, 提學徐有榘, 參贊官尹命圭, 檢討官朴來萬, 假注書李經在, 記注官趙相玉, 記事官李時愚, 各持論語第六卷, 以次進伏訖。……。有榘讀自陳成子, 止不敢不告也, 仍奏釋義訖。上讀新受音十遍訖, 命陳文義。有榘曰, 此章文義, 別無難解處, 臣無敷衍仰達之辭矣。(《承政院日記》〈憲宗〉3年 12月 10日 癸丑).

643 전생 제조(典牲提調):전생(典牲)은 제향에 쓰는 양(羊)이나 돼지 등을 말하며, 전생 제조는 전생서(典牲署)의 지위 관직을 말한다. 보통 제조(提調)는 잡무와 기술 계통 기관에 겸직으로 임명되었던 고위 관직으로 각 사와 원에 관제상 우두머리가 아닌 종1품, 또는 2품의 품계를 가진 사람이 겸직으로 임명되어, 그 관청의 일을 지휘하고 감독한 관직이다.

644 교귀(交龜):관리(官吏)가 귀형(龜形)으로 된 관인(官印)을 후임자(後任者)에게 넘겨주는 것을 이른 말로, 즉 직무를 인계하는 것을 의미한다.

바로 궐(闕)에 나아가 병부(兵符)[645]를 반납하고 지경연(知經筵)에 사은(謝恩)하였다.

645 병부(兵符): 조선 시대 군대를 동원하는 표지로 쓰이던 동글납작한 나무 패. 그 한 면에 '발병(發兵)'이란 두 글자를 쓰고 또 다른 한 면에 길이로 관찰사(觀察使)·절도사(節度使)·진호(鎭號) 등을 기록한 한가운데를 쪼개어, 오른쪽은 그 책임자에게 주고 왼쪽은 임금이 가지고 있다가, 군대를 동원할 필요가 있을 때 임금이 교서와 함께 그 한 쪽을 내리면, 지방관은 두 쪽을 맞추어 보고 틀림없다고 인정될 때 군대를 동원했다.

참고문헌 서목

徐有榘,《華營日錄》

徐有榘,《完營日錄》

徐有榘,《楓石全集》

正祖,《弘齋全書》

《華城志》

《水原府邑誌》

《華寧殿應行節目》

《華城城役儀軌》

《水原府地圖》

《承政院日記》

《備邊司謄錄》

《各司謄錄》

《日省錄》

《正祖實錄》

《純祖實錄》

《憲宗實錄》

《經國大典》

한영우,《반차도로 따라가는 정조의 화성행차》, 효형출판, 2007

김준혁,《이산 정조, 꿈의 도시 화성을 세우다》, 여유당, 2008

유봉학,《꿈의 문화유산, 화성》, 신구문화사, 1996

成百曉,《譯註 唐宋八大家文抄 蘇軾 5》, 傳統文化硏究會, 2012

진병춘, 《풍석 서유구》, 씨앗을뿌리는사람, 2014

조창록 외, 《실학연구총서 09 풍석 서유구 연구 上》, 사람의무늬, 2014

조창록, 《번계시고》, 자연경실, 2018

김대중, 《풍석 서유구 산문연구》, 돌베개, 2018

김순석 외, 《역주 완영일록》, 흐름, 2018

심재우 외, 《검안과 근대 한국사회》, 한국학중앙연구원출판부, 2018

김호, 《100년 전 살인사건》, 휴머니스트, 2018

경기도박물관, 《경기도 박물관 학술총서 화영일록》, 경기도박물관, 2004

김동욱 외, 《합리적인 의례 공간 수원 화령전》, 수원시 화성사업소, 2020

한민섭, 〈서명응 일가의 박학(博學)과 총서(叢書)·유서(類書) 편찬에 관한 연구〉, 고려대 박사논문, 2010

조락영, 〈조선후기 留守府 재정연구-江華·廣州·華城 留守府를 중심으로-〉. 서울대 박사논문, 2015

이종수, 〈朝鮮 前期 京官·外官 褒貶制度 執行實態 比較 研究〉, 《중앙행정논집》 제15권 제2호, 2000

조창록, 〈조선조 개성(開城)의 학풍과 서명응(徐命膺) 가(家)의 학문〉, 《대동문화연구》 47, 2004

손병규, 〈徐有榘의 賑恤政策-《完營日錄》·《華營日錄》을 중심으로〉, 《대동문화연구》 42, 2003

염정섭, 〈正祖 後半 水利施設 築造와 屯田經營-華城城役을 중심으로〉, 《한국학보》 82, 1996

정규완, 〈수원유수 정원용의 일상업무 연구-《경산일록》을 중심으로〉, 《조선시대사학보》 96, 2021

정해득, 〈화녕전의 건립과 제향〉, 조선시대사학보 59, 2011

______, 〈정조의 영우원 현륭원 원행에 대한 고찰〉, 《조선시대사학보》 75, 2015

노인환, 〈조선후기 水原留守府의 문서 행정 연구〉, 《한국학중앙연구원》, 2016

김선희, 〈화성유수(華城留守) 조심태(趙心泰) 연구-수원 이읍과 화성 건설에서의 역할을 중심으로〉, 《조선시대사학보》 50, 2009

Google (구글) http://www.google.com

NAVER(네이버) http://www.nave.com

네이버 지식백과 terms.naver.com

고전용어 시소러스(한국고전번역원)

고려대 해외한국학자료센터 http://kostma.korea.ac.kr/

국립중앙도서관 http://www.nl.go.kr/

서울대학교 중앙도서관 http://library.snu.ac.kr/

고려대학교 중앙도서관 http://library.korea.ac.kr/

역사정보통합시스템 http://www.koreanhistory.or.kr/

서울대학교 규장각 한국학연구원 http://kyujanggak.snu.ac.kr/

한국고전번역원 http://www.itkc.or.kr

한국사데이터베이스 http://db.history.go.kr/

한국학중앙연구원 장서각 http://www.aks.ac.kr

국사편찬위원회 조선왕조실록 sillok.history.go.kr

한국학자료포털 https://kostma.aks.ac.kr/

조선왕조실록사전 http://waks.aks.ac.kr/rsh/?rshID=AKS-2013-CKD-1240001

색인

인명

지명

고유명사

주요용어

ㄱ

ㄴ

ㄷ

역자소개

박시현朴柿炫

서울대학교 중어중문학과에서 《강영과(江盈科)의 설도소설(雪濤小說) 연구》로 문학석사 학위를 받았다. 서울대학교 규장각 한국학연구원의 《소현동궁일기(昭顯東宮日記)》 번역에 참여하였고, 《임원경제지(林園經濟志)》 〈상택지(相宅志)〉·〈예규지(倪圭志)〉·〈이운지(怡雲志)〉·〈정조지(鼎俎志)〉·〈보양지(保養志)〉의 교정과 《완영일록(完營日錄)》, 《번계시고(樊溪詩稿)》, 《금화경독기(金華耕讀記)》의 교정교열을 맡았으며, 《풍석 서유구, 조선의 브리태니커를 펴내다》, 《허공에 기대선 여자 빙허각》, 《조선셰프 서유구》 시리즈를 편집했다. 옮긴 책으로는 《좌소산인문집(左蘇山人文集)》(공역, 2020)이 있다. 현재 풍석문화재단에 재직 중이다.

한민섭韓民燮

고려대학교 한문학과를 졸업하고 같은 대학원 국어국문학과에서 《서명응(徐命膺) 일가의 박학(博學)과 총서(叢書)·유서(類書) 편찬에 관한 연구》로 박사학위를 받았다. 현재 고려대학교 도서관 한적실(漢籍室) 고서(古書) 전문사서로 재직 중이다. 옮긴 책으로 《좌소산인문집(左蘇山人文集)》(공역, 2020), 《온계선생 북행록(溫溪先生 北行錄)》(탈초·국역, 2019), 《기백재일기(己百齋日記)》(탈초·국역, 2019), 《식물본초 식치편(食物本草 食治篇)》(공역, 2018), 《식료본초 식치편(食療本草 食治篇)》(공역, 2018) 등이 있다.

풍석문화재단은

풍석 서유구 선생의 뜻을 기리기 위해 설립된 공익재단이다.
현재 문화체육관광부의 "풍석학술진흥연구사업"을 통해
《임원경제지》 및 기타 풍석저술과 《임원경제지》 전통음식복원 및
현대화사업의 결과물들을 출판하고 있다.